중국 한당 벽화

中國 漢唐 壁畵

중국 한당 벽화

2022년 2월 15일 초판 1쇄 발행

지은이   박아림
펴낸이   권혁재
편 집   권이지
표 지   이정아

인 쇄   성광인쇄
펴낸곳   학연문화사
등 록   1988년 2월 26일 제2-501호
주 소   서울시 금천구 가산디지털1로 16 가산2차SKV1AP타워 1415호

전 화   02-6223-2301
팩 스   02-6223-2303
E-mail   hak7891@chol.com

ISBN   978-89-5508-460-3 03910

중국 한당 벽화
中國 漢唐 壁畵

박아림

학연문화사

머리말

    중국의 한당 고분 벽화는 고구려 고분벽화를 보다 풍부하게 이해할 수 있도록 도와주는 중요한 연구 주제이다. 1996년 미국 펜실베이니아대에서 유학을 시작하면서 낸시 스타인하트 지도교수님을 윌리엄스홀에서 처음 만나서 상담을 할 때에 들고 간 책이 학부 때 번역을 하면서 접한 아네트 줄리아노의 육조시대 등현묘였던 것으로 기억한다. 이후 고구려 고분벽화로 연구 주제를 정하고 나서 미국의 석·박사과정 중에 여러 학기에 걸쳐 중국의 전국시대부터 한대와 남북조, 그리고 수·당대의 고고미술을 다루는 세미나 수업을 통하여 한국에서는 접하기 어려운 한당대 고분벽화와 화상석에 대해서 자세하게 공부할 수 있었다.

    이렇게 중국의 고분미술을 대학원 과정에서 정식으로 배운 것은 고구려 고분벽화를 연구하는데 중요한 밑바탕이 되었다. 유학을 마치고 귀국 후에는 중국 고분벽화보다는 고구려 고분벽화에 대한 관심이 높은 탓에 공부를 지속하지 못하여 아쉬움이 많았다. 2010년 여름 뉴욕에 갔다가 모교인 펜실베이니아대에서 한 달 동안 지내면서 밴 펠트 도서관의 중국과 중앙아시아 미술 분야의 풍부한 자료들을 접하게 된 것은 연구의 방향을 다시 중국 고분미술로 돌리는 데 큰 도움이 되었다. 한 달간의 펜실베이니아대에서의 연구는 본서의 첫 장인 전국시대 고분미술을 다룬 「중국 고분회화의 연원 연구」를 쓰는데 중요한 기반이 되었다. 그리고 2011년 하버드대에서 첫 번째 연구년을 가지면서 유진 왕 교수님의 한대 미술에 대한 강의를 청강하고, 하버드대 도서관의 중국 고분미술 자료들을 접하면서, 한당 고분미술에 대해서 다시 자료를 수집하기 시작하였다.

    실제 책으로 나올 만큼 원고들을 쓸 수 있었던 것은 먼저 벽화와 화상석 스터디를 통하여 중국 고분미술을 공부하고 하남성, 산동성, 섬서성 등의 주요 유적들을 답사하는 기회를 가진 덕분이었다. 두 번째로는 동양미술사학회의 중국의 시대별 미술을 다룬 여러 차례의 학술대회에서 위진남북조시대부터 시작하여 한대와 수·당대까지 중국 고분벽화의 발달을 정리할 수 있었던 때문이었다. 2019년 한대 벽화묘 100기를 정리, 발표한 후 중국 고분미술 자료들을 책으로 내도 되겠다는 격려를 받고 나서 그동안의 원고들을 모아서 책으로 낼 결심을 세우게 되었다. 이 자리를 빌려 벽화 스터디와 답사를 같이 해주신 여러 선생님들과 국

내에 많이 알려지지 않은 분야의 발표를 격려해주신 동양미술사학회 여러 선생님들께 깊이 감사드린다.

본서의 내용 가운데 일부는 2015년에 출간한 도서『고구려 고분벽화 유라시아문화를 품다』에 포함되었던 것들을 수정·보완한 것이다. 기존 책은 지역적으로 고구려, 중국, 몽골, 중앙아시아 등이 섞여 있어 고구려 고분벽화나 중국 고분벽화를 각각 따로 다룬 책을 내야 한다는 부담감이 있었다. 2015년 이후에 출간한 중국 고분미술 논문들을 포함하여 이번에 펴내는 책은 시대별로 중국의 벽화고분들을 개관하는 내용을 앞에 넣고, 다음으로 각 시대별 중요 벽화고분을 선택하여 쓴 사례 논문을 뒤에 넣어 개관과 사례 연구를 같이 볼 수 있도록 구성하였다.

원고를 출판사에 넘긴 것은 2020년이었으나 여러 가지 바쁜 일정으로, 그리고 또한 책의 내용이 중국의 한당대 고분미술을 제대로 전달할지에 대한 부끄러움과 염려 때문에 진행이 더디었다. 2022년 1학기 연구년을 받아 다시 하버드대에 오게 되었다. 이번에는 부족한 책을 서둘러 마무리 짓고, 준비 중인 두 권의 영문서, 고구려 고분벽화의 형성과 교류와 4-8세기 한중일과 유라시아의 장의 및 제의 건축과 미술 장엄의 저술에 전념할 수 있었으면 한다.

새로운 책을 낼 수 있도록 격려하고 지지해주신 부모님과 학연문화사 권혁재 사장님과 권이지 선생님께 깊이 감사드린다.

2021년 연말
미국 보스턴에서
저자 씀

목 차

제5장 | 남북조 벽화묘의 분포와 특징

제6장 | 수·당대 고분벽화의 주제와 변천

제1장
전국시대의 묘장 회화

Ⅰ. 한당대 고분미술의 기원

고구려 고분벽화 연구에 있어서 벽화고분의 구조와 더불어 벽화 주제의 구성과 배치 그리고 양식적 특징은 벽화고분을 편년하는데 중요한 근거가 된다. 각 고분에 남아있는 벽화의 영성함, 또는 출간된 사진자료의 부족이나 미공개, 해석의 바탕이 되어줄 고구려의 제사나 장의 관련 기록이 많지 않다는 점 등이 고구려 벽화의 제재 구성과 배치, 조합을 보다 다양하고 치밀하게 해석하는데 어려움을 주고 있다.[1]

한편 중국의 한당대 고분미술은 고구려 벽화의 편년이나 장의 미술 주제의 전파과정을 추적하는데 중요한 비교자료이다. 고구려 초기 벽화와 많은 연관이 있는 것으로 여겨지는 위진시기 요녕과 감숙지역 벽화의 연원인 한대漢代 고분미술은 80기가 넘는 벽화고분과 묘지와 사당에서 발견된 수많은 화상석이 있어 장의미술 주제의 도상 특징, 주제의 구성과 조합, 사상적 배경에 대하여 풍부한 자료를 제공한다. 특히 요녕지역에 드문 천상세계의 표현, 장식문양, 목조가옥 구조의 재현, 수렵도와 같은 주제들은 섬서성 서안지역 서한 벽화고분과 하남성 낙양지역 신망에서 동한 초기 벽화고분에서 처음 출현하여 동북지역(요녕), 북방지역(내몽고)과 하서지역(감숙)으로 전파되는 경로를 볼 수 있다.[2] 하남성 낙양지역 신망~동한 초기 벽화고분의 연원을 거슬러 올라가면 하남 영성 망탕산 시원묘(서한 무제 건원建元5년[기원전 136년])와 하남 낙양지역 서한 벽화고분들(복천추묘 포함)이 있다.

서한대 벽화고분의 기원을 다시 찾아가면 전국시대(기원전 475~221) 초나라의 영토였던 호남성 장사지역 서한 초기 마왕퇴묘의 백화帛畵 · 칠관화漆棺畵와 전국시대 초묘楚墓 출토 회

---

1 제1장은 박아림, 「中國 古墳繪畵의 淵源 硏究 : 戰國時代~漢代 楚文化를 중심으로」, 『고구려발해연구』, 40, 2011년, pp.45~81과 ___, 『고구려 고분벽화 유라시아문화를 품다』, 학연문화사, 2015, pp.95~134에 실은 내용을 본서의 구성에 맞게 수정, 보완한 것임.

2 한대 벽화묘에 대한 연구로는 關天相·冀剛, 「梁山漢墓」, 『文物參考資料』, 1955年 5期; 閻道衡, 「永城芒山柿園發見梁國王壁畵墓」, 『中原文物』, 1990年 1期; 廣州象崗墓發掘隊, 「西漢南越王墓發掘初步報告」, 『考古』, 1984年 3期; 黃佩賢, 『漢代墓室壁畵硏究』 文物出版社, 2008; 허시린, 「漢代 壁畵古墳의 발견과 연구」, 『미술사논단』 23, 2006, pp.43~67; 양홍, 「中國 古墳壁畵 연구의 회고와 전망」, 『미술사논단』 23, 2006, pp.7~41. 고구려 벽화의 발달은 하북-요녕-고구려로 이어지는 단선적 전파가 아닌 하남, 섬서, 내몽고, 감숙 등 소위 '북방기류'의 발현을 가져온 다양한 교류로가 상정된다. 박아림, 「중국 위진 고분벽화의 연원연구」, 『동양미술사학』 1, 2012, pp.75~108.

화에서 많은 영향을 받은 것으로 알려져 있다. 초문화의 한대 고분미술에 대한 영향은 벽화, 백화, 칠관화만이 아니라 화상석에도 보이는데, 특히 초나라의 영역에 속하였던 하남성 남양지역 화상석에 많은 영향을 끼쳤다.

초나라는 기원전 223년 진秦에 패하면서 망하였으나 문화적 특성이 옛 초나라 지역 일대에서 서한시대까지 존속한다.[3] 한대의 초문화 계승은 서한 고조高祖 유방劉邦(기원전 247~195년)과 동한 광무제光武帝 유수劉秀(기원전 6~기원후 57년)가 모두 초지인楚地人이고 초지楚地에서 기병하였다는 역사적 배경을 고려하면 이해하기 어렵지 않다.[4]

초나라는 상나라 때부터 중원의 청동기문화를 선택적으로 흡수하면서 독자적인 문화를 유지하였으며, 청동기의 실납주조법 및 칠기제작과 칠화장식, 『초사楚辭』와 같은 문학, 음악, 무용분야가 크게 발달하였다. 초나라의 조형적, 회화적 상상력은 후대 중국회화의 특성을 형성하면서 중국 회화의 발전에 중요한 기반을 제공하였다.[5] 본 장에서는 중국 고분회화의 연원으로서 초문화에서 형성된 전국시대 회화예술을 고찰하고자 한다. 또한 전국시대~한대 초문화 회화와 남방계 신화가 중국 초기 고분미술에 미친 영향을 살펴보려고 한다.[6] 아래에서는 전국시대 초문화의 회화자료를 대표적인 예를 중심으로 정리하고 특징적인 도상의 구성과 배치, 중요 주제의 표현을 살펴본다[7]

---

3 초문화는 동주시기 고고학문화로서 초문화의 '초'는 지역, 국가, 민족, 문화를 포괄하는 광범위한 개념을 갖고 있다. 초문화의 정의에 대해서는 楊權喜, 『楚文化』, 文物出版社, pp.65-66 참조.

4 黃宛峰, 『河南漢代文化研究』, 河南人民出版社, 2000, p.55.

5 김홍남, 『중국 고대회화의 탄생과 전개』, 국립중앙박물관, 2009. 土居淑子는 중국 회화의 초기 발전 계보가 초-촉-중원의 방향으로 성립된다고 본다. 土居淑子, 『古代中國の畵像石』, 同朋舍, 1986. p.99.

6 초문화의 남방계 신화는 고구려와 같은 동이계 신화계통과 같은 것으로 여겨진다. 상고시대 중국 신화 및 문화계통은 서방의 華夏系, 동방의 東夷系, 남방의 苗蠻系로 나뉜다. 동이계와 묘만계는 원래 같은 성격의 문화로 후일 분화된 것으로 보이기 때문에 화하계와 동이계로 대별된다. 고구려 후기 오회분에 출현하는 신화적 인물들은 모두 『산해경』에 등장하는 것들로서 신선사상 관련 동이계 신화로 대표되는 고구려 신화와 원시적 도교신앙을 반영한다. 김진순, 『집안 오회분 4, 5호묘 벽화연구』, 홍익대학교 석사학위논문, 1996.

7 관련 선행연구로는 황요분, 『한대의 무덤과 그 제사의 기원』, 학연문화사, 2006; 信立祥, 『한대 화상석의 세계』, 학연문화사, 2005; 張光直, 『신화, 미술, 제사』, 동문선, 1990; 이정은, 「중국 전국시대 칠기의 장식그림」, 『중국 고대회화의 탄생과 전개』, 국립중앙박물관, 2009, pp.162~179; 김홍남, 위의 책, 2009, pp.12~21; 曾布川寬, 「崑崙山と昇仙圖」, 『東方學報』, 1993, pp.83~185; 土居淑子, 『古代中國の畵像石』, 同朋舍, 1986; 郭德維, 『楚系墓葬研究』, 湖北教育出版社, 1995, 陣振裕, 『楚文化與漆器研究』, 科學出版社, 2003; 楚文化研究會 編, 『楚文化研究論集』, 湖北人民出版社, 1987~1994; Constance A. Cook and John S. Major, *Defining Chu*, University of Hawai'i Press, 1999; Wu Hung, *Arts of the Yellow Spring*, University of Hawai'i Press, 2010; Alain Thote, "Double coffin of Leigudun Tomb No. 1", T. Lawton, *New Perspectives*

II. 초계 묘장의 특징

초계楚系 묘장의 발견은 1920~40년대 무덤에 대한 도굴에서 시작되었으며 초묘의 과학적 발굴은 1950년대 초에 개시되었다. 대규모의 발굴은 1970년대부터이다. 1990년대 초까지 중국 전역에서 발굴된 동주시대 묘장이 약 8000기인데 그 가운데 초묘가 약 6000기를 차지한다. 호남성에서 발굴된 전국시대 초묘는 4600기를 넘는다. 특히 강릉江陵(형주荊州; 초나라 수도 紀南城의 소재지)지역 초묘의 발굴은 3,000기 이상에 달한다.

초계 고분의 특징은 고분이 비교적 밀집해서 배치되었다는 점이다.[8] 중복해서 설치된 무덤의 예가 발견되지 않아 초인楚人들이 고분 축조 시에 일정한 계획에 따랐다는 것을 반영한다. 목곽묘의 크기와 부장품의 양을 분석하면 각 고분 주인의 신분 차이가 분명하게 판단된다. 또한 전국시대 초나라 고분에서는 하나의 곽내에 여러 개의 관을 안치하는 경우가 많다. 증후을묘에서는 동일한 곽내에 크기가 구별되는 2개 이상의 관을 안치하였다.[9]

1978년 호북성湖北省 수주隨州 뇌고돈擂鼓墩에서 발굴된 뇌고돈 1호묘는 초혜왕楚惠王 56년(기원전 433년) 경에 묻힌 증후을曾侯乙(사망 당시 42-45세 추정)의 무덤으로 알려져 있다.[10] 증나라는 초나라와 밀접한 정치적 관계를 맺었으며 문화적으로도 초나라의 영향을 깊게 받은 것으로 여겨진다. 고분은 정남향의 대형 목곽묘로 무덤 평면은 불규칙한 다변형이다. 동, 서, 북, 중실의 4개의 방으로 나뉘었으며 묘주의 관은 동실에 있으며, 21구의 순장관, 1구의 순구관殉狗棺이 같이 묻혔다(도1~3). 15,000점이 넘는 부장품(7,000여점의 칠기 포함)이 출토되었으며 명문이 주조되어 있거나 새겨져 있는 기물이 다량으로 나왔다.

증후을묘에 보이는 초계 고분의 구조적 특징 중 하나는 목곽묘의 곽 또는 관의 벽에 방형의 구멍方孔을 뚫거나 모조문짝을 만든 것이다. 이러한 구조적 특징은 방공, 장식문·창, 정

---

   on Chu Culture during the Eastern Zhou period, Arthur M. Sackler Gallery, Smithsonian Institution, 1991, pp. 23~46 참조.

8 초나라 무덤의 구조적 특징은 황요분, 앞의 책, 학연문화사, 2006, pp. 120-133 참조.

9 重要 楚系 墓葬의 形制, 葬具에 대해서는 郭德維, 앞의 책, 1995, 표1, 16 참조.

10 증후을묘의 구조에 대해서 황요분, 앞의 책, 2006, pp. 120~133 참조. 증후을묘 목곽 각실 치수에 대해서는 郭德維, 앞의 책, 1995, 표1, 10, 16 참조. 대부분의 선행연구에서 전국시대 초문화의 특징을 보이는 대표적 고분으로 증나라 제후의 무덤인 증후을묘를 들고 있으므로 여기에서는 楚系 묘장이라는 용어로 초문화의 특징을 보이는 고분들을 지칭하려고 한다.

도 1 | 묘실 내부, 증후을묘

도 2 | 외관, 증후을묘

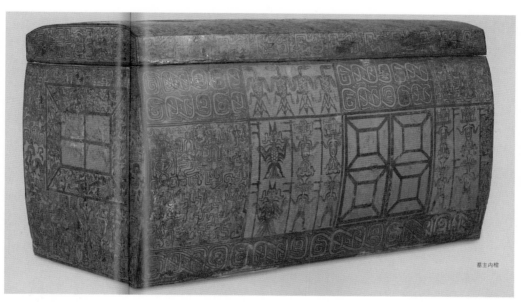

墓主內棺

도 3 | 내관, 증후을묘

밀한 모조문짝의 제작 순으로 발전하여 목곽묘 내 공간의 개통의 시초가 되었다. 현재까지 발견된 가장 이른 방공의 예인 증후을묘의 경우 무덤 안의 네 개의 방과 묘주의 외관의 한 면에 서로 통하는 작은 구멍이 뚫려있다.[11] 초나라 목곽묘의 방공의 개통 현상은 목곽 내부에만 한정되어있고 아직 외계에 대해 막혀 있다. 목곽 내의 방공이나 모조문짝 설치는 밀폐

---

11 증후을묘 목곽과 외곽의 네모구멍의 형태와 치수에 대해서는 황요분, 앞의 책, 2006, pp.120~130, 422~430 참조.

된 고분 내에 하나의 통로를 만들어 묘주의 영혼이 자유롭게 돌아다닐 수 있는 통로를 제공하기 위하여 설계되었다.

실제 구멍을 내지 않고 채색, 선각, 부조로 그린 장식문·창의 가장 이른 예는 증후을묘 묘주의 내관이다. 창문 도안은 내관의 두부頭部 단판端板을 제외하고 足部 단판과 좌우 측면 판의 세 곳에 표현되었다. 증후을묘의 21개의 순장관 중에서 12개의 관에서도 장식 창문이 발견된다. 다른 초계 고분의 사례로 호북湖北 강릉江陵 천성관묘天星觀墓와 하남河南 신양信陽 2호묘二號墓 이 있다.[12] 장식 창문도 무덤에 묻힌 사자의 영혼의 왕래와 소통을 위한 것으로 추정된다.

초묘의 네모구멍은 중국 고분미술에서 영혼불사와 승천의 사상의 발전과정에서 나타난 현상으로 본다. 신석기시대 하남河南 복양현濮陽縣 서수파西水坡 45호묘45號墓의 승룡승천도 [13]에 나타난 영혼불사와 승룡승천의 사후세계에 대한 관념은 점차 발전하는데, 막연하게 추구되던 승룡승천의 조령신앙은 전국시대 이후에 이르면『초사』「초혼」에 나오는 것처럼 천지간을 자유로이 왕복할 수 있다는 믿음이 생기게 된다. 이와 상응하여 전국시대 초나라 고분에서 먼저 밀폐형의 곽묘槨墓 내에 모조문짝을 만드는 현상이 나타난다. 초나라의 곽묘의 칸막이에 네모구멍을 만들기 시작해서 장식문, 창의 발전 변화를 거친 후에 정형성이 있는 모조문으로 통일된다.[14]

증후을묘에 보이는 초계 고분의 다른 구조적 특징은 고분의 구조가 묘주의 현실 저택과 보다 유사해지는 것이다.[15] 증후을묘는 4개의 방에 각기 다른 종류의 부장품을 배치하여 각 실이 가진 일정한 용도와 목적을 드러낸다. 증후을묘의 중실中室은 청동예악기靑銅禮樂器가 주로 배치되었다. 동실東室은 주관主棺, 8구의 배장관陪葬棺과 묘주의 생활용구生活用具, 악기 樂器, 거마기車馬器와 병기兵器 등이 있다. 서실西室은 13구의 배장관, 북실北室은 거마기, 병기, 기타 기물을 놓았다. 전국시대 이후에 오는 진한대 고분도 유사하게 구조 전환이 이루어져 이후 발달하게 될 고분의 특징을 예시하고 있다.

---

12 강릉 천성관묘, 하남성 신양 2호묘, 호북성 강릉 구점 537호묘에 대해서는 황요분, 앞의 책, 2006, pp. 120~130 참조.

13 濮陽市博物館,「河南濮陽西水坡遺址發掘簡報」,『文物』, 1988년 3기.

14 상주시대 영혼불멸 사상과 관련 제사 및 신앙형태에 대해서는 황요분, 앞의 책, 2006, pp. 378~390 참조.

15 Jenny F. So, "Chu Art - Link between the Old and New", Constance A. Cook and John S. Major, 앞의 책, 1999, pp. 33-47.

초계 고분의 부장품에서도 이전 시대와 다른 변화가 보이는데 첫째는 청동기에서 칠기로 예술적 표현의 매체가 변화한다는 것이다.[16] 전국시대에 칠기가 대량으로 출토된 지역은 초나라의 세력범위인 호북성의 장사長沙, 수주隨州, 강릉과 하남성 신양 등이다. 특히 호북 수주 증후을묘, 호북 형문荊門 포산包山 2호묘, 하남 신양 초묘에서 많은 칠기가 출토되었다.[17] 약 기원전 400-300년으로 편년되는 초계 고분의 부장품 구성에서 위세품으로 청동기의 수가 줄어들기 시작하고 칠기 제품이 증가하기 시작한다. 4세기 초 경의 장대관 1호묘에서는 150점의 칠기가 발견된 반면, 청동기는 30점만 출토되었다. 서한 초기인 기원전 2세기의 마왕퇴 1호묘에서는 수백 점의 칠기와 각종 장식품이 나오고 오직 한 점의 청동 거울만 나왔다.[18]

초계 묘장의 중요한 부장품인 칠기는 제작기법이나 장식 문양에 있어서 청동기와 상호 영향을 주고받으며 발달한다. 기원전 6세기에서 5세기의 초나라 칠기 문양은 종종 동시기의 청동기 문양을 모방한다. 4세기에 오면 칠기 문양들은 붓과 안료의 사용으로 서예적 특징을 갖게 된다. 4세기 말에는 기하학적 문양과 서술적 요소가 교묘하게 결합되어 구분하기 어려워진다. 포산 2호묘 출토 칠합의 거마행렬도와 장식문양의 결합이 그 예이다.

초나라 미술의 중요한 장식 모티브인 (몸이 꼬인 형태의) 뱀은 청동기의 실랍주조법lost-wax 기술에서 영향받은 것으로 여겨진다. 초나라는 기원전 560년경 이미 중원의 청동기 제작기법의 한계를 극복한 실랍기법을 최초로 사용하여 청동기를 제작하고 있었다. 6세기 경 초나라의 청동기는 복잡하게 뒤얽힌 뱀문양을 투조로 장식하는 특징을 보인다. 증후을묘에서 나온 반훼문蟠虺紋 동준반銅尊盤(전국시대, 33.1×24, 호북성박물관)의 투조기법으로 만든 반훼문 장식은 묘주의 내관을 덮고 있는 다양한 형태의 뱀(용)문양을 연상시키는데 이렇게 칠관의 표면을 반복적 문양으로 장식한 것은 청동기 문양의 전통을 계승한 요소로 본다.[19]

---

16 Jenny F. So, "Chu Art - Link between the Old and New", Constance A. Cook and John S. Major, 앞의 책, 1999, pp.33-47.

17 초문화 고분 출토 칠기에 대해서는 陣振裕, 앞의 책, 2003.

18 망산 1호묘는 청동기와 칠기가 유사한 비율이나 칠기가 청동보다 수나 질에서 초과하기 시작한 것을 볼 수 있다. 우대산의 500기의 고분 중에서 오직 52점의 청동기가 나온 반면 칠기는 900점이 나와 대조된다. 마산 1호묘는 30점이 넘는 자수제품, 25점의 죽간, 30점의 칠기, 18점의 청동기가 나왔는데 청동기들은 장식이 없거나 칠기 장식을 모방한 것이다. 4세기말의 포산 1호묘는 81점의 칠기, 59점의 청동제기, 한 점의 청동 편종, 13점의 악기(칠기)가 출토되었다. Jenny F. So, "Chu Art - Link between the Old and New", Constance A. Cook and John S. Major, 앞의 책, 1999, p.36.

19 이정은, 앞의 논문, 2009, pp.162~179.

한편 동시기 청동기에 칠기와 견직물의 발달이 영향을 미쳐 청동기의 표면을 금, 은, 보석 등으로 상감하는 상감기법의 발달을 자극하게 되고 이에 따라 기원전 5-3세기에는 아름답고 다채로운 장식의 청동기가 나오게 된다.[20]

고분의 구조가 제사와 경배를 위한 종묘보다는 묘주의 현세의 주거지와 보다 유사해지기 시작하고 초계 고분 부장품의 주류가 엄숙한 제의에서 사용되는 거대한 청동 제기에서 다채로운 채색 칠기로 변천하는 것은 기원전 6세기에서 3세기의 초나라의 정치적 위상 변화와 초나라 사회의 변화를 반영하는 것이다. 주나라 왕실에 복종하던 초나라의 왕들이 후기가 되면 정치적 영역 확장에 힘입어 왕실의 후원 아래 초나라 지역에서 만든 다색의 칠기와 화려한 견직물로 청동기를 대체하게 된다.[21]

또한 순장의 관습에서 목용의 대체 사용으로의 변화가 일어난다. 5세기 호북 수현 증후을묘에는 21명의 여인(배우자, 악사, 무용가 등 포함)이 순장되었다. 그러나 4세기경에는 목용木俑이 초계 묘장의 보편적 부장품이 된다.[22] 대부분 단순한 몸체에 의복과 장신구를 세부묘사하였다. 보다 정교한 것들은 실제 비단옷을 입혀 실제 인물과 닮게 만들었다. 이들 목용은 진시황제 병마용과 한대 도용의 발달을 예시하게 된다.

기원전 5-4세기의 초계 묘장에서 향로가 특징적인 부장품이 되는데 이러한 초묘楚墓의 향로의 부장도 한대 북방지역에서 종종 발견되는 박산향로의 선례가 된다. 향을 피우는 관습이 초문화에서 유행하면서 증후을묘에도 두 점의 향로가 묘주와 함께 묻혔다. 향로는 진한대에 가면 도가적 영생 추구를 표현하는 중요한 부장품이 된다. 5세기 말경 초나라 고분에서 발견되는 향로와 소형의 악기들, 칠기와 견직물과 같은 부장품의 증가는 개인적 또는 지역 고유의 취향이 초나라 문화생활과 장의미술에서 중요하게 작용하고 있음을 보여준다.

초계 고분 부장품 중에서 가장 독특하면서 초문화의 특징을 잘 드러내는 것이 진묘상鎭墓像(또는 진묘수鎭墓獸)이다.[23] 중국 고대 진묘상의 형태는 수형獸型, 다수동체형多獸同体型, 유

---

20 Jenny F. So, "Chu Art - Link between the Old and New", Constance A. Cook and John S. Major, 앞의 책, 1999, pp. 33.

21 서주시대의 종묘제도와 동주시대~한대의 궁전과 장례 건축의 정치적, 종교적, 사회적 변화로 인한 고분미술의 발달에 대해서는 우홍, 『순간과 영원』, 아카넷, 2003; Jenny F. So, "Chu Art - Link between the Old and New", Constance A. Cook and John S. Major, 앞의 책, 1999, p. 47 참조.

22 중국 고분의 俑의 변천에 대해서는 양홍, 「中國 俑의 연원과 발전」, 『미술사논단』 26, 2008, pp. 7~48 참조.

23 중국 고분의 진묘수에 대해서는 鄭州市文物考古研究所, 『中國古代鎭墓神物』, 文物出版社, 2004; 陣振裕, 「略論鎭墓獸的用途和名稱」, 앞의 책, 2003, pp. 497-508; 임영애, 「중국 고분 속 鎭墓獸의 양상과 불교적 변

인형類人型의 세 가지가 있다.[24] 가장 이른 입체칠목立體漆木과 동질銅質 진묘상鎭墓像은 전국시기 호북, 호남, 하남 등지 초묘에서 나왔다. 초묘의 진묘상은 전국 초기에 출현하여 중기에 성행하고 후기에 급격하게 소멸한다. 진묘상은 칠목호좌비조漆木虎座飛鳥, 녹좌비조鹿座飛鳥, 칠목녹호좌봉조가고漆木鹿虎座鳳鳥架鼓 등 칠목기漆木器 및 동체기銅禮器와 종종 동반 출토된다. 칠목호좌비조, 녹좌비조, 칠목녹漆木鹿 등 3종의 장의葬儀 명기明器는 인간과 신 사이를 통하게 하는 동물로 묘주의 혼을 승천하게 돕는 동물로 해석된다.[25]

III. 전국시대 초문화의 회화 유물

전국시대는 각 지역의 문화와 사상이 급속히 발전했던 시대로 회화도 단순한 공상에서 관찰에 기초한 사실적 표현으로 변화한다.[26] 굴원의 『초사』의 「천문」에 나오는 173개의 의문의 내용을 보면 초묘楚廟와 사당의 벽화를 기술하였는데 천지산천신령天地山川神靈 및 성현괴물聖賢怪物 등을 제재로 하는 다양한 내용의 벽화를 그린 것을 알 수 있다.[27] 현존하는 전국시대 초문화 회화의 종류는 곽과 관에 그려진 백화와 칠화, 비단에 그려져 관 위에 놓이거나 벽에 걸린 백화帛畵, 옷상자와 악기와 같은 부장품에 그려진 칠화가 있다.[28] 전국시대 칠기의

형』, 『미술사논단』 25호, 2007, pp. 37-65.

24 鄭州市文物考古研究所, 위의 책, 2004, p. 40.

25 초묘의 진묘수는 대개 槨室 내의 頭箱 안에서 발견된다. 陣振裕, 앞의 논문, 2003, pp. 2-5.

26 한정희 외, 『동양미술사』, 미진사, 2007, pp. 1-40.

27 굴원(기원전 343?~277?)은 이름은 平, 자는 原으로서 초나라 宣王 27년(기원전 343)에 출생하여 대략 頃襄王 22년(기원전 277) 전후에 사망한 것으로 추정한다. 26세에 懷王의 신임을 얻어 중요한 국사를 담당하게 되자 주변의 시기와 비방을 받아 여러 차례 귀양을 가게 된다. 기원전 298년 회왕이 죽고 난 후에 다시 귀양을 떠나게 되는데 郢都에서 夏浦를 지나 長沙에 도달하여 자결한다. 굴원의 『초사』「천문」은 기원전 4세기의 초나라의 신화 우주관념을 반영한다. 모두 172개의 질문 형식으로 구성하여 天文, 地理, 人事 등을 다룬다. 우주창조와 자연 현상의 신화, 신화 인물, 九州와 崑崙山, 詠物, 黃帝와 堯舜. 禹, 羿 등이 등장한다. 류성준 편저, 『楚辭』 문이재, 2002. 김인호, 『초사와 무속』 신아사, 2001.
전국시대 회화에 대해서는 북경 중앙미술학원 편, 박은화 역, 『간추린 중국미술의 역사』 시공사, 2003, pp. 40-41; 信立祥, 앞의 책, 2005, p. 41; 황요분, 앞의 책, 2006, pp. 354~359 참조.

28 황요분, 『한대의 무덤과 그 제사의 기원』, 학연문화사, 2006, p. 354.

채색 문양장식이 정미해지면서 일정한 내용을 묘사한 칠화漆畵 작품이 출현한다. 초계 고분 중에서 가장 다양한 칠화가 나온 고분은 수주隨州 뇌고돈擂鼓墩 1호묘(증후을묘曾候乙墓)이다. 묘주의 외관과 내관, 부장관, 옷상자 등에 다종다양한 주제가 그려졌다.[29]

전국시대 초계 묘장에서 나온 칠화의 주제는 크게 두 종류로 나눈다. 첫째는 사회생활풍속을 반영한 것이고 둘째는 신화전설 속의 인물세계와 기이한 동물을 그린 것이다. 전자는 귀족貴族, 악사樂士, 수렵인狩獵人을 중심으로 각종 조수鳥獸, 화초花草, 수목樹木, 거마車馬 등과 연속도안을 같이 그린 것으로 거마출행車馬出行, 연락宴樂, 수렵狩獵이 주제이다. 후자는 초인楚人들의 미신과 "무문화巫文化"를 그린 것으로 초인의 무巫와 귀신에 대한 경외심을 표현한다.[30] 두 주제 모두 정밀한 구도와 밝은 색채, 다양한 도상의 복합적 표현으로 초나라 회화의 높은 수준을 잘 보여준다.

초나라 회화의 특징은 제니 서Jenny So에 의하면 사실적 묘사의 진전, 신화적 상상력의 발달, 서법적 필묵의 구사이다.[31] 초묘에서 토끼털로 만든 대나무 붓과 여러 서화도구들이 출토되었으며 초나라 백화나 칠화에 후대의 중국 회화의 서법적 필묵에 의한 묘사가 이미 나타나고 있다.[32]

1. 사회생활풍속 주제의 칠화

다음에서는 사회생활풍속을 반영한 주제와 사실적 묘사의 진전을 보이는 회화 유물을 먼저 살펴본다. 전국시대 초나라 백화로 호남湖南 장사長沙 진가대산陳家大山 초묘楚墓 출토 인물용봉백화人物龍鳳帛畵(도4)와 장사長沙 자탄고子彈庫 초묘 출토 인물어룡백화人物御龍畵가 잘 알려져 있다(도5). 1949년 2월 발견된 진가대산의 인물용봉백화는 높이 31㎝, 너비 22.5㎝

---

29 증후을묘 칠화의 경우 주제가 크게 3가지이다. 첫째는 장식도안화로 실제적 동물이나 변형된 동물 형상을 기하도안으로 형성하여 주관의 내외관이나 부장관, 칠상, 칠함 등의 장식에 이용하였다. 내관의 장식도안화가 대표적 예이다. 둘째는 신화고사 혹은 생활 장면에서 취재하여 우의화한 그림이다. 漆盒과 漆衣箱에 그려진 擊鼓舞踊圖, 后羿射日圖, 夸父圖 등이다. 세 번째는 서예와 회화가 결합된 작품으로 28성수도가 그려진 漆箱이 그 예이다. 譚維四, 『曾候乙墓』 文物出版社, 2001, pp.139~142.

30 許道勝, 『流光溢彩: 楚國的漆器竹簡玉器絲綢』, 河北教育出版社, 2000. p.13.

31 Jenny F. So, "Chu Art - Link between the Old and New", Constance A. Cook and John S. Major, 앞의 책, 1999, pp.33~47.

32 김홍남, 앞의 책, 2009, pp.12~21.

도 4 | 《인물용봉도》, 백화, 진가대산 초묘　　　　　도 5 | 《인물어룡도》, 백화, 자탄고 초묘

의 무늬 없는 비단에 그려졌다. 긴 치마를 입은 가는 허리의 여인이 손을 앞으로 올린 자세로 서있으며 용과 봉황의 안내를 받아 승천하는 모습이다. 장사 마왕퇴 1호묘 백화의 여묘주상, 남양 기린강 한화상석묘의 여묘주상, 고구려 쌍영총과 수산리벽화분의 여묘주상을 연상시킨다. 묘주 앞에 승천을 돕는 용과 봉황이 함께 그려져 있는 것은 서한 전기 낙양 복천추묘와 서안 이공대학 벽화묘의 선인 승천도, 동한 전기 요녕 영성자한묘의 선인 승천도, 동한 후기 기린강한묘의 선인 신수도 등과 연결된다.[33]

　　1973년 장사 자탄고 초묘에서 발견된 인물어룡백화는 높이 37.5㎝, 너비 28㎝의 바탕천에 그려져 있다. 관을 쓰고 긴 도포를 입고 칼을 찬 남자가 거대한 용주龍舟를 타고 승천하는 모습이다. 머리 위에 화려한 산개傘蓋를 쓰고 있다. 용의 머리 밑에 물고기가 한 마리 있고 꼬리에는 학이 한 마리 서있다.[34]

33　장사 백화와 영성자 한묘의 벽화의 승선 장면의 유사성은 마이클 로이, 『古代 中國人의 生死觀』, 지식산업사, 1988, p.137 참조.

34　고구려 덕흥리 벽화분 천장에 그려진 飛魚도 중仙의 보조물 龍子 혹은 神魚라 일컬어지는 잉어일 가능

장사 진가대산과 자탄고 초묘에서 출토된 두 점의 백화는 현존하는 가장 오래된 백화이다. 백화의 남녀상은 동주시대의 무당과 그 무당의 동물조수를 그렸을 것으로 추정하기도 한다.[35] 그러나 일반적으로 두 백화 모두 묘주의 초상으로 인혼승천引魂昇天의 목적을 가진 것으로 해석된다. 남녀 인물상은 모두 측면의 입상으로 표현되어 마왕퇴 1, 3호묘 백화의 묘주 초상, 남양 기린한한묘의 남녀묘주 초상으로 이어지는 전국시대~한대 명정銘旌이나 고분 벽화의 묘주상의 특징을 잘 보여준다. 또한 균형 잡힌 신체 비례, 엄숙하고 경건한 몸가짐과 태도가 돋보이며, 유려하고 힘 있는 필선으로 우아한 격조를 보여준다.[36]

1987년 발굴된 호북성 형문荊門 포산包山의 9기의 초묘 가운데 2호묘(기원전 4세기)의 칠협 漆篋(채칠 화장상자, 높이 10.8㎝, 직경 27.9㎝, 호북성 박물관 소장)의 덮개 측면에 그려진 거마출행

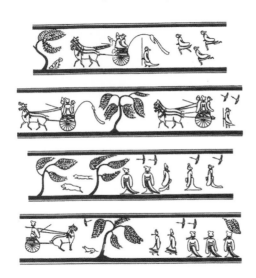

도6 | 《거마출행도》, 칠협, 포산 2호묘

도(길이 87.0㎝, 폭 5.2㎝)도 사실적 묘사의 발달을 볼 수 있는 예이다(도6). 포산 2호묘의 칠협의 그림은 거마출행도상의 가장 이른 출현 사례이다. 이후의 진대의 섬서 함양 제3호 궁전유지 정전正殿 남면랑南面廊의 동, 서 벽의 거마 벽화 잔편과 호남 장사 사자당砂子塘 1호묘 출토 서한 거마인물 준樽에서도 볼 수 있고,[37] 하북 안평 녹가장 동한 벽화묘와 내몽고 화림격이 신점자 1호묘의 거마출행도 등 한대의 화상석과 벽화에 많이 출현하는 주제이다. 흑칠 바탕 위에 홍색, 황색, 갈색으로 마차 4량, 말 10필, 인물 26명, 나무 5

그루, 새 9마리, 개 2마리를 그렸다. 측면이나 뒤를 보이고 선 인물들이 무리를 이루고 서 있고 각각의 인물 군을 나누는 것은 강한 바람에 날리는 나무와 나는 새들이다. 바람에 휘날리는 인물들의 옷과 나뭇가지들의 생동감 있는 묘사를 통하여 화면 안에서 강한 운동감을 형

성이 있다. 김일권, 「고구려초기벽화시대의 신화와 승선적 도교사상」, 『역사민속학』 18호, 2004, p. 473.

35 張光直, 『신화, 미술, 제사』, 동문선, 1990, 제3장 참조.

36 북경 중앙미술학원 편, 박은화 역, 앞의 책, 2003, pp. 40-41.

37 陳振裕, 「楚國車馬出行圖初論」, 앞의 책, 2003, pp. 474~486.

성하고 있다. 가까운 곳에 위치한 인물은 크게 묘사하고 먼 곳은 작게 배치하거나, 나무와 새를 통해서 산수 배경을 만드는 등 회화의 공간개념이나 시간묘사에 있어서 발전한 화면 구성 형태이다. 유사한 화면구성 방식이 기원전 5세기경 전국시대 채상연락공전문동호采桑 宴樂攻戰紋銅壺(북경 고궁박물원 소장)에 보인다.[38] 거마대열의 전개도에서 중심인물의 거마 위에 나부끼는 'T'자형 정기를 볼 수 있으며 그 뒤를 따라서 달리는 세 사람과 두 대의 수레를 그려 묘주의 장송의례를 표현한 것이거나, 동한 화상석에 자주 등장하는 제재인 승선행렬昇 仙行列을 상징하는 것으로 보기도 한다.[39]

2. 신화전설 주제의 칠화

전국시대 초 회화의 두 번째 주제는 초인楚人들의 미신과 "무문화巫文化" 및 신화전설을 그린 것으로 비현실적인 주제를 그리는데 있어서 신화적 상상력이 고도로 발달된 것을 볼 수 있다. 초나라의 종교신앙에 대하여 구체적인 정의를 내리기는 어렵다. 그러나 전국시대 후기에 가면 문헌(『산해경』, 『초사』, 마왕퇴 백서, 『회남자』)이나 고고학적 발굴로 얻은 회화자료에 의하여 초나라의 종교생활에 대한 정보를 얻을 수 있다.[40] 문헌기록에 의하면 초나라 사람들은 무귀巫鬼를 믿고 음사淫祠를 중시하였다.[41] 왕공귀족의 중대 정치, 군사결정, 질병치료에 모두 귀신제사와 점술 행위를 했던 습속이 그 증거이다. 호북 형문 포산 2호묘와 강릉江陵 망산望山 1호묘에서 출토된 복서卜筮 죽간 간문에서도 초나라 귀족이 생전에 질병이 걸리면, 점복과 제사로 귀신에게 제사를 지냈다는 기록이 있다.[42]

초인楚人들의 "무문화巫文化"를 보여주는 회화 유물을 살펴보면, 하남河南 신양信陽 장대관 長臺關 1호 초묘에서 52개의 잔편으로 출토된 채회금슬彩繪錦瑟(길이 124cm, 너비 37cm)에는 수렵

---

38 이정은, 앞의 논문, 2009, pp. 162~179.

39 황요분, 『한대의 무덤과 그 제사의 기원』, 학연문화사, 2006, p. 376.

40 고대 중국의 신화적 우주관이 나타나는 주요자료는 『楚辭』, 『山海經』, 『淮南子』의 세 가지가 있다. 『초사』의 편저자와 내용 구성에 대해서는 류성준 편저, 『楚辭』, 문이재, 2002. 김인호, 『초사와 무속』, 신아사, 2001 참조.

41 『楚辭』「九歌」王逸註 "昔楚南郢之邑, 沅湘之間, 其俗信鬼而好祀, 其祀必作歌樂鼓舞, 以樂諸神."『漢書』「地理志」"信巫鬼, 重淫祀."

42 이승률, 「초간의 종류와 내용」, 『오늘의 동양사상』, 예문동양사상연구원, 2009. 陳振裕, 「略論鎭墓獸的 用途和名稱」, 앞의 책, 2003, pp. 497~508.

도7 | 《수렵도와 무사도》, 채회금슬, 장대관 1호묘

도狩獵圖, 무사도巫師圖, 무사지법기도巫師持法器圖, 무사전사도巫師戰蛇圖, 군수박투도群獸搏鬪圖, 연락도宴樂圖, 무사전룡도巫師戰龍圖 등의 주제가 그려져 있다(도7).[43] 전국시대 중기로 편년하며 증후을묘보다는 약간 늦은 시기에 해당된다.

장대관 1호묘의 칠슬은 귀족들의 수렵, 연락 등 생활풍속적 주제를 담고 있으면서 초인楚人들의 "무문화巫文化" 역시 반영되어있다. 긴 두루마리 옷을 입고 독특한 관을 쓴 무사巫師가 뱀, 용과 같은 동물들을 부리거나 두 손에 잡거나 지팡이로 다스리거나, 두 마리의 뒤얽힌 뱀 사이에 서있는 모습을 볼 수 있다.[44] 『산해경』, 『회남자』 등 전국 후기에서 한대 초기 문헌

---

43 칠슬의 앞면은 관을 쓴 남자의 수렵 장면, 法器를 들고 있는 무사, 무사가 용(뱀)을 양손으로 잡고 있거나 마주보고 희롱하는 장면이다. 뒷면은 한 남자가 뒤를 돌아보고 있는 사슴을 활로 쏘는 장면이다. 인물이나 동물의 동작이 율동감 있는 선으로 부드럽게 표현되었다. 許道勝, 『流光溢彩: 楚國的漆器竹簡玉器絲綢』, 河北教育出版社, 2000, pp. 20-23.

44 칠슬의 무사가 뱀을 부리는 형상은 고구려와 중국 고분미술에 자주 보이는 역사상을 연상케 한다. 뱀과 같이 그려진 역사상의 이른 예는 서한 초기 호남성 장사 마왕퇴 1호묘와 3호묘의 T자형 백화의 하단에 등장한다.
1호묘 백화의 하단에 제사장면을 떠받치고 있는 역사상의 다리 사이에 붉은 뱀이 감겨 있고, 3호묘 백화의 하단에는 쌍룡천벽 도상의 쌍룡을 손으로 잡은 역사가 보인다. 뱀을 부리거나 손에 잡은 神怪형상은 위진시대에도 등장하는데 東晉 鎭江 화상전묘의 다리가 하나 달린 신괴가 있다. 小南一郎, 『西王母と七夕傳承』, 平凡社, 1991, p. 177, 도22. 고구려 고분벽화에는 삼실총에 등장하는 역사상의 다리에 몸이 꼬인 뱀의 형상을 볼 수 있다.

에서 무사巫師는 뱀을 다루는 능력이 있으며 뱀의 위험에 해를 받지 않는 것으로 묘사된다.[45] 뱀을 다루는 능력은 초나라만이 아니라 북아시아 샤머니즘의 특징이다.[46]

증후을묘의 원앙형鴛鴦形 칠합漆盒 격고무용도擊鼓舞踊圖(가로 7㎝, 세로 4.2㎝)는 칠합의 양면에 무용 장면과 음악연주 장면을 각각 그렸다(도 8). 무용장면의 중앙에는 건고建鼓가 있으며 우측의 악사가 악기를 연주

도 8 | 《격고무용도》, 원앙형 칠합, 증후을묘

하고 좌측의 수두인신獸頭人神 형상의 무인舞人이 긴 팔소매를 날리며 춤을 추고 있다. 묘주와 관련된 문헌기록과 출토된 악기나 순장된 인물들로 보아 묘주가 생전에 대규모의 악대樂隊와 무인舞人들을 소유하고 있던 것으로 추정된다. 고분미술에서 악무장면은 무격巫覡 습속과 관련되며 귀신과 현실세계를 연결시키는 매개이다.[47] 격고무용의 건고는 무사巫師의 법기法器로서 천계신령을 부르는 작용을 하며, "이무강신以舞降神"하는 초지楚地 무격巫覡 장면

---

45 『산해경』에 巫가 언급된 구절이 많다. 巫咸國에는 오른손에 푸른 뱀을, 왼손에 붉은 뱀을 쥔 郡巫가 登保山을 오르내리는데 (이 산은) 여러 무당들이 (하늘로) 오르내리는 곳이다. 『산해경』 권 7 「海外西經」 "巫咸國… 右手操靑蛇, 左手操赤蛇, 在登保山, 郡巫所從上下也."

46 존 메이저(John S. Major)는 초나라 샤머니즘이 북동아시아와 시베리아의 전통적 샤머니즘과 연관 관계가 있을 것으로 보았다. 초나라 후기에 요동지역과 칠기 교역을 통하여 교류하였다는 증거가 많으며, 초나라 지역 산물이 아무르강을 통하여 바이칼 호수 지역과 교역이 이루어졌다는 증거가 있다. 마왕퇴 1호묘의 견직물과 거의 같은 유물이 몽골 노인 울라에서 출토되어 러시아 에르미타주 박물관에 소장되어 있으며, 호남 마산 초묘 출토품과 거의 동일한 자수가 남시베리아 파지리크 유목문화의 기원전 4세기 고분에서 발견된다. 이에 따라 메이저는 초의 종교신앙이 남시베리아와 서아시아 지역과 연계되었을 수도 있다고 보았다. John S. Major, "Characteristics of Late Chu Religion", Constance A. Cook and John S. Major, 앞의 책, 1999, pp. 121~143.

47 『초사』에 고대 중국 무당들의 모습과 행위에 대하여 자세히 묘사되어 있다. 「九歌」에는 남녀무당들이 목욕재계한 후 화려한 巫服을 입고 노래에 맞춰 춤을 추면서 여러 신들을 불러들이는 장면묘사가 나온다. 귀신의 강림이나 왕의 승천은 음악과 舞蹈, 음주가 의식에서 중요한 구실을 하였다. 고대 중국에서는 巫覡문화에 대해서 張光直, 『신화, 미술, 제사』 동문선, 1990 제3장 참조.

과 제사악무장면 및 통천의 주제를 재현한 것이다.[48]

존 메이저John Major는 초나라 후기 신앙의 특징을 중원지역과 비교하여 7가지로 정의하였다.[49] 첫째는 우주관에 있어서 방위와 방향을 특별히 강조한다. 이는 중원지역과 공유하는 특징이면서 초나라에서 특별히 중요시되었다. 둘째는 가면을 쓴 괴물 같은 독특한 외모로 표현된 방위 및 각 달에 해당하는 신들에 대한 신앙과 제의의 발달이다.

공간적인 방향성과 그에 연관되는 신들에 대한 신앙과 제의의 발달은 고대 중국사회에 일반적으로 존재하는 것으로 이러한 문화적 특징의 가장 이른 표현 중 하나는 신석기시대 하남河南 복양현濮陽縣 서수파西水坡 45호묘(약 기원전 4000년)의 인골 옆에 조개무지로 만든 용호龍虎 장식과 북두北斗 상징이다.

초나라의 공간적 방향성과 신앙에 대한 강조는 『초사楚辭』의 「초혼」, 「대초」, 「구가」, 호남 장사 자탄고 초묘에서 나온 "초백서楚帛書",[50] 증후을묘 출토 칠상漆箱(북두칠성, 청룡과 백호, 28수)에서 볼 수 있다. 초나라의 천상세계 또는 우주론적 인식은 무사巫師가 죽은 이의 영혼에게 경고를 하는 내용의 『초사楚辭』의 「초혼招魂」과 「대초大招」에 반영되어있으며, 『회남자』와 『산해경』에서도 그러한 특징을 찾아볼 수 있다. 초나라의 신화에 나오는 신들은 『초사楚辭』의 「구가」에 나타나는 천지天地를 좌표로 하여 마련한 신의 계보로 굴원이 사전祀典에서 무격巫覡이 노래하고 있는 영신곡迎神曲과 송신곡送神曲을 개편해서 만든 것이다. 가장 높은 만신의 신은 동황태일東皇太一이며 동황태일의 아래에 있는 것은 8명의 신기神祇(하늘의 신과 땅의 신)이다. 초나라의 문화권은 방위 좌표에 따라 신의 계보를 배치하는 형식을 특징으로 하고 있

---

48 土居淑子, 『古代中國の畫像石』, 同朋舍, 1986. 王祖龍, 「楚文化系統中的樹圖像稽考」, 『船山學刊』 2011-1.

49 John S. Major, "Characteristics of Late Chu Religion", Constance A. Cook and John S. Major, 앞의 책, 1999, pp.121~143.

50 人物御龍백화가 나온 자탄고 초묘가 정식발굴되기 전인 1942년에 도굴된 후 미국으로 유입되어 현재 새클러 미술관에 소장된 帛書(길이 46.2㎝, 너비 38.5㎝)는 "長沙帛書", "繪書", 또는 "楚帛書"로 불린다. 백서의 중앙에는 자연계와 인간계의 질서, 우주 기원과 조상에 대한 신앙, 자연과 인간의 인과관계를 서술한 900자의 문자가 쓰여 있다. Jenny F. So, "Chu Art - Link between the Old and New", Constance A. Cook and John S. Major, 앞의 책, 1999, fig.3.13. 초백서의 해석에 대해서는 Constance A. Cook and John S. Major, 앞의 책, 1999, pp.171-176 참조. 초백서에 대한 연구로는 John S. Major, "Characteristics of Late Chu Religion", Constance A. Cook and John S. Major, 앞의 책, 1999, p.125. Jenny F. So, "Chu Art - Link between the Old and New", Constance A. Cook and John S. Major, 앞의 책, 1999, p.47. p.172. Hayashi Minao, "The Twelve Gods of the Chan-kuo Period Silk Manuscript Excavated at Ch'ang-sha", Noel Barnard, ed., *Ch'u and the Silk Manuscript*, vol.1 of Early Chinese Art and Its Possible Influence in the Pacific Basin, Intercultural Arts Press, 1972, pp.123~186 참조.

다고 말할 수 있다.

초백서는 초나라 신앙의 가장 이른 문헌기록 중 하나로 전체 도상과 문자는 초나라의 북두태일北斗太一, 사시四時, 사방四方의 우주관념 및 무사巫師의 "통천通天" 의식을 시각적으로 구현한 것이다. 백서의 네 모서리에는 사방四方과 사계절의 상징인 녹, 적, 백, 흑색으로 나무를 그려 하늘을 받치는 기둥을 상징하였다. 가장자리에는 12명의 신령상神靈像이 각 변에 3명씩 그려져 있다.

증후을묘 출토 칠상漆箱(호북성 박물관 소장, 전국시대 기원전 5세기)에는 28성수星宿와 백호, 청룡이 그려져 있으며 전국 조기 혹 중기에 초나라에 이미 완정한 사상四象이 표현된 예이다(도9).[51] 신석기시대 서수파유적의 용호龍虎와 북두北斗 상징과 유사한 맥락으로 여겨진다. 또한 전국시대 후기에서 한대에 만들어진 다양한 천체 관련 유물들(TLV 청동거울,

도9 | 《28성수와 백호, 청룡도》, 칠상, 증후을묘

육박판, 식반式盤)이 초나라 문화와 강하게 연관되어 있다.[52]

---

51 皮道堅은 굴원이 춘추말기 초나라 선왕의 廟(호북성 宣城에 위치)를 참관하고『초사』의「천문」에 楚廟와 사당의 벽화를 기술하였으므로,「천문」에 묘사된 일월성신, 천체구조는 초나라 종묘의 穹窿에 그려진 천상도와 유관할 것으로 여겼다. 이런 종류의 천상도가 거대한 北斗와 28수, 청룡 백호가 그려져 있는 증후을묘 衣箱에 표현된 것이라고 하였다. 옷상자의 덮개 화상이 원형의 天穹이며 장방형의 상자의 바닥은 대지를 상징하여 大地仰視天穹의 모습을 구현한 것일 수 있다고 한다. 굴원이 초나라 종묘 벽화의 회화를 본 시대(춘추 말기)가 증후을묘의 조성시기와 멀지 않으므로 증후을묘 칠상자의 천상도는 초나라 종묘 궁룡천장에 그려진 천상도로 추측하였다. 皮道堅,「楚辭, 天問, 楚宗廟壁畵」,『楚藝術史』, 湖北教育出版社, 1995, p.97.

52 초백서의 문자와 그림의 조합은 개념적으로 한대의 式盤과 유사하다. 한대 우주론을 실물로 보여주는 유물은 式盤이다. 낙랑 王旰墓 출토 후한대의 식반의 예가 있다. 육박도 공간적 방향성 및 신선 숭배와 강하게 연계되어있다. 마왕퇴 3호묘에는 실제 육박판이 출토되었으며, 남부지방에서 육박이 중요한 역할을 한 것을 알 수 있다. TLV (規矩紋) 동경은 천원지방의 형상으로 12분법에 의한 우주관과 오행설에 입각한 우주관이 조화 결합되어 묘주의 내세로의 여행을 안내하는 역할을 한다. 동경 가장자리의 운기문도 단순한 장식만이 아닌 영혼이 불사의 세계로 타고 올라가는 구름의 층을 나타낸 것이다. 마이클 로이, 앞의 책, 1988, p.39, 137. John S. Major, "Characteristics of Late Chu Religion", Constance A. Cook and John S. Major, 앞의 책, 1999, p.127. 강병희,「고대 중국 건축의 8각 요소 검토」,『한국사상사학』36

초나라 후기 신앙의 세 번째 특징인 여러 마리 동물로 구성된 종교적 도상을 강조하는 점은 증후을묘 내관의 장식에 잘 드러난다. 증후을묘 내관에는 모두 895 마리의 동물이 쌍수雙首, 쌍신雙身, 인면人面 등 수십 종의 기이한 형식으로 조합을 이루어 표현된다.[53] 대개 다종동물합체多種動物合體(새, 뱀, 사슴[의 뿔])거나 동물과 인간의 머리나 몸체가 결합된 형상이다.

인수人獸 조합형 신상의 예로는 증후을묘 내관의 좌우 측면 관관의 창문의 양 옆에 2단으로 배열된 인수형신괴人首形神怪가 있다.[54] 양손에 창을 들고 있는 신괴들은 정면상이며 뿔이 머리 위에 달려있다는 공통점이 있다.[55] 20명의 인수형신괴人首形神怪 외에도 인간의 머리를 가진 신괴가 뱀, 용의 몸과 교묘하게 조합된 형상으로 내관 곳곳에 표현되었다. 산해경에는 용, 뱀, 새와 결합된 신화적 인물들이 많이 나타나는데『산해경』의 사방四方 사자使者(동방의 구망句芒, 서방의 욕수蓐收, 남방의 축융祝融, 북방의 우강禹强), 하夏의 두 번째 통치자 계啓, 과부夸父 등이 있다.[56]

집, 한국사상사학회, 2010, pp. 1~49.

53 증후을묘 묘주내관에 그려진 각종 동물 통계에 대해서는 郭德維, 앞의 책, 1995, 표 11과 12 참조. 韓玉祥,「楚漢藝術中的人獸母題」,『漢畵學術文集』, 河南美術出版社, 1996, pp. 68-75. 초나라 출토 문물(靑銅禮器와 樂器, 銅質生活용구와 용기, 漆木生活用具와 迷信用品, 玉質佩飾, 백화, 絲綢복식)에 보이는 용의 형태 변화, 기원과 발전, 의미에 대하여는 王從禮,「楚文物中龍的形象淺析」, 楚文化硏究會 편,『楚文化硏究論集 4』, 湖北人民出版社, 1994, pp. 552~568 참조.

54 내관에 그려진 각종 신괴형상과 문헌에 나타나는 신화적 존재들과의 비교는 郭德維, 앞의 책, 1995, pp. 249~273 참조.

55 외관은 기하학적 도안, 내관은 人獸 합체 형상이 주를 이룬다. 증후을묘의 외관은 6가지 유형의 기하학 문양으로 장식되었다. A. Thote는 내관의 장식문을 기하학적 동물문, 창문 도안, 人首形神怪 등으로 구분하고 내관을 가득 덮고 있는 장식문양은 9가지로 세분하였다. 또한 人首形神怪를 3가지 유형으로 구분하였다. 하나는 인간의 얼굴에 뾰족한 뿔과 긴 귀, 새와 같은 몸, 인간의 팔과 다리를 가졌다. 두 번째 종류는 좁은 머리에 뿔이 달렸고 귀는 구부러졌으며 긴 수염이 양쪽에 나있고 코가 없으며 몸에 문신이 장식되었다. 마지막은 보다 복잡한 형상인데 큰 얼굴에 네 개의 눈, 머리에 이중의 뿔, 명확하게 묘사되지 않은 다리, 중앙부분만 인간을 닮은 얼굴을 가졌다. Alain Thote, "Double coffin of Leigudun Tomb No. 1", T. Lawton, 앞의 책, 1991, pp. 23~46.

56 고대 중국 무속에 관한 책인『산해경』중에는 용, 뱀, 새와 결합된 신화적 인물들이 많이 나타난다. 뱀과 용은 四方의 上帝와 교통하는 使者가 필히 갖추어야 할 조건이다.『산해경』의 四方 使者(동방의 句芒, 서방의 蓐收, 남방의 祝融, 북방의 禹强)는 두 마리의 용을 타거나 새의 몸을 하고 있다. 동방의 사자 구망은 새의 몸에 사람의 얼굴을 하고 있으며 두 마리의 용을 타고 다닌다.『山海經』「海外東經」"東方句芒, 鳥身人面, 乘兩龍." 서방의 사자 욕수는 왼쪽 귀에 뱀을 걸고 두 마리의 용을 타고 다닌다.『山海經』「海外西經」"西方蓐收, 左耳有蛇, 乘兩龍." 남방 사자 축융은 짐승의 몸에 사람의 얼굴을 하고 있으며 두 마리의 용을 타고 다닌다.『山海經』「海外南經」"南方祝融, 獸身人面, 乘兩龍." 북방의 사자 우강은 사람의 얼굴에 새의 몸을 가지고 있으며 두 마리 푸른 뱀을 귀에 걸고, 다른 두 마리 푸른 뱀을 발에 감고 다닌

증후을묘의 인수형신괴人首形神怪와 유사한 두 가지 또는 그 이상의 동물 또는 인수人獸가 합체된 이형잡종異形雜種의 형태를 가진 것이 앞에서 언급한 "초백서"의 12신상神像들이다. 나중에 보게 될 호남 장사 마왕퇴 3호묘의 "신기도神祇圖"의 신상들과도 비슷하다. 초백서의 12번째 달을 나타내는 신은 사각형의 머리 위에 사슴뿔이 꽂혀있고 새 같이 얇은 다리를 가지고 있으며 입에는 뱀을 물고 있다.[57]

초나라 신앙의 네 번째 특징은 길게 내민 혀, 튀어나온 눈, 사슴뿔을 지닌 벽사 도상의 사용으로 초계 묘장의 독특한 부장품인 진묘상(수)으로 대표된다. 진묘상은 앞서 언급한 인수人獸 합체의 특징도 갖고 있다. 특히 유인형類人型 진묘상은 머리에는 길고 정교한 뿔이, 얼굴에는 길게 내민 혀, 한 쌍의 불거진 눈이 달린 형상이다. 때로 뱀 한 마리를 움켜쥐고 삼키고 있다.[58]

증후을묘 내관 장식의 인수형신괴人首形神怪와 진묘상에 대해서는 다양한 설이 있으나 공통적으로 지적하는 것은 『초사』「초혼」에 나오는 '몸은 아홉 번 타래를 틀고, 이마에는 예리한 뿔을 가진 것'으로 묘사된 '토백土伯'이다.[59] 뱀을 삼키는 모습의 진묘상을 부장하는 것을

다. 『山海經』「海外北經」"北方禺彊, 人面鳥身, 珥兩靑蛇, 踐兩靑蛇" 葛兆光, 『道敎와 中國文化』, 동문선, 1993. 『산해경』「大荒西經」에 夏의 두 번째 통치자 啓(혹은 開)에 대하여 "서남쪽 바다 밖, 赤水의 남쪽, 流沙의 서쪽에 두 마리 푸른 뱀을 귀에 걸고, 두 마리 용을 타고 다니는 이가 있으니 그가 바로 夏의 임금 開이다."라는 기록이 있다. 張光直, 『신화, 미술, 제사』 동문선, 1990, 도 26 참조. 또한 『산해경』에 나오는 과부는 힘이 장사이며 귀에는 두 마리 누런 뱀을 걸치고 손에도 뱀 두 마리를 쥐고 있었다고 한다. 전인초 외, 『중국신화의 이해』, 아카넷, 2002. 金秀雄, 앞의 논문. 그 외에 『산해경』 중에서 무당이 한쪽 귀나 양쪽 귀에 뱀을 걸고 있는 모습을 묘사한 대목이 있는데 그 중에 가장 흥미로운 무당은 「대황남경」에 나오는 不廷胡余로서 청색 빛이 나는 두 마리의 뱀을 귀에 걸고 발로 두 마리의 뱀을 밟고 있다. 張光直, 『신화, 미술, 제사』 동문선, 1990, 도 28 참조. 『산해경』과 『초사』에 兩龍이란 단어가 여러 차례 등장하는데 하늘과 땅 사이에 소식을 전달하는 使者이거나 巫人을 도와 승천케 하는 이야기이다. 張光直, 『신화, 미술, 제사』 동문선, 1990.

57 마이클 로이는 "楚帛書"가 고대 중국의 巫의 관념을 밝혀주는 자료로서 주변에 그려진 12개의 형상은 자기 능력으로 귀신을 불러내는 巫로 해석하였다. 마이클 로이, 앞의 책, 1988.
한편 존 메이저는 초백서의 12 신상이 1978년 淑浦 馬田坪 M63에서 출토된 12 개의 滑石獸面(서한, 길이 19cm, 너비 20cm)과 유사함을 지적하였다. 馬田坪의 가면은 도철문의 변용된 형상으로 12 신상에 대한 제의에서 실제로 착용하였을 가능성이 있는 것으로 여겼다. John S. Major, "Characteristics of Late Chu Religion", Constance A. Cook and John S. Major, 앞의 책, 1999, pp. 121~143.

58 기원전 6세기의 하남 신정의 초묘에서 나온 청동鎭墓像은 크고 둥그런 눈에 뱀이 다리를 감싸고 있으며 이빨과 앞발 사이에 뱀을 물고 있다. 장대관 1호묘에도 커다란 붉은 눈, 긴 혀, 사슴뿔 머리, 발톱이 달린 발, 이빨 사이에 검은 뱀을 물고 꿇어앉은 조각상이 나왔다. Jenny F. So, "Chu Art - Link between the Old and New", Constance A. Cook and John S. Major, 앞의 책, 1999, Fig. 3.14와 3.15 참조.

59 증후을묘의 인수형신괴는 『초사』「초혼」의 土伯, 羿人, 또는 神獸를 거느리고 창을 잡고 역귀를 몰아내는

해충의 잠식으로부터 시체를 보호할 수 있는 수단으로 여기는 것이다. 또는 진묘수의 뿔은 '진묘'의 역할(사자의 영혼의 안정과 보호)을, 날개는 사자死者의 승천을 도와 불사不死세계로 가는 것을 돕는 기능을 가진 것으로 보기도 한다.

고대의 신화에서 동물은 사람과 조상신 및 신의 세계와 통하게 하는 기능이 있다. 전국시대 초의 회화, 조각에 보이는 수많은 이종잡형異種雜型의 동물도 내세로 가는 길을 인도하는 역할을 한다고 볼 수 있다. 전국시대 중후을묘 외관과 내관에 공통적으로 나타나는 문양인 용龍은 새[60]와 함께 사자를 하늘로 인도하는 길상적 서수이자 통천을 해주는 신수神獸이고 무인巫人이 하늘과 교통할 때 도와주는 조수의 역할로 진한대에는 벽화와 화상석에 자주 등장한다.[61]

儺儀의식의 방상시, 무복을 착용한 샤먼, 또는 『산해경』 등 고문헌에 기재된 남방신화계통의 신상 등으로 해석한다. 초나라 진묘수에 대해서는 神仙, 山神, 土伯, 引魂昇天의 龍, 鳥에서 異化된 결과물, 生者를 위한 鎭凶辟邪의 신, 冥府守護者, 영혼의 化身, 戰神 혹은 兵主, 시간의 흐름에 따라 진묘수의 내용이 변화했다는 설 등이 있다. 皮道堅, 「早聖期의 鎭墓獸彫刻」, 『楚藝術史』, 湖北敎育出版社, 1995. 孫作雲, 「馬王堆一號漢墓漆棺畵考釋」, 『考古』 1973년 4기, pp.247~257. 마이클 로이, 앞의 책, 1988. 임영애, 「중국 고분 속 鎭墓獸의 양상과 불교적 변형」, 『미술사논단』 25호, 2007, pp.37~65. 진묘수의 뿔의 의미에 대해서 김수민은 獸角에 대한 고대인들의 강한 숭배를 반영하는 것으로 보았다. 초국 무덤에서 호랑이나 사슴조각상을 함께 부장하는데 이는 호랑이나 사슴 신앙과 녹각에 대한 인식이 존재했던 것으로 보인다. 초묘 진묘수의 녹각을 神樹의 한 모습으로 보고 사후세계로의 통로역할을 상징화한 것으로 추정하였다. 김수민, 「鎭墓獸의 전개와 漢代, 그 상징성에 대한 고찰」, 『역사민속학』, no.36, 2011, pp.251-278.

60 증후을묘 내관의 서측 관판에는 네 마리의 새가 人首形神怪 위에 유사한 자세로 섰다. 새의 몸체는 뱀과 같은 알록달록한 비늘이 덮여있다. 초나라 미술에서는 뱀과 새의 결합이 체계적이고 지속적으로 묘사된다. 초의 미술에 표현된 새와 뱀의 결합형상과 상징적 의미에 대해서는 John S. Major, "Characteristics of Late Chu Religion", Constance A. Cook and John S. Major, 앞의 책, 1999, pp.121~143 참조.
새를 내관에 그린 것은 고대 상장관념의 일종으로 천상과의 매개자의 의미를 가진 것으로 추정할 수 있다. 동북아시아 샤머니즘에서도 새나 사슴, 말과 같은 동물들은 영혼의 여행에서 함께 중요한 역할을 했다. 김열규, 『동북아시아 샤머니즘과 신화론』, 아카넷, 2003. 초나라 회화의 새의 몸에 사람의 머리나 얼굴이 달리거나 사람에 날개가 달린 식으로 사람과 새의 요소가 결합되어있는 형상들은 死者에게 하늘을 헤치고 영생의 세계로 여행하는 방법을 가르쳐 준다. 마이클 로이, 앞의 책, 1988, pp.137-138.

61 고구려의 경우 광개토대왕비 명문(414년)에도 추모왕이 거북이를 타고 강을 건넜다든지 용을 타고 하늘로 올라갔다는 기록이 있어 고구려에서도 승룡승천 사상이 있었음을 알 수 있다. 『역주 한국고대금석문』 1권 광개토왕릉비, p.8. 김일권, 「고구려 고분벽화의 천문 관념 체계연구」, 『진단학보』, 82, 1996, p.196. 고구려 고분벽화에서는 미창구 장군묘, 오회분 4, 5호묘, 통구 사신총에서 교룡문이 나타나며 천장의 신선이 타고서 부리고 있는 용의 기능은 기본적으로 하늘과 인간을 교통하게 해주는 通天의 기능을 갖고 있다. 김진순, 『집안 오회분 4, 5호묘 벽화연구』, 홍익대학교 석사학위논문, 1996. 고구려 후기 벽화고분에서 이러한 기능을 지닌 용을 천장부에 다수 등장시켜 사자의 천상세계로의 인도하는 염원을 표현하고 있는 것은 증후을묘의 내관 장식과 유사한 의미를 지닌다고 하겠다.

증후을묘 내관 장식과 유사한 뱀, 새, 용의 조합은 하남성 신정新鄭에서 1923년 출토된 방형호方形壺에도 보인다. 뱀, 새, 용의 다양한 조합을 이룬 모티브가 끊임없이 연결되어 청동기 전체 표면을 덮고 있다. 증후을묘 내관 장식이나 신정 출토 방형호의 문양은 초나라에서 형성된 주술적, 종교적 기능을 가진 도상을 따르고 있는 것으로 보인다. 상주시대 청동예기의 동물문양에 대한 해석을 증후을묘 내관의 동물문양의 이해에 적용하면 상주시대 청동예기의 동물문양은 절천지통絶天之通을 극복하는 무巫와 기器와 연관되어있다.[62]

상주시대에는 하늘과 땅 사이, 조상의 영혼 및 나머지 귀신들과 산 사람 사이의 소통수단으로써 무축巫祝과 무술巫術에 의존하였고, 고대중국의 제례에 있어서 청동예기와 문양은 귀신과 사람이 교통하는 의식을 돕는데 사용되었다. 상주시대 청동기의 동물 문양은 무당이 두 세계를 왕래하는 것을 돕는 정령으로 무당을 도와 천지신인이 서로 교통할 수 있도록 해주는 각종 동물의 형상이다.[63] 증후을묘 내관의 용, 뱀, 새 등의 다양한 동물의 조합 형상 역시 이들 동물이 가진 통천의 기능과 무인巫人의 조수의 역할을 복합적으로 수행하는 의미를 지닌 것으로 이해할 수 있다.

상주시대 청동기에서 사람의 머리를 짐승의 입 밑이나 곁에 둔 중국 청동기 도철문양을 볼 수 있는데, 여기에서 동물의 입은 양계兩界의 입구 또는 통로로서 피안과 차안의 세계를 나누는 최초의 상징으로 여겨진다. 증후을묘 내·외관의 네모 구멍·장식창문과 함께 내관의 인수형신괴人首形神怪와 (청동제기의 도철문을 연상시키는) 교룡交龍(뱀蛇)문양은 피안과 차안의 세계를 나누는 경계나 연결 매개체, 또는 통천의 역할을 상징할 수도 있다. 인수형 신괴가 무복을 착용한 무인巫人이라는 해석을 따른다면 내관 장식의 다양한 동물 제물을 통하

---

62 상주시대 청동기장식예술의 동물 문양의 의미와 특징에 대하여는 장광직, 『신화, 미술, 제사』, 동문선, 1990, 제4장 참조. 신석기 채도와 상주시대 청동기의 용문과 봉문 등의 연원과 발전, 고대인의 神物에 대한 의식형태의 기능에 대해서는 정애란, 「상주시대 靑銅器物에 나타난 고대인의 정신세계관에 대한 고찰」, 제81차 중국학연구회 정기 학술발표회, 2006.

63 장광직, Sarah Allan, Nelson Wu가 공통적으로 주장하는 설이다. 張光直, 『신화, 미술, 제사』, 동문선, 1990, pp. 117~128. 사라 알란, 오만종 역, 『거북의 비밀-중국인의 우주와 신화』, 예문서원, 2002, p. 234. 동주시대 巫俗詩歌인 『초사』는 천지교통을 중시한 신앙과 의식체계로 고대중국의 샤머니즘을 잘 나타내주고 있다. 「招魂」과 「大招」는 무당이 천계와 지계를 오르내리는 모습을 그린다. 「구가」의 내용은 巫가 귀신이 강림하는 것을 보고, 신화적인 동물이 끄는 마차를 타고 맞아 무와 귀신의 해후가 이루어지는 것이다. 『초사』의 무속적 성격을 강조한 연구에서는 굴원을 제사장(巫)출신으로 祝의 직책을 지니고 제의와 문서를 주관하고 장악한 인물로 보기도 한다. 김인호, 『초사와 무속』, 신아사, 2001 참조. 류성준 편저, 『楚辭』, 문이재, 2002. 巫와 靈媒에 대해서는 마이클 로이, 앞의 책, 1988. 제10장 참조.

여 통천通天의 역할을 수행하는 것이다. 인수형신괴와 유사한 "초백서楚帛書"에 그려진 12개의 신상을 마이클 로이는 자기 능력으로 귀신을 불러내는 무巫로 해석하였다.[64]

곽덕유郭德維는 다양한 신상과 각종 동물들을 증후을묘 내관에 그리고 묘주를 이러한 신들 가운데 위치시킨 것은 곧 묘주를 "신神(격格)화化"시키는 의미로 보았다. 묘주의 내외관에 있는 문이 묘주의 영혼이 출입하거나, 제신諸神과 접촉하게 하거나, 이들 신으로 하여금(묘주의 영혼을) 하늘上天로 호송하도록 돕는 것이다.[65]

마지막으로 전국시대 초 회화의 두 번째 주제 중에서 신화전설을 그린 회화 유물들을 살펴본다. 증후을묘에서는 모두 다섯 점의 의상衣箱이 출토되었는데 검은 바탕칠에 붉은 색으로 화려하게 장식하였으며 묘사한 제재도 후예后羿, 과부夸父, 인면사문人面蛇文 등 다양하다.

후예사일后羿射日 고사가 덮개 중앙에 그려진 칠상자(높이 37cm, 길이 69.0cm, 폭 49.0cm)는 나무 사이에 후예가 나무의 태양에 있는 새를 맞추어 떨어뜨리려 하는 장면을 묘사하고 있다 (도10).[66] 덮개의 나무 옆에는 두 마리 뱀이 엉킨 도상이 있는데 한대 고분미술에서 자주 볼 수 있는 복희·여와의 초기 표현이거나, 후예가 사람들을 위해 동정洞庭에서 죽인 뱀인 수사修

도 10 | 《후예사일 고사도》, 칠상, 증후을묘

---

64 마이클 로이, 앞의 책, 1988, pp. 123~133.

65 郭德維에 의하면 諸神(百神)을 모아 그린 칠관은 『산해경』 「해내서경」의 崑崙之虛(帝之下都)와 같은 장소가 된다. 開明獸가 지키는 九門이 있으며 百神이 있는 곤륜지허와의 비교에 대해서 郭德維, 앞의 책, 1995, pp. 249~273.

66 『楚辭』 「天問」 "羿焉畢日, 烏焉解羽." 王逸注 :《淮南》云 言堯時十日幷出, 草木焦枯. 堯命羿仰射十日, 中其九日, 日中九烏皆死, 墮其羽翼." 『淮南子』 「本經篇」 "堯之時, 十日幷出, 焦禾稼, 殺草木, 而民無所食…… [堯乃使羿] 上射十日."

蛇로 추정한다.[67] 북경 고궁박물원 소장의 청동호(기원전 5세기 중~4세기 전반)의 예[68]에서 보듯이 전국시대 화상청동기에는 사조射鳥, 연락宴樂, 수렵狩獵, 귀신, 전쟁 등의 주제가 있는데 이는 서주시대 제사의례를 표현했던 것으로 동한 사당화상석에 계승된다. 한대 화상석 장식에서 사조도射鳥圖는 잡기雜技, 연음宴飮, 푸주庖廚와 함께 구성되어있는 것이 많고 제사의례와 연관된다.[69] 고대 한국 건국신화에서도 나무는 신성神聖과 인간을 연결하는 중요한 매개로 등장하며 동북아 신화와 의례에서 일반적으로 보이는 성수聖樹, 성림聖林에 대한 신앙과 연결된다.[70]

두 번째 칠상자는 정면에 『산해경山海經』 「해외동경海外東經」의 해를 쫓는 과부夸父 고사가 그려졌다(도11).[71] 간략하게 도안화된 표현은 신석기-청동기시대의 암각화를 연상시키기도 한다.

5세기 후반의 증후을묘에서 나온 옷상자에 그려진 칠화는 한대의 고분미술에서 자주 볼 수 있는 주제인 사신, 별자리, 복희와 여와, 후예, 과부 등 다양한 도상들이 나

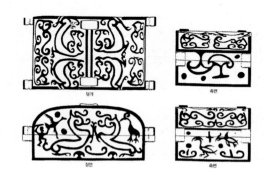

도 11 | 《과부 고사도》, 칠상, 증후을묘

타나 각 주제별 초기 표현 사례로 주목된다. 증후을묘 칠상과 칠합의 회화는 하나의 장면에 초문화의 강한 무속문화 전통과 관련된 축약적, 상징적 의미를 강조한 고대의 신화고사를 그리고 있다. 고사의 내용을 하나의 장면으로 압축 표현하고, 문자기술방식에서 탈피하여

---

67 복희 · 여와와 유사한 도안은 같은 고분에서 출토된 五絃琴의 장식에서도 발견된다. 이정은, 앞의 논문, pp. 162~179.

68 북경 중앙미술학원 편, 박은화 역,『간추린 중국미술의 역사』, 시공사, 2003, 도24.

69 射鳥圖에 대해서는 간노 에미(菅野 惠美), 「漢代 畵像裝飾의 전파와 변천-수목도의 변천에 관하여-」,『美術을 通해서 본 中國史』, 중국사학회 제5회 국제학술대회, 2004. 10, pp. 38~44.

70 단군신화에서 환웅이 하늘로부터 인간 세상에 내려온 神檀樹, 주몽신화에서 주몽이 神母가 보낸 오곡 종자를 얻은 나무, 신라 김씨의 시조 알지가 하늘로부터 지상으로 내려온 鷄林 등이 그 예이다. 나희라, 「古代 東北亞 諸民族의 神話, 儀禮, 君主觀」,『진단학보』, Vol. 99, pp. 1~14.

71 화면 좌측에 태양을 상징하는 두 개의 원 사이에 새가 날고 있고 그 새의 꼬리를 잡고 달려가는 사람이 '태양을 쫓다가 목이 말라 황하와 위수의 물을 다 마시고도 갈증이 풀리지 않아 다른 곳으로 물을 찾으러 가다가 도중에 목이 말라 죽었다'는 과부로 해석된다. 『山海經』「海外東經」 "夸父與日逐走, 入日. 渴欲得飮, 飮于河渭, 河渭不足, 北飮大澤. 未至, 道渴而死."

회화적 형태로 서사구조를 갖는 고사를 표현하는 등 전국시대 회화에서 시작된 특징을 잘 보여준다.[72]

앞에서 살펴보았듯이 초나라의 회화는 중국 미술의 발달에서 현실적 주제의 묘사 및 신화적 상상의 주제를 회화와 조각으로 표현하는데 있어 선구적인 역할을 하였다. 초나라 미술의 신화적인 이미지에 영감을 받아 중국 고대 신화와 신상들이 조각과 회화의 주제로 표현되기 시작한다. 초나라 회화에서는 천상세계와 신화에 대한 추상적인 관념들을 사실적, 회화적 형태로 표현하고자 노력하였기 때문에 한대 이후의 중국 미술에서 세속적 또는 종교적 회화와 조각의 급속한 발달을 촉진하였다. 또한 초나라 회화에 보이는 서법적 필묵의 사용은 이후 중국 미술의 주류인 회화와 서예 두 분야의 발달에 영향을 미쳤다.

IV. 전국시대 초문화 미술의 의의

옛 초나라 영토였던 장사의 마왕퇴묘의 "T"자형 백화는 초문화를 계승한 대표적인 서한대 회화로 잘 알려져 있다. 남양지역 한화상석에 대해서는 많은 학자들에 의하여 초문화와의 연관성이 지적된 바 있다. 타호정 1·2호묘는 해당 지역에서 드물게 나타나는 화상석과 벽화가 동시에 장식된 고분으로서 이러한 화상석의 출현에는 지리적으로 가까운 남양지역의 영향을 받은 것으로 알려져 있다.[73] 타호정묘의 벽화와 화상석은 산동 기남화상석묘와

---

72 이정은, 앞의 논문, 2009, pp.162-179.

73 밀현 타호정 한묘가 위치한 豫中지구에는 서한 만기에서 동한 중기에 발견된 화상석묘가 적으며 동한 만기에 대형다실묘가 출현한다. 그 기법이나 제재내용이 남양화상석과 유사하다. 하남성 밀현은 중원 지역에서 유일하게 화상석과 벽화가 같이 출토되는 요지이다. 이는 밀현이 남양과 가까운 위치에 있어 남양화상석의 영향을 받은 것으로 여겨진다. 밀현 타호정 한묘의 화상 표현 기법이나 화면 구성 등이 기남 한대 화상석묘와 유사하다. 또한 밀현 타호정묘와 후토곽한묘의 서금신수, 선인, 운기문 장식은 섬서 수덕 화상석묘와 유사하다. 예중지구 한대 화상석은 서한 만기에서 동한 만기에는 남양 화상석의 영향을 받다가, 동한 만기에는 산동과 섬북화상석의 요소를 흡수하여 지역적 특징을 발전시켰다. 楊育彬, 孫廣淸, 「河南漢代畫像石的分布與分區類型」, 『河南考古探索』, 中州古跡出版社, 2002; 河南省文物研究所, 『密縣打虎亭漢墓』, 文物出版社, 1993.

주제와 표현이 유사하여 자주 비교되며, 또한 연회도와 천장 벽화의 연화조정장식 및 고구려 안악 3호분과 가장 유사한 씨름도로 잘 알려져 있다.[74]

한대 고분의 구조에 보이는 초문화의 영향을 살펴보면, 초계 묘장의 특징으로 앞에서 언급한 목곽 내 개통 또는 장식창문은 서한 초에는 옛 초나라 지역을 중심으로 더욱 확대 발전되어 목곽 벽에 문을 설치하기 시작하였고, 연문羨門과 묘문墓門의 설립과 발달에 따라 제사 공간이 매장공간과 분리되어 성립되었다. 전통의 곽묘槨墓는 곽 내 개통, 제사공간의 확보와 발달이란 단계를 거쳐 새로운 형식인 실묘室墓가 나타나게 된다.

초묘에서는 영혼의 여행을 상징하는 네모 구멍 장식이나 통천의 의미를 지닌 인수人獸 합체문이 사용되었다면 서한의 전축분의 주실 내부에는 통천접지通天接地의 팔각 또는 육각의 중심기둥과 궁륭천장을 천지天地를 통하게 하는 장치로 사용하게 된다.[75] 또한 초묘의 장식창문은 서한 조기 백화에서 승천의 입구('천문天門')로 변화되어 나타나기 시작한다. 서한 만기 장식고분의 천문도에서는 천문의 묘사가 정식으로 확립되며 고분 묘실이 천문과 연결된다는 의식이 표현된다. 승천성선의 중요한 여정이 천문을 통과하는 것으로 천문의 형식에는 사실적인 문짝의 구조도 있다. 천문과 선계의 표현은 고분 전실과 천장, 묘문 문짝, 문기둥, 주실의 중심기둥에 배치된다. 동한 중만기에 이르러서는 천계와 선계의 구도 이외에 조정藻井도안(성결연화문聖潔蓮花文)이 고분 주실 천장에 배치된다. 천지우주로 통하는 상징이거나 동한시대에 유행한 선계사상仙界思想을 도형화한 표현으로 추정되는 조정藻井 장식을 통하여 고분의 궁륭형 천장을 천지를 잇는 공간으로 상징화시키는 것이다.[76]

초묘의 대표적 부장품인 진묘상의 유형 중에서 수형獸型은 한대에 오면 하남지역이나 감숙지역에 입체조각의 형태로 계승이 되며, 한대 고분 벽화와 화상석의 제재로도 종종 등장한다. 유인형類人型은 서한 초기 마왕퇴 2호묘의 진묘우인鎭墓偶人, 호남 장사시長沙市 망성파望城坡 장사왕실長沙王室 서한고분의 진묘우인鎭墓偶人, 하남河南 회양淮陽 평량대平粮台 M181호 서한묘西漢墓의 진묘신수鎭墓神獸의 유사 사례가 있으며 머리에 꽂힌 녹각鹿角의 강조에서

---

74 2호묘 중실 천장의 각저희와 기린강한묘의 각저희는 모두 천장 가까이에 나타나며 무용총과 배치가 유사하다. 각저를 통하여 선계로 가는 과정을 그린 것이다.

75 고구려 쌍영총의 경우 통천접지의 팔각형 기둥에 통천의 기능을 가진 용이 하늘로 오르는 모습을 그려 넣어 상징성을 강조한 것을 볼 수 있다.

76 황요분, 앞의 책, 2006, 도 71. p. 266, pp. 422~430.

초문화의 영향이 보인다.[77]

  초나라가 정치적으로 강성하였던 기원전 6세기에서 3세기 무렵 초나라의 미술에서 변화가 일어나는데 고분의 주된 위세품이 청동기에서 칠기와 견직물로, 고분 구조와 부장품에서 제의를 중시하던 것에서 개인적 향락 위주로 바뀌게 된다. 회화의 주제는 단순한 문양에서 사실적인 그림으로, 모호한 신화에서 구체적 형상으로 변한다.

  전국시대~한대 초문화에서 형성된 고분 미술의 도상과 제재의 구성은 이후 중국 고분미술의 발달에 큰 영향을 미쳤으며 인물화와 종교화의 초기 발달단계를 잘 보여준다. 중국의 가장 이른 회화 중 하나인 호북 강릉 포산 2호묘 출토 칠합의 거마행렬도와 장사 자탄고와 진가대산 초묘 출토 백화는 600년 후의 고개지(약 344~406)의 인물화의 직접적 선례가 된다.

  또한 초의 회화예술에서 추상적 신앙과 신비한 형상의 신상神像을 구체적으로 묘사하는 특성은 한위진남북조시대의 불교와 도교 미술의 도상 발달에 영향을 미친다. 초나라 미술의 신화적 상징들에 의해 영향 받아 중국 고대 신화와 신상들이 조각과 회화의 주제로 점차 등장하기 시작한다. 불교가 한대에 중국에 유입되었을 때 회화와 조각으로 불교의 신상과 설화들을 묘사하는데 있어 초나라 미술의 전통이 그 기반을 제공한다. 마지막으로 초나라 묘장에서 중국에서 가장 이른 현존하는 서화도구들이 출토되었으며 현존하는 칠기와 견직물에서 서예의 예술적 특성의 발현을 볼 수 있다. 이후 2천년 동안 중국 미술을 지배하는 서예와 회화의 발달에 있어서 초나라 미술의 공헌을 확인할 수 있는 것이다.

---

77 마왕퇴 2호묘의 묘도에 두 팔을 벌리고 무릎을 꿇고 앉은 두 명의 나무로 만든 偶人이 있다. 우인의 머리 위에는 두 개의 녹각(길이 2-30㎝)이 달려있다. 何介鈞, 『長沙馬王堆 2, 3號漢墓』 文物出版社, 2003, 도판 3, 4, 도 16. 호남 장사시 망성파 장사왕실 서한고분의 진묘우인은 황요분, 『한대의 무덤과 그 제사의 기원』 학연문화사, 2006, p.51. 하남 회양 평량태 M181호 서한묘의 진묘신수는 鄭州市文物考古研究所, 앞의 책, 2004, p.7.

제2장
한대 벽화묘의 분포와 전개

Ⅰ. 한대 벽화묘의 발굴과 연구사

중국 한대漢代 벽화묘壁畵墓는 고대 중국의 역사, 문화, 사회, 풍습을 보여주는 종합적 예술로서 유교의 영향을 받은 효의 강조와 후장풍습의 유행, 도가적 승선사상의 유행으로 한대 초기에 등장하여 동한 시기에 번성하였다.[1] 한대의 묘장회화는 수혈식목곽묘竪穴式木槨墓, 공심전묘空心塼墓, 전축묘塼築墓, 애묘崖墓 등 다양한 건축 형식에서 발견되며 벽화만이 아니라 백화帛畵, 화상석畵像石, 화상전畵像塼 등 표현 매체도 다양하다.

일반적인 벽화묘에 대한 연구는 묘의 구조와 벽화의 내용과 배치를 살피고 다음으로 벽화의 기법과 안료의 분석이 이루어진다. 또한 묘의 크기나 벽화의 주제와 양식적 특징, 부장품의 제작 시기와 수량 및 양식적 특징, 남아있는 명문을 고려하여 묘주墓主와 축조연대를 살피는 등의 고찰이 이루어진다. 더 나아가 문헌자료에 근거하여 벽화에 그려진 도상의 의미를 파악하거나 당시의 장례제의를 복원하기도 하고 당시 사람들의 종교관념과 사후세계관까지 살펴보게 된다.

회화사적 측면에서 한묘의 회화는 후대의 묘장 회화와 비교하면 아직 발전의 초기 단계라 그림의 기술이나 주제의 표현에서 초보적이고 다양하지 못하다. 그러나 비단이나 종이에 그려진 회화 진품이 드물게 전해지는 고대에 제작이 되어 지하에 묻힌 채 그대로 보존이 된 작품들이기 때문에 중국 회화사의 초기 발달상을 직접 살펴볼 수 있다는 점에서 가치가 높다. 더 나아가 후대의 회화자료는 새로 작품을 발견하기가 쉽지 않은 반면, 한대의 묘장 회화는 고고학 발굴조사에 의하여 지하에 묻혀있던 벽화묘나 화상전묘가 새롭게 발견되는 사례가 많은데다가 한 기의 묘에서 여러 폭의 벽화나 화상석이 나올 수 있기 때문에 연구의

1 　제2장은 박아림, 「위진남북조와 고구려 고분벽화의 연원 재고」, 동양미술사학회 춘계 학술대회 〈혼돈과 교류 - 한국와 중국의 고대미술〉, 국립중앙박물관 2011년 6월; ____, 「중국 위진 고분벽화의 연원 연구」, 『동양미술사학』 1・2012, pp.75~112; ____, 「중국 한대 벽화고분의 분포와 지역적 특징」, 동양미술사학회 추계학술대회 2019년 10월; ____, 「중국 섬북과 내몽고지역 동한시기 벽화묘 연구」, 『동양미술사학』, 10, 2020, pp.35-74를 종합하여 정리한 것임.
　　한대 벽화묘의 개관과 연구사는 黃佩賢, 『漢代墓室壁畵硏究』, 文物出版社, 2008; 賀西林, 『古墓丹靑 - 漢代墓室壁畵의 發現與硏究』, 陝西人民美術出版社, 2002; 허시린, 「漢代 壁畵古墳의 발견과 연구」, 『미술사논단』 23, 2006, pp.43~67; 양홍, 「中國 古墳壁畵 연구의 회고와 전망」, 『미술사논단』 23, 2006, pp.7~41; 박아림, 「중국 위진 고분벽화의 연원 연구」, 『동양미술사학』 1・2012, pp.75~108 참조.

확장성이나 재해석의 가능성이 큰 연구 주제이기도 하다.

1920년대 일본학자들에 의하여 동북지방의 요양 벽화묘에서부터 발굴이 시작된 한대 벽화묘는 섬서, 하남, 하북 등에서 100여 기에 가까운 수가 발굴되었다. 한대 벽화묘의 지역·시기별 분류는 학자마다 약간 차이가 난다. 한대 벽화묘의 지역적 분포는 중원中原지역(낙양이 중심이며 하남 대부분 지방과 하북 남부와 산서 남부 등 포함), 관중關中지역(섬서 서안 중심), 동북東北지역(요녕성 요양 중심), 북방北方지역(내몽고 중심), 하서河西지역(감숙 하서주랑 일대), 동방東方지역(산동과 강소)으로 나눌 수 있다. 시기별로는 서한 전기, 서한 후기, 신망에서 동한 전기, 동한 후기로 나눈다.[2] (표 1, 3, 도 1)

표 1 | 한대 벽화묘의 분구(分區)와 분기(分期)

지역	시기	벽화묘
中原지구	①서한전기	河南永城芒碭山柿園梁王壁畵墓
	②서한 후기	洛陽卜千秋壁畵墓, 洛陽淺井頭壁畵墓, 磁澗西漢壁畵墓, 洛陽燒溝61號漢墓, 洛陽八里臺墓(보스턴 미술관), 洛陽壁畵墓(대영박물관), 新安里河村墓, 新區西漢壁畵墓
	③신망~동한전기	洛陽金谷園新莽壁畵墓, 洛陽尹屯新莽壁畵墓, 新安鐵塔山東漢壁畵墓, 洛陽偃師高龍鄕辛村新莽壁畵墓, 洛陽金谷園東漢墓, 洛陽北郊石油站東漢墓, 山西平陸棗園村新莽墓, 洛陽汽車工廠東漢墓, 洛陽唐宮路玻璃廠東漢墓
中原지구	④동한 후기	洛陽東郊機工廠東漢壁畵墓, 偃師杏園村東漢墓, 洛陽西工壁畵墓, 洛陽3850號壁畵墓, 洛陽朱村東漢壁畵墓, 河南偃師杏園村東漢壁畵墓, 密縣打虎亭1·2號漢墓, 密縣后土郭1·2·3號畵像石·壁畵墓, 河南滎陽市王村鎭萇村壁畵墓, 山西夏縣王村東漢壁畵墓, 山西永濟上村東漢壁畵墓, 河北望都所葯村1·2號漢墓, 河北安平逯家莊漢墓, 河北景縣大代莊東漢壁畵墓

2 한대 벽화고분의 지역·시기별 분포와 고분의 수는 황패현(黃佩賢)의『한대묘실벽화연구』를 기본으로 하고 전호태의「중국 한~당 고분벽화와 지역문화」, 강현숙의『고구려와 비교해본 중국 한, 위·진의 벽화분』에 실린 벽화고분을 추가한 것이다. 벽화묘의 편년과 분포에서 동한 후기와 관중과 중원지역 구분이 학자마다 의견이 달라서 여기에서는 한대 벽화묘를 전체적으로 개관한 황패현의 구분을 따랐다. 지역·시기별 분포와 벽화묘의 수는 황패현의『한대묘실벽화연구』, 전호태,「중국 한~당 고분벽화와 지역문화」, 강현숙,『고구려와 비교해본 중국 한, 위·진의 벽화분』참조. 벽화묘의 편년과 분포에서 동한 후기와 관중과 중원지역 구분이 학자마다 의견이 달라서 여기에서는 한대 벽화묘를 전체적으로 개관한 황패현의 구분을 따랐다. 한대 벽화묘의 지역·시기별 분류에 대하여 황패현의『한대묘실벽화연구』에 따르면 中原지역, 關中지역, 東北지역, 北方지역, 河西지역, 東方지역의 5개 권역으로 나눌 수 있다. 黃佩賢,『漢代墓室壁畵硏究』, 文物出版社, 2008, pp. 29~41.

지역	시기	벽화묘
關中지구	①서한 전기	無
	②서한 후기	西安南郊曲江池1號墓, 西安曲江翠竹園西漢壁畫墓, 西安交通大學西漢壁畫墓, 西安理工大學1號西漢壁畫墓, 樂遊塬西漢晚期壁畫墓, 西安南郊曲江池漢墓
	③신망~동한전기	陝西千陽新莽漢墓, 陝西咸陽龔家灣1號新莽墓, 千陽縣土洞墓, 咸陽龔家灣一號墓, 彬縣雅店村王莽磚室墓, 西安市灞橋區新築鎭磚室壁畫墓, 扶風縣揉谷鄕姜坍壁畫墓
	④동한 후기	陝西旬邑縣百子村東漢壁畫墓, 韓城市芝川鎭芝西村磚室墓, 潼關縣高橋鄕吊橋村楊震家族墓
東北지구	①서한 전기	無
	②서한 후기	無
	③신망~동한전기	遼寧大連營城子漢墓
	④동한 후기	遼陽迎水寺壁畫墓, 遼陽南林子墓, 遼陽北園1·2·3號墓, 遼陽棒臺子屯1·2號壁畫墓, 遼陽三道壕窯業第4現場墓(車騎墓), 遼陽三道壕窯業第2現場墓(令支令張君墓), 遼陽三道壕1·2·3號墓, 遼陽南雪梅村1號壁畫墓, 遼陽鵝房1號墓, 遼陽舊城東門里壁畫墓, 遼陽南環街墓, 遼陽南郊街東漢壁畫墓
北方지구	①서한 전기	無
	②서한 후기	内蒙古包頭召湾51號墓
	③신망~동한전기	内蒙古鄂爾多斯巴音格爾村兩座漢墓
	④동한 후기	内蒙古鄂托克鳳凰山1號東漢壁畫墓, 内蒙古托克托閔氏壁畫墓, 内蒙古鄂爾多斯日松古敖包漢代壁畫墓(内蒙古烏審旗嘎旮圖1號墓), 米拉(蘭)壕漢代壁畫墓, 和林格爾新店子1號漢墓, 内蒙古包頭張龍圪旦東漢壁畫墓, 陝西定邊郝灘1號東漢壁畫墓, 陝西靖邊東漢壁畫墓(2005), 陝西省靖邊縣楊橋畔鎭楊橋畔二村南側渠樹壕漢墓(2009), 陝西靖邊楊橋畔1號東漢畫墓(2015)
河西지구	①서한 전기	無
	②서한 후기	無
	③신망~동한전기	甘肅武威韓佐五壩山東漢壁畫墓
	④동한 후기	甘肅武威磨嘴子漢墓, 甘肅酒泉下河淸1號東漢壁畫墓, 甘肅民樂八挂營1·2·3號東漢壁畫墓, 甘肅武威雷臺壁畫墓
東方지구	①서한 전기	無
	②서한 후기	無
	③신망~동한전기	山東梁山后銀山東漢墓
	④동한 후기	江蘇徐州黃山隴東漢墓, 安徽亳縣董園村1·2號畫像石·壁畫漢墓, 山東濟南靑龍山畫像石·壁畫漢墓, 山東東平縣物資局壁畫墓
南方지구	①서한 전기	廣東廣州象崗山南越王墓
南方지구	②서한 후기	
	③신망~동한전기	
	④동한 후기	四川省三臺縣郪江鎭柏林坡一號崖墓, 四川省中江縣民主鄕桂花村塔梁子三號崖墓

도 1 | 《한대 벽화묘 시기별 분포도》

한대 벽화묘의 분포를 지역별로 보면 중원지역인 하남에 약 1/3 정도에 해당되는 20기 이상이 분포하여 가장 많다. 중원지역의 벽화묘는 서한 전기부터 동한 후기까지 모두 벽화묘가 등장하며 고분의 수는 신망에서 동한 전기, 동한 후기에 각각 약 10기 이상 많은 수의 벽화묘가 발견되어 한대 벽화묘 연구의 중심을 이루었다.

관중지역은 총 6기의 한대 벽화묘가 발견되었다. 서한 후기와 신망~동한 전기에는 각각 2~3기의 벽화묘가 나오다가 동한 후기에는 한 기에 그친다. 관중지역은 중원지역이나 동북지역의 벽화묘의 수에 미치지 못하나 장안이 정치중심지였기 때문에 서한에서 동한 만기까지의 각 시기의 실례를 갖추고 있고, 서한 시기에 다른 지역에서 볼 수 없는 주제와 표현을 보여 주목된다.[3]

동북지역은 신망에서 동한 전기에 1기의 벽화고분이 출현한 후 동한 후기에는 중원지역 못지않은 수의 벽화고분이 지어진다. 하서, 북방, 동방지역은 각각 10기 이하이다. 내몽고를 중심으로 하고 섬서 일부 지역을 포함하는 북방지역은 중원지역의 수에 미치지는 못하

---

3   黃佩賢, 『漢代墓室壁畵硏究』, 文物出版社, 2008, pp. 29~41.

나, 서한 후기부터 동한 후기에 이르기까지 꾸준히 벽화고분의 수가 증가한다. 하서지역은 신망에서 동한 전기에 2기, 동한 후기에 5기의 증가세를 보이며, 위진 시기에 가면 20여기에 가까운 벽화고분으로 늘어난다. 마지막 동방지역은 화상석이 벽화보다 발달한 지역 특색으로 동한 후기에 화상석과 벽화가 같이 장식된 고분이 몇 기 나타난다. 그러나 중원, 동북지역에 비하면 벽화고분이 그다지 활발하게 축조되지는 않았다.[4]

한대 벽화묘 연구는 1949년 이전 동북지역의 벽화묘들을 조사한 일본 고고학자들과, 1949년 이후 중국 전역의 발굴을 진행해온 중국 고고학자들, 그리고 1949년 이전부터 중국의 묘장 미술 관련 작품들을 구입하면서 연구를 시작하고 미술사적 연구방법론을 적용하여 연구를 심화시킨 미국 미술사학자들에 의하여 주도되었다. 한대의 문헌자료에 근거하여 한대인의 생활상과 사후관을 고찰하는 자료로서 중국미술사 가운데 이른 시기부터 국제적인 관심을 받은 연구 주제이다. 개별 벽화묘의 소개라든가 지역적 특색에 대한 연구가 중심을 이루다가 1990년대 이후 미국 시카고대학교의 우훙Wu Hung 교수의 연구에 의해 묘장미술을 종합적으로 해석하는 연구방법론이 개발되면서 한대 묘장회화의 자료의 풍부함과 해석의 다양성이 묘장미술을 하나의 독자적인 미술사의 분야로 성립시키는 데에 큰 밑받침이 되었다.

한대 벽화묘의 발굴과 연구는 20세기 초부터 1949년 이전, 1949년 이후부터 1980년대, 그리고 1990년대 이후로 크게 세 시기로 나눌 수 있다. 1949년 이전에는 주로 일본 고고학자의 발굴이 중국의 동북 지역을 중심으로 많이 이루어졌다. 1905년부터 1941년 사이에 동북삼성東北三省과 내몽고 동부지역을 조사한 일본학자 도리이 류조鳥居龍藏을 포함하여 일본학자들의 발굴은 1940년대 중반까지 계속 이루어졌다. 특히 요동반도의 요양지역에서 여러 기의 한대 벽화묘를 조사하여 요양지역이 한대 벽화묘 연구 초기의 중심지역이 되었다. 1918년 요양遼陽 태자하반太子河畔 영수사迎水寺의 대형大型 석실벽화묘石室壁畵墓를 발견하였고, 이후 1931년 요녕遼寧 대련大連 금현金縣 영성자묘營城子墓, 1942년에는 요양遼陽 남림자묘南林子墓, 1943년에는 요양 북원北園 1호묘1號墓, 1949년 요양 봉대자둔棒台子屯 1호묘1號墓를 발굴하였다. 이 시기에 중국 학자들이 발간한 보고서가 드문 이유는 전쟁으로 인하여 일본 학자들이 요양 지역에서 중요한 고고학 자료를 파악하는 것이 더 용이하였기 때문이다. 그러

---

4   허시린, 「漢代 壁畵古墳의 발견과 연구」, 『미술사논단』 23, 2006, pp. 43~67.

나 당시 일본학자들은 개별 벽화묘만 발굴하였고, 장비와 기술이 상대적으로 부족한 시기였으며, 비교 가능한 자료와 발굴 경험이 비교적 적어서 연구에 한계가 있었다. 또한 초기에 발견된 요양의 한묘들은 많은 수가 훼손되어 원래의 모습을 찾기가 쉽지 않다. 1940년대까지는 한대 벽화묘 연구의 초기 시기로서 고고 자료의 수집과 분류가 주로 이루어졌으며, 중국, 일본, 서양 학자를 불문하고 한대 벽화묘에 대한 실제 학술적인 연구는 아직 시작되지 않았다고 할 수 있다.

제2기(1950~1980년대)에는 1949년 이후부터 중국학자들이 직접 발굴조사를 진행하였는데 낙양을 중심으로 한 하남과 하북지역이 대표적이다. 1950년대부터 2000년 이전까지 발굴 보고된 한대 벽화묘는 약 50기이다.[5]

이 시기의 한대 벽화묘의 지역적 특징에 대한 연구에서는 낙양을 중심으로 한 중원지역 벽화묘에 대한 발견과 분포 및 분기와 벽화 주제 연구가 특별히 두드러진다(도1). 언사偃師, 낙양洛陽, 신안新安 등 낙양과 그 인근에서 발굴된 벽화묘가 다른 지역보다 많고, 서한에서 동한 후기까지 모두 포괄하기 때문이다. 20세기 초 낙양지역에는 이미 골동품 상인이 활발하게 활동하고 있었으며, 도굴과 문화 유물의 밀수가 유행하여 벽화묘 보존에 피해를 입혔다. 당시 해외로 유출된 벽화묘 중에는 낙양 팔리대묘八里台墓가 있다. 1916년 팔리대 벽화묘의

---

5 1950년대는 약 15기로서 河南洛陽燒溝61號漢墓, 河北望都所藥村1號・2號壁畫墓, 山西平陸棗園村壁畫墓, 遼寧遼陽棒台子屯2號壁畫墓, 遼陽北園2號壁畫墓, 遼陽南雪梅村壁畫墓, 遼陽鵝房1號壁畫墓, 內蒙古托克托壁畫墓, 甘肅酒泉下河淸1號壁畫墓, 山東梁山後銀山壁畫墓, 江蘇徐州黃山隴壁畫墓, 遼寧遼陽三道壕窯廠第四現場壁畫墓(車騎墓), 遼陽三道壕窯廠第二現場令支令張君墓, 遼陽三道壕1號・2號壁畫墓 등이다. 1960년대의 발굴은 3기로 河南密縣打虎亭2號壁畫墓, 密縣後土郭1號, 2號壁畫墓이다. 1970년대는 9기로 河南洛陽卜千秋壁畫墓, 洛陽金谷園新莽壁畫墓, 密縣後土郭3號壁畫墓, 河北安平逯家莊壁畫墓, 陝西千陽縣壁畫墓, 遼寧遼陽三道壕3號壁畫墓, 內蒙古新店子和林格爾壁畫墓, 安徽亳縣董園村1號・2號壁畫墓이다. 1980년대 발굴된 16기는 河南永成柿園梁王壁畫墓, 洛陽金谷園東漢壁畫墓, 洛陽北郊石油站壁畫墓, 洛陽西工壁畫墓, 偃師杏園村壁畫墓, 新安鐵塔山壁畫墓, 山西夏縣王村壁畫墓, 陝西西安交通大學壁畫墓, 西安曲江池1號壁畫墓, 咸陽龔家灣1號壁畫墓, 遼寧遼陽北園3號壁畫墓, 遼陽舊城東門里壁畫墓, 甘肅武威韓佐五壩山壁畫墓, 武威磨嘴子壁畫墓, 山東濟南靑龍山壁畫墓, 內蒙古包頭召灣51號墓이다. 1990년대 발굴한 13기는 河南洛陽淺井頭壁畫墓, 洛陽東郊機工廠壁畫墓, 洛陽第3850號壁畫墓, 洛陽朱村壁畫墓, 滎陽萇村壁畫墓, 偃師辛村壁畫墓, 內蒙古鄂托克鳳凰山1號壁畫墓, 包頭張龍圪旦1號壁畫墓, 甘肅民樂八掛營1・2・3號壁畫墓, 遼寧遼陽南環街墓, 山西永祀上村墓이다. 2000년이후로는 陝西旬邑縣百子村東漢壁畫墓, 內蒙古鄂爾多斯巴音格爾村兩座漢墓, 四川三台縣鄧江鎭柏林坡1號石刻彩繪壁畫崖墓와 中江縣民主鄕塔梁子3號石刻彩繪壁畫墓, 河南洛陽尹屯新莽壁畫墓, 陝西定邊郝灘1號東漢壁畫墓, 陝西西安理工大學1號西漢壁畫墓, 陝西靖邊楊橋畔1號東漢壁畫墓, 山東東平縣老物資局院壁畫墓 등이다. 黃佩賢, 『漢代墓室壁畫硏究』, 文物出版社, 2008.

사다리꼴 박공의 벽화가 해체되어 외부로 나왔고, 1925년 골동품 상인 C. T. 루가 팔리대서 한묘의 벽화를 구입하였으며, 후에는 미국 보스턴 미술관에 기증되었다.

낙양 지역에서 발굴된 벽화묘 가운데 가장 오래된 것은 서한 말기의 복천추묘卜千秋墓와 천정두묘淺井頭墓, 그리고 소구燒溝 61호 한묘이다. 중국 전역에서 서한과 신망시기의 벽화묘가 적기 때문에 낙양 지역에서 발굴된 서한과 신망시기의 벽화들은 한나라 초기 벽화 연구에 특히 중요하였다. 하남지역을 한대 벽화묘 발달의 중심지로 여긴 이 시기의 연구에서는 호남 장사 마왕퇴 칠관화에서 하남 영성 망탕산 시원묘, 하남 낙양 복천추묘로 이어지는 도상의 발전 과정을 상정하였으나, 이후에 섬서 서안의 서한시기 벽화묘들이 발굴됨에 따라 벽화 도상과 주제의 변천 과정이 보다 복합적으로 고려될 필요가 있다.

제2기에는 중요 벽화묘들이 다수 발굴되면서 개별 벽화묘가 가진 역사적, 지리적 문제, 벽화 주제 및 내용 등을 분석하기 시작하였다. 소구 61호묘와 복천추묘는 서한의 공심전 벽화묘로서 이전에 보지 못하던 벽화 내용들에 대하여 문헌자료에 근거하여 다양한 해석이 제시되었는데 곽말약郭沫若의 "홍문연鴻門宴"설, 손작운孫作雲의 "숭선도昇仙圖"와 "대나도大儺圖"설 등이 중국과 구미학계의 관심을 끌었다. 이들의 연구에 영향을 받아 한대 벽화묘에 대하여 문헌자료에 근거하여 도상을 해석하는 연구가 차츰 확대되었다.

1954년 미국의 미술사학자 윌마 페어뱅크Wilma Fairbank가 요양 북원 벽화묘의 연대, 묘의 구조, 벽화 도상을 연구하여 특정 벽화묘에 대한 이른 시기의 연구로 주목을 받았다. 이후 조나단 차베스Jonathan Chaves, 진 제임스Jean James, 우훙Wu Hung 등 미국의 중국미술사학자들의 한대 묘장미술에 대한 사례연구와 심화연구가 잇따르게 된다.[6] 1972년 발굴된 내몽고內蒙古 화림격이묘和林格爾墓는 묘의 규모가 크고 복잡하며 벽화의 제재 내용이 풍부하여 동한의 사회상과 고건축을 잘 보여주는 사례로 많은 주목을 받았다.

벽화묘의 연구에는 묘의 구조와 벽화의 내용을 상세하게 보여주는 도록이나 발굴보고서의 출간이 중요하다. 북경외문출판사北京外文出版社의 『한당벽화漢唐壁畵』(1974)에서 낙양 소구 61호묘, 산서山西 평륙平陸 조원촌묘棗園村墓, 하북河北 망도望都 1호묘, 내몽고 화림격이묘,

---

6 Jonathan Chaves, "The Han Painted Tomb at Lo-yang," *Artibus Asiae* 30-1, 1968, pp. 5-27; Jean M. James, "An Iconographic Study of Two Late Han Funerary Mounments : the Offering Shrines of the Wu Family and the Multichamber Tomb at Holin-gor," Ph. D. diss., University of Iowa. Ann Arbor, MI. : University Microfilms International, 1983; Wu Hung, *The Wu Liang Shrine: The Ideology og Early Chinese Pictorial Art*, California: Stanford University Press, 1989.

하남河南 밀현密縣 타호정打虎亭 2호묘 등 주요 벽화묘의 기본적인 발굴 내용과 벽화들을 원색 사진과 모사도를 함께 실어서 소개하였다. 2년후 1976년 미국 보스턴미술관의 존 폰테인 Jan Fontein과 우퉁Wu Tung이 공동 편집한 *Han-Tang Murals*로 출간되어 나와 해외학자들이 한당벽화를 연구하는 기본자료가 되었다.[7]

그리고 『망도한묘벽화望都漢墓壁畵』(1955), 『망도2호한묘벽화望都二號漢墓壁畵』(1959), 『낙양서한 벽화묘발굴간보洛陽西漢壁畵墓發掘報告』(1964), 『밀현타호정한대화상석묘화벽화묘密縣打虎亭漢代畵像石墓和壁畵墓』(1972), 『화림격이발현일좌중요적동한 벽화묘和林格爾發現一座重要的東漢壁畵墓』(1974), 『화림격이한묘벽화和林格爾漢墓壁畵』(1978), 『낙양서한복천추 벽화묘발굴간보洛陽西漢卜千秋壁畵墓發掘簡報』(1977), 『낙양금곡원신망시기벽화묘洛陽金谷園新莽時期壁畵墓』(1985), 『하남언사행원촌동한 벽화묘河南偃師杏園村東漢壁畵墓』(1985) 등의 발굴보고서가 출간되어 각각의 벽화묘에 대하여 소개하였다.

제2기 동안 한대 벽화묘에서 발굴된 자료가 증가하면서 한대 벽화묘의 분구分區과 분기分期 연구, 지역 유형과 특징, 제재 내용, 회화 기법에 대한 연구의 기초 자료가 축적되었다. 문헌과 출토자료를 종합하여 한대 벽화에 보이는 사회생활상, 종교관념, 상장의례 등을 복원하는 연구도 이루어졌다. 이러한 주제 방면의 연구는 곽말약郭沫若, 하내夏鼐, 손작운孫作雲, 김유락金維諾 등의 학자들이 주도하였으며, 문헌에 기반하여 고고발굴에 의해 발견된 도상을 비교하여 해석하는 방법론은 후학들의 연구 방향에 많은 영향을 미쳤다. 제2기는 중국 고고학자들에 의하여 다수의 발굴보고가 이루어지면서 한대 벽화묘 연구의 자료 축적과 통합이 이루어진 기간이었다. 제1기에 요양지역에 집중되던 연구가 중국 전역으로 확대되었으며 연구 주제와 방향은 묘장연대, 사회생활, 건축, 역사지리, 종교신앙, 사상관념, 예술풍격 등으로 넓어졌다.

한대 벽화묘 연구의 제3기는 1990년대부터 현재까지인데, 제3기에 발굴된 벽화묘의 수는 2기보다 적으나 연구의 범위와 깊이가 확대되었다. 이 시기 동안 발표된 발굴보고서는 『안평동한 벽화묘安平東漢壁畵墓』(1990), 『서안교통대학서한 벽화묘발굴간보西安交通大學西漢壁畵墓發掘簡報』(1990), 『서안교통대학서한 벽화묘西安交通大學西漢壁畵墓』(1991), 『낙양언사현신망벽

---

7 外文出版社 編, 『漢唐壁畵』, 外文出版社, 1974; Jan Fontein, Wu Tung. *Han and T'ang Murals : Discovered in Tombs in the People's Republic of China and Copied by Contemporary Chinese Painters*, Massachusetts: Museum of Fine Arts, Boston, 1976.

화묘청리간보洛陽偃師縣新莽壁畵墓淸理簡報』(1992), 『낙양시주촌동한 벽화묘발굴간보洛陽市朱村東漢壁畵墓發掘簡報』(1992), 『산서하현왕촌동한 벽화묘山西夏縣王村東漢壁畵墓』(1994), 『낙양천정두서한 벽화묘발굴간보洛陽淺井頭西漢壁畵墓發掘簡報』(1993), 『하남형양장촌한대 벽화묘조사河南滎陽萇村漢代壁畵墓調査』(1996), 『내몽고중남부한대묘장內蒙古中南部漢代墓葬』(1998), 『하남영성망탕산시원양왕벽화묘河南永城芒碭山柿園梁王壁畵墓』(2001), 『고고발굴출토적중국동한묘(분왕묘)벽화考古發掘出土的中國東漢墓(邠王墓)壁畵』(2002), 『서안이공대학서한 벽화묘발굴간보西安理工大學西漢壁畵墓發掘簡報』(2006)등이다.

2001년의 하서림賀西林의 『고묘단청-한대묘실벽화적발현여연구古墓丹靑—漢代墓室壁畵的發現與硏究』는 한대 벽화묘를 처음으로 전체적으로 개관한 전문연구서로서 50기 이상의 한대 벽화묘에 대하여 시기와 지역적 특징을 정리하고 한대 상장문화와 사후관이 반영된 주제를 중심으로 분석하였다. 2000년부터 3회 연속으로 발간된 한당시기 미술에 대한 학술대회 논문집인 『한당지간적종교예술여고고漢唐之間的宗敎藝術與考古』와 2011년부터 출간되고 있는 중국 북경대와 중앙미술학원, 그리고 미국 시카고대가 격년으로 주최하는 학술대회의 발표논문집인 『고대묘장미술연구古代墓葬美術硏究』는 한대 벽화묘를 포함한 중국 묘장미술 분야의 새로운 발굴 성과와 연구 시각을 제시하는 역할을 하였다.

1990년대 이후 발견되어 국제적으로 주목을 받은 섬서陝西 순읍현旬邑縣 백자촌묘百子村墓는 중국과 독일의 국제 협력 프로젝트로 상세한 도록을 발간하였는데 독일이나 서양의 일반 독자를 대상으로 벽화의 선묘화線描畵와 고화질의 사진을 싣고 있어 벽화의 전체 배치를 이해하는데 도움이 된다.[8] 백자촌 벽화묘의 "諸觀皆解履乃得入" 제기題記에 주목하여 묘장화상이 공중이 참관하도록 개방되었을 수 있다는 가능성을 제시하면서 상장화상喪葬畵像 관자觀者의 문제를 다룬 연구도 나왔다.[9] 낙양지역에서 관찰되지 않던 생활풍속도를 다채롭게 그린 서안西安 이공대학묘理工大學墓와 중원지역에서 보기 드문 200자의 장편長篇 제기題記를 가진 중강中江 탑양자애묘 塔梁子崖墓의 발굴도 한대묘의 연구에 새로운 자료를 제공하였다. 2008년의 황패현黃佩賢의 『한대묘실벽화연구漢代墓室壁畵硏究』는 한대 벽화묘의 종합연구로

---

8 Susanne Greiff, Yin Shenping. *Das Grab des Bin Wang*, Wiesba-den, Main : Verlag des Romisch-Germanischen Zentralmuseums in Kommission bei Harrassowitz Verlag, 2002.

9 김근식, 『고구려 벽화고분의 묵서 연구』, 동국대학교, 2020; 안정준, 「樂浪·帶方郡 故地의 고분 속에 구현된 對外用 敍事와 구성 의도 「德興里壁畵古墳」의 벽화와 傍題 분석을 중심으로-」, 『韓國古代史硏究』, 103, 2021, pp. 5-44.

서 각지에서 출토된 100여 기의 한대 벽화묘에 대한 자료를 수집 정리하고 서한에서 동한시기까지 지역별 중요 벽화묘의 분석을 통하여 한대의 상장문화喪葬文化의 기능과 의의를 논하였다.

최근의 중국 묘장미술에 대해서는 미국 시카고대학교의 우흥 교수와 중국 중앙미술학원 정옌 교수가 연구를 주도하고 있다. 우흥 교수는 *Wu Liang Shrine*에서부터 건축과 화상의 구조적 연관을 강조하고 화상의 문맥으로부터 '도상의 의미를 읽어낼 수 있는 질서pictorial program'를 찾아내고자 시도하였다. 그의 연구는 이후의 후학들의 연구에서 묘장의 도상을 특정인, 지역, 종교, 시대 요소와 연관된 물질적 요소로, 상장예의와 상장제도를 고찰할 수 있게 하는 대상으로 보는 시각을 제시하고, 하나의 무덤을 완전한 예술품이자 의례와 예술 행위의 구현체이며 여러 예술형식의 집합체로 보게 하였다. 우흥이 주창하고 정옌을 비롯한 중요 학자들이 심화시키고 있는 묘장미술사 연구는 하나의 벽화나 유물에 집중하여 미술사의 회화, 공예, 조각, 건축의 각 분야별로 단절되었던 이전의 연구방식을 지양하고, 해당 벽화와 부장품이 하나의 묘장 내에서 가지는 맥락과 의미를 찾아내고, 기존의 고고미술사적 연구방법론들의 적용 가능성을 지속적으로 질문함으로써 미술사의 한 분야로 정립되어가고 있다.

정옌 교수의 『죽음을 넘어』(2020)는 2013년 출간한 『서자적면구-한당묘장예술연구逝者的面具-漢唐墓葬藝術研究』와 함께 묘장 발굴보고서의 파편화된 정보를 유적과 유물이 발견된 맥락에 주목하여 다양한 문헌자료와 비교 사례를 찾아 입체화시키고 문맥화하여 중국 묘장미술을 통찰하였다. 하남성 영성永城 시원柿園의 한대 무덤벽화의 기원을 다루면서 벽화의 배치에서 보는 이의 관점과 시선의 이동을 고려하거나, 산동성 임치臨淄의 후한대 왕아명王阿命 각석을 통하여 기존에 논의되지 않았던 어린아이 묘주의 표현을 고찰하는 등이 그 예이다. 일반적인 회화작품이 아니라 염원과 주술을 담은 묘장회화로서의 기능에 주목하여 장소와 배치에 따라서 묘장회화에 담긴 의도와 기능이 어떻게 변화하는가에 주목하였다. 묘장미술을 단순히 사회관념과 상장의례의 산물, 사상사나 물질문화사의 자료로만 간주하는 시각을 경계하고, 작품 자체의 예술적 가치를 소홀히 보지 않고 작품의 작자의 창조적 사유의 결과임을 주장하였다. [10]

---

10 박아림, 「정옌 지음, 『죽음을 넘어: 죽은 자와 산 자의 욕망이 교차하는 중국 고대 무덤의 세계』(지와 사랑, 2019)」, 『美術史學研究』305, 2020, pp. 222-224.

이상에서 살펴본 한대 벽화묘의 발굴과 연구사는 중국 고대인의 생활상과 사후관을 밝히는 자료로서 한대 벽화묘의 중요성과 가치를 잘 보여준다. 다음에서는 한대의 고분회화를 시기별 중요 표현 매체에 따라, 백화, 칠관화, 공심전 벽화, 소형전 벽화 등으로 나누어 중심 주제의 변천과 지역적 발전 양상을 살펴본다.

II. 서한의 백화와 칠관화

  서한(기원전 206~기원후 25) 전기에 벽화묘가 등장하는 곳은 중원지역, 서한 후기부터 벽화 고분이 출현하는 곳은 관중지역, 북방지역이다. 다른 세 지역들(하서지역, 동북지역, 동방지역)은 모두 신망에서 동한 전기에 벽화고분이 등장한다(표 1, 3).

  하남河南 영성永城 망탕산芒碭山 시원柿園 벽화묘壁畫墓는 1987년 발견되었으며, 벽화묘의

도 2 | 《청룡도》, 천장, 시원묘

연대는 서한 초기이다. 서한 초기 묘실벽화를 대표하는 한대 최초의 벽화묘이다. 산에 동굴을 파서 만든 대형석애묘大型石崖墓이며, 묘향은 북서향이다. 묘도墓道, 용도甬道, 주실主室, 8개의 이실耳室로 구성되었다. 주실 천장과 서벽, 남벽에 표범, 선산仙山, 주오朱鳥, 신수神樹, 영지靈芝, 기하문양이 그려졌다. 전실 천장에는 거대한 청룡, 새, 호랑이, 괴어怪魚 등이 있다. 청룡도(높이 3.5m, 너비 5.5m)는 현재 하남박물원에 소장되어 있다. 전체 벽면의 바탕색은 붉은 색이고, 그 위에는 흑백의 두 가지 색으로 흐르는 비운이 가득 그려져 있다(도2).[11]

시원 벽화묘는 양공정왕梁共正王 유매劉買(재위 기원전 144~136)의 묘이며, 지금까지 발견된 가장 이른 시기의 한대 벽화묘로서 중국 회화사에 있어 중요한 위치를 차지한다. 시원묘 벽화는 서한 호남 장사 마왕퇴묘의 칠관화漆棺畵와 전국시대 초묘楚墓의 칠관화와 주제나 구성, 문양, 배경 등이 비슷하여 관화에서 벽화로 넘어가는 과정을 잘 보여준다.

서한 초기에는 벽화보다는 비단에 그린 그림인 백화가 많이 전한다. 서한 초기 백화의 예는 마왕퇴 1호묘 1점, 마왕퇴 3호묘 4점이 있다. 서한 중기의 백화는 남월왕묘 1점, 금작산 9호묘 1점 등이 있다. 서한 말기에서 동한 초기 백화는 마취자磨嘴子 4, 23, 54호묘에 각 1점이다.[12] 다음에서는 서한 시대 고분미술에서 벽화가 유행하기 이전에 관을 덮거나 벽에 걸었던 백화와 칠관에 그려진 칠화의 중요한 사례들을 살펴본다.

1. 호남 장사 마왕퇴 1 · 3호묘

1972년 발굴된 호남湖南 장사長沙의 마왕퇴馬王堆에서 발굴된 세 기의 수혈식 묘 중 마왕퇴 1호 한묘는 대후軟侯 이창利倉의 부인 신추辛追(?-기원전 168년)의 묘이다.[13] 마왕퇴 1호묘 봉토

11 關天相, 冀剛, 「梁山漢墓」 『文物參考資料』 1955年 5期; 閻道衡, 「永城芒山柿園發見梁國王壁畫墓」 『中原文物』 1990年 1期; 廣州象崗墓發掘隊, 「西漢南越王墓發掘初步報告」 『考古』 1984年 3期.

12 황요분, 『한대의 무덤과 그 제사의 기원』, 학연문화사, 2006, p.376.

13 湖南省博物館編, 『長沙馬王堆1號漢墓發掘簡報』, 文物出版社, 1972; David Buck, "Three Han Dynasty Tombs at Ma-wang-tui," World Archaeology 7-1 (1975), pp. 30-45; Annelise Bulling, "The Guide of the Souls Picture," Oriental Art 20-2 (1974), pp. 158-173; Fong Chow, "Ma-wang-tui," Artibus Asiae 35 (1973), pp. 5-24; Jeffrey Riegel, "Mawangdui 2 and 3", Early China 1 (1975), pp. 10-15; J. Silbergeld, "Mawangdui," Early China 8 (1982-83), pp. 79-93; Wu Hung, "Art in a Ritual Context: Rethinking Mawangdui," Early China, 17(1992), p.111-144; Eugene Wang, "Why Pictures in Tombs? Mawangdui Once More," Orientations, 2009, pp.27-34.

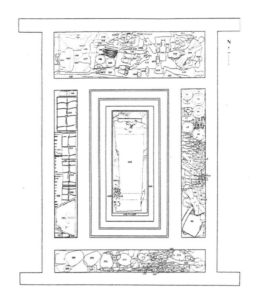

도 3 | 《평면도》, 마왕퇴 1호묘

도 4 | 두 번째 칠관, 마왕퇴 1호묘

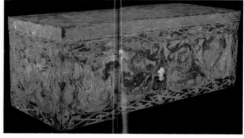

도 5 | 세 번째 칠관, 마왕퇴 1호묘

의 높이는 20여m이고, 저경底徑은 5-60m, 직경直徑은 20여m이다. 봉토 아래에 바로 묘장이 있고, 사파묘도가 있는 장방형 토갱土坑 수혈묘竪穴墓이며, 정북正北 방향의 무덤이다.

남북 길이 7.6m, 동서 너비 6.7m의 곽실槨室은 묘갱의 밑바닥에 축조되어 있고, 그 위에 죽석竹席 26폭을 평평하게 깔았다. 장구의 구조는 복잡한데, 세 개의 곽(외곽, 중곽, 내곽), 세 개의 관(외관, 중관, 내관) 또는 이곽사관으로 구성되어 있다(도3). 내곽 안쪽에는 외관, 중관, 내관이 있는데, 모두 장방형이다. 덮개판蓋板, 네 벽판壁板, 바닥판底板 등 여섯 개의 정판整板으로 구성되어 있다. 관의 내부에는 모두 주칠朱漆을 칠했다. 외관, 중관의 네 벽판과 덮개판에 모두 휴칠髹漆하고 채색 그림을 더했다.[14] 여러 겹의 채회목관의 표면에는 용, 말, 표범, 주작, 괴수, 진금, 선인대무도仙人對舞圖 등의 내용이 장식으로 그려져 있다. 백화와 관 표면을 장식한 그림은 신비로운 천상 세계를 형상화한 것이다.

첫 번째 칠관(길이 295, 너비 150, 높이 144cm)은 외관에 흑칠, 내면에 주칠을 하였으며, 아무런 장식이 없다. 두 번째 칠관(외관, 길이 256cm, 너비 118cm, 높이 114cm)은 관내에 주칠朱漆, 관외에 흑칠을 하였다(도4). 흑칠 바탕면에 백, 홍, 흑, 황 등의 색으로 운기문을 그리고 다양한 신선과 기금이수 형상으로 장식하였다. 괴수들은 격렬하게 싸우거나, 사냥을 하거나, 악기를 연주하거나, 춤을 추고 있으며, 또는 운기 사이에서 날짐승, 맹수, 소, 사슴 등을 쫓는다. 덮개관과 벽관의 둘레에는 14cm 너비의 꽃문양 도안이 장식되어 있다.

두 번째 관에 그려진 회화의 주제는 선금신수운기문仙禽神獸雲氣紋으로 100여 종의 다양한 신선神仙(신괴神怪)과 기금이수奇禽異獸 형상이 운기문을 배경으로 그려져 있다.[15] 칠관의 앞 머리 부분 하단 운기문 중에 여자 반신상이 묘사되어 있어 여묘주가 신선의 세계에 막 등장한 것으로 해석한다.[16] 손작운孫作雲은 칠관에 그려진 사슴뿔鹿角이 달린 수두인신獸頭人身의 괴수들을 토백土伯으로 보고 초묘楚墓 출토 진묘상과 유사한 것으로 여겼다. 종종 뱀과 함께 그려진 이들 괴수들은 증후을묘 내관장식의 신괴나 장사 자탄고 초묘 "초백서"의 신상들과도 유사하다.[17]

칠관에 그려진 운기문은 배경이 천상이라는 것을 암시한다. 한대의 운수雲獸문양은 선계를 상징하며 도가적 승선사상을 반영한다. 용, 백호, 백록, 학 등은 한대인들이 하늘과 땅을 통하게 하는 통천 사자로 여긴 승선의 매개로 인간을 도와 승선케 하는 역할을 한다. 인혼승천사상은 전국 중만기에 이미 명확하게 고분미술 중에 출현하며 서한 전기에는 마왕퇴 백

14 湖南省博物館编,『長沙馬王堆1號漢墓發掘簡報』, 文物出版社, 1972, p.2.
15 朱, 白, 黃, 綠 등의 색으로 복잡 다변한 운기문을 그렸다. 운기문 가운데 다양한 신선, 즉 표범을 부리는 선인, 뱀을 부리는 신, 악기를 연주하는 신과, 새를 쏘는 신, 정좌한 신, 말을 타는 신, 춤을 추는 신 등의 도안을 그렸다.
16 孫作雲,「馬王堆一號漢墓漆棺畫考釋」,『考古』, 1973年 4期.
17 토백은 지하의 主神으로 蛇를 먹는 것으로 알려져 시체를 뱀으로부터 방어하여 훼손을 막는 작용을 한다. 宋玉은「招魂」에서 토백의 세 가지 특징으로 긴 뿔(其角特長), 九曲의 몸(其身九曲), 무기를 지니고 문호를 수호(土伯執衛門戶)하는 것을 든다. 宋玉과 王逸의 기록이 마왕퇴 1호 한묘의 시대와 멀지 않으며, 송옥이나 왕일 모두 楚나라 또는 楚地人이므로, 시대가 가깝고 지역이 같으며 문화계통이 같은 초나라의 풍속을 표현한 것으로 보인다. 孫作雲,「馬王堆一號漢墓漆棺畫考釋」,『考古』4期, 1973年 4期.

화 도상에서 완정하게 정비된다. 서한 후기에서 동한 전기에는 우주 천상과 각종 신령과 상서도상이 선계를 조성하며 한대 고분 예술의 중요한 주제 내용이 된다. 한대 섬북 화상석과 밀현 타호정묘의 석문의 운수문양이 대표적 예이다. 영혼승천의 내용은 이미 전국시대 칠관에서도 '신화적 상징성'을 가진 그림으로 시도되었고, 이후에는 신선세계를 표현하는 것으로 탈바꿈한다. 이러한 전통은 이후 한대 도가사상으로 정리되어 칠관을 비롯한 기물 전체를 하나의 주제로 이끌고 있다.[18]

세 번째 관(중관, 길이 230㎝, 너비 92㎝, 높이 89㎝)은 주칠 바탕면에 채색 그림을 그렸다. 덮개판에는 운문과 각각 두 마리의 용, 호랑이가 싸우고 있는 용호상박 도안이 있다(도5). 네 벽판의 가장자리에는 11㎝ 너비의 화문 도안이 장식되어 있고 중간에는 산봉우리, 운기, 용, 사슴, 괴수, 옥벽 등의 도안이 있다. 관 덮개에 좌우 대칭의 이룡이호二龍二虎(용호상희龍虎相戲), 관의 두부頭部 단판短板에는 삼산형 선산과 산의 양측에 신록神鹿 두 마리가 그려져 있다. 족부足部 단판은 쌍룡-천벽도와 운기문이며, 백화의 쌍룡-천벽도와 비슷하다. 우벽판은 기하학적 연운기문連雲氣紋로서 타호정 벽화묘의 운기문과 비슷하다. 좌측판은 중간에 선산이 있고, 산 양측에 용, 호랑이, 기린, 봉황, 선인 등이 그려졌다. 소부카와 히로시曾布川 寬는 세 번째 관의 두부 단판과 좌벽판의 칠화를 곤륜산선인세계로 보았다.[19]

네 번째 칠관(내관, 길이 2.02m, 너비 0.69m, 높이 0.63m)은 비단과 깃털로 장식하였으며, 안에 주칠, 외부에 흑칠, 관 덮개에 '日'자형 도안이 있다. 내관 안에는 여성 시신이 한 구가 있는데, 몸을 곧게 펴고 있으며, 머리는 북쪽을 향하여 두고 있다. 신체의 길이는 154.5㎝이고 보존이 잘 되었다.

마왕퇴 3호묘 봉토의 높이는 7.8m이고 천장 부분의 두께는 2.5m에서 4.3m의 옅은 갈색의 흙으로 덮여있다. 3호묘는 묘도가 있는 장방형 횡혈묘橫穴墓이며, 깊이가 17.7m인 정북방향의 무덤이다. 무덤 입구의 남북 길이가 16.3m이고 동서 너비가 15.45m이다. 무덤 입구 아래에는 세 개의 층으로 된 계단이 있고 무덤 밑바닥까지 이어진다. 무덤 바닥의 길이는 5.8m이고 너비는 5.05m이다. 3호묘의 입구의 서, 북측의 양벽과 묘도는 1호분의 남벽을 조

---

18 이정은, 「중국 전국시대 칠기의 장식그림」, 『중국 고대회화의 탄생과 전개』, 국립중앙박물관, 2009, pp.162-179. 전국시대 초나라 미술과 유사한 한대 祥瑞 상징에 대해서는 Wu Hung, "A Sanpan Shan Chariot Ornament and the Xiangrui Design in Western Han Art", *Archives of Asian Art*, Vol. 37, 1984, pp.38~59 참조.

19 曾布川 寬, 『崑崙山への昇仙-古代中國人が描いた死後の世界』, 中央公論社, 1981.

성할 때 일부 파괴되었는데, 이는 3호분이 1호분보다 앞서 조성된 것임을 나타낸다.[20]

1호묘에서 내관을 덧씌운 'T'자형의 채색 백화帛畵(길이 205㎝, 너비 47.7㎝)가 출토되었다(도6). 제2의 'T'자형 백화가 1호묘 묘주의 아들의 묘인 마왕퇴 3호묘에서 나왔다.[21] 1호묘 백화의 화폭의 전체 길이는 205㎝이고, 윗부분의 너비는 92㎝, 아랫부분의 너비는 47.7㎝이다. 모서리에 달린 끈으로 보았을 때, 기번旗幡과 유사한 것으로 보인다. 백화에는 주사朱砂, 석청石靑, 석록石綠 등 광물 안료를 사용했다. 백화의 내용은 풍부하며, 기본적으로 위에서부터 상, 중, 하 세 부분으로 구분할 수 있다. 윗부분은 천상과 관련이 있는데, 우측 상단에는 둥근 해가 있고, 그 안에는 금오金烏가 그려져 있다. 둥근 해의 아래에는 부상扶桑 나무가 그려져 있고, 8개의 작은 둥근 해가 있다. 좌측 상단에는 초승달이 그려져 있고, 달 위

도6│《T자형 백화》, 마왕퇴 1호묘

에는 두꺼비, 토끼가 그려져 있으며, 아래쪽에는 항아분월嫦娥奔月의 장면이 있다. 윗부분의 중간에는 사신인수蛇身人首 도상이 있고, 아래에는 'T'자형 단 위에 두 명이 대좌하고 있다.

중간 부분은 화면의 가장 중요한 부분으로, 지팡이를 짚고 천천히 걸어가는 노년의 여성의 앞쪽에는 두 사람이 무릎을 꿇고 음식을 받쳐 들고 있으며, 노인의 뒤에는 세 명의 시녀가 서 있다. 이는 화폭의 주된 주제로, 여주인이 출행하는 형상을 표현한 것이다. 중간 부분 아래에는 연향宴饗 또는 제의祭儀의 장면이 있다.

백화의 가장 아랫단의 아래쪽에서 위쪽은, 바다에서 육지에 이르는 광경으로 보인다. 두 마리 큰 물고기 위에 서있는 거인이 양 손으로 대지大地를 상징하는 것으로 보이는 흰색의

20 湖南省博物館, 中國科學院考古研究所, 「長沙馬王堆二, 三號漢墓發掘簡報」『文物』, 1974年 7期, p.41.

21 백화의 명칭에 대해서는 銘旌說, 飛衣說, 畵荒說, 畵幡說 등이 있다. 허시린, 「마왕퇴백화의 기능」『美術을 通해서 본 中國史』, 중국사학회 제5회 국제학술대회, 2004. 10, pp.45-55. 마왕퇴백화에 대한 연구 논문으로는 David Buck, "Three Han Dynasty Tombs at Ma-wang-tui," *World Archaeology* 7-1 (1975), pp.30-45; Annelise Bulling, "The Guide of the Souls Picture," *Oriental Art* 20-2 (1974), pp.158-173; Fong Chow, "Ma-wang-tui." *Artibus Asiae* 35, 1973, pp. 5-24; Jeffrey Riegel, "Mawangdui 2 and 3," *Early China* 1, 1975, pp.10-15; Wu Hung, "Mawangdui," *Early China*, 1992; R. Rudolph, "Two Recently Discovered Han Tombs," *Achaeology* 26, 1973, pp.106-115; J. Silbergeld, "Mawangdui," *Early China* 8, 1982-83, pp.79-93; Anne Birrel, "Return to the Cosmic Eternal: The Representation of a Souls Journey to Paradise in a Chinese Funerary Painting c. 168 B.C," *Cosmos* 13-1, 1997, pp.3-30.

도 7 | 《T자형 백화》, 마왕퇴 3호묘

편평한 물체를 힘있게 들어 올리고 있다. 백화의 전체 화면을 보면, 아래에서 위의 방향으로 지하, 인간, 천상의 광경을 표현한 것으로 볼 수 있다. 백화의 내용에는 중국 고대 전설과 관련된 것도 있고, 당시의 생활상을 반영한 것도 있으며, 또한 상상 속 장면과 현실 속 장면을 표현하기도 하였다.[22]

3호묘에서 출토된 백화는 모두 4폭이다. 한 폭은 내관 위에 덧씌운 'T'자형의 백화이며, 다른 두 폭은 관실의 동서 두 벽에 걸려 있었고, 마지막 한 폭은 장방형의 칠렴漆奩 안에 있었다[23] 마왕퇴 3호묘의 'T'자형의 백화(길이 2.3㎝, 상부너비 1.4㎝, 하부너비 0.5㎝)는 내관 위에 놓인 채 발견되었다(도7). 또한 관벽백화로 도인도導引圖, 거마의장도車馬儀仗圖(또는 군진송장도軍陳送葬圖), 행락도行樂圖, 신기도神祇圖가 발견되었다. 수혈식 목관묘에서 백화를 사용하여 내부를 장식한 것이다. 이러한 백화는 이후에 횡혈식 전축묘의 천장과 벽면의 벽화로 발전하게 된다. 마왕퇴 3호묘에서는 장식이 된 칠기도 총 218점이 나왔다. 기하문, 용봉, 운룡, 화초문花草紋, 사람, 개, 사슴, 새, 거북이와 같은 동물 유형 등이다.

마왕퇴 1·3호 한묘(기원전 168)에서 출토된 'T'자형 백화는 앞장에서 살펴본 초나라 회화예술의 사실적 인물화와 신화적 상상력이 접목, 발전된 서한대 묘장미술의 대표적 사례이다. 존 메이저가 언급한 초나라 후기 신앙의 특징은 육체에서 분리된 인간의 영혼이 시공을 통한 영적인 여행이 가능하다는 믿음이다. 『초사楚辭』「초혼招魂」을 배경으로 한 전국시대 초혼招魂 풍습이 그 예인데, 마왕퇴 백화의 내용은 그러한 초나라 지방의 풍습에 기반한 것으로 해석된다. 또한 전국시대 널리 퍼진 신선사상에도 기초하고 있는데 묘주의 혼이 신선세계로 들어가는 길을 도와주는 기능을 하는 것으로 여겨진다. 한대 고분미술의 중요한 사상적 배경인 신선사상은 초인楚人의 비승성선飛昇成仙, 진귀벽사鎭鬼辟邪, 영혼승천의 신앙과 풍습이 한대에 도가사상과

---

22 湖南省博物館編, 『長沙馬王堆1號漢墓發掘簡報』, 文物出版社, 1972, pp. 6-7.

23 湖南省博物館, 中國科學院考古研究所, 「長沙馬王堆二, 三號漢墓發掘簡報」, 『文物』, 1974年 7期, p. 42.

결합하여 일어났다. 초나라에 유존되어 오던 신화를 도가에서 수용하여 종교적 형태로 변화시켜 다양한 신의 계보를 만들었다. 또한 도가에서는 초나라 문화권 내에서 유행하던 산천, 일월성신, 귀신들에 대한 제사의식을 규정화하고 무의巫醫의 주술과 의술행위와 부적, 사악한 기운을 다스리거나 귀신을 몰아내는 민간 방식을 금주禁呪 등의 법술로 발전시켰다.[24]

초나라의 미술의 사실적 묘사의 진전을 보여주는 생활풍속도를 계승한 예로서 마왕퇴 3호묘에서 출토된 거마의장도車馬儀仗圖(또는 군진송장도軍陳送葬圖), 행락도行樂圖, 도인도導引圖

---

24 마왕퇴 백화의 사상적 배경이 초문화에 기반하고 있음은 백화 상단의 태일신앙의 표현에서도 찾을 수 있다. 허시린에 의하면 마왕퇴 1호묘 T자형 백화 도상의 상징 의미는 서한 전기 옛 南楚 지역의 喪葬신앙의 핵심과 본질을 표현한 것이다. 백화의 상단 천상세계의 중앙에 나타나는 人首蛇神은 太一로서, 전국시대 초나라지역에 전해져 내려오던 태일 신앙을 계승한 것이다. 『淮南子 地形訓』에 의하면 곤륜에 들어가 그 꼭대기의 凉風의 산에 오르면 영생불사의 목적을 이룬다. 다시 더 높이 올라 縣圃에 이르면 신선이 되어 靈力을 얻어 바람과 비를 부릴 수 있으며 자연을 지배할 수 있게 된다. 만약 더 올라가 그 정상에 이르면 태일이 지배하는 天庭에 들어가게 되는데, 그러면 결국 천신의 행렬에 융합해서 들어가게 되어, 천제와 같이 일월이 함께 빛나는 마지막 경계에 있게 된다. 『淮南子 地形訓』崑崙之丘, 或上倍之, 是凉風之山, 登之不死, 或上倍之, 是謂縣圃之山, 登之乃靈, 能使風雨, 或上倍之, 乃維上天, 登之乃神, 是謂太帝之居. 허시린은 백화에 崑崙과 天庭, 신선과 태일이 함께 나타나는 것은 縣圃 위에서 천정을 압도하는 태일을 수많은 신들의 지존으로 받드는 것이라고 보았다. 백화는 죽은 이를 죽음으로부터 신선이 되어 죽지 않는 경지에 이르도록 하기 위해 그 혼을 태일의 천정으로 이끌어 마지막에는 "道" 즉 "一"이라는 우주 자연 본체를 대표하는 것으로 돌아가게 하여, 완전한 의미의 영생을 실현하는 것을 보여준다. 허시린, 「마왕퇴백화의 기능」, 『美術을 通해서 본 中國史』 중국사학회 제5회 국제학술대회, 2004, pp.44~55. 小南一郎, 『西王母と七夕傳承』平凡社, 1991. 초나라 사람들은 태일이 모든 신들의 위에 있으며 東皇으로 받들어 왔다. 초나라의 태일 신앙은 기원전 2세기 한나라로 이어져 태일에 대한 제사가 제도화되었다. 초나라의 신들 중에서 세 가지 종류가 있는데 첫째는 초인의 신으로 風伯, 雨師, 山神, 水神, 土伯 등이다. 둘째는 하백과 같은 북방의 신이다. 셋째는 남방 신으로 복희, 여와, 湘君 등이다. 이들은 모두 초사에 묘사된다. 한나라는 초나라의 귀신신앙을 계승하였는데, 太乙신앙이 대표적이다. 태일은 천극성(북극성)의 가장 밝은 곳에 거하며 五帝(五星), 북두, 일월을 통괄하는 천신으로 "볼 수는 없지만 직접 인간계에 내려와 말을 전하는 존재"로서 천문사상이 반영된 도교적 성격의 신격이다. 굴원, 柳晟俊 역, 「東皇太一」 『楚辭』 혜원출판사. 태일신앙과 관련된 한대의 제의에 대해서는 강병희, 「고대 중국 건축의 8각 요소 검토」『한국사상사학』 36집, 한국사상사학회, 2010, pp.1~49. 마이클 로이, 『古代 中國人의 生死觀』 지식산업사, 1988, p.34. 韓玉祥, 『漢畵學術文集』 河南美術出版社, 1996. 유진 왕(Eugene Wang)도 마왕퇴 1호묘 백화 상단 중앙의 신을 마왕퇴 3호묘에서 출토된 "神祇圖"에 그려진 태일과 비교하여 동일한 신을 그린 것으로 여겼다. 마왕퇴 3호묘에서 출토된 "신기도"는 社神·羽人을 중심으로 한 백화로, 天神과 地神에 제사를 지내는 장면을 표현하였다. "신기도"의 신들은 장사 자탄고초묘에서 나온 "초백서"에 그려진 신상과 유사한 형태로 초문화에서 기원한 여러 신상을 그리고 있다. "신기도"(길이 43.5㎝, 너비 45㎝)는 태일, 복희·여와, 염제, 축용 등 남방신화의 신들을 그린 것으로 "太一將行圖" 또는 "社神圖"라고도 한다. 그림의 중앙에 鹿角이 강조된 神祇의 머리 좌측에 "太一將行"의 문자가 있어 태일신을 그린 것을 알 수 있다. Eugene Wang, "Why Pictures in Tombs? Mawangdui Once More", *Orientations*, 40, 2009, pp.76~83.

도 8 | 《거마의장도》, 마왕퇴 3호묘

등의 백화가 있다. 이들 백화는 전국시대에서 서한시대로 이어지는 인물화의 발달과정을
잘 보여준다.[25]

마왕퇴 3호묘에서 출토된 '거마의장도車馬儀仗圖'는 출토될 당시 관상棺廂 서벽 바깥쪽에
걸려 있었으며, 길이는 212cm, 너비는 94cm이다. 백화는 크게 4개의 조組로 구분하여 볼 수
있다(도8).[26] 1조는 백화의 좌측 상방의 도안으로 2열로 배열된 인물상이 주요하게 묘사되었
다. 위쪽 열에 있는 인물은 머리에 관을 쓰고 장포長袍를 입고 있으며, 오른손으로는 칼자루
를 쥐고 왼손에 흑색의 곤봉을 잡고 있다. 그 뒤에는 그를 위해 우산 덮개를 높이 들고 있는
시자가 묘사되어 있다. 형태, 의상 등이 모두 'T'자형 백화의 묘주인과 일치하므로 묘주로 보
인다. 우산 덮개의 뒤에는 창을 들고 줄지어 서 있는 속리들이 약 20명 정도 묘사되었다. 구

---

25 초나라와 한대의 인물화를 연결하는 秦代 회화의 예로 옛 초나라 지역인 湖北 江陵 鳳凰山 秦墓 출토 漆
    繪 木梳에 그려진 연음(정면)과 가무장면(후면), 木篦에 그려진 송별(정면), 씨름장면(후면)이 있다. 두
    빗의 크기는 길이 7.4, 너비 5.9 두께 1cm로 동일하다. 중국에서 가장 오래된 씨름장면으로 하남 타호정
    2호묘, 고구려 안악 3호분의 씨름 장면의 선례가 된다. 陳振裕,『楚文化與漆器研究』, 科學出版社, 2003,
    pp. 309-310, 도5-8.

26 何介鈞,『長沙馬王堆 2·3號漢墓』, 文物出版社, 2003, 채색도판 23, 24, 26, 32.

도상 화면 안의 인물, 거기車騎, 악대가 모두 묘주를 향하고 있다. 묘주의 형상이 다른 인물에 비해 크고 정세精細하게 그렸으며 주위에 일정 공간을 비워놓고 커다란 화개를 쓰고 있어 화면의 중심임을 알 수 있다.

2조는 첫 번째 조의 바로 아래쪽에 있는 도안과 비슷한 30명 정도의 인물을 묘사하고 있는데, 인물들은 모두 손에 채색된 방패를 들고 묘주를 향해 행렬하고 있다. 그 우측에는 5개의 단으로 축조된 높은 누각이 그려져 있는데, 그 조형성과 위치로 미루어 볼 때 이 누각은 제단 또는 하늘과 연결된 특별한 장소를 상징한다고 볼 수 있다. 이 두 조에 표현된 인물상은 모두 무덤을 향해, 즉 묘주가 있는 방향으로 열을 지어 행진하는데, 마치 천계에 오르는 묘주를 호송하며 추대하는 것 같다. 3조는 백화의 좌측 하방에 있는 창을 든 백여 명의 병사들로 구성된 방진도方陣圖이다. 중앙에는 북을 치고 동탁銅鐸을 울리는 장면이 묘사되어 있다.

백화의 우측 상방에는 거마행렬이 묘사되어 있는데, 대략 4개의 대열로 배열되어 있고, 매열에는 10대의 거마가 그려져 있다. 오른쪽 아래에는 말을 타고 있는 장병들이 표현되어 있으며, 대략 14열이고 100여 명의 기병이 묘사되어 있다. 이 백화에 묘사된 방진方陣과 기마장병의 행렬은 취하고 있는 동작과 무관하게 모두 한 방향, 즉 묘주가 있는 곳으로 향하고 있다. 거마의장도의 전체 구도는 묘주가 의장대의 호위를 받으며 영혼이 승천하는 장면을 집약적으로 보여준다.[27] 거마의장도는 현실생활에서 제재를 취하여 사실적인 수법으로 묘주초상과 거마행렬, 악무연주를 그렸으며, 당시의 군진의 제도와 배치방식을 잘 보여준다.

무졸武卒, 거기車騎 등이 포함된 지형도地形圖, 주군도駐軍圖 와 30여 건의 병기로 미루어 묘주인은 생전에 중요한 장령將領이었던 것으로 추정된다. 거마의장도車馬儀仗圖는 묘주가 생전에 본인의 부속部屬을 열병하는 장면으로 보인다. 고분에서 출토된 "견책遣策"에 "右方男子明童凡六百七十六人: 其十五人吏, 九人宦者, 二人偶人, 四人擊鼓, 鐃鐸, 百九十六人從, 三百人卒, 百五十人奴." "執短鍛者"六十人, 皆冠畵." 등의 기록이 있는데, 기록과 화면의 인물수가 대략 일치한다. 이러한 대규모 군진軍陣 장송葬送의 용군俑群의 사례는 상당히 많아 함양咸陽 양가만묘楊家灣墓에서 이천 명이 넘는 도제陶制 기병용騎兵俑이 나왔다. 마왕퇴 3호묘의 백화도 군진장송도일 가능성이 있으나, 다른 점은 회화의 형태로 표현된 점이다. 모두

---

27 각종 인물 백여 인, 말 수백 필, 수레 수십 대로 구성된 마왕퇴 3호묘의 거마의장도백화는 秦 咸陽宮 유지의 走廊에서 발견된 벽화유적에서 발견된 거마도상과 비교된다. 거마의장의 주제의 그림이 백화나 벽화의 형태로 유통되었던 것을 짐작하게 한다. 秦都咸陽考古工作, 「秦都咸陽第3號宮殿建築遺地發掘簡報」, 『考古與文物』, 1980. 2; 김홍남, 『중국 고대회화의 탄생과 전개』, 국립중앙박물관, 2009, pp. 12~21.

묘주인의 생전의 위세를 표현하며 묘주의 공적을 치하하는 목적과 기능을 갖고 있다.[28]

마왕퇴 3호묘의 행락도行樂圖 또는 '주선시녀도舟船侍女圖' 백화는 하남 신양 장대관1호초묘의 채회금슬彩繪錦瑟의 수렵도狩獵圖와 연락도宴樂圖와 유사한 주제를 다루고 있다.[29] 백화에는 묘주가 시녀들의 추대와 호위를 받으며 용선龍舟에 타는 모습을 표현하고 있으며, 묘주가 용선을 타고 승천하는 모습을 형상화한 것이다. 회화의 여백에는 용, 물고기, 건축물 등의 도안을 그려 넣기도 하였다.[30]

기사도騎射圖에서는 말을 타고 힘차게 달리고 있는 인물의 동세가 잘 표현되어 서한 전기의 섬서성 서안 이공대학고분의 수렵도와 유사하다. 잔편으로 남아 그림의 전체 구성이 분명하지 않지만 동한 벽화고분의 생활풍속적 주제를 잘 예시하고 있다. 도인도導引圖는 다양한 인물의 동작을 자연스럽게 보여주면서 진시황릉 병마용과 한대 고분의 도용의 다양한 자세표현을 연상시킨다. 중원지역 진秦과 서한 초기 고분의 대규모 병마도용과 동용이 그림으로 대체된 듯 보인다.[31] 도용 명기는 서한시대부터 조각을 대신해서 회화형태로 나타난다. 마왕퇴 3호묘에서 묘주를 모시는 800명이 넘는 남녀 시종 가운데 100명 정도만 도용으로 표현되고 나머지는 관실의 벽면을 덮은 두 장의 백화에 그려져 있다. 이러한 회화 형식은 다양한 행동, 서술식 구성, 산수 배경 등을 큰 구도에서 그릴 수 있다는 이점이 있다.[32]

서한 초기의 묘에서 출토된 회화 자료들을 분석하면, 수혈식 목관묘의 장식 회화 형식을 크게 깃발 형식의 백화와 관벽 장식 백화의 두 종류로 나눌 수 있는데, 목관묘의 장식 수법과 표현 제재는 주로 묘주의 영혼이 승천하는 것이며, 더 나아가 승선하는 장면의 묘사로 구체적으로 발전하여 전개되고 있다.

이상에서 살펴본 마왕퇴 1·3호묘의 백화는 내용이 복잡하고 회화기법이 이미 비교적 높은 수준에 있어 서한 초기 회화 자료로 중요한 가치가 있으며 구도, 인물과 동물들의 다양한 자세, 수묵의 윤곽선 사용, 채색기법의 사용 등에서 서한 초기의 새로운 발전상을 보여준다. 또한 내용형식과 표현기법에서 초楚·한漢의 회화예술의 계승관계를 볼 수 있다.[33]

28　何介鈞,『長沙馬王堆 2·3號漢墓』, 文物出版社, 2003.

29　何介鈞,『長沙馬王堆 2·3號漢墓』, 文物出版社, 2003, 채색도판 27. 도 33, 34

30　황요분,『한대의 무덤과 그 제사의 기원』, 학연문화사, 2006, p. 360.

31　김홍남,『중국 고대회화의 탄생과 전개』, 국립중앙박물관, 2009, pp. 12~21.

32　Wu Hung, *Arts of the Yellow Spring*, University of Hawai'i Press, 2010, p. 101.

33　초나라 회화의 중국 회화의 발전에 있어서의 기여도에 대하여 김홍남,『중국 고대회화의 탄생과 전개』,

2. 산동 임기현 금작산 9호묘와 금작산 민안공지 4호묘

1976년 서한 초기 고분인 산동山東 임기현臨沂縣 금작산金雀山 9호묘9號墓[34]에서 마왕퇴 1·3호묘 출토 백화와 유사한 백화가 발견되면서 서한 시기에 소위 사자의 영혼을 저승세계로 인도하는 역할을 하는 백화를 관 위에 덮는 습속이 호남성에서 산동성에 이르는 지역까지 널리 행해진 것임을 알려주었다.

금작산 9호한묘는 장방형의 수정혈목곽묘竪井穴木槨墓로서 묘실 길이가 2.66m, 너비가 1.66m이며 장구葬具로는 하나의 재梓와 하나의 관棺이 있다. 묘주는 노년의 부인으로 추정된다. 금작산 9호한묘 백화의 전체 길이는 2m, 너비는 42cm이다. 관 위를 덮은 채로 출토된 백화의 내용과 형식은 마왕퇴 백화와 유사하다. 백화는 전체 3단으로 나뉘는데, 상단은 삼산형三山形 산악문 위에 오른쪽에 해와 금오金鳥, 왼쪽에 달과 두꺼비가 있다(도9).

백화의 중간은 인물도로 모두 5단으로 구성되었다. 유막 아래의 인물들은 총 24명(남자 13명, 여자 10명)으로 몇 개의 장면으로 나뉘어진다. 제1층은 양쪽에 병풍을 설치하고 그 사이에 5명의 여성이 있다. 노년의 귀부인 형상의 묘주는 우측

도9 |《백화(모본)》, 금작산 9호묘

에 앉아 있다. 그 옆에는 4명의 시종이 공수자세로 여묘주 앞에 시립하였다. 여묘주 바로 앞의 시녀는 손에 용기를 들고 묘주에게 바치고 있다.

제2층은 남자 4명과 여자 1명으로 구성되었는데, 우측의 2명이 악기를 연주하고 좌측의 3명은 가무공연을 하고 있다. 제3층은 5명의 관복을 입은 남자로 구성된 영송빈객도迎送賓客圖이다. 우측의 1인을 향해 좌측의 4명의 남자가 예를 갖춰 마주 보고 있다.

제4층은 모두 6명인데, 우측의 3명의 여자와 한 명의 어린아이가 방직紡織하는 장면이고,

국립중앙박물관, 2009, pp.12~21 참조.

34 臨沂金雀山漢墓發掘組,「山東臨沂金雀山九號漢墓發掘簡報」,『文物』1977年 11期.

도 10 | 《백화(모본)》, 민안공지 4호묘

좌측은 노부인이 의사에게 물어보는 장면으로 해석된다.[35] 제5층은 3인의 각저도角觝圖인데, 인물들의 동작이나 구성이 이도살삼사도二桃殺三士圖로도 보인다. 하단에는 한 마리의 코뿔소와 호랑이, 왼손에 검을 잡고 오른손에 활을 들은 방상시方相氏, 그리고 그 아래에는 꼬리가 서로 꼬인 청백이룡青白二龍이 있다.[36]

1976년 5월 금작산 9호묘에서 백화가 발견된 이래 금작산과 은작산銀雀山의 약 10기의 한대묘에서 백화가 추가로 발견되었다. 1978년 9월 금작산 9호묘에서 10m 거리의 13, 14호묘에서도 백화 잔편이 각 한 점씩 나왔으며 묘장 연대는 9호묘와 같은 시기이다.

1997년에는 금작산 9호묘에서 북쪽으로 300m 떨어진 민안공지民安工地에서 4기의 서한묘가 발굴되었는데 그 가운데 금작산金雀山 민안공지民安工地 4호묘에서 관 덮개(길이 270cm, 너비 66cm, 두께 8.5cm) 위에 놓인 백화가 발견되었다(도10). 상단은 가옥 내의 여자 묘주와 3명의 시녀의 생활장면으로 금작산 9호묘의 여묘주도와 유사한 구성이다. 하단은 말 또는 낙타를 탄 인물이 있고 좌우에 화개를 든 인물 둘이 있다. 가장 하단에는 청색과 홍색의 두 마리 용의 천벽穿璧 도안이다. 하단의 이룡천벽도상은 마왕퇴백화와 유사한 도상이다. 민안공지 4호묘는 부장품의 특징에 근거하여 한무제漢武帝 시기(재위 기원전 141~기원전 87년) 전후로 편년한다. 4호묘의 묘주는 60-70대의 남성이나 백화의 주인은 금작산 9호묘와 같이 여성으로 묘사되어 있다.[37]

금작산 9호묘와 금작산 민안공지 4호묘 출토 백화는 백화 중단의 현실생활도가 중심이다. 금작산 31호묘 백화에도 고취鼓吹 등이 묘사되었는데 마왕퇴 3호묘의 관벽백화의 생활

35 劉家驥, 「金雀山西漢帛畵臨摹後感」, 『文物』, 1977年 11期.

36 劉心健, 「金雀山帛畵」, 『臨沂師專學報』, 1987年 1期.

37 徐淑彬, 「臨沂金雀山1997年發現的四座西漢墓」, 『文物』, 1998年 12期.

풍속 제재와 유사하다.[38]

우홍은 마왕퇴 1·3호묘를 중국 고분미술의 구성 원리와 표현 체계를 완정 정비한 대표적인 예로 들어 백화와 칠관의 구성, 회화와 도용의 관계, 묘주 영혼의 여행과 영좌를 설명한다. 그에 의하면 이미 동주시기 고분에서 묘주를 보호하는 개념이 나타나며, 많은 초묘에서 악귀를 쫓는 형상을 조각이나 그림의 형태로 같이 묻게 된다. 영혼의 개념은 한나라에서 창안된 것이 아니라 그 이전 시기부터 출현한 것으로 호남 장사 자탄고 초묘에서 출토된 백화는 묘주가 용을 타고 사후의 여행을 떠나는 모습으로 그려졌다. 이러한 전국시대 초묘에서 나온 장의 미술의 전통을 발달시킨 것이 마왕퇴 서한묘 백화와 칠관화이다. 초묘의 묘주 영혼을 보호하는 기능을 가진 신괴상들은 마왕퇴묘의 백화와 칠화에서는 살아서 움직이는 듯한 형상으로 변화된다.

마왕퇴 1호묘의 네 겹의 관은 묘주 영혼의 여행을 상징한다. 가장 바깥의 외관은 검은색으로만 칠해졌고, 두 번째 관의 기본색도 검은색으로 지하세계를 상징한다. 그러나 운기문양과 신수의 출현은 엄숙하고 신비로운 공간에 활기를 불어넣는다. 양식화된 구름은 우주전체의 기를 은유적으로 표현한다. 하단의 작은 인물이 이 공간에 나타나는데 묘주의 사후의 영혼이 지하세계에 들어선 것이다. 세 번째 관은 다른 색과 이미지를 가진다. 양陽, 생生, 불멸의 상징인 붉은 색이 바탕에 깔리고, 사슴, 천마, 우인에 둘러싸여 삼산형 곤륜산이 관의 측면의 중앙에 나타난다. 이 세 번째 관 바로 안에 놓인 묘주의 명정은 두 번째와 세 번째 관을 연결하며, 그 너머로는 아무런 회화적 표현이 나타나지 않는다. 이러한 층위적 구성을 이해하게 되면 마왕퇴 백화가 중국 고분 미술에서 차지하는 위치를 알 수 있다.[39]

서한 전기 호남 장사 사자당묘 출토 목관칠화에는 중앙에 높이 솟은 산. 산봉우리 주위의 운기문, 양측에 선록仙鹿, 선표仙豹 등 이수異獸가 그려졌는데 소부카와 히로시曾布川 寬는 이를 곤륜산의 묘사로 해석하였다. 서한 조중기에 곤륜산이 선경으로 성립되었으나 서왕모가 아직 선인 신앙의 무대로 올라오지 않은 상태이다. 곤륜산은 세 겹의 경계로 이루어졌는데, 제1겹이 곤륜의 구릉, 제2겹이 양풍의 산으로 오르면 죽지 않고, 제3겹의 현포로 오르면 영이 되어 바람과 비를 사용할 수 있다. 현포의 위는 제신과 천제의 하늘로 오르면 신이 되고 태제가 거주하는 곳이다.

---

38 李小旋,「從馬王堆到金雀山—西漢棺蓋帛畵比較研究-」,『藝術探索』2016년 第30卷 第3期.

39 Wu Hung, *Arts of the Yellow Spring*, University of Hawai'i Press, 2010, pp. 219~222.

장사 초묘 백화에서는 단순히 묘주 영혼의 승천장면만 묘사되었다고 한다면 마왕퇴 1호 백화는 천상세계와 지하세계가 모두 담겨진 소우주적 질서와 맥락에서 묘주를 묘사하였다는 특징이 있다. 마왕퇴 백화를 구성하는 다양한 제재들은 개념적 상호관계에 의하여 구성되며 고대 중국의 우주론을 시각적, 회화적 형태로 표현한 것이다.

한대 고분 장식의 구성 방법 중 하나는 서술적 연결이다. 육체에서 분리된 묘주의 존재 상태를 지속적인 변형 과정을 통하여 서술적으로 연결시키는 것이다. 이는 중국 장의미술에서 묘주 영혼의 여행이라는 은유를 통하여 시각적으로 표현된다. 기원전 5천년 경의 앙소문화의 옹관의 구멍은 영혼으로 하여금 관의 내외로 통과하게 하는 역할을 한다. 이러한 신앙은 기원전 5세기까지 존속되어 증후을묘의 외관에 뚫린 네모 구멍과 내관에 그려진 창문장식이 묘주 영혼의 출입을 상징한다. 또한 고고 발굴 자료에 의하면 적어도 서주시기부터 몇몇 귀족고분에서 마차의 바퀴로 관을 둘러싸 마치 고분 자체가 매장 이후에 다른 세계로 이동할 것처럼 조성한 예도 있다. 보다 분명한 증거는 호북 포산 2호묘의 죽간竹簡이다. 고분의 여러 방에 저장된 물건들의 기능을 적고 있는데, 남실과 서실의 부장품들은 여행을 위해 사용될 준비물품들로 기록되었다.

마왕퇴 3호묘에는 관의 옆에 마차행렬도 백화가 둘러져 있다. 마왕퇴 1호묘의 네 겹의 칠관에 묘사된 묘주의 선계로의 여행은 한대의 화상석과 벽화고분의 중심주제 중 하나가 된다. 동한 벽화와 화상석에도 두 가지 형태의 묘주 여행을 자주 묘사하고 있다.[40]

마왕퇴 칠관과 백화에 보이는 층위적 내세 표현은 이후의 고분미술에서 지속적으로 변용되고 보다 직접적인 시각적 형태로 표현되며 이상적인 사후세계에 대한 도상 표현의 발달을 촉진하게 된다. 기원후 1~2세기에는 곤륜산 위에 서왕모가 중심인물로 등장하게 되고 위계적 질서에 따라 다른 인물이나 동물이 추가되면서 보다 복잡한 천상 표현이 이루어진다.[41]

40 Wu Hung, *Arts of the Yellow Spring*, University of Hawai'i Press, 2010, pp. 192~194.
41 Wu Hung, *Arts of the Yellow Spring*, University of Hawai'i Press, 2010, pp. 219~222.

III. 서한시기 하남 낙양 공심전묘의 벽화

1. 하남 낙양 복천추묘

서한西漢 시기의 공심전 벽화묘로는 낙양洛陽 복천추묘卜千秋墓(기원전 86년에서 49년)와 낙양 서부 교외의 천정두묘, 낙양洛陽 소구燒溝 61호묘61號墓, 그리고 낙양洛陽 팔리대묘八里台墓(보스턴미술관), 낙양 벽화묘(대영박물관) 등이 있다.[42]

복천추 벽화묘는 동혈전실묘洞穴塼室墓로 묘도를 제외하면 주실主室과 이실耳室의 평면은 '⼷' 형상을 띠고 있다. 주실의 경우 특별히 제작한 공심대전으로 조립하여 축조하였고, 이실은 소전과 설형소전을 병렬로 아치형으로 쌓아 축조하였다. 중우이실中右耳室은 비로 인해 무너진 상태로 주실과 좌이실左耳室만 청리되었다. 이실은 묘문 안쪽의 양측에 각각 하나의 대칭되는 "⊥"자형 형태로 구성되어 있다. 좌이실의 길이는 3.43m, 너비는 1.18m, 높이는 1.15m이다. 좌이실의 동쪽에는 묘도 방향과 일치하는 소이실이 있는데, 길이는 2.98m, 너비는 1.08m, 높이는 1.15m이다.[43]

주실은 동서의 길이가 4.6m, 남북의 길이가 2.1m, 높이가 1.86m이다. 무덤의 바닥면은 지표면에서 3m 떨어져 있다. 묘문은 동향이다. 묘문은 공심전으로 축조하였으며, 문틀의 높이는 1.46m, 너비는 0.44m이다. 무덤의 천장은 평척사파식平脊斜坡式이고 네 벽면은 수직으로 축조되었다. 천장 중앙 들보의 벽돌은 비교적 짧은 편인데, 길이가 0.52m, 너비가 0.24m, 두께가 0.20m이고 모두 20개이다. 벽화는 주로 이 벽돌의 아랫면에 그려졌다. 천장 중앙 들보에서 벽면으로 이어지는 경사지는 면을 구성하는 벽돌은 길이가 1.31m, 너비가 0.18m, 두께가 0.12m이며, 중앙 들보를 기준으로 좌우에 각각 24개의 벽돌이 사용되었다.

벽화는 묘문의 가장 윗부분과 묘실 천장 중앙들보, 그리고 후벽에 그려져 있다. 묘문 윗부분 산장山墻 정중앙에 위치한 공심전에 인수조신상人首鳥身像이 그려져 있다. 인수조신상은

---

42 黃明蘭, 「洛陽西漢卜千秋壁畫墓發掘簡報」, 『文物』 1977年 6期; 陳少豊·宮大中, 「洛陽西漢卜千秋墓壁畫藝術」, 『文物』 1977年 6期; 黃明蘭, 郭引强, 『洛陽漢墓壁畫』, 文物出版社, 1996; Suzanne Cahill, "An Analysis of the Western Han Murals in the Luoyang Tomb of Bu Qianqiu," *Chinese Studies in Archaeology* 2, 1979, pp. 44~78.

43 黃明蘭, 「洛陽西漢卜千秋壁畫墓發掘簡報」, 『文物』 1977年 6期.

도 11 | 《승선도》, 천장, 복천추묘

머리에 상투를 틀고 있고 두 가닥의 검은 머리카락이 아래로 늘어져 뿔 모양을 만들고 있으며 양쪽 귀가 평평하게 뻗어 있다. 묘주가 죽은 후의 승선과 벽사의 뜻을 담고 있다.

주실 천장에는 승선도가 있는데, 순서대로 여와女媧, 달, 지절방사持節方士, 두 마리의 청룡, 두 마리의 효양梟羊, 주작, 백호, 서왕모, 옥토끼, 두꺼비, 구미호, 봉鳳과 뱀을 타고 승선하는 복천추 부부, 복희伏羲, 해, 뱀 등이 그려져 있다(도11).

묘실의 뒤편 박공에는 방상시타귀도方相氏打鬼圖가 그려져 있는데, 방상시는 반라의 상태로 두 눈을 동그랗게 뜨고 묘문을 주시하고 있다. 아래에는 청룡과 백호가 마주한 그림이 있다. 복천추묘는 무덤 내에서 '복천추인卜千秋印'이 출토되어 이름을 얻게 되었으며, 무덤의 연대는 서한 소제昭帝에서 선제宣帝 사이(기원전 86~기원전 49)이다.

2. 하남 낙양 천정두묘

낙양洛陽 천정두묘淺井頭墓는 동혈洞穴 공심전空心塼 벽화묘壁畵墓이며, 묘도, 묘문, 묘실 및 이실로 구성되어 있다. 묘향은 190°이다. 묘도는 장방형수정식長方形竪井式 묘실의 남단에

위치하며, 남북의 길이가 2.52m, 동서의 너비가 1m, 높이가 0.65~2.46m이다.[44]

묘문은 묘도의 북단에 위치하고 있으며, 높이가 1.22m, 너비가 1.4m이다. 묘실은 북쪽에 있으며, 남북의 길이가 4.52m이고, 동서의 너비가 2.1m, 높이가 1.8m이다. 무덤의 천장은 평척사파식平脊斜坡式이고, 동서 묘벽의 높이는 1.05m이며, 각 7개의 장방형 공심전을 수직으로 쌓았으며, 공심전의 길이는 120㎝, 너비는 46㎝, 두께는 12

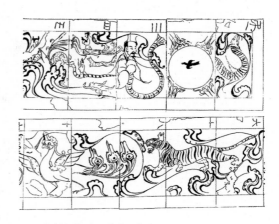

도 12 | 《승선도》, 천장, 천정두묘

㎝이다. 이실은 묘문 안쪽 동측에 위치하고 있으며 丁자형 토동식土洞式이다. 묘실과 통하는 부분의 길이는 5.2m, 너비는 1.5m, 높이는 2.4m이다. 벽화는 묘실 천장의 중앙 들보와 벽으로 이어지는 경사면에 있다.

천장의 들보에 배치된 21개의 벽돌로 구성된 벽화(길이 4.52㎝, 너비 0.46㎝)는 주작, 복희,

도 13 | 《복희와 일상도》, 천장, 천정두묘

44 呂勁松, 「洛陽淺井頭西漢壁畵墓發掘簡報」, 『文物』, 1993年 5期.

해, 백호, 청룡, 그리고 인두조 등으로 음양오행과 인혼승천의 주제이다(도12~13).

천정두 벽화묘와 복천추 벽화묘는 평평한 면에 벽화를 그린 공심전과 문양이 찍힌 공심전이 함께 사용되었다. 이는 서한 낙양지역 공심전묘의 특징으로, 벽화는 천장의 들보나 박공으로 제한되고 묘실 내의 다른 공간은 문양이 찍힌 공심전을 이용하였다. 서한시기 하남 정주, 낙양지역의 화상전묘에서도 단순한 문양과 생활풍속적 주제가 하나의 공심전에 배치되는 양상을 볼 수 있다.

3. 하남 낙양 소구 61호묘

하남河南 낙양洛陽 소구燒溝 61호묘61號墓는 공심전과 소전을 혼합하여 건축한 전실묘이다. 묘문은 동향이다. 묘도, 묘문, 주실, "丁"자형의 양 이실로 구성되어 있다. 묘도의 길이는 2.4m이고 너비는 1m, 깊이는 8.5m이다. 주실은 공심전으로 축조되었으며, 주실의 평면은 장방형이다. 동서 길이는 6.1m이고, 너비는 2.3~2.35m, 높이는 2.3m이다. 묘실 앞부분 양 측에 이실이 있다.[45] 소구 61호묘의 연대는 서한 원제元帝에서 성제成帝 사이(기원전 48~기원전 8년)이다.

벽화는 천장 중앙 들보頂脊와 문미, 격벽隔壁과 후벽에 그려져 있다. 전실(전당前堂) 천장 중앙 대들보 부분에 공심전을 한 줄로 연속적으로 이어 조성한 장방형 공간에는 천상도가 있다. 해, 달, 별, 구름과 같은 은하 도상이고, 총 12폭이 그려져 있다.

문 안쪽 윗부분의 방형 벽돌에는 고부조로 양머리가 표현되어 있으며, 머리의 양 뿔이 아래쪽을 향한 갈고리 모양이다. 양머리 왼쪽에는 담묵으로 그린 한 그루의 구불구불한 나무가 있는데, 가지는 회록색으로, 잎은 붉은색으로 그렸다. 나무 옆에는 날아다니는 세 마리의 검은 제비가 그려져 있다. 그 옆에는 한발旱魃을 잡아먹는 신성한 호랑이神虎의 그림이 묘사되어 있다. 회화, 투조, 고부조 위에 채색 기법이 동원되었다.

소구 61호 한묘의 후벽에는 사다리꼴 화면에 야외 연음장면(홍문연鴻門宴 또는 타귀打鬼 전의 식사)(도14)이 있고, 박공 뒤쪽 중간의 방형 벽돌에는 천문天門이 그려져 있다. 양쪽의 삼각형 벽돌에는 곤륜과 용을 모는 우인이 있고, 박공 정면 중간의 네모난 벽돌에는 방상시, 주작,

---

45   河南省文化局文物工作隊,「洛陽西漢壁畵墓發掘報告」,『考古學報』1964年 2期, pp. 107-111.

도 14 |《야외 연음도》, 소구 61호묘

청룡, 백호, 두꺼비, 곰, 신인神人 및 해와 달을 손으로 받쳐 든 복희와 여와가 그려져 있으며, 양쪽의 삼각형 벽돌에는 신인, 곰, 천마 등의 영서靈瑞가 있다. 박공 아래 수평들보橫梁 정면에는 '이도살삼사二桃殺三士' 고사와 '공자견노자孔子見老子' 고사가 표현되어 있다. 연회도는 곽말약의 해석에 의하면 항우와 유방의 홍문 연회장면으로 한대 벽화고분 중에서 처음으로 역사적인 소재를 그린 것이 될 수 있다. 전체 장면의 배경에 율동적인 선으로 그려진 산악도에 대해 곽말약은 실제 산악을 배경으로 그려진 것이 아니라 벽화 안에 그려진 벽화라고 보았다.

4. 미국 보스턴미술관 낙양 팔리대묘 · 영국 대영박물관 낙양 벽화묘

보스턴미술관 소장의 낙양洛陽 팔리대묘八里台墓의 공심전空心磚 벽화는 높이 73.8㎝, 너비 240.7㎝으로 5개의 공심전으로 구성되었다. 박공 양면에는 역사고사와 효자열녀의 사적이 표현되었고, 상부 중앙 방형 벽돌에는 고부조 양머리가 있으며, 양쪽 삼각형 벽돌에는 '상림원上林苑' 또는 '나희儺戲'가 있다. 그 아래에는 머리에는 작은 관을 쓰고 장포長袍를 입고 있으며 수염을 기른 여러 명의 인물들이 지장持杖을 들거나 서로 바라보며 대화를 하는 듯한 자연스런 모습으로 묘사되었다(도15).

도 15 | 《역사고사도》, 팔리대묘, 보스턴미술관

도 16 | 《선인과 신수도》, 낙양 벽화묘, 대영박물관

　　대영박물관 소장의 낙양 벽화묘의 공심전空心磚 벽화는 높이 약 62㎝, 길이 약 221㎝이다. 중간의 방형 벽돌에는 침상 위에 앉은 인물과 해, 달, 용, 호랑이, 봉황, 나무가 그려졌으며, 양쪽의 삼각형 벽돌에는 운거雲車를 모는 선인, 사슴을 탄 선인이 묘사되었다(도16).

5. 하남 낙양 자간묘와 낙양 신구묘

중원지역의 서한시기 벽화묘로 비교적 최근에 소개된 사례는 천정두 벽화묘와 같은 공심
전묘로 2000년 낙양시洛陽市 신안현新安縣 자간연리하촌에서 발견된 자간磁澗 서한 벽화묘이
다(도17).[46] 이른 시기에 도굴, 훼손되었으며, 20점의 모양이 같은 공심전을 회수하였다. 벽
화가 그려진 면은 길이 0.510m, 너비 0.227~0.235m, 두께 0.205m이다. 공심전의 형식으로
보아 묘실 천장 부분으로 추정되며, 해당 묘의 주실의 형태와 건축 방식은 서한 복천추묘의
주실과 유사할 것으로 여겨진다. 벽화 내용과 인물 형상으로 보아 서한중만기로 추정된다.

벽화의 주제는 쌍봉, 신수神獸, 일월, 복희와 여와, 쌍룡, 백호, 신인조수神人鳥獸, 옥벽, 인
수용신人首龍身의 신수神獸와 홍색 운기문 등이다. 복희는 인신사미人身蛇尾이며, 어깨에 날
개가 있다. 청색靑色 꼬리로 붉은 해를 받치고 있다. 달 안에 금오金烏와 신수神樹가 있다. 다
른 공심전들은 채색이 가해진 반면, 백호를 구성하는 3개의 공심전은 백호의 코, 입, 귀에만
적색을 칠하였다. 두 매의 공심전으로 구성된 벽화 조정도안은 얕은 부조로 말각조정 형태
를 표현하였고 연한 녹색과 적색을 바탕에 교대로 칠하고 적색 운기문을 그 위에 그렸다.

자간서한묘 공심전의 천상도는 천정두 벽화묘와 복천추 벽화묘의 천상도의 구성과 거의
같다. 이러한 공심전 벽화묘의 천상도는 마왕퇴 백화의 비의의 성격을 계승한 것으로 본다.
호남 장사 마왕퇴 1호묘와 3호묘의 백화와 관화의 도상과 초문화의 칠기 장식의 도상을 계
승하여 공심전묘의 천장에 표현한 것이다. 사신 가운데 현무가 아직 출현하지 않은 상태이
다. 공심전에 번호가 쓰여 있는 경우는 외부에서 제작 후에 묘실 내로 들여와 번호에 따라서
천장 가구를 맞추어 조성하였음을 알 수 있다. 서한 후기의 중원지역 공심전 벽화묘는 벽면

도 17 | 《승선도》, 천장, 자간묘

46 　洛陽市文物管理局, 洛陽古代藝術博物館, 『洛陽古代墓葬壁畵』, 中州古籍出版社, 2010.

과 천장 경사면에는 문양이 찍힌 공심전을 사용하였기 때문에 벽면이나 천장 경사면에는 벽화가 거의 출현하지 않는다(표 2).

2009년 낙양신구에서 발견된 신구新區 서한 벽화묘는 대형공심전과 소전小磚으로 건축된 고분으로서 묘장 형제나 벽화전의 형제는 복천추 벽화묘와 같다.[47] 이른 시기에 도굴당하여 부분적으로 벽화가 남아있다. 공심전의 벽화가 있는 면의 길이는 0.480m, 두께는 0.182m이다. 벽화전은 6점이 현존한다. 주실 전반부 무덤 천장에 벽화가 위치하며 벽화 내용으로는 복희伏羲, 봉황, 신수神獸, 신인神人 등이 있다(도18).

도 18 | 《복희도》, 천장, 신구묘

표 2 | 천정두묘와 자간묘 천상도 비교

淺井頭壁畵墓	
磁澗西漢壁畵墓	

47　洛陽市文物管理局, 洛陽古代藝術博物館, 『洛陽古代墓葬壁畵』, 中州古籍出版社, 2010.

Ⅳ. 서한시기 섬서 서안 전축묘의 벽화

1. 섬서 서안 남교 곡강지 1호묘

섬서陜西 서안西安 남교南郊의 곡강지曲江池 1호묘1號墓는 묘도, 용도, 묘실, 이실로 구성된 동향의 평면 '甲'자형 전축분이다. 묘실 길이 7.4m, 너비 4.15m, 높이 4.9m이다. 벽화는 묘도와 묘실 동, 서, 남 세 벽에 분포한다. 연대는 서한西漢 만기晩期이다. 벽화 내용은 실제 크기와 동일한 동물動物들이다. 묘실 동벽 남측의 한 마리의 코뿔소, 묘실 서벽 중부의 한 마리의 대어大魚, 물고기 아랫부분의 수파문水波紋이 있다. 묘실 남벽에는 네 마리의 황소와 동물 한 마리가 있고, 묘실 북벽 중부는 한 필의 드러누운 말, 묘도 서벽의 소 또는 돼지 형상의 동물 한 마리가 있다.[48] 벽화의 전체 구성은 실제 크기로 그려진 동물들이 중심으로 곽거병묘의 석수상들을 연상하게 한다.

2. 섬서 서안 교통대학묘

서안西安 교통대학묘交通大學墓는 1987년 섬서성고고연구소와 서안교통대학이 연합으로 발굴한 남향의 전축분이다. 사파식斜坡式 묘도, 동서東西 이실耳室, 주실主室로 조성된 평면

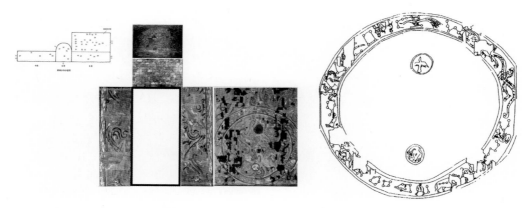

도 19 | 《벽화 전개도》, 서안 교통대학묘　　　　　　도 20 | 《천상도》, 서안 교통대학묘

48　徐進, 張薀, 「西安南郊曲江池漢唐墓葬淸理簡報」, 『考古與文物』, 1987年 6期.

'갑甲'자형 중형전권묘中型磚券墓이다. 장방형 평면의 주실은 길이가 4.55m, 너비가 1.83m, 높이가 2.25m이다. 무덤의 연대는 서한 만기로 편년한다. 벽화는 현실玄室 천장부頂部, 현실 동, 서, 북벽에 위치하며 24㎡의 벽화가 현존한다. 화면에는 밑그림을 그린 흔적이 없다. 호방한 필세와 거칠고 자유분방한 선조로 그렸다. 주실 후벽(북벽) 상부는 유운문流雲紋, 선학仙鶴, 승천하는 비인飛人, 누워있는 사슴을 그렸다. 주실 후벽 하부와 동, 남, 서벽에는 권운문卷雲紋을 배경으로 선학, 사슴, 호랑이, 연속 구름문 등을 그렸다. 주실 천장은 크기가 다른 두 개의 동심원을 그리고 안쪽 원의 남북에는 해와 달을, 두 원 사이에는 청룡, 백호, 주작, 뱀, 성수星宿, 인물 및 동물을 그려 28성수二十八星宿 천상도를 형상화하였다(도19, 20).[49]

3. 섬서 서안 이공대학묘

서안西安 이공대학묘理工大學墓는 장사파묘도長斜坡墓道가 있는 수혈토광전실묘竪穴土壙磚室墓로 묘도, 용도, 묘실, 동이실, 서이실로 구성되었다. 평면 '갑甲'자형 묘실(길이 4.6m, 너비 2.08m, 높이 2.1m)이다. 이공대학 벽화묘의 묘장 구조는 서안 남교 곡강지 1호묘와 교통대학 벽화묘와 유사하다. 묘실 남벽 묘문 동측 벽화는 용이 그려져 있고, 남벽 묘문 서측에는 익호翼虎와 운기문이 있다. 동벽 남단 상부는 거마출행도, 동벽 중부에는 수렵도, 동벽 북부에는 3조組의 인물상(분간할 수 있는 인물이 8명)과 거마출행도가 있고, 북부 하부에는 수렵하는 인물, 까마귀, 토끼, 돼지, 사슴 등이 그려져 있다. 북벽 상부는 용을 탄 우인羽人, 황사黃蛇, 청사青蛇가 그려졌다. 서벽 북부는 무악장면의 흔적이 남아있고, 중부에는 투계鬪鷄, 남부에

도 21 | 《연락도》, 서벽, 서안 이공대학묘

도 22 | 《수렵도》, 동벽, 서안 이공대학묘

---

49   陝西省考古研究所, 西安交通大學, 「西安交通大學西漢壁畵墓發掘簡報」, 『考古與文物』, 1990年 4期.

는 여묘주, 빈객賓客이 나란히 앉아 있는 연락도宴樂圖가 그려져 있다. 묘실의 아치형 천장에는 운기문 가운데 해와 달, 학鶴, 주작, 익룡翼龍 등이 그려졌다(도21, 22).[50]

4. 섬서 서안 곡강 취죽원묘

2008년 발굴된 서안西安 곡강曲江 취죽원묘翠竹園墓는 묘도, 통도, 이실, 묘실로 구성된 평면 '갑甲'자형 전축묘이다. 묘실의 높이는 약 3.5m, 너비는 1.4m이다. 생활풍속 장면이 벽면에, 사신四神과 성수星宿 등 천상天象이 천장에 배치되었다.

북벽 묘문 양측에 문지기 2명이 있고 동벽에는 인물 5명(하녀 2명, 귀부인 2명, 나머지 1명은 불분명), 남벽에는 인물 5명(하녀, 사녀仕女, 시녀, 귀부인)과 칠합漆盒, 칠배漆杯, 향로, 서벽에는 인

도 23 | 묘실 전경, 취죽원묘

---

50 西安市文物保護考古所, 「西安理工大學西漢壁畫墓發掘簡報」, 『文物』, 2006年 5期.

도 24 | 《여인도》, 취죽원묘

물 8명(아기를 안은 부인, 아이, 하인 2명, 남사男士 2명, 호인胡人)이 행렬하는 장면이 있다. 아치형 천장에 그려진 천상과 벽면의 생활정경 사이에 운기문이 장식된 휘장이 그려졌다. 남벽 상부와 천장에는 운기문, 해와 까마귀, 달과 두꺼비, 성수星宿, 청룡, 백룡, 인물도안이 표현된 천상도天象圖가 있다(도 23, 24).[51]

V. 신망~동한 전기 전축묘의 벽화

신망(기원후 9-25)과 동한 전기에 세워진 한대 벽화고분은 15기 이상이 발굴되었다. 전한과 후한 사이의 왕망시대(기원후 9-25) 벽화고분으로는 산서山西 평륙平陸 고분, 하남河南 낙양洛陽 금곡원金谷園 고분 등이 있다. 지역별로는 중원지역 약 10기, 관중지역 2기, 동북·북방·하서·동방지역이 각각 1기씩이다.[52]

서한시기 하남지역의 벽화묘는 벽화를 그리는 데에 묘실 벽면 전체를 이용한 것이 아니라 대개 박공이나 벽 상단에 벽화가 나타나는 경향이 있다. 서한 시기에 상서로운 동물 등의 소재들이 나타났다면, 신망 시기로 옮겨가면서 산수화와 인물풍속화에 대한 관심이 드러나게 되고 벽면과 천장 면 전체를 이용하여 벽화를 그리게 된다.

하남지역의 신망에서 동한 전기 벽화묘를 보면 1세기 초 혹은 이보다 약간 이른 시기에

51　西安市文物保護考古所, 「西安曲江翠竹園西漢壁畵墓發掘簡報」, 『文物』 2010年 1期, pp. 26~39.

52　黃佩賢, 앞의 책, pp. 31~32.

큰 변화가 일어난다.[53] 낙양지역 벽화묘는 대부분 작은 크기의 벽돌로 만든 전축분塼築墳이 며 묘실 천장은 아치형, 궁륭형 등이 주를 이룬다. 벽화 배치에서 신망시기 벽화는 묘실 천장墓頂, 격장隔墻, 격량隔梁, 묘벽墓壁 상방上方에 주로 위치하다가, 동한 전기에 이르면 묘실 각처에 퍼져 분포하기 시작한다.[54] 대부분은 회를 바른 벽에 벽화를 그렸으며 이전보다 커 진 화폭에 자유로운 구도가 특징이다. 궁륭형 천장이 유행하면서 궁륭정에 파노라마처럼 그려 넣는 방식이 유행한다. 벽화는 서한 후기 벽화에서 유행한 승선벽사 제재가 여전히 그 려지나, 생활풍속 제재가 새로이 출현한다. 하남河南 낙양洛陽 금곡원金谷園 신망묘新莽墓, 낙 양 윤둔尹屯 신망묘新莽墓, 언사偃師 신촌辛村 신망묘新莽墓와 산서山西 평륙平陸 조원촌묘棗園 村墓가 이전과 다른 변화가 나타나는 대표적 고분들이다. 이러한 낙양지역 벽화묘의 변화는 서한시기 이미 작은 벽돌로 벽화묘를 축조하고 벽면이나 천장 전체를 화폭으로 활용하여 생활풍속도와 천상도를 그린 서안지역 벽화묘에서 영향을 받았을 가능성이 높다.

금곡원 신망묘의 전실前室과 윤둔 신망묘의 중실中室에 보이는 목조 가옥을 모방한 묘실 장식은 동한 이후 북방지역 묘실 벽화에 자주 보이는 형식이 된다.[55] 이러한 신망-동한 전기 벽화고분의 특징은 고구려의 초, 중기 벽화고분의 구조와 벽화 배치의 특징이 된다는 점에 서 주목된다.

1. 하남 낙양 금곡원묘

하남 낙양 금곡원金谷園 신망묘新莽墓는 공심전空心磚 및 소전小磚을 혼합하여 축조한 고분 이다. 묘향은 169°이고, 묘도墓道, 전실前室, 후실後室, 동이실東耳室, 묘도 이실耳室로 구성되 어 있다. 소전으로 축조된 전실과 공심전으로 축조된 후실로 구성되어 건축구조에서 과도 기적인 성격을 갖고 있다. 전실은 궁륭형 천장이고 후실의 천장은 평척사파식平脊斜坡式이 다. 묘실의 전체 길이는 7m, 너비는 6.1m이고, 전실의 길이는 3.6m, 너비는 2.73m, 높이는 2.9m이며, 후실의 길이는 2.92m, 너비는 2.2m, 높이는 2.03m이다.

---

53 중국 동주에서 한대의 고분 구조의 변화와 사상적 배경에 대해서는 Wu Hung, *Arts of the Yellow Spring*, Honolulu; University of Hawai'i Press, 2010, pp.30~34 참조.
54 黃佩賢, 『漢代墓室壁畵研究』, 文物出版社, 2008, pp.60~67.
55 黃佩賢, 『漢代墓室壁畵研究』, 文物出版社, 2008, pp.60~63; 양홍, 「中國 古墳壁畵 연구의 회고와 전망」, 『미술사논단』 23, 한국미술연구소, 2006, pp.7~41.

도 25 | 후실 전경, 금곡원묘

도 26 | 말각조정, 후실 천장, 금곡원묘

전실前室의 궁륭형 천장에는 태양과 흐르는 구름 문양이 그려져 있고 전실 네 벽면에 목조 들보와 기둥 구조를 모방한 벽화가 있다. 후실 천장 삼면의 장벽(墻壁 또는 壁眼) 위에 각각 4조씩 12폭의 화상, 천장에 4폭의 화상이 있다.

후실에 총 16폭의 주요 화상이 그려져 있다(도25). 후실의 천장의 중앙 들보에는 남쪽부터 북쪽 방향으로 일日, 태일음양太一陰陽, 사방을 제어하는 후토后土, 월月이 있다. 후실의 문기둥에는 짐승의 얼굴이 그려져 있다. 후실 서벽 상방 벽안 부분에는 남에서 북으로 태백백호太白白虎, 세성창룡歲星蒼龍, 형혹황룡熒惑黃龍, 기성비렴箕星飛廉, 후실 동벽 상방 벽안 부분에는 남에서 북으로 동방구망東方句芒, 서방욕수西方蓐收, 봉조鳳鳥, 봉황鳳凰이 그려져 있다. 후실 북벽 상방 벽안 부분에는 남에서 북으로 남방축융南方祝融, 북방현명北方玄冥, 수신현무水神玄武, 천마진성天馬辰星이 있다.[56]

전실은 목조가옥 구조를 모방한 적갈색 들보와 기둥을 그리고 천장에 적색을 위주로 운기문을 가득 그렸다. 반면 후실은 벽면과 천장은 문양 공심전으로 축조하고, 벽면 상단에 목조가옥 구조를 모방한 창방과 평방 사이에 여러 종류의 신수를 하나씩 적색을 주로 사용하여 그려 넣었다. 천정두 벽화묘에서 천장 정부에 그려지던 신수가 평방과 창방 사이의 공간으로 내려온 것이다. 금곡원 신망묘의 천장 벽화와 목조가옥 구조 모방은 하남 윤둔 신망묘의 천장 벽화로 이어진다.

---

56   洛陽博物館, 「洛陽金谷園新莽時期壁畵墓」, 『文物參考資料』 1985年 9期.

금곡원 고분의 묘실 벽에 그려진 붉은 색의 두공과 대들보, 기둥 그림 그리고 천정에 그려진 운기문은 초기 고구려 벽화고분, 특히 각저총과 똑같은 양식이다. 후실에는 천장 정상과 벽의 윗부분을 따라 벽화가 그려졌다. 천장에는 얕은 부조로 만든 말각조정 안에 까마귀가 든 붉은 해가 그려졌다(도26). 동한 시기 산동성 기남화상석묘와 하남 밀현 타호정 2호묘에 나타난 말각조정과 흡사하다. 고구려 고분의 말각조정 천장의 연원을 이들 한대 고분에서부터 찾아볼 수 있다. 두공 부분의 장식은 안악 3호분의 것과 같이 괴수문으로 장식하여 흡사하다.

2. 하남 낙양 윤둔묘

하남 낙양 윤둔尹屯 신망묘新莽墓는 궁륭정穹窿頂의 전축분磚券墓이다. 무덤의 방향은 정북향이다. 묘도, 전용도, 전실, 중용도, 중실, 동용도, 동측실, 후용도, 후실 및 전실 양측의 두 개의 이실 등 전중후 삼실로 구성되었다.[57]

벽화는 중실과 후실에 백회층 위에 홍, 흑, 하늘색 등 여러 색으로 그려졌다(도27, 28). 중실의 천장은 곡선의 운기문, 후실 천장은 기하학적인 직선의 운기문으로 구성되었다.

중실 천장에는 일월성신, 운기, 사신, 인두사신人頭蛇身, 춤추는 사람, 소를 끄는 사람, 돼지를 탄 사람, 누각樓閣 등을 그려 성수신星宿神을 형상화(28수宿천상도) 하였다.

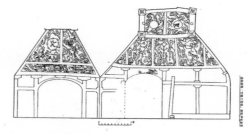

도 27 | 《벽화 배치도》, 중실 동벽과 남벽, 윤둔묘

도 28 | 《해와 달》, 중실 천장, 윤둔묘

중실中室 지붕의 용마루 동쪽에는 돼지를 탄 인물, 용, 성진, 운기가 그려져 있고, 중실 지

---

57   朱亮, 「洛陽尹屯新莽壁畵墓」, 『考古學報』 2005年 1期.

붕 용마루의 서쪽에는 쌍궐, 달려가는 호랑이와 성진, 별자리에 기댄 여자, 소를 끄는 사람, 사람의 머리에 뱀의 몸을 가진 인물, 짐승의 귀를 가진 사람의 머리를 가진 인물 등이 그려져 있다. 중실 지붕 용마루의 남쪽에는 토끼, 사람의 머리에 뱀의 몸을 가진 인물, 춤추는 인물, 성신, 유운이 있다. 중실 지붕 용마루 남쪽의 아래에는 용의 머리가 남아있다. 중실 지붕 용마루 북쪽에는 별자리, 구름, 머리가 세 개 달린 뱀의 몸을 가진 괴물, 앉은 자세의 인물, 치마를 입은 여자 등이 있다.[58]

중실은 천장과 네 벽에 적갈색으로 구획을 나누어 각종 화상을 그려 넣은 반면, 후실 천장은 기하학적인 직선 형태의 운기문과 봉황의 머리를 가진 선초仙草, 화훼 등을 표현하였다.

3. 하남 신안 철탑산묘

도 29 | 《묘주도》, 철탑산묘

신망시기의 신안新安 철탑산묘鐵塔山墓는 낙양 신안현 철탑산에서 1984년 발견되었다. 동향의 전권단실묘磚券單室墓이다.

벽화는 묘문 내측, 묘실 남북 양벽, 후벽, 천장에 그려졌으며, 문리, 무악, 연음, 일월, 성수 등의 주제이다. 묘문 양쪽에는 문리가 그려졌다. 후실 상방에는 정면으로 앉은 묘주가 중앙에 있고, 왼쪽에는 한 명의 남성(집금오執金吾)이 묘주 앞에 공손하게 예를 갖추고 있고, 오른쪽에는 한 명의 시녀가 두 손으로 술잔을 받들고 있다(도29). 남벽에는 격고를 포함한 무용과 주악 장면이 5명의 인물로 구성되어 표현되어 있다. 북벽에는 모두 6명의 인물이 있는데, 3명의 인물이 자리에 앉아 연음을 즐기며 칠반무七盤舞 등의 무용을 관람하는 장면이 그려져 있다.

---

58 洛陽市第二文物工作隊,「宜陽縣尹屯新莽壁畵墓」,『中國考古學年鑑』, 文物出版社, 2004年 8月, pp. 262-263.

묘실 천장의 벽화는 사신과 해와 달, 성수가 주제이다. 동쪽 천장에는 해와 까마귀, 서쪽 천장에는 달과 옥토끼, 두꺼비 등을 그렸으며, 백호, 현무 등 사신의 형상도 출현한다. 기년 자료가 없으나 출토된 부장 도기나 동전으로 미루어 신망시기로 추정한다.

4. 하남 낙양 언사 고룡향 신촌묘

낙양 언사 고룡향高龍鄕 신촌辛村 신망新莽 벽화묘는 공심전空心磚 벽화묘로서 묘도墓道, 묘문墓門, 장방형長方形 묘실墓室 및 전실에 달린 좌우이실耳室로 구성되었다.

묘향은 169°이다. 묘도는 묘실의 남쪽에 위치하고 수직갱竪井 형식이다. 묘도의 남북 길이는 2.57m, 동서 너비는 1.1m이다. 묘문은 묘도의 북단에 위치하며 묘실과 아주 가깝다. 묘실은 북부에 위치하며 묘실의 높이는 2.04m이다. 장방형의 묘실은 낮은 담과 기둥, 들보에 의하여 전실과 중실, 후실 세 부분으로 구분된다. 전실의 남북 길이는 1.34m, 동서 너비는 2.3m이다. 중실의 남북 길이는 2.2m, 동서 너비는 2.32m이고 일부 벽면과 천장이 파손되었다. 후실은 남북 길이 2.72m, 동서 너비 2.32m이다.

언사 신촌 신망 벽화묘에는 채색 벽화가 8폭이 있다. 벽화의 내용은 묘주의 생전 생활에서의 오락장면을 묘사한 것이다.[59] 양쪽 이실의 문 바깥쪽에는 각각 창戟을 잡고 있는 문지기가 한 폭씩 그려져 있다. 문지기는 머리에 관을 쓰고 있고, 장포를 입고 있으며, 깃과 소매가 남색이다.

전, 중, 후실을 나누는 낮은 담과 박공에 벽화가 그려져 있다. 전실과 중실 사이의 박공의 앞면에는 방상시가 중앙에 있고 좌우로 복희·여와 또는 상의常儀·희화羲和가 해와 달을 받치고 있다.

중실 서벽에 두 폭의 벽화가 있는데, 남쪽에는 주방도가 그려져 있고, 북측에는 육박연음도가 있다. 주방도에는 중앙에 칼을 들고 도마 위에서 작업하고 있는 인물이 있는데, 각저총의 주방도와 흡사한 풍경이다.

중실 동벽에 두 폭의 벽화가 있는데, 서벽의 두 폭의 벽화와 서로 대칭된다. 중실 동벽의 남측에는 연음대무도宴飮對舞圖, 북측에는 연음도가 그려져 있다. 연회도의 중앙에 소매가

---

59 史家珍, 樊有升, 王萬傑, 「洛陽偃師縣新莽壁畵墓淸理簡報」, 『文物』1992年 12期.

도 30 | 《연음도》, 중실 동벽, 신촌묘　　　　　도 31 | 《서왕모도》, 중실 박공, 신촌묘

긴 상의를 입은 무용수와 상의를 벗은 곡예사는 하남 남양 등의 한대 화상석에서 자주 볼 수 있는 유형이다. 연회를 즐기고 있는 묘주와 손님들은 중앙에 있는 곡예사 등을 구경하며 연회도의 위쪽과 아래쪽에 둘러 앉아 있다. 북측의 연음도에는 화면의 윗부분에는 4명이 두 조로 나뉘어 두 명씩 서로 마주 앉아서 술을 마시고 있다. 오른쪽 아래에 그려진 두 명 중 왼쪽에 노부인이 앉아 있는데, 노부인 앞에는 한 명의 시녀가 무릎을 꿇고 앉아 있다. 이 노부인은 아마도 여성 묘주일 것으로 추측된다(도30).

중실과 후실 사이의 박공에는 문궐門闕(천문 상징)의 위에 서왕모가 서왕모의 머리장식인 승勝을 쓰고서 뭉게 구름처럼 솟아오른 산 위에 단정히 앉아 있고 그 우측에는 옥토끼가 약을 찧고 있다. 아래에는 두꺼비와 동물이 그려졌는데 섬서 수덕에서 나온 서왕모 화상전의 묘사를 연상시키는 구성이다(도31).

중실의 궁륭정에는 해와 여와, 달과 복희, 용수레를 모는 선인, 기린수레를 모는 선인이 표현되어 있다. 공심전묘로 문양전과 벽화가 같이 혼합되었다. 신망-동한 초기 이래로 고분벽화의 주된 주제가 된 생활풍속도가 나타나기 시작하는 것이 이 묘에서 관찰된다. 전, 중, 후실로 나누어진 묘의 건축 구조가 비교적 높은 수준의 기술로 축조되었으며, 연음도와 악무도의 생생한 묘사와 같이 실제 생활과 관련한 내용이 나와 있어 양한을 잇는 과도기적인

특징을 가지고 있다.[60]

5. 하남 낙양 당궁로 파리창묘

동한시기인 낙양 당궁로唐宮路 파리창玻璃廠 동한묘東漢墓는 낙양에서 1981년 발견되었다. 북으로 향한 하나의 직사각형 형태의 묘실로 이루어져 있다. 벽화는 서벽을 제외한 나머지 세 벽에서 발견된다. 벽화의 주제는 묘주부부도, 시종도, 마차행렬도 등으로 비교적 단순한 구성으로 그려졌다.

낙양 당궁로 파리창 동한묘의 벽화는 황색을 바탕에 칠한 백회면 위에 그려진 것으로, 북

도 32 | 《묘주부부도》, 동벽, 당궁로 파리창묘

---

60   史家珍, 樊有升, 王萬傑, 「洛陽偃師縣新莽壁畫墓淸理簡報」, 『文物』 1992年 12期.

벽 동단에 주인과 노복 두 명이 그려져 있고, 동벽에는 부부 두 명이 마주 보고 앉아 있다. 묘주와 그의 부인은 병풍에 둘러싸여 있고 대각선으로 놓인 상 위에 앉아 있다(도32). 남벽 동단에 시녀 한 명이 그려져 있고, 시녀의 뒤에는 말 두 필이 있으며, 그 뒤에 마차가 한 대 그려져 있다.

6. 산서 평륙 조원촌묘

1959년에 발견된 산서山西 평륙平陸 조원촌묘棗園村墓는 왕망 시기 또는 동한 초기(기원후 1세기)로 연대가 추정된다. 권정전실묘券頂磚室墓로서 장방형 주실主室, 남측 소이실小耳室로 구성되었다. 묘향은 동향이다. 주실의 동서 길이는 4.65m, 남북 너비는 2.25m, 높이는 2.1m이다. 묘실의 남측에는 하나의 이실(동서 1.7m, 남북 1.13m, 높이 1m)이 있다. 전체적인 규모는 비교적 작은 편이다.[61]

평륙 고분의 묘실 안에는 채색 벽화로 가득 채워져 있다. 벽화에는 흑, 백, 홍, 황, 남, 청색 등의 여러 종류의 색이 사용되었다. 네 벽면의 탈락이 심한 상태이기에 식별하는 데 어려움이 있으나 조정과 네 벽면의 윗부분의 벽화는 비교적 완전하게 보존되었다. 벽화의 주요 소재는 사신(사령四靈), 해, 별자리, 산악, 수목, 말, 마차, 우경 등이다.

평륙 고분에서 사신은 주요한 벽화 내용으로 큰 규모로 그려졌다. 청룡은 천장의 북쪽에 있으며, 길이는 1.6m이고, 벽면 길이의 1/3을 차지한다. 백호는 천장 남쪽에 그려져 있는데, 청룡에 비하여 형태가 간략하고 길이가 짧다. 현무는 서벽(후벽) 상단에 있는데, 뱀은 보이지 않고 거북이만 묘사되었다. 현무의 전체 길이는 0.9m이고, 등에는 흰색 나선형 문양이 그려져 있다(도33).

청룡과 백호의 앞, 뒤의 공간과 천장 윗부분에는 검은색, 흰색, 등황색으로 그린 운기로 가득 차 있다. 천장의 조정 부분에는 일월의 형상이 있는데, 동쪽의 붉은 색의 해는 가운데에 검은색의 까마귀가 있고, 서쪽의 흰색 달의 가운데에는 두꺼비가 있다. 머리가 길고 꼬리가 짧은 백학 9마리가 운기문 가운데 그려져 있다.

청룡, 백호, 현무 등 사령四靈의 아래에는 산수, 수목, 인물, 가옥 등이 그려져 있는데, 그

61　山西省文物管理委員會,「山西平陸棗園村壁畵漢墓」,『考古』1959年 9期.

도 33 | 《현무도》, 서벽, 조원촌묘

가운데 인물은 간략하고 작게 그려졌고 주변에는 산악
과 운기문이 있다. 남벽 동단에는 이실이 있는데, 그 서
쪽에는 사륜차가 동쪽을 향해 달리고 있다. 수레는 매우
길고 앞에는 사람이 앉아 있다. 서벽의 현무 아래에는
가옥 한 채가 그려져 있으며, 좌우에 버드나무가 한 그
루씩 있다. 가옥 앞에는 큰 길이 있고, 길의 남쪽에는 농
부가 그려져 있다. 북벽 벽화의 내용은 두 조로 나눌 수
있다. 동쪽에는 산과 고개가 있는데, 산에는 날고 있는
새와 달리는 사슴이 있고, 산 아래에는 사합원식의 건축
물이 있다(도34). 서쪽에는 동쪽으로 치우친 긴 강이 있
고, 좌우에는 각각 하나의 길이 나 있다. 길의 하단에는
수레가 두 대가 있다(도35).[62]

도 34 | 《산수와 건축도》, 북벽 동쪽,
조원촌묘

---

62   山西省文物管理委員會,「山西平陸棗園村壁畵漢墓」,『考古』1959年 9期.

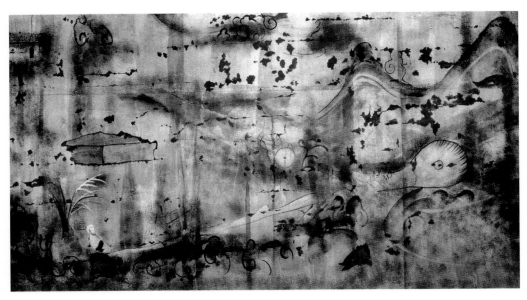

도 35 │《가옥과 우경도》, 북벽 서쪽, 조원촌묘

7. 하남 낙양 언사 행원촌묘

　1984년 발견된 낙양 언사 행원촌杏園村 동한東漢 벽화묘壁畫墓는 묘도, 묘문, 연도, 전실, 후실로 구성되었다. 벽화는 전실의 남, 서, 북벽에 잘 남아있고, 후실에는 벽면에 백회를 발랐으나 채회 흔적이 없다. 전실 남, 서, 북벽에 묘실 바닥에서 1.35m 높이에 그려진 벽화는 너비가 60㎝이며 상하에 홍색 테두리선을 그었다. 묘주거기출행도의 길이는 12m에 달한다. 북벽 동쪽에는 출행도의 아래에 소폭의 작방연음도作坊宴飲圖가 있으나 보존이 좋지 못하다.

　묘주의 거마출행도는 남벽의 용도 입구에서 시작하여 서벽, 북벽으로 이어진다. 구승九乘의 안거安車, 70여 명의 인물, 50여 필의 말이 묘사되었는데, 속리屬吏, 묘주墓主, 수종隨從의 세 부분으로 나눌 수 있다. 속리의 출행은 남벽과 서벽 전체 화면을 차지한다. 삼승三乘의 수레, 23인의 기리騎吏, 오백伍伯 4명 등으로 구성되었다. 북벽의 서쪽에 위치한 묘주는 수레를 타고 있고 전후에 기리 12명, 수레 앞에 오백 6명이 있다. 묘주 뒤에는 오량五輛의 안거安車,

도 36 |《기마행렬도》, 전실, 행원촌묘

10명의 단기單騎로서 안거 위에는 묘주의 수종 속리가 있다(도36).[63]

8. 산동 동평현 물자국 1호묘

동부지역에서는 화상석묘가 활발하게 건축되고 벽화묘는 드물게 발견된다. 비교적 최근
에 소개된 산동山東 동평현東平縣 물자국物資局 1호묘1號墓(신망~동한초, 9~88년)는 대형 석판으
로 구성된 석실묘이다.[64]

---

63   中國社會科學院考古研究所河南第二工作隊, 「河南偃師杏園村東漢壁畵墓」, 『考古』, 1985年 1期.
64   山東省文物考古研究所, 東平縣文物管理所, 『東平後屯漢代壁畵墓』, 文物出版社, 2010; 徐光冀, 『中國出

도 37 |《무용관람과 건축도》, 전실 남벽, 물
자국 1호묘

전실과 차례로 놓인 4개의 후실로 구성되어
요양지역 한·위진 벽화묘와 축조 방법이나 묘
실 평면이 유사하다. 묘실 벽면의 벽화는 대개
3~4단으로 상하 구분되어 그려졌다(도37).

벽화는 현재 산동박물관에 소장되어 있다. 전
실 남벽의 상층은 청색과 녹색의 복식을 입은 4
명의 남성들이 앉아서 무용을 관람하는 장면이
고, 하층은 지붕과 출입문을 간단하게 그린 건축
도이다. 전실 서벽 남측은 3단으로 나뉘는데, 상
단에는 4명의 여성들이 마주 보고 앉아 중단의
인물들의 무용을 관람하고 있다. 하단에는 녹색
상의와 흑색 바지를 입고 오른손에 도끼를 든 신
인神人이 흉악한 모습으로 서있다. 전실 서벽 북

측도 3단으로 구성되었는데 상단은 3명, 중단은 5명, 하단은 3명의 인물들이 앞을 향해 행진
하고 있다. 전실 북벽은 4단으로 구성된다. 제1단은 3명의 인물, 제2단은 4명의 인물, 제3단
은 두 마리의 개, 제4단은 투계 한 쌍을 그렸다.

전실 북측과 남측 문 위에 그린 인물도는 녹색, 청색, 백색의 복식을 입고서 다양한 자세
로 대화를 나누는 인물들을 표현한 것으로 서한시기 낙양지역 소구한묘 등의 박공과 문미
에 그린 인물상들의 배치와 표현법을 연상하게 한다. 또한 하나의 벽면을 3~4단으로 나누어
인물을 상하 배치한 것은 산동, 강소지역 한화상석묘의 구성과 유사하다. 같은 벽면에서 하
단으로 갈수록 벽화의 색이 흐려져 상하단의 채색 적용이 다른 것인지 아니면 아래쪽으로
갈수록 벽화 채색의 탈락이 심한 것인지 확인할 필요가 있다. 신망 - 동한초의 벽화라면 관
중지역 서안의 서한 벽화묘와 채색방법이 비교된다.

土壁畵全集 4卷 山東』科學出版社, 2011, pp. 1~23.

9. 요녕 대련 금현 영성자묘

동북지역에서 신망에서 동한 전기에 출현한 최초의 벽화고분이 요녕遼寧 대련大連 금현金
縣 영성자한묘營城子漢墓(동한 전기)이다. 영성자한묘는 궁륭정의 다실전축분으로 묘도, 회랑,
주관실主棺室, 전실前室, 후실後室, 동측실東側室로 구성되었다. 구조상 중원의 전축분의 종렬
배치 형식을 가지고 있어 낙양이나 낙랑지역 벽화고분과 유사하다. 벽화는 그림을 그릴 부
분에만 회를 바른 벽면에 구륵법으로 그려졌다.[65]

대부분 한 번의 묵선으로 윤곽선을 그려 졸박하고 거친 편이며 일부만 채색을 하였다. 묘
문墓門 내외 상부에 괴수상怪獸像, 묘문墓門 좌우에 계戟를 든 문리, 묘실墓室의 동, 남벽에는
유운流雲, 주작, 괴수, 문졸이 있다.

도 38 | 《승천과 제의도》, 북벽, 영성자묘

---

65   內藤寬・森修, 『營城子-前牧城驛附近の漢代壁畵塼墓』, 刀江書院, 1934.

북벽의 벽화가 잘 알려져 있는데 벽면의 상단은 주작, 청룡, 검을 차고 관을 쓴 주인, 노인, 시자侍者, 구름 위를 밟고 있는 우인羽人 등으로 구성되었다(도38). 검을 차고 관을 쓴 묘주상은 호남 장사 자탄고 초묘 출토 인물어룡人物御龍 백화, 호남 장사 마왕퇴 3호묘 출토 'T'자형 백화와 거마의장도車馬儀仗圖 백화의 묘주와 같이 측면상으로 그려졌다. 입술을 붉은 색으로 칠하였고 앞에 선 노인과 우인을 향해 손을 모으고서 경의를 표하는 모습이다. 따르는 시자의 뒤에 머리를 치켜든 용이 그려져 있다. 북벽 상단의 벽화는 방사方士가 묘주의 승선을 인도하는 광경으로 하단은 제사를 지내는 장면으로 해석한다.

영성자한묘는 주실主室을 둘러싼 투실套室의 벽면에 마름모꼴 문양의 띠를 일정 간격으로 장식한 것이 독특하다. 요남遼南 지역의 화문전花紋磚은 대련 영성자한묘 외에 개현蓋縣 발어권鮁魚圈 1호묘, 개현 구롱지九壟地 2호묘, 금현金縣 동가구董家溝 화문전묘가 있다. 유사한 기하학도안 장식은 하서지역의 감숙 무위 뇌대 동한묘에도 보이며, 위진 시기의 무위 남탄 1호분과 관가파 3호분도 색을 칠한 벽돌을 마름모나 방형 도안이 되도록 연속 배치하였다.[66] 이러한 식으로 문양으로만 장식된 고분은 하서지역과 고구려의 고분벽화가 공유하는 특징 중 하나로 전진을 통한 교류가 그 배경으로 언급된다.[67]

10. 감숙 무위 한좌 오패산묘

하서지역 동한 후기 벽화고분으로는 감숙성甘肅省의 무위武威 한좌韓佐 오패산五壩山 동한 벽화묘,[68] 무위武威 마취자묘磨嘴子墓,[69] 주천酒泉 하하청下河淸 1호 동한 벽화묘,[70] 민락民樂 팔괘영八挂營 1·2·3호 동한 벽화묘,[71] 무위 뇌대雷台 벽화묘[72] 등이 있다.

66 강현숙, 『고구려와 비교해본 중국 한, 위·진의 벽화분』, 지식산업사, 2005, p.117; 鄭巖, 『魏晋南北朝壁畵墓研究』, 文物出版社, 2002, p.56.

67 강현숙, 『고구려와 비교해본 중국 한, 위·진의 벽화분』, 지식산업사, 2005, pp.345~377.

68 中國美術全集編輯委員會 編, 『中國美術全集-墓室壁畵』, 人民美術出版社, 1993, 도8; 黃佩賢, 『漢代墓室壁畵研究』, 文物出版社, 2008, 도 77, 78.

69 党壽山, 「甘肅武威磨嘴子發現一座東漢壁畵墓」, 『考古』, 1995年 11期.

70 甘肅省文物管理委員會, 「酒泉下河淸第1號墓和第18號墓發掘簡報」, 『文物』, 1959年 10期.

71 施愛民, 「民樂八卦營墓葬·壁畵·古城」, 『絲綢之路』, 1998年 3期.

72 甘肅省博物館, 「武威雷台漢墓」, 『考古學報』, 1974年 2期; 강현숙, 『고구려와 비교해본 중국 한, 위·진의 벽화분』, 지식산업사, 2005, pp.115~117.

하서지역에서 처음 출현하는 벽화고분은 신망에서 동한 전기의 무위 오패산 동한 벽화묘로서 장방형의 토동단실묘 土洞單室墓이다. 묘실의 북벽에는 산수를 배경으로 두 마리의 호랑이와 소가 있고, 동벽에는 꼬리가 긴 호랑이 무늬의 신수 神獸와 그 뒤에 세워진 나무 기둥이 있다. 묘실 남벽에는 춤추는 듯한 형상의 인물이 1명 그려졌다. 동물과 인물의 형상이 간략하고 조방한 필치로 묘사되었다(도 39).

1950년대에 발굴되었고 소량의 도판 외에 정식보고서가 발표되지 않아 전체 벽화의 정확한 배치와 구성을 알기 어렵다. 남벽의 인물상은 아래가 여러 갈래로 갈라진 의복의 형태나 동작으로 보아 신

도 39 |《인물도》, 남벽, 오패산묘

수를 부리는 신선으로 보인다. 신선과 신수로 구성된 벽화로 본다면 영성자營城子 한묘와 같이 승선사상을 반영한 것일 수도 있겠다.

동북과 하서지역의 초기 벽화고분인 영성자 벽화묘나 오패산 벽화묘의 공통점은 모두 한 번의 묵선을 사용한 거친 필치로 묘주의 승선 과정을 단순한 구성으로 그렸다는 점이다.

두 고분의 벽화 제제는 서한부터 낙양, 장안 등지의 벽화와 화상석에 보이는 진묘벽사鎭墓辟邪와 인혼승천引魂昇天을 반영한 제재와 승선관이 이미 신망~동한 전기에 동북이나 하서지역으로 전파되었다는 것을 보여준다. 반면 서안에서는 서한시기, 낙양에서는 신망에서 동한 전기에 나타난 다양한 생활풍속 제재가 아직 동북이나 하서지역으로는 전파되지 못한 상태로 보인다. 서안과 낙양지역 고분벽화의 화려한 천상세계와 승선관의 묘사에 비하면 동북과 하서지역의 고분벽화는 벽화문화의 초기 전파과정에서 아직 해당 지역에서 미처 체계화되지 못한 승선사상이 다소 거친 솜씨로 표현되었다.

VI. 동한 후기 전축묘의 생활풍속도의 확산 및 북방 전파

동한 후기의 벽화고분 중에서 가장 잘 알려진 예는 하남河南 밀현密縣 타호정打虎亭 2호묘, 하북河北 안평安平 녹가장祿家莊묘, 하북 망도현望都縣 1호 한묘1號漢墓(182년경), 내몽고內蒙古 화림격이和林格爾묘 등이 있다. 동한시기 벽화고분 중에서는 환제桓帝(기원후 147-167)와 영제靈帝(기원후 168-189)의 시기에 만들어진 것이 많다. 동한으로 옮겨가면서 벽화의 소재가 점점 다양해지고 복잡한 고분 구조가 나타난다. 요녕지역의 벽화묘들은 동한에서 위진대에 걸쳐 있어서 다음 장인 위진 벽화묘에서 서술한다.

1. 하남 낙양 주촌묘

동한東漢에서 조위시기의 고분인 주촌朱村 고분은 1991년 낙양洛陽의 동북 교외에서 발견되었다. 묘도, 용도, 묘실과 이실로 구성되었다. 사파식 묘도는 묘실의 북측에 위치하고 있다. 묘문은 묘도와 용도의 사이에 있다. 묘문의 높이는 3.1m이고 너비는 1.4m이다. 용도는 묘문과 이어져있으며, 길이는 2.04, 너비는 1.22m, 높이는 1.4m이고, 천장은 권정 형식이다. 묘실의 평면은 장방형이고 동서 길이가 8.48m, 남북 너비가 3.1m, 높이가 3.26m이다. 묘실 북벽의 약간 동쪽으로 치우친 곳에서 용도로 이어지며 묘실 동벽에 한 개의 이실이 있다. 묘실은 동서 양 부분으로 나눌 수 있는데, 동부의 길이는 4.34m이고 서부의 길이는 4.14m이다. 서부에 관상棺床이 있다. 관상의 남, 북, 서쪽 면과 묘벽이 매우 가깝게 붙어 있다. 남, 북벽에 벽화가 있다. 이실은 묘실 동측에 위치하고 있는데, 평면은 장방형이다. 이실의 길이는 약 2.3m이고 너비는 약 1.76m, 높이는 1.6m이다.[73]

주촌 벽화묘에는 3폭의 벽화가 비교적 온전하게 남아있으며, 벽화 내용으로는 묘주부부연음도墓主夫婦宴飮圖, 거마출행도, 길상동물도가 있다.

묘실 북벽 서부西部에는 묘주부부연음, 남녀시종, 가구와 식기가 그려져 있다. 묘주부부연음도 화면의 동서 최장 길이는 약 2.5m이고, 최고 높이는 1.46m이다(도40). 묘주 부부 2인

---

73 史家珍, 「洛陽市朱村東漢壁畵墓發掘簡報」, 『文物』1992年 12期.

도 40 | 《묘주부부연음도》, 북벽, 주촌묘

도 41 | 《거마출행도》, 남벽, 주촌묘

과 남녀 시종 2인이 그려져 있다. 벽화의 윗부분에는 자색의 휘장이 있고 휘장 아래에는 묘주 부부가 탑상榻床에 단정히 앉아 있다.

묘실 남벽 중하부中下部에는 거마출행車馬出行이 그려져 있다(도41). 벽화의 내용은 동쪽에서부터 서쪽으로 이어진다. 묘실 동벽 동이실東耳室 천장에는 사슴이 그려져 있으며, 화면의 크기는 0.44×0.33㎡이고, 앉아 있는 사슴을 그렸다. 주촌묘의 벽화 구성은 당궁로 파리창묘와 유사하며, 유장 아래 3/4 측면 자세로 앉은 묘주부부도는 동한시기 전형적 묘주도이다. 묘주와 가까이 선 시종이 든 깃털 달린 부채와 같은 종류가 안악 3호 고분에서 발견된다.

2. 하남 밀현 타호정 2호묘

하남 밀현密縣 타호정打虎亭에서는 두 기의 동한 고분이 발견되었는데 화상석으로 장식된 1호묘는 남편의 묘, 벽화로 장식된 2호묘는 부인의 묘이다. 타호정 2호묘는 중축선배치형삼실식中軸線配置型三室式의 대규모 전축묘塼築墓이다. 전실, 중실, 후실이 각각 2개씩 있고, 1개의 측실, 2개의 이실로 구성되었다. 묘 전체의 길이는 19.8m, 너비는 18.4m이다. 중실은 장방형으로 길이 11.2m, 너비 2.9-3m, 높이 7m이다. 후실은 길이 4m, 너비 2.4m, 높이 3m, 용도는 길이 2.4m, 너비 1.4m이다. 동이실은 길이 3.3m, 너비 2.4m, 용도 길이 2.2m, 너비 1.3m이다.

타호정 2호묘의 벽화는 규모가 크고 형식이 복잡하다. 벽화는 중실 서단의 천장과 서·남·북 세 벽, 후실(주실) 용도의 권정과 동·서벽, 후실 내 천장과 네 벽면, 전실 용도와 전실, 중실 용도와 중실 동단, 남이실 용도와 남이실, 동이실 용도와 동이실, 북이실 용도와 북이실의 천장과 벽면에 그려져 있다.[74] 각 이실과 용도甬道 천장의 벽화는 묵회墨繪로 그리고 중실 천장과 남, 북, 동 세 벽면의 벽화는 채색으로 그렸다.

전실 천장에는 조정문藻井紋, 이금괴수異禽怪獸가 그려져 있고, 전실의 동, 서 양벽에는 인물잔상殘像이 남아있다(도42). 중실 남벽에는 거기출행車騎出行, 영빈연음迎賓宴飮 장면이 그려져 있다. 중실 북벽에는 묘주, 손님, 악무백잔, 시녀가 그려져 있고(도43), 중실 남이실南耳室에는 동물상이, 중실 동이실東耳室에는 포주도가 표현되어 있다. 용도甬道와 묘실 천장에는 규구規矩, 격자창, 연화조정 도안. 유운流雲, 진금괴수, 우인羽人이 표현되어 있다.

---

74 安金槐, 王與剛, 「密縣打虎亭漢代畫象石墓和壁畫墓」, 『文物』 1972年 10期.

벽화내용은 크게 세 부분으로 나뉘는데, 첫째는 묘주인 생전생활의 묘사로서 주로 중실 남북 양벽에 그렸다. 하층에는 각종 인물을 그리고 상층에는 연음宴飮, 악무백희舞樂百戱와 거마출행영빈도車馬出行迎賓圖 등이다. 남, 북, 동 각 이실에는 영빈迎賓, 주사팽임廚事烹飪과 마구馬廐 등이다. 두 번째는 묘주가 바라는 성선승천成仙升天의 내용으로 동벽에 선인산취도仙人山聚圖, 권정券頂 조정藻井 양측에 각종 진금이수珍禽異獸와 천상 운기문 사이에서 활동하는 인물들을 그렸다. 세 번째는 중실 천장에 격령格欞, 연화조정蓮花藻井과 장식적 성격의 변광운기도안邊框雲氣圖案을 그렸다. 그 가운데 중실 남벽의 거마출행도車馬出行圖는 묘주인 출행장면을 재현하였다.

중실 북벽의 악무백희도舞樂百戱圖는 장권長卷 형식으로 한 줄로 늘어선 귀족들이 연회를 즐기면서 백희를 보고 있는데, 화면 색채가 풍부하고, 인물들이 매우 많으며, 백희 연기가 아주 뛰어난 보기 드문 작품이다. 타호정 2호묘의 수박희는 무용총과 안악 3호분에 나오는 수박희와 가장 유사한 중국 고분벽화의 예로 볼 수 있다.

도 42 | 《조정문》, 전실 천장, 타호정 2호묘

도 43 | 《묘주연음도》, 중실 북벽, 타호정 2호묘

3. 하남 밀현 후토곽 1·2·3호묘

같은 밀현에 위치한 밀현密縣 후토곽后土郭 1·2·3호묘는 벽화가 소량 그려진 전석혼축화상석묘磚石混築畵像石墓이다. 1호묘는 묘도, 묘문, 용도, 중실(주실), 후실, 북이실, 남이실, 동

도 44 |《격자창과 인물도》, 중실 북벽, 후토과 1호묘

이실, 서이실로 구성되었으며 각실은 모두 중실과 문으로 연결되었다. 전체 길이 12.46m, 너비 15.34m, 높이 3.88m이다. 벽화는 묘문 문미의 뒤쪽에 용을 한 마리 그렸다. 중실 북벽 서부에 운기문이 가장자리에 장식이 된 격자 창문이 있고 그 안에 한 명의 남자와 두 명의 여자가 있다(도44). 중부에는 운기문 테두리 장식이 된 격자창 안에 두 명의 인물과 두 마리의 닭으로 구성된 투계鬪鷄가 있다. 동단東端에는 운기문 테두리 장식이 된 격자창 안에 두 명의 인물과 두 마리의 닭으로 구성된 투계도가 있다.

1호묘와 구조가 거의 같은 2호묘의 벽화는 중실 동벽의 상부는 대형의 권운문이고, 동벽 중부에는 물건을 받든 9명의 남자들이 좌측을 향해 행렬하고 있다. 중실 북벽에는 능형 격자 창문, 운기문, 한 명의 인물과 말이 있어 거마출행도로 보인다.

3호묘도 구조가 거의 같으며, 벽화는 중실 북벽에 무성한 나무 한 그루가 있고 나무 아래 호형기壺形器가 있고 나무 위에는 두 마리의 봉황鳳鳥, 나무 아래에는 노년 남성이 수레에 타

고 있고 두 명의 인물이 노년의 남성 위쪽에 그려져 있다. [75]

4. 하남 형양시 왕촌진 장촌묘

하남 형양시榮陽市 왕촌진王村鎭 장촌묘萇村墓는 벽돌과 돌로 축조한 대형공권정전석혼축묘大型拱券頂磚石混築墓이다. 용도甬道, 전실前室, 동측실東側室, 3개의 후실後室로 구성되었다. 용도 양측과 전실 사벽 및 천장에 총 300㎡의 채색벽화를 그렸다. 벽화의 내용은 누궐정원樓闕庭院, 거마출행車馬出行, 부부병좌, 인물고사人物故事, 진금이수珍禽異獸, 악무백희樂舞百戲이다.

용도甬道에 조정문藻井紋, 누궐정원樓闕庭園이 그려져 있고, 전실 천장에 장방격長方格 내의 진금이수珍禽瑞獸(천마天馬, 익호翼虎, 옥토끼 등)가 있다. 천장의 능형과 연화조정 등은 타호정 2호한묘의 천장 도안과 같다.

전실 측벽側壁에 4단으로 구성된 거기출행도車騎出行圖가 있다. 가지런히 배열되어 있는 거마 행렬 속 많은 수레의 옆에는 예서형 묵서로 쓰인 방제가 달려있는데, 수레의 종류는 부거斧車, 백개초거白蓋軺車, 조개거皂蓋車, 조개주좌번초거皂蓋朱左轓軺車, 조개주량번초거皂蓋朱兩轓軺車, 적개초거赤蓋軺車 등 다양하다. 장촌묘는 산서 하현 왕촌 동한 벽화묘, 하북 안평 녹가장 벽화묘와 같은 4단으로 구성된 대규모 거기출행도가 출현하는 벽화묘로서, 동한 만기 벽화의 특징이 잘 드러나는 벽화묘이다.

전실 남벽에는 기악인물과 곡예도가, 서벽에는 진금서수珍禽瑞獸, 거마출행도가 그려져 있다. 이 묘의 연대는 구조와 벽화 주제의 특징으로 보아 동한 만기로 판단한다. 장촌묘는 규모가 크고 벽화의 내용이 풍부하며, 특히 전실 거기출행도에 "郞中時車," "巴郡太守時車," "齊相時車" 등의 풍부한 묵서 방제가 있어 동한시기 벽화의 내용을 파악하는 데 중요한 근거를 제시하는 점에서 정주지역 한대 벽화묘로서 중요한 발견이라고 할 수 있다.

---

75 黃佩賢, 『漢代墓室壁畵硏究』, 文物出版社, 2008, pp. 50-51.

5. 산서 하현 왕촌묘

산서山西 하현夏縣 왕촌王村 동한東漢 벽화묘壁畵墓는 권정전실묘券頂磚室墓로서 묘도, 용도, 횡전실, 남북 양이실, 양 후실로 구성되었다. 횡전실 평면은 장방형이고 길이는 6.84m, 너비는 2.64m, 높이는 2.68m이다. 북이실의 길이는 2.72m, 너비는 1.4m이고 높이는 1.36m이다. 양 후실의 길이는 3.2m, 너비는 2.08m, 높이는 1.72m이다.[76]

대부분 횡전실에 벽화가 집중되어 분포하고 있고, 용도와 북후실에서도 벽화가 발견된다. 벽화의 배치는 묘정과 벽면 상단에는 주로 운기雲氣 신령 仙靈을, 벽면에는 영봉대열迎奉隊列, 거마출행 등 생활풍속을 그렸다.

용도 동단東端 천장에는 두 마리의 말이 등장하는 이기수렵도二騎狩獵圖가 있고, 횡전실橫

도 45 | 《거마출행과 묘주도》, 전실 동벽, 왕촌묘

---

76   高彤流, 劉永生, 「山西夏縣王村東漢壁畵墓」, 『文物』 1994年 8期.

도 46 | 《원락도》, 북후실 동벽, 왕촌묘

前室 천장에는 산악과 호랑이와 같은 신수神獸, 학이나 물고기를 타는 비익羽翼 선인仙人 등이 그려져 있다.

전실 동벽에는 묘주부부 연음도가 있는데 정면상의 남자묘주가 유장 아래 앉아 있으며 그 우측의 벽화는 거의 지워졌으나, 아래 부분에 홍포紅袍의 흔적이 남아있어 묘주 부인상의 흔적으로 보인다(도45). 용도 남벽과 북벽에는 여러 단으로 구성된 거기출행車騎出行과 관리 영봉官吏迎奉 장면이 표현되어 있다. 횡전실 동벽과 서벽에는 4단으로 그려진 거마출행 車馬出行이 있다. 북쪽의 후실 동벽(후벽)에는 병렬로 놓인 정원 건축도가 그려져 있다. 원내에 각각 하나의 전당殿堂이 배치되어있다(도46).

6. 하북 망도 소약촌 1·2호묘

망도望都 소약촌所葯村 1호묘는 하북성 망도현 소약촌에서 1952년 하북성 문화재관리위원회가 결성한 고고학자들의 발굴에 의해 발견되었다. 남향의 대형전실묘大型磚室墓로서 묘도, 묘문, 전실前室, 중실中室, 후실後室로 구성되었으며 전실과 중실에 각각 동서 측실側室이

도 47 | 《인물도》, 전실 서벽, 소약촌 1호묘

있다. 후실의 북벽에는 소감小龕이 있고 모두 권문 양식이다. 묘장의 전체 길이는 20.35m이고, 전실 및 동서 이실의 길이는 9m, 중실 및 동서 측실의 길이는 14.74m이다.

벽화는 전실 네 벽면과 전, 중실 용도 양벽에 집중되어 그려져 있고 그 외 벽면에서는 발견되지 않는다.[77] 벽면의 하단에는 새와 짐승이, 상단에는 인물이 그려져 있다(도47). 지면에서 1.4m 이상 되는 권정에는 유운流雲, 조수鳥獸가 그려져 있다. 북권문 통로 권정에 있는 운기, 조수 외에 인물이나 조수와 상관없이 모두 묵서 제기가 쓰여 있다. 색채에 있어서 벽화는 먹으로 윤곽을 그린 뒤 적, 청, 황의 세 가지 색으로 채색하였다. 묵서로 미루어 보아 무덤의 연대는 182년(후한後漢 광화光和 5년)이다. 소약촌 2호묘에는 보존된 벽화가 적으며 벽화의 내용은 1호묘와 같이 문무속리도가 주를 이룬다.

전실 남벽 묘문 양측에 각각 한 명의 남자가 그려져 있는데, 묘문 동측의 남자는 지팡이를 양 손으로 잡고 있으며 우측 상방에는 묵서로 "사문졸寺門卒"이 쓰여 있고, 묘문 서측의 남자는 허리에 검을 차고 있고 머리 좌측 상방에 묵서로 "문정장門亭長"라고 쓰여 있어 두 인물의 신분과 지위를 알 수 있다. 전실 동, 서, 남벽에는 속리도가 있다. 전실 북벽과 용도 양벽에는 '주기사主記史,' '주부主簿', '소사小史'가 묘사되어 있다. 전실 동, 서 양벽의 하단에는 상서도祥瑞圖가 있다.

망도 벽화묘에 그려진 인물의 묵서로는 "주기사主記史", "주박主薄", "문하공조門下功曹", "문하적조門下賊曹", "문하사門下史", "벽거오백(백)팔인辟車五佰(伯)八人", "시각侍閣", "백사리白事吏", "면로사사勉勞謝史" 등이 있다. 신분에 따라 의복이 다르고, 몸가짐과 얼굴 표정에서도 차이가 드러나서 동한대의 신분제도를 잘 보여주고 있다. 망도동한묘 벽화에는 고라니, 닭, 오

77   姚鑒,「河北望都縣漢墓的墓室結構和壁畵」,『文物參考資料』, 1954年 5期.

리, 양, 난조鸞鳥, 흰토끼, 원앙, 봉황 등이 그려져 있는데, 묵서는 명칭뿐 아니라 그 의미에
대해서도 설명하고 있다.

7. 하북 안평 녹가장묘

하북성의 중요한 동한 벽화묘로는 안평安平 녹가장묘逯家莊墓와 망도 1호묘가 있다. 하북
동한 묘장벽화는 풍부한 역사적 정보를 제공하며, 당시의 관제와 사회풍속, 경제, 건축을 연
구하는 데 있어 사료적 가치가 있다.

녹가장묘는 하북성 남동쪽 안평현의 남쪽으로 2.5km 떨어진 녹가장 부근에 위치해 있는
대형전실묘大型磚室墓이며, 1971년 발견되어 발굴되었다. 묘문墓門, 용도甬道, 전실前室과 좌우
측실側室, 중실中室과 좌우 측실側室, 후중실後中室과 좌측실左側室, 후실後室과 서벽감西壁龕, 북
후실北後室과 서벽감西壁龕으로 구성되었다. 전실, 중실, 후실은 모두 측실을 가지고 있다. 묘
실 안에 있는 '희평 5년熹平五年(176)'이라는 제기를 통해 고분의 연대를 판단할 수 있다.

도 48 | 《묘주도》, 우중측실, 녹가장묘

녹가장동한묘는 정면상의 묘주도와 대규모의 기마행렬도로 잘 알려진 고분이다. 벽화는 전실 우측실, 중실, 중실 우측실에 주요하게 분포하고 있으며, 발견된 당시 이미 어느 정도 박락된 상태였다. 대규모 거마출행, 알현謁見장면, 문졸, 속리, 시자, 무악백희, 유장 안에 앉아 있는 묘주, 장원과 오벽塢壁이 벽화로 그려졌다(도48).

중실에는 네 단으로 나누어진 대규모의 거기車騎 출행도가 그려져 있다. 중실의 벽화는 묘주의 생전 출행 장면을 그린 것으로 묘주의 주요 공직 경력을 보여준다. 우전측실右前側室에는 시자들이 그려져 있고, 우중측실右中側室에는 묘주의 초상이 그려져 있다. 같은 종류의 묘주정면초상이 발견되는 묘로는 산서 하현 왕촌동한묘가 있다. 왕촌 고분의 벽화의 주된 주제는 안평 고분과 같이 행렬도와 정원도이다. 묘주도 오른쪽에는 남시종과 기예도가 있고 왼쪽은 열을 늘어선 배알도가 있다. 북벽은 높은 누각이 세워진 성벽도가 있다.

거마행렬도(도49)의 화면은 상하로 4단으로 나뉘고, 상·하단 사이에는 선후관계가 있다.

도 49 | 《거마행렬도》, 중실, 녹가장묘

벽화 속 보행자는 96명으로 지위가 높지 않은 관리나 사졸이다. 기마병은 94명이고 창과 궁을 들고 있는 기마병도 있는데, 모두 묘주의 측근 시종 또는 하급 관리와 같은 인물들이다. 이들이 탄 수레는 82대로 모두 검은 바퀴로 되어 있지만 덮개의 형식으로 구분이 가능하며, 그 종류로는 백개초거 白蓋軺車, 부거斧車, 조증개주번초거皂繒蓋朱 轓軺車, 적개여거赤蓋輿車, 경거輜車, 대거大車 등이 있다. 동한대의 제도에 의하면 중이천 석中二千石이나 이천석二千石 관원이어야 조 개주번초거皂蓋朱輓軺車를 탈 수 있다. 주번

도 50 | 《건축도》, 중실 우측실 북벽, 녹가장묘

초거朱轓軺車는 4단에 있는 주거主車이며, 이에 탑승한 자는 머리에 붉은 관을 쓰고 홍포를 입고 있으며, 뒷자리에 앉아 있어 높은 관직의 무리武吏로 보인다.[78] 『후한서後漢書』 여복지輿服誌에 따르면, 탑승자는 이천석 이상의 관원이고, 이천석은 당시 지방 관리 중 가장 높은 관직이다. 표현 양식에 있어 전체 출행도는 규모가 크고 장관을 이루고 있다.

또 다른 주목할 만한 벽화로는 중실 우측실 북벽 서측에 있는 조감법으로 그려진 대형 정원庭院의 건축도(도50)이다. 이 벽화는 거대한 규모의 원락院落을 사실적으로 묘사하고 있는데, 큰 마당 속에 작은 마당이 겹겹이 들어서 있어 장관을 이룬다. 이 건축물은 주거 기능도 있고 군사 방어 기능도 갖추고 있다.

8. 산동 양산 후은산묘

1953년 발견된 산동山東 양산梁山 후은산后銀山 동한묘東漢墓는 전석혼합묘塼石混合墓이며 묘향은 남향이다. 묘도, 묘문, 전실, 후실로 구성되었다. 벽화는 현지에 보존되어있다. 전실

---

78   河北省文物研究所, 「安平東漢壁畵墓發掘簡報」, 『文物春秋』, 1989年 1期.

의 복두覆斗형 천장에는 채색 조정藻井도안이 있고, 천상운문天象雲紋을 배경으로 금오옥토金烏玉兎, 태양과 달의 흔적이 남았다.[79]

전실 서벽은 하단은 거마출행, 상단은 주작, 복희, 방제가 붙은 인물, 소도살 장면이다. 전실 남벽은 도정都亭과 몇 명의 인물들이 그려져 있다. 전실 동벽에는 자원子元, 자례子禮, 자임子任, 자인子仁 등 9명의 인물이 있다.

전실 남벽 서측의 도정인물도都亭人物圖는 벽면 상부에 하나의 도정都亭을 그렸다. 2층의 누각으로 상부에 "도정都亭"의 제명題名이 있다. 누각의 상층은 정면 세칸으로 각 칸에 흰옷을 입은 수염이 있는 인물이 앉아 있다. 그 가운데 좌측에 한 명의 인물이 앉아있고, 우측의 2명은 모두 좌측의 인물을 향해 꿇어앉아 경배하는 형상이다. 누각 하층에는 붉은 모자를 쓰고 문을 지키는 인물이 있다. 누각의 좌측에는 홍색의 옷을 입은 인물이 2명, 누각의 우측에는 흑색의 옷을 입고 홍색 방패를 들고 활을 쏘는 형상의 인물이 있다. 홍의를 입고 서로 마주 보는 두 명의 인물들은 "곡성후역曲成侯驛"과 "노태怒太"의 제명題名이 있다(도51). 전실 남벽 동측에는 정면 세 칸의 건물과 그 안에 앉은 인물들이 있고, 전실 서벽 하단에는 기마출행도(너비 약 215㎝), 상단에는 복희, 주작, 신괴神怪가 그려져 있다. 전실과 후실의 석미石楣에는 연속화문, 용형문龍形紋이 있다. 벽화는 주로 전실에 집중되어 있고 소량의 화상석각도 있다.

도51 | 《도정인물도》, 전실 남벽, 후은산묘

---

79 徐光冀, 『中國出土壁畵全集』, 科學出版社, 2011, pp.24-37.

9. 섬서 순읍현 원저향 백자촌묘

섬서 순읍현旬邑縣 원저향原底鄉 백자촌百子村 동한東漢 벽화묘壁畫墓는 섬서성 북부의 황토 고원 남부에 위치한다. 2000년 10월에서 2001년 6월까지 섬서성고고연구소陝西省考古研究所 와 순읍현박물관旬邑縣博物館이 동한대 묘지를 발굴하였는데 1호묘가 벽화묘이다. 1호묘는 장사파단천정묘도전실묘長斜坡單天井墓道塼室墓로서 용도, 전실, 동측실, 서측실 및 후실로 구 성되었다. 평면 "十"자형이다. 전실은 궁륭형 천장이고 후실은 아치형 천장이다. 전체 길이 는 24.75m, 깊이는 5m, 묘향은 39°이다. 일찍이 도굴당하였으며 출토기물은 동기銅器, 철기 鐵器, 옥기玉器, 유리기琉璃器, 유도기釉陶器, 운모雲母 등이다.

벽화는 용도, 전실 사벽 및 천장, 후실 동서 양벽과 북벽, 동서 측실 양벽에 분포한다(도 52). 묘문 바깥의 동서 양벽에 "邻王力士", 역사의 외측에 주서朱書로 "諸觀皆解履乃得人", "諸欲觀者皆當解履乃得人觀此"라는 적색 제자題字가 쓰여있다.

묘문 내의 동, 서 양벽에는 방패를 든 "정장亭長", 빗자루를 든 "문자門者"이다. 전실 천장은 성상星象, 사령수四靈獸, 해와 금오金烏, 달과 두꺼비, 연화조정도안, 네 모서리에는 운기도이다.

전실 남벽에는 우수인물牛首人物, 목우牧牛, 마구간이 그려져 있고, 전실 동벽에는 정장부

도 52 | 후실 전경, 백자촌묘

도 53 | 《연음도》, 후실 서벽, 백자촌묘

인정장부인亭長夫人, 우경, 말이 그려져 있다. 전실 서벽에는 창루倉樓가 있고, 전실 북벽에는 나무 아래 활을 쏘는 인물 등이 그려져 있다. 동벽 상부 정중앙에는 청룡도와 우인도羽人圖가 있다. 서측실 벽화로는 "승주부부인丞主薄夫人"도가 있고, 동측실에는 포주도가 있다.

후실 벽화는 1호묘 벽화의 중심으로 서벽과 북벽은 "빈왕邠王"과 곽성郭姓 장군의 연음과 속리屬吏, "화사공畵師工", 출행거마出行車馬 등이다(도53). 후실 동벽에는 빈왕속리屬吏, 속리부인屬吏夫人과 아이들, 화사공 부인 및 시자 등이 그려져 있다. 후실 후벽은 'T'자형 도안이 크게 그려져 있다. 전체 묘에는 약 50㎡의 벽화가 보존되어있다. 전실과 측실에는 일월성상, 사신, 방상시方相氏, 원유苑囿, 창루倉樓, 목우牧牛, 목마牧馬, 우경牛耕, 포주, "정장부인亭長夫人", "승주부丞主薄", 사작사후射雀[爵]射猴[侯], 후실에는 묘주연음, 거마출행, 속리, 화사공, 시자 등 다양한 제재가 표현되었다.

10. 감숙 무위 마취자묘 · 감숙 주천 하하청 1호묘

동한 후기의 감숙甘肅 무위武威 마취자한묘磨嘴子漢墓(기원후 147년 이후 조성)는 묘도, 묘문,

횡전실, 남북방향으로 평행하게 놓인 두 개의 후실로 구성되었다. 전실 천장에는 일월천상도, 전실 남벽은 우인羽人과 양, 전실 북벽은 날개 달린 동물을 타는 인물, 전실 서벽과 후실의 용도로 이어지는 벽에 한 마리의 새와 인물이 그려져 있다.

감숙 주천酒泉 하하청 1호下河淸1號 동한東漢 벽화묘壁畵墓는 묘도墓道, 묘문墓門, 전前, 중中, 후後 삼실三室로 구성된 전축분塼築墳이다. 전실과 중실 천장은 궁륭정, 후실은 평천장이다. 벽화의 제재는 일월성신日月星辰, 사령四靈, 우인羽人, 신금서수神禽瑞獸, 생활풍속生活風俗 등이다. 첨벽檐壁과 전실에만 벽화가 있다. 첨벽檐壁에 두공형태 벽돌이 부조로 설치되고, 우인羽人, 용, 호랑이, 무인舞人, 운기문, 익룡翼龍 등 신인신수류神人神獸類 화상畵像이 배치되었다. 전실前室에는 농경, 수렵, 코끼리, 돼지, 새, 주방 등 일상생활에 관련된 제재가 주를 이룬다.

무위武威 마취자磨嘴子 한묘 벽화의 제재는 앞 시기의 감숙 무위 오패산 동한 벽화묘와 유사한 신수神獸를 부리는 우인羽人 또는 신선神仙이며 천장에 천상도가 추가되었다. 하하청下河淸 1호묘의 구조나 벽화의 제재와 배치는 위진 시기 가욕관 신성묘와 유사하여 하서지역의 위진 벽화고분의 특징이 이미 동한 후기에 형성된 것임을 알 수 있다. 한편으로는 중원지역 낙양의 신망시기 벽화고분에서 목조 가옥의 구조를 부조로 모방하고 격장隔墻, 격량隔梁의 소전小塼에 하나의 신수神獸 화상을 배치하는 점과도 유사하여 신망~동한 전기의 중원지역의 벽화고분의 특징이 하서의 동한 후기 벽화고분에 전해져 변형 발달된 것으로도 추정할 수 있다.

VII. 한대 벽화의 시기와 지역별 발전의 특징

서한 전기에 벽화묘가 출현하는 지역은 각 1기의 벽화묘가 있는 중원지구와 남방지구로서 중원지역의 하남 영성永城 망탕산芒碭山 시원묘柿園墓(서한 무제武帝 건원建元 5년[기원전 136] 또는 이보다 늦은 시기)에 벽화가 처음 출현한다. 중국 한대의 최초의 벽화묘인 서한 초기의 시원묘의 벽화의 주제는 서한 초의 마왕퇴묘의 칠관화와 전국시대 초묘 출토 회화를 계승한 승선과 천상세계의 묘사이다.

초의 회화의 두 번째 주제인 신화적 상상력이 발휘된 기묘한 형상의 신들이나 고사전설의 묘사는 한대 고분회화의 주된 주제 중 하나인 천상세계의 표현과 묘주 영혼의 승선장면으로 계승된다.[80] 한대 고분벽화의 시원으로 여겨지는 하남 망탕산 시원묘에 붉은 색 바탕 위에 용과 신수神獸, 운기문을 그린 천상도가 있는데 주제나 표현에서 서한 전기의 호남 장사 마왕퇴묘의 백화와 칠관화, 전국시대 초묘楚墓에서 발견된 회화와 비슷하다.

비의飛衣라고 불리는 마왕퇴 백화는 지금까지 중국 고분미술과 장례풍속과 관련된 한대의 이념을 표현한 대표적인 작품으로 여겨져 왔다. 'T'자 모양의 백화에 나타난 천상, 지상, 지하 세계의 묘사는 후대 고분의 건축과 벽화 구성이 따를 일정한 양식과 전범을 수립하였다는 점에서 중요한 의의를 가진다. 상단의 천상세계는 고분에서 천장의 벽화로 바뀐다. 중국과 고구려 고분 미술에서 발견되는 많은 모티브는 기원을 거슬러 올라가면 대개는 마왕퇴 백화에서 가장 이른 예가 발견되는 것을 볼 수 있다. 그림의 중간의 지상세계 부분에 나오는 행렬도는 수산리 고분과 쌍영총과 같은 고구려 고분의 행렬도와 맥을 같이 하는 것이라고 할 수 있다. 마왕퇴에서 나온 관 위에 놓였던 이 백화 외에 여러 겹으로 된 목관에 그려진 운기문과 신비한 동물, 정교한 장식문양 등이 당시 회화의 수준을 보여준다.

앞에서 살펴본 한대 벽화묘의 발전은 서한에서 동한으로 가면서 지역적 특징과 벽화문화의 전파가 관찰된다. 서한 전기에 벽화묘가 등장하는 곳은 중원지역이며, 서한 후기부터 벽화묘가 출현하는 곳은 관중지역, 북방지역이다. 다음의 서한 후기의 벽화묘는 중원지구와 관중지구에 집중 출현한다. 하서지역, 동북지역, 동방지역에서는 모두 신망에서 동한 전기에 벽화묘가 등장한다. 이들 지역을 제외하고 동북, 하서, 동방, 남방 지역에는 벽화묘가 없다.

서한 후기에 관중과 중원지역에 여러 기의 벽화묘가 다수 축조되면서 한대 벽화묘만이 아니라 중국 벽화묘의 기반을 이루는 중국 장의미술 벽화의 특징이 형성된다. 마왕퇴 백화와 시원 벽화묘의 천상세계의 강조는 서한 후기의 장안과 낙양지역 고분벽화에도 이어진

80　한나라의 사상, 종교, 미술에 나타난 『초사』와 초문화의 영향에 대해서는 Gopal Sukhu, "Monkeys, Shamans, Emperors, and Poets," Constance A. Cook and John S. Major, *Defining Chu*, University of Hawai'i Press, 1999, pp.145-166. 서주의 궁실, 종묘 벽화를 계승한 초의 종묘 벽화의 내용과 양식이 전국 및 양한 벽화로 계승하는 「천문」중에 반영된 초나라의 종묘 벽화의 내용은 춘추전국시대 벽화와 양한 벽화 사이의 연결 역할을 한다. 하남 낙양 복천추묘, 금곡원묘 등의 묘실벽화와 대량으로 출토된 동한 화상석 등은 모두 고대 신화전설과 역사고사를 내용으로 하는데 그 연원 중 하나는 전국시대 남방의 초나라 회화전통(전국시기의 초나라 백화, 백서, 칠화 등 회화 유물)이다. 皮道堅, 「楚辭, 天問과 楚宗廟壁畵」, 『楚藝術史』 湖北教育出版社, 1995, p.97.

다. 서한 후기의 벽화고분으로는 당시의 수도 장안에 3기, 낙양지역에 6기, 북방지역인 내몽고에 1기가 있다. 서한 후기의 낙양의 6기의 서한 후기 벽화고분은 천상天象, 선인仙人, 신수神獸, 소량의 역사고사의 제재가 주이며 음양오행陰陽五行, 진묘벽사鎭墓辟邪, 인혼승천引魂昇天의 도상을 그리고 있다.[81] 서한 후기 중원과 관중지구의 벽화묘의 차이는 중원지역은 대형 공심전묘가 위주이고 관중지역은 소형전으로 축조한 전축분이 주된 형제이다. 중원지역의 벽화묘에는 천장을 따라 천상도를 그린 공심전이 배치되거나 전, 중, 후실의 박공, 후벽의 사다리꼴 모양의 박공 부분에 인물고사도나 사신, 귀면 등의 벽사신수도가 배치되었다. 관중지역에서는 전축분의 공간 내에 장소 구분이 없이 천장과 벽면 전체를 활용하여 연회도, 수렵도, 행렬도 등 생활 풍속도를 그렸다.

중원지역의 서한시기 벽화묘로 비교적 최근에 소개된 사례는 2000년 발견된 하남 낙양시 신안현 자간 서한 벽화묘이다.[82] 공심전의 형식으로 보아 묘실 천장 부분으로 추정되며, 해당 묘의 주실의 구조와 건축 방식은 서한 복천추묘와 천정두묘의 주실과 유사할 것으로 여겨진다.

관중지역에서 천상도의 사례는 서한 후기의 서안 교통대학 벽화묘의 묘실 네 벽을 장식한 신수와 우인, 아치형 천장에 두 개의 동심원 안에 일월, 청룡, 백호, 주작, 28성수도를 그리고 주실 후벽에 운기문 가운데 승선하는 천인을 그렸으며, 서안 이공대학 벽화묘 천장의 일월, 주작, 선학 등 천상도를 들 수 있다.

서한 후기 서안지역 벽화묘들은 천상세계의 묘사에 그치지 않고 현실세계의 생활풍속도를 더하여 복합적으로 벽화를 구성하였다. 비교적 이른 시기에 출현한 이공대학 벽화묘의 수렵도는 활달한 필치로 그린 것으로 동한 후기에 섬북지역에 출현하게 되는 수렵도의 연원을 잘 보여준다.

서안의 서한 후기 벽화묘의 생활풍속 중심 주제의 출현은 진시황제 병마용이나 한 경제 양릉과 같은 능묘조각의 인물상의 발달, 그리고 도용의 제작에서 볼 수 있는 적, 녹, 청색 등 다양한 안료의 발달과 사용에서 그 배경을 찾아볼 수 있을 것으로 생각된다. 다른 지역에 비

81 허시린, 「漢代 壁畫古墳의 발견과 연구」, 『미술사논단』23, 한국미술연구소, 2006, pp. 43~65; 洛陽市第二文物工作隊, 黃明蘭, 郭引强 編著, 『洛陽漢墓壁畫』, 文物出版社, 1996; 洛陽博物館, 「洛陽西漢卜千秋壁畫墓發掘簡報」, 『文物』, 1977年 6期.

82 洛陽市文物管理局, 洛陽古代藝術博物館, 『洛陽古代墓葬壁畫』, 中州古籍出版社, 2010.

해서 화상석묘나 사당의 출현이 드문 것도 하나의 특징이다. 이는 관중지역의 황토고원이 발달된 지형 및 자연환경과 관련이 있는 것으로 추정된다.

수도가 낙양으로 옮겨진 이후에는 낙양이 속한 중원지역이 벽화의 축조 중심지가 되었다. 하남과 하북, 산서의 중원지역이 벽화 축조의 중심지로 자리 잡을 수 있었던 것은 지리적으로 가까운 호남지역 초문화의 발달된 장의문화를 바탕으로 한대에도 지속적으로 장의미술이 발달했기 때문이다. 또한 하남지역에서는 서한부터 동한까지 지속적으로 화상석 미술이 발달하여 정주, 낙양의 서한시기 화상석, 남양의 동한시기 화상석 등 다수의 사례를 볼 수 있다. 이러한 화상석 제작의 성행과 발달은 다양한 장의미술 도상의 발달과 구성 등에 영향을 미쳤을 것이다.

하서지역, 동북지역, 동방지역에서는 모두 신망에서 동한 전기에 벽화묘가 등장한다. 신망(기원후 9~25)과 동한 전기에 세워진 한대 벽화묘는 15기 이상이 발굴되었다.[83] 낙양지역에서 생활풍속도가 출현하는 것은 신망에서 동한 전기이며, 언사 신촌 신망묘에서 볼 수 있듯이 공심전묘에서 중실의 좌우벽을 구성하는 공심전에 일생생활을 묘사하기 시작하며, 차츰 소형전으로 무덤을 축조하면서 벽화는 벽면이나 천장의 공간의 제약 없이 넓게 퍼진다. 이와 대조적으로 관중지역에서는 장안이 서한의 수도였을 때인 서한 후기 이후 벽화묘의 축조가 쇠퇴하여 동한 후기의 섬서 순읍 백자촌 동한 벽화묘에서 보듯이 벽화의 구성이나 양식면에서 퇴보하는 양상을 띤다. 이는 동한의 수도가 낙양으로 옮긴 이후여서 이렇다 할 벽화묘를 조성할 만한 후원층이 장안지역에 자리 잡지 않은 탓으로도 보인다.

동한으로 넘어오면 관중지역의 벽화묘 축조는 쇠퇴하고 중원지역은 벽화묘와 화상석묘의 축조가 같이 진행된다. 중원지역에서 발달한 장의미술의 전형적인 도상들이 동북지역과 하서지역, 그리고 북방지역으로 차츰 확산된다.

동부지역에서는 화상석묘가 활발하게 건축되고 벽화묘는 드물게 축조되었다. 비교적 최근에 소개된 산동 동평현 물자국 1호묘는 대형석판으로 구성된 석실묘이다.[84]

동한 후기 벽화묘는 중원과 동북지역에 각각 15기 이상, 북방, 하서, 동방지역에 각각 5기 이상, 관중지역 1기의 순으로 분포한다. 동한 후기에 동북, 북방, 하서를 잇는 북부지역이 벽

---

83 황패현, 앞의 책, pp. 31-32.

84 山東省文物考古研究所, 東平縣文物管理所,『東平後屯漢代壁畵墓』, 文物出版社, 2010; 徐光冀,『中國出土壁畵全集 4卷 山東』, 科學出版社, 2011, pp. 1~23.

화묘 축조의 중심지로 떠오른다. 이들 북부지역은 고분벽화 문화에서 동일한 제재를 공유하면서도 지역적 특징의 형성이 관찰된다. 이를테면 요양지역 벽화는 벽화문화가 하남에서 하북을 거쳐 전파되는 과정에서 승선 관련 제재가 사라지고 주로 생활풍속적 제재들로 구성된다. 하서지역에는 서한부터 중원과 관중지역에서 발달한 천상세계 관련 제재가 묘문 위의 문루나 묘실 천장에 배치되었다. [85]

동북지역의 벽화묘에 대해서는 여러 선행연구에서 고구려 벽화고분과의 연관성이 많이 지적되었다. [86] 2003년 발굴된 요양 남교가 동한 벽화묘는 방형方形의 평면에 묘문이 2개 달렸다. 전랑前廊, 측랑側廊, 두 개의 관실, 남북 이실耳室, 후실後室로 구성되었다. 묘실 내 벽화는 전랑, 측랑, 이실 등에 분포한다. 전형적인 요양지역 벽화묘의 건축구조와 벽화주제이다. [87] 동부지역의 신망 - 동한초의 산동 동평현 물자국 1호묘와 건축구조 및 벽화 구성에서 유사하다. 산동 기남 화상석묘 대표되는 산동·강소지역 화상석묘의 건축구조와 화상석 주제 및 화면 배치는 요양 벽화묘들과 친연성을 보인다. 요양지역 한위진 벽화묘의 연원의 하나가 산동·강소지역의 화상석묘와 벽화묘임을 잘 보여주는 대목이다.

요양, 섬서, 내몽고 벽화고분과 화상석에 보이는 하남지역의 고분문화의 전파는 동한(25~220), 서진(265~317)의 수도였던 낙양, 정주를 포함하는 하남지역에서 서한 전기에 벽화고분이 최초로 축조되었고, 한대 내내 벽화고분 축조의 중심지였다는 점을 고려하면 충분히 이해가 가능하다. 주목할 것은 하남지역의 고분미술이 주변에 영향만 미친 것이 아니라 다른 지역의 영향 역시 받아들였다는 점이다. 서한 초기 하남 벽화고분은 호남지역의 전국시대 초묘의 고분회화를 바탕으로 발달한 것이다. 아직 서한 후기에 하남지역 고분벽화에 생활풍속적 주제가 발달하지 않았을 때 관중의 서안 이공대학 벽화묘에 이미 사녀도仕女圖, 거마출행도車馬出行圖, 수렵도狩獵圖, 묘주墓主의 연락宴樂과 투계도鬪鷄圖와 같은 제재가 나타나 신망~동한 전기 낙양 지역 생활풍속도를 예시하고 있다. 또한 하남 밀현 타호정 한묘가 위치한 예중豫中지역 한대 화상석은 서한 만기에서 동한 시기에는 인접한 남양 화상석의 영향을 받다가, 동한 만기에는 산동과 섬북 화상석의 요소를 흡수하여 지역적 특징을 발전시켰다. [88]

85 박아림, 「중국 위진 고분벽화의 연원 연구」, 『동양미술사학』 1 · 2012, pp.75-112.
86 강현숙, 『고구려와 비교해본 중국 한, 위 · 진의 벽화분』, 지식산업사, 2005; 전호태, 『중국 화상석과 고분 벽화 연구』, 솔, 2007.
87 田立坤, 「遼寧遼陽南郊街東漢壁畫墓」, 『文物』 2008年 10期.
88 밀현 타호정 한묘의 화상 표현 기법이나 화면 구성 등이 기남 한대 화상석묘와 유사하다. 또한 밀현 타

표 3 | 한대 벽화고분의 벽화배치와 내용[89]

지역	시기	고분명	고분구조	벽화내용
중원지구	① 서한전기	河南永城芒碭山柿園梁王壁畵墓	大型石崖墓 墓道, 甬道, 主室, 8耳室	남, 서벽: 표범, 仙山, 朱鳥, 神樹, 靈芝, 기하무늬 천장: 거대한 용, 새, 호랑이, 怪魚, 雲氣文
		廣東廣州象崗山南越王墓		묘문, 전실, 천장: 적색, 흑색의 卷雲文
	② 서한후기	河南洛陽卜千秋壁畵墓	空心磚墓	천장: 뱀, 해, 복희, 鳳과 뱀을 타고 승선하는 묘주, 구미호, 두꺼비, 옥토끼, 서왕모, 백호, 주작, 청룡, 節을 가진 羽人, 달, 여와, 상서로운 구름 등
		河南洛陽淺井頭壁畵墓	空心磚墓	천장: 음양오행, 인혼승천
		河南洛陽燒溝61號漢墓	空心磚墓	후벽, 박공, 천장: 야외 연음도, 天門, 방상시, 주작, 청룡, 백호, 곰, 神人, 복희와 여와, 천마, 二桃殺三士, 孔子見老子, 旱魃과 神虎, 천상도
		河南新安里河村壁畵墓	空心磚墓	천장: 해, 달, 복희, 여와, 청룡, 백호, 주작, 운기
		河南洛陽八里台墓		역사고사, 효자열녀, '上林苑', 또는 '儺戲'
		河南洛陽壁畵墓		榻 위에 앉은 인물과 해, 달, 용, 호랑이, 봉황, 나무, 雲車를 모는 선인, 사슴을 탄 선인
		河南洛陽市新安縣河南磁澗西漢壁畵墓	空心磚墓 벽화 벽화가 그려진 공심전 길이 0.510m, 너비 0.227~0.235m 두께 0.205m	쌍봉, 神獸, 일월, 복희와 여와, 쌍룡, 백호, 神人鳥獸, 옥벽, 人首龍身神獸, 홍색 운기문
		河南洛陽新區西漢墓壁畵墓	대형공심전과 小磚으로 건축	伏羲, 風鳥, 神獸, 神人
	③ 신망에서 동한전기	河南洛陽金谷園新莽壁畵墓	空心磚小磚混築墓 墓道, 前室, 後室, 東耳室, 墓道耳室	전실: 목조건축, 태양, 운기문 후실: 神怪, 해와 달, 后土, 璧, 황룡
		河南洛陽尹屯新莽壁畵墓	穹窿頂磚券墓	중실: 목조가옥, 일월성신, 운기, 사신, 人頭蛇身, 28宿천상도 후실: 유운문, 仙草, 화훼

호정묘와 후토곽한묘의 서금신수, 선인, 운기문 장식은 섬서 수덕 화상석묘와 유사하다. 楊育彬, 孫廣淸,「河南漢代畫像石的分布與分區類型」,『河南考古探索』, 中州古跡出版社, 2002; 河南省文物研究所,『密縣打虎亭漢墓』, 文物出版社, 1993.

89　黃佩賢,『漢代墓室壁畵研究』, 文物出版社, 2008.

지역	시기	고분명	고분구조	벽화내용
중원지구	③ 신망에서 동한전기	河南新安鐵塔山東漢壁畵墓	磚券墓	묘문: 수문무사 묘정: 일, 월, 성수, 양, 채운 후벽: 묘주, 2女侍 남벽: 가무 북벽: 가무, 연음
		河南洛陽偃師高龍鄕辛村新莽壁畵墓	空心磚墓 墓道, 墓門, 長方形墓室	뒤쪽 박공: 門闕, 서왕모, 鳳, 凰 앞쪽 박공: 방상시, 복희, 여와 동서 양벽: 宴飮, 舞飮, 宴飮博戲, 주방 중실 천장: 해와 여와, 달과 복희, 龍車를 모는 선인, 麒麟車를 모는 선인
		河南洛陽唐宮路玻璃廠東漢墓		동, 남, 북벽: 묘주부부, 시종, 마차
		河南洛陽金谷園東漢墓	小磚墓 墓道, 前甬道, 前室과 東西耳室, 後甬道, 後室 前·後室:穹窿頂	묘문: 문졸, 사녀 묘실 천장: 일, 월, 주작, 백호, 飛鳥, 彩雲 전실 후벽: 珠樹 후용도: 운기
		河南洛陽石油站東漢墓	小磚墓 墓道, 前室(西耳室), 中室(東西耳室), 後室	복희, 여와, 운기문, 乘車御龍圖, 乘車御鹿圖
		山西平陸棗園村新莽墓	券頂磚室墓 主室, 南側小耳室	천장: 日月, 鶴, 靑龍, 白虎, 玄武, 星宿, 유운문 북벽: 靑龍, 鳥, 鹿, 樹木, 河流, 道路, 馬車, 牛車, 騎牛男子, 樹下男子 남벽: 白虎, 坐車男子 서벽(후벽): 玄武, 건축물, 柳樹, 農夫, 犁田牛, 인물
	④ 동한후기	河南洛陽東郊機工廠東漢壁畵墓	券頂磚石結構墓 墓道, 墓門, 前甬道, 前室(東西兩耳室), 中甬道, 中室(東西兩側室, 南耳室), 後甬道, 後室	묘문 門楣: 鳥 전실: 남자 입상 전실 서이실: 인물기마도 중용도: 雲氣, 飛鳥, 瑞獸 중실: 잡기인물, 시녀, 舞伎, 飛鳥
		河南偃師杏園村東漢墓	大型磚券墓 묘도, 묘문, 전용도, 전실, 후용도, 후실	전실: 거마출행도, 포주음연도
		河南洛陽西工壁畵墓	磚券結構墓 묘도, 용도, 묘실	북벽: 여묘주, 하인 남벽: 女侍, 거마 동벽: 장막 아래 묘주부부상, 시종, 家具食器
		河南洛陽3850號壁畵墓	橫列磚券結構墓 묘도, 묘문, 용도, 묘실, 동이실, 북이실	용도 천장: 羽龍 용도: 男侍 묘실 북벽: 男侍
		河南洛陽朱村東漢 壁畵墓	묘도, 용도, 묘실과 이실	묘실 북벽: 묘주부부연음, 남녀시종, 가구식기 묘실 남벽: 車馬出行 묘실 동벽 동이실 천장: 鹿

지역	시기	고분명	고분구조	벽화내용
중원지구	④ 동한후기	河南密縣打虎亭2號漢墓	磚石混築墓 2전실, 2중실, 2후실, 1측실, 2이실	전실 천장: 藻井紋, 異禽怪獸 전실 동, 서벽: 人物殘像 주실 동벽: 車騎出行, 迎賓宴飮 중실 북벽: 묘주, 손님, 악무백잔, 시녀 중실 남이실과 동이실: 동물상, 포주도 용도, 묘실 천장: 規矩, 격자창, 연화조정 도안, 流雲, 진금괴수, 羽人
		河南密縣后土郭1·2·3號漢墓	磚石混築畵像石墓	악무백잔, 鬪鷄, 車騎出行, 雲氣紋, 수목도, 격자창과 인물상
		河南滎陽王村鎭萇村墓	大型拱券頂磚石混築墓 甬道, 前室, 東側室, 3後室	용도 석문: 포수함환, 朱繪木紋 용도 천장: 藻井紋, 樓闕庭園 전실 천장: 藻井紋, 珍禽瑞獸(天馬, 有翼虎, 옥토끼 등), 인물 전실 측벽: 車騎出行圖 전실 남벽: 기악인물 전실 서벽: 반신인물상
		山西夏縣王村東漢壁畵墓	券頂磚室墓 묘도, 용도, 횡전실, 남북양이실, 양후실	용도 천장: 二騎狩獵圖 횡전실 천장: 산악도, 虎 횡전실 동벽: 騎鶴, 乘魚羽翼仙人 횡전실 북단: 榻上人物, 속리, 舞者(무악연음도) 용도: 官吏迎奉, 車騎出行, 車馬出行 북후실: 목조정원건축
		山西永濟上村東漢壁畵墓	拱券頂磚室墓 墓道, 墓門, 後室, 南側室	후실 천장: 朱紅色 八瓣垂蓮 후실 사벽: 북두칠성 등 星象圖
		河北望都所葯村1·2號漢墓	大型磚室墓 前室, 中室, 後室(前室과 後室에 각각 2側室)	묘문: '寺門卒', '門亭長' 전실 남, 서, 동벽: 屬吏 전실 북벽, 용도 양벽: '主記史', '主簿', '小史' 전실 동, 서벽 하단: 祥瑞圖 천장: 流雲, 鳥獸
		河北安平逯家莊漢墓	大型磚室墓 墓門, 甬道, 前室과 左右側室, 中室과 左右側室, 後中室과 左側室, 後室과 西壁龕, 北後室과 西壁龕	중실: 車騎출행도 우전측실: 시종 우중측실: 묘주도
關中지구	①	無		
	②	陝西西安南郊曲江池1號墓	전축분 묘도, 용도, 묘실, 이실, 평면"甲"자형	묘실 동벽: 코뿔소 묘실 서벽: 물고기, 水波紋 묘실 남벽: 4마리 황소 묘실 북벽: 말

지역	시기	고분명	고분구조	벽화내용
關中地區	②	陝西西安交通大學西漢壁畵墓	전축분 묘도, 주실, 동서 兩耳室, 주실	천장 : 일월, 사신, 仙鶴, 二十八宿 천상도 주실 북벽: 流雲紋, 仙鶴, 괴수
		陝西西安理工大學1號 西漢壁畵墓	전축분 묘도, 용도, 묘실, 동이실, 서이실	천장: 해, 달, 운기, 應龍, 주작, 선학, 翼龍, 鶴 남벽: 용, 翼虎, 雲氣文 동벽: 거마출행도, 수렵도, 3명의 인물과 거마출행도 북벽: 乘龍羽人, 黃蛇, 靑蛇 서벽: 무악, 鬪鷄, 여주인, 賓客 宴樂圖
		陝西西安曲江翠竹園西漢壁畵墓	평면 '甲'자형 전축묘 묘도, 통도, 이실, 묘실	북벽 묘문: 문지기 2명 동벽: 인물 5명(하녀 2명, 귀부인 2명) 남벽: 인물 5명(하녀, 仕女, 시녀, 귀부인, 漆盒, 漆杯, 향로) 서벽: 인물 8명(아기를 안은 부인, 아이, 하인 2명, 男士 2명, 胡人) 행렬 천장: 운기문 장식 휘장 남벽 천장: 天象圖(운기문, 해와 까마귀, 달과 두꺼비, 星宿, 청룡, 백룡, 인물도안)
	③	陝西千陽新莽墓	洞室墓 묘도, 묘실	동벽: 운기문, 성신, 태양, 金烏, 龍形동물 서벽: 운기문, 달, 성신, 호랑이
		陝西咸陽龔家灣1號新莽墓	대형 塼石혼합묘 묘도, 용도, 전실, 후실	후실 석문 門楣: 獸首, 운문, 유익괴수, 長几, 2인 좌상, 수목
	④	陝西旬邑縣 百子村 東漢壁畵墓	塼室墓 용도, 전실, 동측실, 서측실, 후실 전실: 궁륭천장 후실: 아치형 천장	묘문 외측: 邠王力士 묘문 내측: 亭長, 門者 전실 천장: 四靈獸, 해와 金烏, 달과 두꺼비, 연화 조정도안, 운기 전실 남벽: 牛首人物, 牧牛, 마굿간 전실 동벽: 亭長夫人, 우경, 말 전실 서벽: 倉樓 전실 북벽: 나무 아래 활을 쏘는 인물 동서 측실: 庖廚圖, "丞主簿夫人" 후실 서벽: 邠王과 郭姓 장군, 연음도, 屬吏, "畵師工" 후실 동벽: 屬吏부인과 아이들, 화사공 부인 후실 후벽: "T"자형 도안
北方地區	①	無		
	②	內蒙古包頭召灣51號墓	土壙雙室 木槨墓 (甲자형 묘실)	乙墓室 동벽: 車馬圖
	③	內蒙古鄂爾多斯巴音格爾村兩座漢墓	洞室墓	出行, 宴飮, 放牧, 亭院, 가무
	④	內蒙古鄂托克 鳳凰山1號 東漢壁畵墓	洞室墓 ("十"자형)	묘문: 목조가옥 구조 천장: 별자리, 구름, 달(두꺼비와 옥토끼)의 천상도 전실 묘문: 시자 후벽: 권운문, 문리, 개 동벽: 병기, 독각수, 정원, 악무연음, 마차 서벽: 거기출행, 가금류, 악무백잔, 수렵, 농경, 방목
		內蒙古 托克托閔氏壁畵墓	磚室墓 墓門, 前室과 3耳室, 中室과 2耳室, 後室	후실 문: 門奴 중실 우이실: 인물거마, 우거, 인, 마 중실 좌이실: 포주도

지역	시기	고분명	고분구조	벽화내용
北方地區	④	内蒙古 包頭張龍圪旦 東漢壁畫墓	穹窿頂磚室墓 묘도, 용도, 전실과 동서이실, 중실과 동서이실, 후실	전실과 중실: 벽화가 거의 탈락됨 전실과 중실 사이 甬道: 2인의 인물잔상
		内蒙古和林格爾 新店子1號漢墓	穹窿頂磚築墳 墓道, 前室과 南北2耳室, 中室과 南耳室, 後室	묘문 용도: 문졸 전실 천장: 청룡, 백호, 봉황, 백상, 기린 전실 : 대형거마출행도("擧孝廉時", "郎", 西河長史, "行上郡屬國都尉時", 繁陽令", "使持節護烏桓校尉") 전실 북이실: 목양, 농경, 창고 전실 남이실: 牧馬, 牛 중실 남벽: 西河長史所治離石城府舍, 行上郡屬國都尉時所治土軍城府舍, 繁陽縣令官寺 중실 동벽: 寧城縣, 護烏桓校尉幕府圖 중실 서,북벽: 연음, 포주, 연거, 무악백잔, 역사인물고사 후실 천장: 청룡, 백호, 주작, 현무 후실: 莊園圖(산림, 塢壁, 耕地 등) 후실 30실: 농경, 수공업제작 등
		内蒙古鄂爾多斯鄂 托克旗烏蘭鎮米拉 (蘭)壕漢墓	斜坡墓道洞室墓 묘실, 이실	1호묘 북벽: 亭臺樓謝圖, 圍獵圖 천장: 적색 기둥, 들보, 적색 휘장, 운기문
		内蒙古鄂爾多斯巴 日松古敖包漢代壁畵 墓M1	묘도, 묘문, 전실, 후실	묘문: 門扉圖 전실 남벽: 武庫圖, 기마수렵도, 車與圖, 산림방목도, 우경도 전실 동벽: 악무도, 輻車出行圖 전실 북벽: 樓閣圖, 吟誦圖, 역사고사도 전실 천장: 星象圖(신수, 운기문), 鸞鳳圖 후실 북벽: 卷草圖, 婦人倚門圖 후실 동벽: 운기도 후실 천장: 운기도
		内蒙古鄂爾多斯巴 日松古敖包漢代壁畵 墓M2	長斜坡式墓道前後室式洞室墓	전실 북벽: 導騎圖와 山林放牧圖 전실 남벽: 樓閣宴飮圖와 燕鳴圖 전실 동벽: 放牧牛耕圖 전실 서벽: 거마출행도 천장: 百鳥鳳飛圖 후실 동, 서, 남벽: 卷草祥瑞圖 후실 천장: 飛龍御天圖, 太陽金烏, 月亮蟾蜍, 星象圖
		陝西定邊郝灘1號東 漢壁畵墓	洞室墓 묘도, 묘문, 묘실, 좌측 이실형 소감	묘실 천장: 천상선신도(28수, 달, 청룡, 백호, 주작, 현무, 선인, 풍백, 뇌신, 우사 등) 묘실 남벽(후벽): 묘주부부병좌도, 정원, 농작, 수렵 묘실 동벽: 거마출행 묘실 서벽: 묘주인승선도, 서왕모연음도 묘실 동, 서벽 입구: 방목도
		陝西靖邊楊橋畔1號 東漢壁畵墓	土坑券頂磚室墓 사파묘도, 전실, 후실	전실 서벽: 仙人乘雲車, 祥雲, 인물고사, 거마출행 전실 동벽: "天門", 인물, 무악백잔, 仙人乘雲車, 仙人乘龍車, 仙人乘鶴, 仙人乘鹿 후실 문: 門神, 龍神, 虎神 후실 동, 서벽: 仙人乘龍車, 仙人乘魚車, 仙人乘鶴, 仙人乘兎車, 仙人乘鹿車, 陽鳥, 祥雲 후실 북벽: 묘주부부, 시종, 농경도

지역	시기	고분명	고분구조	벽화내용
北方지구	④	陝西靖邊楊橋畔1號東漢壁畫墓(2009년 발견)	전실(동서이실), 후실	전실 동벽 난액: 거마의장출행도 전실 동벽 耳室門: 懸弩圖, 시녀도 전실 서이실 남벽: 鷹, 弩, 拜謁圖 전실 서벽 난액: "孔子見老子圖," "二桃殺三士圖" 전실 천장: 天象圖 후실 동벽: 악무도 후실 후벽: 鎭墓神, 山野圖
		陝西靖邊楊橋畔渠樹壕漢壁畫墓(2015년 발견)	塼券拱頂前後室直線形洞室墓 長斜坡墓道, 封門, 전실, 후실로 구성	묘실 입구: 무사도, "門吏" 묵서 전실: 산악수렵도 전실 북벽: 기마도 전실 남벽: 누각장원도, 宴樂, 상금서조와 선인도 전실 서벽: 시녀도 후실 서벽: 서수도 전후실 천장: 일상, 월상, 복희와 여와, 二十八星宿와 인물도, 묵서제명, 청룡, 백호
河西지구	①	無		
	②	無		
	③	甘肅武威韓佐五壩山東漢壁畫墓	장방형土洞단실묘	북벽: 산수, 호랑이, 소 동벽: 神獸, 나무 기둥 남벽: 인물
	④	甘肅武威磨嘴子漢墓	洞室墓 묘도, 前短용도, 묘문, 橫전실, 後短용도, 兩후실	전실 천장: 해와 까마귀, 달과 두꺼비 전실 남벽: 羽人, 양 전실 북벽: 선인, 신수 전실 서벽: 雜技
		甘肅酒泉下河淸1號東漢壁畫墓	雙層塼砌墓 묘도, 묘문, 전실, 중실, 후실, 전실과 중실 천장은 궁륭정, 후실은 평천장	檐壁: 우인, 용, 호랑이, 춤추는 인물, 운기문, 소, 익룡 등 신인신수류 화상 전실: 농부, 飛鳥, 大象, 燈을 든 인물, 수렵인, 멧돼지
		甘肅民樂八挂營1號東漢壁畫墓	洞室墓 묘도, 전실, 좌우 양이실, 중실, 후실, 전, 중, 후실의 方圓藻井覆斗形四面坡천장	전실 천장: 청룡, 백호, 주작, 현무 전실 동서벽: 수렵, 병기도 중실 천장: 일월상 후실 천장: 일월상
		甘肅民樂八挂營2號東漢壁畫墓	洞室墓 쌍묘실	전실: 禽獸, 수파운문, 병기와 器皿圖
		甘肅民樂八挂營3號東漢壁畫墓	洞室墓 쌍묘실, 궁륭정 천장	전실: 星雲과 까마귀가 있는 日像
		甘肅武威雷台壁畫墓		묘도 양벽: 적색 수목 묘도 조벽: 문, 기둥, 서까래, 대들보, 두공, 화문 묘문 입구: 청동 독각수
東方지구	①	無		
	②	無		

지역	시기	고분명	고분구조	벽화내용
東方地구	③	山東梁山后銀山 東漢墓	塼石혼합묘 묘도, 묘문, 전실, 후실 전실 覆斗頂	전실 천장: 채색 藻井, 天象, 金烏玉兎 전실 서벽: 거마출행, 봉황, 복희, 방제 인물, 소도살 전실 남벽: 樓房, "曲成侯驛", "怒太" 등 방제 인물 전실 동벽: 9명의 인물(子元, 子禮, 子任, 子仁, 子口 등) 전실과 후실 石楣: 연속 화문, 龍形紋
	④	江蘇徐州黃山隴 東漢墓	석실묘 전, 중, 후 삼실.	전실 서벽: 거마출행도, 무악도 전실 남벽: 거마출행도, 문리도
		安徽亳縣董園村 1號畫像石·壁畫漢 墓	묘도, 석문, 전실, 중실, 후실, 남북 양측실	중실: 천상도
		安徽亳縣董園村 2號畫像石·壁畫漢 墓	화상석·벽화묘 용도, 전실, 중실, 후실 남북兩耳室 동서兩側室	전실 石門額: 雙獸 전실 북이실 石門額: 인물 전실과 중실 사이 石額: 장막, 旌旗, 天象, 鳥獸, 선인 중실 전, 후 墻券: 각각 1列의 사녀 중실 券上: 亭閣
		山東濟南靑龍山 畫像石·壁畫漢墓	전석혼합구조. 묘도, 묘문, 전실 및 동측실, 중실 및 동측실, 후실	묘문: 문졸 전실: 水波紋, 거마출행도 중실: 帷幕, 几案, 인물
		山東東平縣老物資局 院壁畫墓	대형석괴로 구성된 석실묘 전실과 차례로 놓인 4개의 후실	전실: 태양, 성운, 역사인물, 宴享對飮, 무용, 무사, 방상시의 驅邪逐疫, 鬪鷄, 개

VIII. 섬북과 내몽고 동한 벽화묘의 연구

1. 북방지역 벽화묘의 전개

1920년대 동북지방의 요양 벽화묘에서부터 발굴이 시작된 한대 벽화묘는 섬서, 하남, 하북 등에서 100여기에 가까운 수가 발굴되었다.[90] 동한으로 넘어오면 관중지역의 벽화묘 축

90 본 절은 박아림, 「중국 한대 벽화고분의 분포와 지역적 특징」 동양미술사학회 추계학술대회 2019년 10월; ____, 「중국 섬북과 내몽고지역 동한시기 벽화묘 연구」『동양미술사학』 10, 2020, pp.35~74의 내용을 정리한 것임. 한대 벽화묘의 지역·시기별 분류에 대하여 황패현의『한대묘실벽화연구』에 따르면 中原지역, 關中지역, 東北지역, 北方지역, 河西지역, 東方지역의 5개 권역으로 나눌 수 있다. 중원지역은 낙양을 중심으로 하고 하남 대부분 지역과 하북 남부와 산서 남부 등이다. 관중지역은 섬서 서안을 중심

조는 쇠퇴하고 중원지역은 벽화묘와 화상석묘의 축조가 같이 진행된다. 중원지역에서 발달한 장의미술의 전형적인 도상들이 동북지역과 하서지역, 그리고 북방지역으로 차츰 확산된다. 동한 후기 벽화묘의 분포에서 중원과 동북지역에 각각 15기 이상, 북방, 하서, 동방지역에 각각 5기 이상, 관중지역 1기의 순으로 분포한다.

기존에 잘 알려진 동한 후기 북방지역 벽화묘로는 내몽고內蒙古 악탁극鄂托克 봉황산鳳凰山 1호 동한 벽화묘, 내몽고 탁극탁托克托 민씨閔氏 벽화묘壁畵墓, 내몽고 포두包斗 장룡을단張龍圪旦 동한 벽화묘, 화림격이和林格爾 신점자新店子 1호 한묘漢墓, 섬서陝西 정변定邊 학탄郝灘 1호묘, 섬서 정변靖邊 양교반楊橋畔 1호묘 등이 있다.[91] 내몽고 포두 장룡을단張龍圪旦 1호묘와 포두 소만召灣 묘장 및 섬서陝西 수덕綏德 황가탑黃家塔 묘장 등은 중국 북방지구에서 "남흉노南匈奴" 묘장으로 인식되는 고분들이다.[92]

동한 후기에 동북, 북방, 하서를 잇는 북부지역이 벽화묘 축조의 중심지로 떠오르는데 동일한 소재를 공유하면서도 지역적 특징의 형성이 관찰된다. 이를테면 요양지역 벽화는 벽화문화가 하남에서 하북을 거쳐 전파되는 과정에서 승선 관련 소재가 사라지고 주로 생활풍속적 소재들로 구성된다. 하서지역에는 서한부터 중원과 관중지역에서 발달한 천상세계 관련 소재가 묘문 위의 문루나 묘실 천장에 배치되었다.

각 지역의 벽화묘마다 구조나 벽화의 주제에 지역적 특징과 동시에 지역적 연관관계가 관찰된다. 최근 발굴된 한대 벽화묘들을 정리하던 중 고구려 고분벽화의 연원을 밝히는 데 중요한 자료로 최근 북방지역에 발견된 벽화묘들에 주목하게 되었다. 다음에서는 한대 벽화묘 가운데 특히 북방지역에서 최근 발견된 벽화묘들을 섬북과 내몽고지역으로 나누어 중

으로 한다. 동북지역은 요녕 요양을 중심으로, 북방지역은 내몽고와 섬북을 주로 한다. 하서지역은 감숙의 하서주랑 일대이며, 동방지역은 강소성 북부, 안휘성 북부 및 하남성 동부의 경계지역이다. 시기별로는 서한 전기, 서한 후기, 신망에서 동한 전기, 동한 후기로 나눈다. 黃佩賢, 『漢代墓室壁畫研究』, 文物出版社, 2008, pp.29~41.

91 羅福頤, 「內蒙古自治區托克托縣新發現的漢墓壁畫」, 『和林格爾漢墓壁畫』, 1956年 9期; 內蒙古自治區文物考古研究所, 『和林格爾漢墓壁畫』, 文物出版社, 2007; 內蒙古自治區博物館文物工作隊, 『和林格爾漢墓壁畫』, 文物出版社, 1978; 內蒙古文物工作隊, 內蒙古博物館, 「和林格爾發見-座重要的東漢壁畫墓」, 『文物』, 1974年 1期; 陝西省考古研究所, 「陝西定邊縣郝灘發現東漢壁畫墓」, 『文物』, 2004年 5期; 國家文物局主編, 『2006中國重要考古發現』, 文物出版社, 2007, 123~126쪽.

92 중국 북방 흉노묘장에 대해서는 楊建華, 『春秋戰國時期中國北方文化帶的形成』, 文物出版社, 2004; 羅福頤, 「內蒙古自治區托克托縣新發現的漢墓壁畫」, 『文物參考資料』, 1956年 9期; 강현숙, 『고구려와 비교해 본 중국 한, 위·진의 벽화고분』, 지식산업사, 2005, pp.93~96.

국 한대 북방지역 벽화묘의 분포와 지역적 특징 및 연원을 살펴보고자 한다.

2. 섬북·내몽고 동한 벽화묘 구조와 벽화

본문에서 다루는 북방지역은 내몽고와 섬서성 북부 지역이다. 여기에서는 현재의 행정구역에 따라 섬북지역 벽화묘와 내몽고지역 벽화묘로 나누어 발굴순서에 따라 살펴본다. 기존에 잘 알려진 북방지역 벽화묘로는 서한 후기의 내몽고內蒙古 포두包頭 소만召湾 51호묘, 신망 - 동한 전기의 내몽고 오르도스 파음격이촌巴音格爾村 양좌兩座 한묘漢墓, 동한 후기의 내몽고 탁극탁托克托 민씨閔氏 벽화묘壁畵墓, 내몽고 화림격이和林格爾 신점자新店子 1호묘, 내몽고 포두 장룡을단張龍圪旦 벽화묘壁畵墓 등이 있다.[93]

2000년 이후로 몇 기의 동한 벽화묘가 새롭게 추가되어 한대 고분벽화의 분포와 전파에 중요한 자료를 제공하였다. 섬서 북부에는 섬서 정변 학탄郝灘 벽화묘壁畵墓, 섬서 정변 양교반楊橋畔 벽화묘壁畵墓, 섬서 정변 양교반 거수호渠樹壕 벽화묘壁畵墓가 있다.[94] 내몽고에는 내몽고 오르도스 악탁극기鄂托克旗 파언뇨이향巴彥淖爾鄉 봉황산鳳凰山 1호묘, 내몽고內蒙古 오르도스鄂爾多斯 악탁극기鄂托克旗 오란진烏蘭鎮 미랍호묘米拉壕墓, 내몽고 오르도스 파일송고오포巴日松古敖包 벽화묘壁畵墓 등이다(표 5, 6). 이들은 또한 고구려 벽화고분의 출현을 규명하는데 중요한 고분들로 생각된다. 『중국출토벽화전집』[95]과 발굴보고서를 통하여 벽화를 확인할 수 있는 벽화묘들을 중심으로 북방지역 벽화묘의 구조와 벽화 주제를 정리한 후, 벽화의 주제와 표현에서 연관관계가 보이는 관중지역 서한 후기 벽화묘들과 비교하여 북방지역 벽화의 연원과 특징을 고찰한다. 고구려 벽화고분의 출현을 규명하는데 도움이 되는 중요한 고분들로

93　화림격이 신점자 1호 한묘는 일찍 발견되어 북방지역을 대표하는 벽화묘로 여러 연구에서 이미 다룬 바 있다. 羅福頤, 「內蒙古自治區托克托縣新發現的漢墓壁畵」『文物參考資料』1956年 9期; 內蒙古自治區文物考古研究所, 『和林格爾漢墓壁畵』, 文物出版社, 2007; 內蒙古自治區博物館文物工作隊, 『和林格爾漢墓壁畵』, 文物出版社, 1978; 內蒙古文物工作隊·內蒙古博物館, 「和林格爾發見 - 座重要的東漢壁畵墓」『文物』1974年 1期; 陝西省考古研究所, 「陝西定邊縣郝灘發現東漢壁畵墓」『文物』2004年 5期; 허시린, 앞의 논문, p.59; 양홍, 앞의 논문, pp.7~41.

94　정변 등의 벽화묘는 섬서성 경내에 있으나 서안이 중심인 관중지역과 거리가 멀고 현재 내몽고 자치구와의 경계에 위치한다. 또한 묘장 구조나 벽화 제작방법이 관중이나 중원과 차이가 나서 북방지역에 속하는 것으로 분류한다.

95　徐光冀, 『中國出土壁畵全集』, 科學出版社, 2011.

생각된다. 다음에서는 우선 최근 발굴 소개된 중원지역과 동방지역, 동북지역의 벽화묘들을 살펴보고, 북방지역 벽화묘의 구조와 벽화의 특징을 정리한 후 중원지역, 관중지역 벽화묘들과 비교하여 지역간 연관관계, 벽화와 화상석과의 관계 등을 고찰한다.

1) 섬북지역 벽화묘

(1) 섬서 정변 학탄 동한 벽화묘

섬서 정변 학탄 동한 벽화묘는 2003년 고속도로를 건설하기 위해 정변定邊 사십리포四十里鋪 동한묘군東漢墓群을 고고조사하는 과정에서 4월 13일 발견되었다.[96] 해당 묘군에서 20기의 묘가 발굴되었는데 전실묘와 토동묘 두 종류였으며 일부 묘는 이실이 달려있었다. 묘장은 모두 사파묘도가 있었다. 전실묘는 모두 전후실묘로 구성되고 전실은 궁릉정, 후실은 공형정拱形頂이다. 토동묘는 공형정과 평정 두 종류이다. 부장품은 대부분 도굴당하였다. 묘지 가운데에는 향당享堂류의 건축도 발견되었다.

해당 묘군에서 발굴한 20기의 묘 가운데 M1이 벽화묘로서 묘지의 중부에 위치하였다. 사파묘도가 달린 좌남향북의 토동실묘土洞室墓로 청리 시에 묘장의 상부가 이미 파괴되었다. 전후실로 구성되고 전실은 궁릉정, 후실은 공권정拱形頂이다. 섬서성고고연구소陝西省考古硏究所가 해당 벽화를 절취하여 현재는 섬서성고고연구원陝西省考古硏究院에서 보호하고 있다.

묘도, 묘문, 묘실과 좌측(동벽) 이실형耳室形 소감小龕으로 구성되었다. 정장방형 평면의 묘실은 길이 4.75m, 너비 2.10m, 높이 1.8~1.9m이다. 묘실의 동쪽에 이실형 소감(깊이 1.15m, 너비 1.35m, 높이 1.20m)이 있다. 벽화는 백회층 위에 청녹색 안료를 바탕색으로 깔고, 홍색으로 밑그림을 그리고 흑색선으로 완성하였으며, 흑, 백, 홍, 남의 4가지 종류의 안료로 화려하게 그렸다. 이실형 감 내부에 벽화를 그리지 않은 것을 제외하고 다른 부분은 모두 벽화가 그려져 있어서 벽화 면적이 25㎡이다.

묘실 후벽 상부는 묘주부부병좌도, 묘실 후벽 하부는 정원도, 농작도, 수렵도이다. 묘실 후벽 상부에 그려진 서로 마주 향한 묘주부부도는 상반신만 그려져 있다. 남자는 홍색포紅色袍, 여자는 녹색포를 입고 두 손을 가슴 앞에 모으고 있다. 2005년 발견 정변 양교반 벽화묘의 묘실 후벽 상부에 유사한 묘주도가 있다. 묘주부부가 시종과 함께 4개의 기둥이 앞에 서

---

96 呂智榮, 張鵬程, 「陝西定邊縣郝灘發現東漢壁畵墓」, 『考古與文物』, 2004年 5期, pp. 20~21.

고 난간이 둘려진 가옥 내부에 반신상으로 묘사되었다. 좌측의 정원도는 흑색 평지붕이 얹힌 정면 세 칸, 측면 한 칸의 건물이 좌우에 부속건물과 함께 담으로 둘러싸였다. 정원의 바깥에는 퇴적堆積의 양식糧食과 양창糧倉이다. 각각 "화적禾積", "고불적高不積"의 방제榜題가 적혀있다. 산악도의 우측에는 두 마리의 소를 끌고 밭을 가는 인물이 있다.

정원도와 농작도 아래에는 산악도가 있다(도54). 가는 흑색의 곡선으로 윤곽을 그리고 산등성이를 따라 녹색을 덧칠하여 도안식으로 반복하였다. 산악도 내부에는 뿔이 달린 산양, 토끼, 멧돼지, 호랑이, 이미 화살을 3대나 맞은 사슴 등의 동물들이 있다. 동물의 몸에도 산등성이에 칠한 밝은 녹색 안료가 칠해져 있다. 적색 상의에 흑색 말을 타고 활을 당기고 있는 수렵인물이 산봉우리 사이로 모습을 절반 정도 드러내고 달려 나오고 있다.

묘실 동벽 하부는 거마출행도이다. 동벽 남부에는 묘주의 부인이 녹색 옷을 입고 마차에 앉아있으며, 흑색 옷을 입은 남자가 마차를 몰고 있다. 인물에 비해 말과 마차의 바퀴가 크게 묘사되었으며, 말은 한쪽 앞다리를 높이 올리고 입을 크게 벌리고 전진하고 있다. 마차 위로는 가는 적색 선으로 그린 세 마리의 새가 날고 있다. 동벽 중부에는 흑색 옷을 입은 남

도 54 | 《산악도》, 후벽, 학탄묘

도 55 | 《묘주승선, 서왕모, 연회악무도》, 서벽, 학탄묘

자묘주가 채찍을 손에 들고 운기문이 그려진 녹색 안장을 얹은 말을 타고 전진한다. 하늘에 세 마리의 새가 역시 그려져 있다.

묘실 서벽 하부는 묘주인승선도와 서왕모의 연회악무도이다(도55). 발굴보고서에 의하면 묘실 입구 좌우벽은 방목도이다. 묘실 서벽 중부의 방목도에서 산악 옆에 선 인물은 둥근 모정이 높이 서고 깃털이 뒤로 길게 뻗은 모자를 쓰고 있다.[97]

묘실 천장 벽화는 28성수, 달, 청룡, 백호, 주작, 현무, 선인, 풍백, 뇌신, 우사 등으로 구성되었다. 좌에서 우로 청룡, 백호, 주작, 현무를 그렸다. 홍색선으로 연결된 별로 구성된 각각의 별자리에는 인물 또는 동물을 같이 그렸다.

97　陝西省考古硏究院, 『壁上丹靑 : 陝西出土壁畵集』, 科學出版社, 2008, pp. 47~79.

(2) 섬서 정변 양교반 동한 벽화묘

『중국출토벽화전집』과 발굴보고서들을 통하여 섬서 정변현 양교반 지역에서 확인되는 동한 벽화묘는 약 3기 정도이며 각 벽화묘의 발굴은 2005년, 2009년, 2015년 순이다. 다음에서는 발견 연도순으로 양교반 벽화묘들을 서술한다.

① 2005년 발견 정변 양교반 동한 벽화묘

2005년 6월 섬서성고고연구소와 유림시문물보호연구소가 섬서 정변 양교반의 묘장군에 대해 발굴을 하여 벽화묘를 한 기 발굴하였다.[98] 벽화는 현재 섬서성고고연구원에 소장되어있다. 남서향의 사파묘도전실묘斜坡墓道磚室墓로서 방형의 전실(길이 2.37m, 너비 1.86m, 높이 1.94m)과 장방형의 후실(길이 3.36m, 너비 1.54m, 높이 1.7m)로 구성되었다.

묘실 내 벽면에는 목조 가옥구조를 모방하여 난액闌額(벽안壁眼), 입주立柱 등 방목仿木 구조물을 그렸다. 목재 표면을 재현하기 위하여 홍색 바탕에 나무의 문양을 세심하게 그렸다. 전실은 백회층을 바탕에 깔고 두공, 난액에 승선도와 역사고사도를, 들보 아래 벽면에 거마행렬도와 연회도를 그렸다. 반면, 후실은 두공, 난액에만 벽화를 그리고 벽면은 벽돌을 그대로 노출시켰다.

벽화는 백회층 위에 청녹색을 바탕에 깔고, 흑색으로 윤곽선을 그리고 흑, 백, 홍, 남의 4가지 종류의 안료로 채색하였다. 승선도는 백색 안료를 넓은 붓으로 거칠게 적용하여 흑색 윤곽선을 벗어난 경우가 많다. 선인의 적색 복식이나 녹색과 적색의 구름 위에 백색을 덧칠하기도 하고, 백색으로 넓게 색칠한 후에 흑색 윤곽선을 그 위에 그린 것도 있다. 벽화 내용은 인물, 거마, 경작, 파종, 수확, 백희 등 현실 풍경과 선인仙人이 운거雲車, 신수神獸를 타는 등의 선계仙界 장면으로 나눌 수 있다.

전실의 동벽은 입주에 의해 나뉘는데 북쪽은 가무곡예도, 남쪽은 승선도乘仙圖이다. 가무곡예도(높이 109㎝, 너비 114㎝)는 장막이 3면으로 둘러쳐진 가운데 연회를 즐기는 8명의 인물이 앉아있고 그 앞에는 7명의 무용수와 곡예사들이 보인다. 장막을 둘러치고 펼치는 가무곡예도 형식은 서안 이공대학묘의 연회도와 유사하다(도56).

남쪽 승선도는 3명의 신선이 화개가 없던 타원형의 운거雲車를 타고 승선하고, 4명의 신선

98 陝西省考古研究院, 偸林市文物研究所, 靖邊縣文物管理辦公室,「陝西靖邊東漢壁畵墓」,『文物』2009年 2期; 陝西省考古研究院,『壁上丹靑 : 陝西出土壁畵集』, 科學出版社, 2008, pp.80~113.

도 56 |《가무곡예도》, 전실 동벽, 양교반묘(2005)

이 코끼리수레象車를 타고 승선하고 있다. 그 외에 욕수蓐收, 호랑이虎, 용龍, 학鶴, 사슴鹿 등에 한 명씩 신선이 타고 뒤를 따르고 있다.

전실 동벽 상단의 난액은 3폭의 벽화가 있다. 남쪽의 제1폭은 2층의 창고와 장원場院, 노동하는 인물과 양식을 쌓아놓은 장면이다. 제2폭은 7명의 인물도이다. 남측의 3인은 "공자견노자도"이다(도57). 제3폭의 5인은 죽서竹書를 가슴에 안고 후실을 향해 행렬하고 있다.

전실 서벽은 입주가 없이 적색 말 한 필이 앞에 서고 뒤에 백마가 끄는 마차가 따르는 거마출행이다. 흑색 상의와 백색 내의를 입은 인물이 적색 안장을 얹은 적색 말 위에 앉아있다. 마차에는 흑색 관, 흑색 상의, 백색 내의를 입은 남성이 앉아 있으며 마차 뒤에는 고계高髻에 우임의 연녹색 장포長袍를 입고 손에 보자기를 든 여인이 뒤따르고 있다. 거마행렬도 위에는 백색 운기문이 있다.

전실 서벽의 난액에도 3폭의 벽화가 있다. 제1폭은 박락하여 알아보기 어렵다. 제2폭은 백색 입주가 화면을 양분한다. 기둥 좌측左側은 나무에서 채상採桑을 하는 여인이 있고, 그 뒤에 한 명의 홍의를 입은 남성이 오른손에 방형 합盒, 왼손에 합의 덮개를 들고 있다. "추호전처

도 57 | 《공자견노자도》, 후실 북벽, 양교반묘(2005)

秋胡戰妻"의 역사 고사로 추정한다. 기둥 우측은 역사고사도로 명명되는데 공수자세의 3인의 여인이 앞서고 병기를 든 2인의 남성이 뒤따라 행렬하고 있다. 제3폭은 깃발을 달고 날고 있는 운거승선이다.

전실과 후실 사이의 후실 입구 문의 서측에는 인신사미의 남성이, 동측에는 인신사미의 여성이 그려졌는데, 손에 든 지물이 복희와 여와가 통상적으로 드는 구矩와 규規와 약간 차이가 있으나 인신사미의 형태로 보아 복희·여와 도상으로 보인다.

후실의 동벽은 제1폭 상운祥雲, 제2폭 녹거鹿車승선, 학거鶴車승선, 승학乘鶴승선, 제3폭 구거龜車승선, 용거龍車승선, 양조陽鳥승선, 제4폭 상운祥雲이다. 후실 서벽은 제1폭 상운, 제2폭 용거승선, 어거魚車승선, 승학乘鶴승선, 제3폭 학거승선, 규거虬車승선, 토거兎車승선, 제4폭 상운이다.

마지막으로 후실 후벽인 북벽은 상하 양분되어 상단은 묘주부부가 몸은 정면, 얼굴은 몸의 우측을 향하여 앉아있고 시종이 한 명 서 있다. 이들은 4개의 기둥이 세워진 난간 뒤편에 앉아있다. 하단은 두공에 의해 두 폭으로 나뉜 난액 공간인데 좌측은 서화도鋤禾圖, 우측은 우경도牛耕圖이다.

전실과 후실의 들보는 모두 나무의 결을 살려 그려 목조가옥 구조를 충실하게 재현하고자 하였다. 섬북지역 한대 벽화묘의 중요 발견으로 현실생활 소재와 역사고사 소재 그리고 신선 소재가 함께 그려져 서북지역 동한시기 상장관념을 잘 반영한다.

② 2009년 발견 양교반 벽화묘

2009년 발견된 섬서 정변현 양교반진 양교반이촌 거수호 한묘는 『중국출토벽화전집中國出土壁畵全集, 섬서陝西 상上』을 통하여 벽화의 일부를 확인할 수 있다. 도록에서는 신망시기(9~23년) 벽화묘로 보고 있으나 다른 양교반 벽화묘와 벽화의 구성이 유사하여 동한시기 벽화묘로 생각된다. 발굴보고서가 아직 나오지 않은 듯하여 고분의 구조를 정확히 알기 어렵다.[99] 현재 벽화는 섬서성고고연구원에 있다. 화면은 먼저 녹색으로 바탕을 그리고, 흑색 안료로 윤곽선을 그린 후 홍, 녹, 백, 적, 자색 등으로 채색하였다.

현재 출간된 사진자료로 보아 묘실의 구성은 2005년 발견 양교반 벽화묘와 유사하게 남서향의 전실과 후실로 구성되었다. 정확하지는 않으나 도록에 수록된 도판에 의하면 전실 동벽과 서벽에는 이실이 달려있는 듯 보인다. 묘실 벽면은 들보에 의해 상하 구분되며 난액과 벽면에 그림이 배치되었다.

벽화는 전실 동벽 난액의 거마의장출행도, 전실 동벽의 이실문耳室門 남측의 현노도懸弩圖와 시녀도, 전실 서이실 남벽의 매鷹, 쇠뇌弩, 배알도拜謁圖, 전실 서벽 난액의 역사고사도, 후실의 동벽의 악무도, 후벽의 진묘신鎭墓神, 산야도山野圖 등이다(도 58).

기마의장출행도는 먼저 홍색으로 초고를 그리고, 흑색 안료로 윤곽선을 그린 후 각종 색채로 윤곽선 내부를 칠하였다. 도록에 의하면 화면에 적어도 4대의 마차와 그 뒤를 따르는 두 마리의 말을 탄 기마인물들이 있다. 가장 앞에 선 거기車騎 정단頂端에 "천天(부夫?)자거子車", 그 뒤의 거기 정단에는 "술조戌曹", "문하조門下曹" 등의 묵서방제가 있다.

전실 동벽의 이실문耳室門 남측의 현노도와 시녀도는 큰 쇠뇌와 화살통이 화면 상부에 걸려있고 하부에 2명의 시녀가 양손에 이배耳杯가 놓인 쟁반을 들고 있다. 머리 뒤쪽으로 깃털

---

99 徐光冀, 『中國出土壁畵全集』, 科學出版社, 2011, pp.37~49. 2015년 발견된 양교반 벽화묘에 대한 발굴보고서에서는 2015년 발견된 양교반 벽화묘의 성상도와 2008년 발견된 양교반 벽화묘의 성상도의 유사성을 서술하면서 2008년 발견된 벽화묘 상관 자료는 정리 중에 있다고 밝힘. 陝西省考古研究院, 「陝西靖邊縣渠樹壕東漢壁畵墓發掘簡報」, 『考古與文物』2017年 1期.

도 58 | 《진묘신과 산야도》, 묘실 후벽, 양교반묘(2009)

을 꽂고 있어 정변 학탄 벽화묘 묘실 서벽 방목도의 인물과 같이 독특한 관식을 하고 있다. 화면의 빈 공간에는 거대한 운기문이 자색으로 그려져 있다.

해당 묘에는 이실에도 벽화(높이 110㎝, 너비 190㎝)가 발견된다. 전실 서이실 남벽 상부에 한 마리의 큰 매鷹가 앉아 있으며, 그 뒤에 쇠뇌가 두 대 걸려있다. 하부에는 무릎을 꿇고 엎드려 배알拜謁하는 남성이 한 명 있다.

전실 서벽 난액에는 "공자견노자도孔子見老子圖"(남측)와 "이도살삼사도二桃殺三士圖"(북측)가 그려졌다. "공자견노자도"(높이 27㎝, 너비 117㎝)는 좌측부터 노자, 작은 동자童子, 공자와 기타 문도들이 출현한다. 얇은 홍색 선으로 윤곽선을 그리고 얼굴과 복식의 깃 부분에 채색을 하였다. 노자는 자색 장포를 입고 왼손에 만곡의 나뭇가지를 들고 있다. 공자는 신체를 앞으로 숙이고 양손에 홀을 잡고 배알하는 형상이며 뒤에 선 제자도 역시 공손하게 예를 표하고 있다. 노자 옆의 동자는 왼손에 새 모양의 장난감차를 끌고 있다. 2005년 발견된 양교반 벽화묘에도 전실 동벽 상층에 "공자견노자도"가 있어 두 묘가 역사고사도 주제를 공유하였음을 알 수 있다. 북측의 "이도살삼사도"(높이 27㎝, 너비 118㎝)는 화면 중앙에 세 개의 복숭아가 탁자 위에 놓이고 우측에는 세 명의 인물(공손접公孫接, 고야자古冶子, 전개강田開彊), 좌측에는 홍색포를 입은 제齊나라 재상 안영晏嬰, 녹색포를 입은 제나라 경공景公이 서서 세 명의 무사를 바라보고 있다. 홍색 선으로 인물의 초고를 그리고 그 위에 채색을 하였는데 경공의 인물묘사에서 채색이 가해지지 않은 옷주름의 흔적이 남아 있다.

묘실 후실의 동벽은 하란下欄 북측에 악무도(높이 105㎝, 너비 145㎝)가 있다. 건고를 포함한 각종 악기를 연주하는 인물들과 남녀무용수로 구성되었다. 상반신을 나신으로 드러내고 무술공연을 하는 남자곡예사와 긴 소매를 날리고 춤을 추는 여자무용수가 포함되었다.

묘실 후벽 들보 위의 공간은 하단의 진묘신鎭墓神, 상단의 산야도山野圖로 구성되었다. 산야도는 녹색을 바탕에 깔고 완만한 흑색 곡선으로 표현한 상하 두 줄의 산봉우리가 있는데, 산봉우리 위에 사슴들이 머리만을 보이거나 뒷모습을 보이며, 산 앞자락에는 사슴들이 뛰어간다. 진묘신은 흑색 바탕에 백색 얼굴과 수염, 적색 눈과 입술로 무섭게 표현되었다. 후실의 두공과 들보는 나무의 결을 살려 그리지 않고 황색 단색으로 칠하였다.

전실前室 정부頂部의 천상도天象圖는 별자리와 신선, 동물로 조성되었다. 각 별자리는 각각

도 59 | 《견우와 직녀도》, 전실 천장, 양교반묘(2009)

의 인물, 동물 소재와 결합 조성되었는데, 직녀와 견우가 구체적인 인물로 묘사되어 이채롭다. 직녀가 직기를 앞에 두고 앉아 견우를 내려다보고 견우는 흰 소의 고삐를 잡고 무릎을 꿇고 앉아 직녀를 바라보고 있다. 이들 위에는 겹겹이 쌓인 흑색 구름 위에 뇌공雷公, 전모電母, 풍백風伯 등의 작은 신들이 격고擊鼓, 강우降雨, 방전放電하는 장면이다. 별자리의 묘사는 홍색으로 별의 윤곽선을 그리고 별 내부는 백색을 칠하였으며 별자리 옆에는 오차五車, 천시天市, 사각史角, 필성畢星 등 성수의 이름을 적었다. 별자리와 연관된 인물이나 동물을 별자리의 내외부에 그리며, 별자리 사이에 용거를 타고 승선하는 신선과 상운祥雲을 채워 넣었다 (도59).

2009년 발견된 양교반 벽화묘의 천상도는 전체 벽화도판이 발표되지 않았으나, 세부 도판에서 2015년 양교반 벽화묘와 차이가 있어 같은 지역에서 발견된 또 다른 벽화묘로 보인다. 거마의장행렬도의 거마와 인물의 비례, 인물 안면 묘사 등에서 볼 수 있듯이 2005년 발견 양교반 벽화묘에 비하여 화공의 필치가 숙달되었다.

③ 2015년 발견 섬서 정변 양교반 거수호 벽화묘

2015년 발굴한 양교반 거수호 벽화묘는 전권공정전후실직선형동실묘塼券拱頂前後室直線形洞室墓로서 장사파묘도長斜坡墓道, 봉문封門, 전실, 후실로 구성되었다. 동향의 묘실의 평면은 "갑甲"자형이다. 동한東漢 중만기中晩期로 편년된다. 벽화 내용은 건축, 인물, 연음, 거마, 수렵, 목마 등 현실의 정경과 이십팔성수二十八星宿, 일월, 신선 등 선계 장면을 포함한다(도60). 벽화의 면적은 약 20㎡이다. 이 묘는 묘실 내에 목조가옥 구조를 모방해서 그린 들보와 기둥이 없으며, 후실 벽면에는 벽화나 백회층이 발견되지 않는다.

묘실 입구의 양측 벽면에는 무사도가 있는데 북벽 무사도에는 "문리門吏" 묵서가 있다. 전실은 산악수렵도를 하단에 배치하였다. 북벽 상단은 기마도(화폭 높이 58㎝, 너비 33㎝), 남벽 상단은 누각장원, 연락宴樂, 상금서조와 선인도이다. 후실로 넘어가는 전실의 서벽에는 향로 위에 선 시녀도를 그렸다.

전실 남벽의 누각장원도는 묘주부부가 앉은 정면 5칸 건물을 상단에 그렸다. 건물 내부 좌측 칸에는 묘주가 시종과 아이들과 함께 있으며, 가운데 칸에는 주준酒樽과 이배耳杯들을 진설하고, 우측 칸에는 부인과 여성들이 있다. 건물의 정원에는 연락도가 있다. 주변에는 누각 등 부속건물들을 그렸다. 우측의 누각 1층에 여인과 어린 아이가 창문 뒤에 서 있고 포수함환이 달린 대문 한 쪽이 열려있다.

도 60 | 《묘실 투시도》, 거수호묘

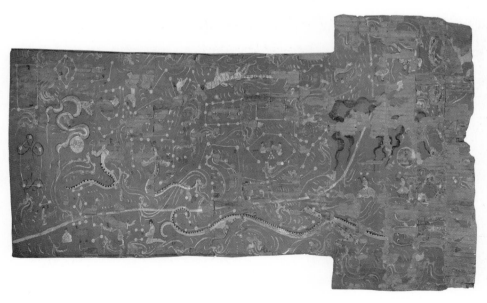

도 61 | 《천상도》, 거수호묘

전실 북벽의 기마도는 한 마리의 말과 수레만을 그렸는데 수레에 앉은 인물과 화개, 수레 바퀴, 말의 표현이 학탄 벽화묘와 같이 비례가 맞지 않아 고졸하다. 후실의 후벽인 서벽에는 서수도가 있다. 혹, 백, 녹색의 굵은 선으로 도안화된 둥근 운기문에 둘러싸인 서수를 그렸다. 하단에는 백색으로 들보를 그리고, "서방西方"이라고 쓴 묵서가 있다.

전후실 천장은 하나로 연결하여 일상, 월상, 복희와 여와, 이십팔성수二十八星宿와 인물도가 복합된 천상도를 그렸다. 묵서제명이 42곳에 달한다. 천상도에서 복희와 여와는 주실 천정 중앙에 배치되었으며 견우와 직녀는 복희와 여와의 발 아래 남측 천장에 있다. 또한 천장 가장자리에는 남측에 청룡, 북측에 백호가 배치되었는데 청룡은 몸체가 길어 전후실 천장에 걸쳐 있다(도61).

2) 내몽고지역 벽화묘

(1) 내몽고 악탁극기 봉황산 1호묘

내몽고內蒙古 오르도스고원鄂爾多斯高原 서부西部 악탁극기鄂托克旗 파언뇨이향巴彦淖爾鄉 봉황산鳳凰山에서는 모두 13기의 묘가 발굴되었다. 대부분은 경사진 묘도를 가진 동실묘이다. 묘실은 대개는 장방형 평면이며, 측실이나 벽감이 있는 것도 있다. 묘도는 사암 괴석이나 점토로 봉했다.[100]

봉황산鳳凰山 1호묘는 1987년 발견, 1990년 구제성 청리 발굴, 1992년 정식발굴을 하였다.[101] 사파묘도斜坡墓道(길이 18m, 너비 0.86m)가 달린 동실묘로서 홍색 사암층을 파고 들어가 개착한 것이다. 동남향의 묘墓의 평면은 정십자형呈十字形이다. 맞배지붕 형태의 산식정山式頂 천장을 가진 묘실(길이 2.9m, 너비 2.7m, 높이 1.36m)이 있고 후벽 중앙에는 소감(깊이 1.28m, 너비 0.84m, 높이 0.88m)이 있다. 묘실 바닥 중간이 우묵하게 파여서 양측에 2단의 생토대生土臺(높이 0.32m, 너비 0.88m)가 있는 독특한 구조이다. 묘실 벽면과 천장에 두께 0.5cm의 백니白泥를 깔고 그 위에 벽화를 그렸다. 석청, 토홍, 토황, 주사, 황토 등 광물성 안료를 사용하였다.

벽화의 제재는 북벽은 장막, 문, 시종, 동벽은 병기, 정원, 연음, 거행, 서벽은 탄금무악, 정

---

100 內蒙古文物考古研究所, 魏堅 編, 『內蒙古中南部漢代墓葬』, 中國大百科全書出版社, 1998, pp. 161~175; 강현숙, 『고구려와 비교해 본 중국 한, 위·진의 벽화고분』, 지식산업사, 2005, pp. 93~95.

101 內蒙古文物考古宪所, 『內蒙古中南部漢代墓葬』, 中國大百科全書出版社, 1998, 161~175쪽; 徐光冀, 『中國出土壁畵全集 內蒙古』, 科學出版社, 2011, pp. 1~12.

원, 출행, 남벽은 문리와 시종이다. 묘실 북, 동, 서벽의 상부는 섬서 서안 곡강 취죽원 서한 벽화묘와 같이 홍색 바탕에 흑, 백, 남색으로 화려하게 권운문을 그린 휘장이 둘러쳐져 있다. 묘실 후벽의 휘장 위쪽 삼각형 공간에는 독각수가 앞에 선 동물을 공격하는 형상이 그려졌다.

도62 |《시봉도》, 북벽, 봉황산 1호묘

묘실 후벽인 북벽에는 소감이 있는데 소감 입구를 목조가옥 구조를 모방하여 들보와 기둥을 흑색으로 그린 후 홍색 선으로 나무의 결을 살려 그렸다. 문 양쪽에는 봉시도侍奉圖와 집오도執吾圖이다(도62). 서단의 시봉도의 앞쪽의 인물은 깃털이 장식된 둥글고 높은 모자에 흑색 장포, 홍색 중의中衣를 입고 손에는 녹색과 자색 천을 들고 있다. 뒤에 선 인물은 깃털이 달린 흑색 모자를 쓰고 적색 천에 둘러싸인 물건을 들고 서있다. 동단의 집오도는 서단의 인물과 같은 복식을 입은 인물이 흑색 천을 둘러싼 물건을 손에 들고 있고, 뒤에는 흑색 개 한 마리가 앉아있다.

동벽에는 병기진설도兵器陳設圖와 독각수·정원·연음도宴飲圖·거행도車行圖를 그렸으며, 서벽에는 탄금무악도彈琴舞樂圖·정원도·출행도를 그렸다. 동벽과 서벽에는 부감시로 그린 건축도가 반으로 나뉘어져 그려져 있다. 동벽과 서벽을 이으면 마치 하나의 건축장원도가 만들어지는 구성이다. 정면 세 칸의 맞배지붕 건물, 각루, 문이 각 벽면에 하나씩 있다.

동벽의 건물 내부에는 탁자 뒤에 앉아 대화를 나누는 두 명의 인물, 탄금과 무용을 하는 2명의 인물(또는 육박도?), 깃털을 꽂은 관을 쓰고 음식을 준비하는 여시종 등이 보인다. 정원에는 이배耳杯, 정鼎, 돈敦, 첩안疊案 등이 놓여 있으며 7명의 인물이 탄금, 격고擊鼓, 잡기 등을 보이고 있다. 한 명의 인물은 박산로 위에 거꾸로 서있고, 잡요를 하는 인물 주위에 이배가 흩어져 있다.

서벽에는 정원 옆으로 별도의 누각이 연결되어 나와 있다. 입주와 두공으로 지탱하여 세운 누각 끝에는 화개를 설치하였다. 누각 위에는 홍색 옷을 입은 3명의 남자가 활을 쏘거나 화살을 거는 자세로 묘사되었고 깃털이 달린 흑색 관을 쓴 여인 3명이 이들을 바라보고 있다. 여인들 뒤에는 두 개의 깃털을 머리에 꽂은 어린 아이가 뿔이 달린 산양을 타고 있다. 동·서벽의 건축장원도의 아래에는 우거, 마거의 출행도가 그려졌다.

도63 |《산악도》, 서벽, 봉황산 1호묘

건축장원도 옆에는 서벽은 산악도, 동벽은 병기고와 독각수를 그렸다. 서벽 북단의 산악도는 산봉우리를 굵은 묵선으로 삼단으로 올렸다(도63). 산 위에는 흑, 녹, 적색으로 몇 그루의 나무를 그렸다. 봉우리 위로 말과 소가 얼굴을 내밀고 있고, 두 명의 인물도 앉아있다. 나뭇잎을 암녹색으로 그리고 내부에 밝은 녹색을 받쳐 그린 것이나 산봉우리를 위에서 아래로 음영을 더해 그리는 방법 등이 양교반 벽화묘 산악도보다 진전한 표현기법을 보여준다. 산 아래에는 경작도가 일부 남아있다.

동벽에는 병기진설도와 독각수가 배치되었다. 병기진설도에는 장검, 흑색 방패, 쇠뇌와 사각형 화살통 등이 있다. 화살통에는 양쪽에 각각 3개씩 화살이 꽂혀있으며 흰색 비단이 위에 걸쳐져있다. 2009년 발견 양교반 벽화묘의 이실에도 쇠뇌도가 있다.

쇠뇌와 화살통 아래에는 독각수가 긴 뿔을 세워 겨누고 있다. 독각수의 소재는 섬북지역 한화상석에 벽사의 상징으로 자주 출현한다.

묘실 전벽 묘문 양측에는 각각 2명의 인물들을 그렸다. 지팡이를 든 문지기, 이배들이 담긴 겹겹이 쌓인 쟁반을 든 여자시종 등이다. 묘실 천장에는 성상도를 그렸는데 흑색 하늘에 백색으로 별, 구름, 달을 그렸다. 달 안에는 토끼와 두꺼비가 있다.

봉황산 벽화묘의 벽면의 여러 가지 주제의 벽화들은 주제간 화면 분할이나 비례가 일정하지 않다. 정원도와 연결된 누각도의 묘사는 산동·강소지역 화상석에서는 종종 보이나 벽화로는 표현된 사례가 거의 없어 독특한 건축도로 주목된다. 인물의 관식은 섬서 정변 양교반 벽화묘와, 벽면 상단의 휘장장식은 서안 취죽원 벽화묘와 유사하다. 부장품 중 쇠뇌틀이 나오고 벽화에서 병기진설도가 나타나는 것을 보아 묘주인은 남성으로 추정한다. 독각수가 전한대 벽화에서 관찰된다는 점과 부장 양상이나 벽화의 전반적인 내용 등으로 미루어, 봉황산 벽화분은 전한 말기에서 후한 전기에 해당하는 벽화분으로 비정된다.[102]

---

102 강현숙,『고구려와 비교해 본 중국 한, 위·진의 벽화고분』, 지식산업사, 2005, pp. 102-104.

(2) 내몽고 탁극탁현 벽화묘

1956년 5월 내몽고자치구內蒙古自治區 탁극탁현托克托縣 고성古城 서문 밖에서 발견된 한대 벽화묘이다. 내부에 벽화가 많이 존재하여 내몽고문화국이 중앙문화부에 보고하고 벽화를 모사, 촬영하였고, 문물관리국과 북경역사박물관이 협력하여 6월 30일까지 발굴을 완료하였다.[103] 벽화묘는 좌남향북座南向北이며 묘문은 벽돌로 폐쇄하였다. 묘실은 전부 청전靑磚으로 축조하였다. 장방형 주실이 가장 뒤쪽에 있다. 주실 권문券門 양측에 인물 3인을 그렸다. 중실 좌우에 양이실이 있는데 벽화가 집중되어있다. 전실 우측에는 두 개의 이실이 있고, 좌측에는 한 개의 이실이 있어서 비대칭이다. 묘실 지면에는 '인人'자형人字形으로 벽돌을 깔았다. 묘실 전체는 권문으로 만들었으며, 묘실 천장은 권정과 궁륭정 두 가지 종류이다. 묘 가운데 부장품은 드물며, 오수전과 소오수전小五銖錢 2매가 나왔는데 소오수전은 왕망 거섭居攝2년 (기원후 7년)에 주조한 것이다. 현지 농민에 의하면 묘실 내에 두골 5개가 있었으나 발굴 중에는 유골 일부만 발견되었다. 주칠의 잔편이 나와 관상의 주칠의 흔적으로 추정한다. 벽화 주제는 예서隸書 제자題字가 달린 인물 생활풍속도이다. 주실 권문 바깥 양측에 인물 3명을 그렸다. 좌측의 2명 중 한 명은 왼손에 지팡이, 오른손에 깃발을 들었다. 가운데에 "閔氏從奴" 네 글자가 있다. 우측에는 홍색 옷을 입은 부인이 손에 음식이 담긴 다리가 높은 쟁반을 들었는데, "閔氏從婢"의 방제가 있다. 중실의 우이실은 편방형으로 평면 약 190×150cm이다. 삼면의 벽 하단에 모두 그림이 있다. 그림의 높이는 약 67cm이다. 후벽에는 인물 거마를 두 대 그렸다. 앞의 마차에 한 명이 앉아 끈을 잡고 있고 위에 "閔氏一□," "□□□" 7자 2행이 있다. 뒤의 마차에는 홍색 유장이 있고, 말의 앞에 "輂車一乘," "閔氏□□" 2행 8자가 있다. 우벽에 그린 우거 한 대 앞에는 "閔氏車牛一乘" 방제가 있다. 앞벽에는 인물과 말을 두 점 그렸다. 말을 탄 앞의 인물은 옆에 "민씨□一匹奴一人乘"라고 적혀있다. 뒤의 인물은 말을 끄는 형상으로 앞에는 "駐馬一匹奴一人牽"이라고 쓰여있다. 좌실은 우이실보다 약간 길고 역시 삼면에 벽화가 있다. 후벽은 포주도로서 걸개에 여러 종류의 동물과 물고기가 걸려있고 옆에 각각의 이름을 적어놓았다. 걸개 아래에는 황색의 다리가 짧은 상을 그리고 상 위에 그릇을 올려놓았으며 위에 "酒"자를 써놓았다. 또한 부인 한 명이 우물에서 물을 긷는 모습이 보인다. 아래에 "閔氏婢"라고 적고, 우물 옆에도 "井"자를 적었다. 좌벽에는 화염이 나오는 부뚜막이 있다. 위에

---

103   羅福頤, 「內蒙古自治區托克托縣新發現的漢墓壁畵」, 『文物參考資料』, 1956年 9期.

는 "閔氏灶"라고 적었다. 옆에는 주색 옷을 입은 인물이 부뚜막에 불을 지피는데 그 위에 "閔氏婢"라고 적었다. 부뚜막 위에는 그릇이 있고 그 위에 "酒甕"이라고 썼다. 앞벽에는 검은 돼지와 황색 개를 한 마리씩, 그리고 닭 두 마리를 그리고 옆에 각각 이름을 적었다. 돼지 아래에는 옷걸이와 홍색 의복 일습을 걸었다. 위에 "玄衣" "衣杆" 2행 4자를 썼다. 묘장의 부장품과 벽화의 풍격으로 서한 말기의 묘로 추정한다. 벽화의 제자題字로 보아 묘주의 성이 민씨이며 벽화에 소유한 노비의 수가 많음을 보여주어 부유한 생활상을 그렸으나 관직의 기록은 없다. 하북 망도, 요녕 요양에서 발견된 한묘 벽화 내용과 크게 다르지 않다. 묘 내부에서 5개의 두골이 나왔다는데 근거하여 5명이 묻힌 묘로 추정한다.[104]

(3) 내몽고 화림격이 신점자 1호묘

신점자 1호묘는 1971년 가을 내몽고 화림격이현和林格爾縣에서 동남쪽으로 40㎞ 떨어져 있고, 신점자新店子 공사에서 2.5㎞ 떨어진 홍하紅河 북안에서 발견되었다.[105] 화림격이 벽화묘는 내몽고자치구박물관內蒙古自治區博物館과 내몽고자치구문물공작대內蒙古自治區文物工作隊가 1972년부터 1973년까지 발굴하였다. 화림격이 벽화묘의 묘주는 명확하게 밝혀지지 않았지만, 140년부터 195년 사이에 이 지역에서 호오환교위를 역임했던 인물과 그의 부인의 묘로 추정된다. 화림격이 고분의 연대는 대략 160-170년대 이전으로 추정된다.[106]

화림격이 벽화묘는 청회색 벽돌로 축조되었으며 궁륭형 천장을 가진 대형 다실 벽화묘이다. 분구를 가진 봉토분이며, 외부 봉토는 1.8m 내외이고 전체 길이는 대략 20m 정도 된다. 매장부가 지하에 있는 지하식 무덤으로, 묘도와 전실, 중실, 후실로 구성되어있다. 전실과 중실, 후실의 평면도는 모두 방형이다. 전실은 남북 방향에 각각 대칭되는 장방형 측실이 있고, 중실은 남쪽에 측실이 있다. 화림격이 벽화묘는 소전小塼으로 축조되었으며, 부분적으로 돌이 사용되기도 하였다. 전실, 중실, 후실과 3개의 측실로 구성된 신점자 1호묘의 각 묘실의 벽면과 천장, 연도와 통로에는 모두 벽화가 그려져 있다. 전체 묘실 벽화는 총 57개의 화

---

104 탁극탁현묘는 동한대의 묘로 추정하기도 한다. 강현숙,『고구려와 비교해 본 중국 한, 위·진의 벽화고분』, 지식산업사, 2005, pp.96-97.

105 內蒙古自治區文物考古硏究所,『和林格爾漢墓壁畫』, 文物出版社, 2007; 內蒙古自治區博物館文物工作隊,『和林格爾漢墓壁畫』, 文物出版社, 1978; 內蒙古文物工作隊, 內蒙古博物館,「和林格爾發見-座重要的東漢壁畫墓」,『文物』1974년 1기; 허시린, 앞의 논문, p. 59; 양홍, 앞의 논문, pp.7-41.

106 內蒙古自治區文物考古硏究所 編,『和林格爾漢墓壁畫』, pp.5-10.

면이 확인되었으며, 벽화의 총 면적은 대략 100여 ㎡에 달한다. 벽화에서 식별할 수 있는 방제는 대략 250개이다. 벽화 채색에는 토황土黃·주사朱砂·자석紫石·석황石黃·석청石靑 등 광물질 안료가 사용되었다. 화림격이 벽화묘에는 묘주도, 거마행렬도, 악무백희도, 건축도, 속리도 등 묘주의 현세 생활 모습을 보여주는 다양한 주제의 벽화와 상서도, 운문 등 천상 세계를 보여주는 벽화가 함께 등장하고 있으며, 방제가 약 250개가 있다.

묘문과 전실로 진입하는 연도 양 측에 무관, 건고, 막부문幕府門이 그려져 있다. 전실의 천장부에는 주작, 봉황, 백상 등의 상서도가 있고, 그 아래에는 거마행렬도가 있으며, 벽면에는 묘주의 각종 집무 공간이 그려져 있다. 전실에서 전실 남이실로 통하는 용도에는 푸주도, 관어도가 있으며, 전실 남이실에는 관어도觀漁圖, 푸주도, 목마도牧馬圖, 목우도牧牛圖가 있다. 전실에서 전실 북이실로 통하는 용도에는 푸주도, 공관연사도供官掾史圖가 있다. 전실 북이실의 천장에는 운문이 그려져 있고, 네 벽면에는 목양도, 푸주도, 우경도牛耕圖, 타작하는 장면이 묘사되어 있다. 전실에서 중실로 통하는 용도에는 간략하게 묘사된 건축물과 정사를 보고 있는 묘주의 모습이 묘사되어 있다. 중실의 동벽과 전실 통로 문에서부터 남벽 남측실의 통로까지는 번양현의 부용 관계를 묘사했다. 중실에는 남벽과 서벽, 북벽의 상단에 역사고사도가 그려져 있다. 중실의 동벽에는 거마행렬도, 영성막부도가 있으며, 남벽의 하단에는 번양현성繁陽縣城 등 관청도가 그려져 있고, 서벽과 북벽의 하단에는 연거도燕居圖, 상서도, 연음도, 푸주도가 연이어 그려져 있다. 북벽에는 횡사饗舍, 악무백희 등이 그려져 있다. 중실 남측실에는 푸주도, 금사禽舍, 운문 등이 그려져 있으며, 중실에서 중실 남측실로 통하는 용도에는 오노복五奴僕, 새와 과수가 그려져 있다. 후실로 통하는 용도에는 문지기, 건고, 북을 치는 사람, 시종을 그렸으며, 후실의 천장에는 운문에 휩싸인 사신도가 있으며, 후실의 벽면에는 무성성도武成城圖, 장원도莊園圖, 와장도臥帳圖, 계수쌍궐도桂樹雙闕圖, 시자 등이 그려져 있다.

신점자 1호 한묘는 호화호특呼和浩特과 대동大同을 연결하는 고대 남북 교통로의 요충지에 지어진 벽화분이다. 평면도와 정면에서 그린 무성武成, 이석离石, 토군土軍 등의 5개의 성곽도를 포함하여 50폭 이상의 벽화가 발견되었다. 동한말의 내몽고 화림격이 신점자 벽화고분 묘주는 거효렴擧孝廉, 랑郎, 서하군장사西河郡長史, 행상군속국도위사行上郡屬國都尉事, 위군魏郡 번양현령繁陽縣令, 사지절호오환교위使持節護烏桓校尉 등 하남성 산서성, 섬서성, 하북성,

내몽고를 아우르는 지역을 거치면서 관직생활을 한 경험을 벽화로 남겼다.[107] 화림격이 벽화묘의 성시건축도城市建築圖는 중실과 후실에 집중되어 있다. 중실 통로 우벽에서부터 중실 동벽까지 그려진 요녕오환교위막부도遼寧烏桓校尉幕府圖가 있다. 중실의 측실로 들어가는 입구, 중실의 동벽과 전실 통로 문에서부터 남벽 남측실의 통로까지는 요동성총과 같이 평면도 형식으로 그려진 번양현성繁陽縣城(94×80㎝), 토군성부사도土軍城府舍圖(50×54㎝), 이석성부사도離石城府舍圖(59×38㎝)가 있다. 남벽 통로문의 오른쪽에 '행상군속국도위시소치토군성부사行上郡屬國都尉時所治土軍城府舍', 왼쪽에 '서하장사소치이석성부사西河長史所治離石城府舍'가 있다. 전실에서 중실 용도 북벽과 중실 동벽에는 영성도寧城圖(120×318㎝)가 있다. 후실 남벽에는 대장원大莊園이 그려져 있다.[108]

후실 북쪽 벽에는 2층의 쌍궐을 가진 무성성도武成城圖(191×194㎝) 등 묘주인의 생전 생활이 표현되어 있다. 묘주인의 생전 거주지를 관직 경력에 따라서 하나씩 벽면에 그려나가면서 거마행렬로 이동을 묘사한 방법은 고구려 약수리벽화고분에 성곽도가 행렬도와 같이 출현하는 것과 유사하다.[109]

번양현성도와 무성성도는 요동성총과 같은 평면도 형식이며, 영성도는 약수리벽화고분과 같은 사선 방향의 평행투시도법으로 묘사하였다. 성내에는 다양한 기와지붕 담과 건물이 그려졌으며 묘주를 포함하여 다수의 인물이 성시 내부에 채워져있다. 영성도와 같은 평행투시도법을 적용하여 외관을 그리고 묘주를 포함하여 건축물 내의 다양한 활동을 표현하는 것은 한대 화상석묘의 정원도의 형식과 유사하다.

화림격이 신점자고분의 벽화와 그 묘주의 생전 이동 경로를 보면 하남성, 섬서성, 산서성, 내몽고 지역의 벽화고분의 특징이 어떻게 결합되어 북방지역에 전파되었는가를 알 수 있다. 화림격이 벽화에 보이는 다양한 요소들, 즉 하남 벽화의 다양한 연회도와 적색의 목조가옥 구조와 운기문 장식, 하북 벽화에 보이는 조감도 식의 건축도 등은 변경지역의 다소 고졸한 벽화의 표현과 어우러져 집안지역 고구려 벽화와 상당히 유사한 특징을 보인다. 또한 화림격이는 호화호특과 대동에 이르는 남북 교통로의 요충지이자 동한 만기 이후 선비족과

---

107 박아림, 「중국 위진 고분벽화의 연원 연구」, 『동양미술사학』 1, 2012, pp.75~108.

108 강현숙, 『고구려와 비교해 본 중국 한, 위·진의 벽화고분』, 지식산업사, 2005, p.100.

109 內蒙古文物工作, 內蒙古博物館, 「和林格補發現一座重要的東漢壁畵墓」, 『文物』 1974년 1기; 강현숙, 앞의 책, pp.98-101.

한족 사이의 분쟁지였으며 하서-포두-호화호특-대동-내몽골 적봉-조양으로 이어지는 소그
드에서 조양에 이르는 북중국 루트에 위치하였다.[110] 이러한 북방지역으로 연결되는 교류로
에 위치한 벽화고분들이 공유하는 특징이 '북방기류'로 표출된 것으로 여겨진다.

(4) 내몽고 오르도스 악탁극기 오란진 미랍호묘

1999년 오르도스박물관과 악탁극기문물보호관리소연합고고대鄂托克旗文物保護管理所聯合考
古隊가 오르도스鄂爾多斯 악탁극기鄂托克旗 오란진烏蘭鎮 부근에서 파괴된 한묘에 대하여 구제
성 발굴을 하였다. 총 6기의 미랍호묘米拉壕墓 가운데 3기의 벽화묘壁畵墓를 발견하였다. 사암
질砂岩質의 산을 파고 들어가 조성한 사파묘도동실묘斜坡墓道洞室墓이다. 묘실墓室은 정장방형

呈長方形 평면이며, 개별 묘장에는 묘실 옆
에 이실이 달린 구조이다. 3기의 벽화묘에
서 동한시기의 200㎡의 벽화가 발견되었
다. 오르도스지역에 드물게 발견하는 풍부
한 한대 벽화로서 중요하다. 정식 발굴보
고서는 아직 나오지 않은 듯 하며『중국출
토벽화전집中國出土壁畵全集 내몽고內蒙古』에
는 1호묘 묘실 북벽의 세 폭의 벽화가 소개
되었다.[111]

동향의 묘향을 가진 1호묘 묘실 북벽 서
단西段에는 정대누사도亭臺樓謝圖(높이 140
㎝), 북벽北壁 중단中段에는 위렵도圍獵圖(높
이 약 140㎝)가 있다(도 64, 65). 묘실 모서리
와 벽면과 천장의 경계에 적색 기둥과 들
보를 그리고 그 위에 봉황산 벽화묘의 적

도 64 |《정대누사도》, 북벽 서단, 미랍호묘

110 권영필, 『중앙아시아 속의 고구려인 발자취』, 동북아역사재단, 2007, p.35.
111 李雙, 辛梟宇, 「淺談鄂爾多斯地區的漢代墓葬壁畵」, 『鄂爾多斯文化』2013年 1期, pp.28~32; 李崇輝, 「鄂
      爾多斯地區古代墓室壁畵凡論」, 『內蒙古藝術學院學報』2018年 3期, pp.129~133; 閆丹, 「鄂爾多斯地區
      漢代墓室壁畵造型語言硏究」, 內蒙古師範大學 碩士學位論文, 2019; 徐光冀, 앞의 책, 2011, pp.18~21.

도 65 | 《위렵도》, 북벽 중단, 미랍호묘

색 휘장의 운기문과 유사한 장식을 그려 넣었다.

정대누사도는 청색 기와지붕을 얹은 다층의 누각들을 겹쳐서 배치하였다. 건물 내부는 흰색으로 칠하고 연남색으로 기둥과 휘장, 인물들을 그려 넣었다. 누각 주위에 운기문과 수목을 연남색과 백색으로 그려 넣고 여러 마리의 검정 새들을 더하였다. 화면 전면에 선 건물 내부에는 위로 올라가는 계단이 그려져 있다.

위렵도는 녹의綠衣를 입고 적색 말을 탄 5명의 기마인물들이 야생토끼, 양, 사슴 등의 동물을 포위하고 수렵하고 있다. 흑색과 백색을 번갈아 그린 운기문이 동물들 사이를 요동치듯 흐르고 있다. 말을 탄 기마인물들과 뛰어 달아나는 동물들의 모습이 박진감 넘치게 묘사되었다.

묘실 북벽 동단東段에는 한대 박산로에서 보듯 삼산형의 납작한 산봉우리들(산악도 높이 약 140cm)이 흑색 윤곽선 안에 백색, 청색을 겹쳐 칠해 표현되었다. 산 위에는 뭉게구름처럼 피어난 듯 보이는 나무들이 솟아 있다. 산의 앞면에는 흑색의 산양, 사슴들이 동쪽을 향하여 달리고 있다. 벽화묘 3기의 벽화가 모두 소개되지는 않았지만 오르도스 지역 환경에 맞는 위렵도를 활기차고 자연스러운 필선으로 그려 북방지역 수렵도의 발달을 잘 보여주는 중요한 사례이다. 또한 봉황산 벽화묘, 화림격이 신점자 벽화묘와 유사한 복합식 누각도로 내몽고지역의 목조건축을 회화적으로 남기고 있어 주목된다.

(5) 내몽고 오르도스 파일송고오포묘

오르도스시鄂爾多斯市 오심기烏審旗 알노도진嘎魯圖鎭의 북쪽 약 20㎞ 거리에 위치한 파일송고오포한대묘지巴日松古敖包漢代墓地는 1987년 문물조사 시에 발견되었고 2000년 이래 오르도스박물관에서 청리를 진행하였다.[112] 묘지 동남부에 지역주민들이 파일송고오포巴日松古敖包라고 부르는 몽골족의 제사 오보가 있다. 2015년 9월 오르도스박물관鄂爾多斯博物館, 오르도스시문물고고연구원鄂爾多斯市文物考古硏究院과 오심기문물관리소烏審旗文物管理所가 묘지墓地의 북부北部에 위치한 도굴을 당한 두 기의 벽화묘(묘장편호 2015WGBMI, M2)에 대하여 청리를 하였다.[113]

파일송고오포 1호묘는 남서향의 장사파식묘도동실묘長斜坡式墓道洞室墓로서 묘도, 묘문, 전실, 후실로 구성되었다. 전후실 평면도는 '요凸'자형이며 경산식정硬山式頂이다. 전체 길이는 16.8m, 방향은 210도이다. 전실은 정장방형 평면으로 깊이 1.5~1.57m, 너비 2.8m, 높이 1.7m이다. 전실 바닥 양측에 좌관우착左寬右窄형태의 생토이층대生土二層臺(좌측 이층대 길이 1.57m, 너비 1.12m, 높이 0.27m, 우측 이층대 길이 1.5m, 너비 0.86m, 높이 0.25m)가 있다.[114] '요凸'자형 평면에 묘실 좌우측에 생토대가 있는 점이 봉황산 벽화묘와 같다. 후실 문 입구에 목조문틀을 그렸다. 후실도 정장방형 평면으로 길이 2.15m, 너비 1.3~1.33m, 높이 1.1~1.2m이다. 후

---

112 鄂爾多斯博物館, 鄂爾多斯市文物考古硏究院, 烏審旗文物管理所, 「內蒙古鄂爾多斯巴日松古敖包漢代壁畵墓淸理簡報」, 『文物』 2019年 3期.

113 『中國出土壁畵全集』에는 烏審旗 嘎魯圖 漢代 壁畵墓로, 『文物』 2019年 3期에는 內蒙古 鄂爾多斯 巴日松古敖包 漢代 壁畵墓로 소개하였다. 벽화전집과 발굴보고서에 실린 벽화가 거의 동일하여 같은 묘로 생각된다. 발굴보고서의 도판11번 M1 전실 북벽 상부 좌측 벽화와 벽화전집의 도판13번 전실 서벽 중단 상층을 대조하면 같은 장면인데도 불구하고 발굴보고서 사진에는 인물행렬도의 뒷부분에 해당하는 벽면 일부가 사라진 상태이다. 벽면의 손상이 일어난 것인지 아니면 같은 모본을 사용한 두 기의 벽화묘인지 좀 더 살펴보아야할 듯하다. 천장과 남북벽 상단을 찍은 발굴보고서의 도판15번에는 벽면이 남아있으나 벽화는 보이지 않아 행렬 뒤쪽의 2명의 여인이 그려진 벽화 부분을 보존을 위해서 절취하여 연구소 등으로 가져갔을 가능성도 있다. 발굴보고서와 벽화전집의 벽면의 방위 설명이 다르나 벽화 배치 상태로 보아 보고서의 방위 서술이 정확한 것으로 보인다.

114 전실 동서 양측의 이층생토대 측면에도 벽화를 그렸는데 훼손이 심하여 흑색 바탕 위에 천녹색으로 그린 "弓"형 문양장식만 보인다.

실 바닥을 전실보다 높여 관상을 만들었다. 목관은 부패하였으며 두골 등이 남아 있으나 장법은 분명치 않다.

묘문, 전실과 후실에 20폭의 벽화가 있다. 벽면에 백색 안료를 얇게 바르고 벽화를 그렸다. 안료는 석청石靑, 석록石綠, 토황土黃, 황토, 자석赭石, 주사朱砂 등 광물 안료와 백색의 합분蛤粉을 사용하였다.

묘문 양측은 문비도門扉圖, 전실 남벽은 좌측의 무고도武庫圖, 기마수렵도, 거여도車輿圖, 우측의 산림방목도, 우경도이다. 동벽은 악무도와 초거출행도軺車出行圖이다. 북벽은 누각도樓閣圖, 음송도吟誦圖, 역사고사도이다. 서벽은 벽화가 없다. 천장에는 성상도星象圖, 난봉도鸞鳳圖를 그렸다. 후실 벽화는 훼손이 심하다. 북벽의 권초도卷草圖, 부인의문도婦人倚門圖, 동벽의 운기도가 있고 서벽은 벽화가 남아 있지 않다. 천장에는 운기도를 그렸다.

묘문이 있는 전실 남벽은 문 좌우측과 문의 상부에 모두 3폭 벽화가 있다. 남벽 묘문 상부는 무고도로서 백색 장도長刀, 장검長劍 등을 그렸다.

남벽과 동벽은 주제가 상하로 나뉜다. 좌측 상부는 수렵으로 두 명의 기마인물과 비조飛鳥, 토끼, 여우, 꿩 등 10마리의 동물들을 그렸다. 하부는 두 명의 중년남자가 초거를 타고 출행하는 장면이다.

남벽 우측은 산림방목도로 상방에 첩첩이 군산을 그리고 산속이나 산봉우리 위에 인물들의 얼굴과 상반신이 보이며 산 앞에는 여러 마리의 산양, 말, 새들이 열을 지어 걷거나 날아간다. 산의 아래쪽에 우경도가 있다.

동벽도 화면을 상하 양분하였다. 상단에는 무악도, 하단에는 초거출행도軺車出行圖를 그렸다. 대략 8명의 무용수와 잡기곡예사들이 공연을 하는데 구성이 봉황산 벽화묘의 백희기악도와 유사하다. 하단에는 두 대의 마차가 대기하고 서있다(도66).

상하단의 인물과 마차의 크기 비례가 다르다. 섬북지역 벽화묘는 벽면을 들보와 기둥으로 나누고 난액의 작은 공간에 인물도, 들보 아래에 거마행렬이나 승선을 그렸다. 파일송고 오포 한대 벽화묘는 유사한 벽화 배치이면서 벽면의 분할선을 적용하지 않았다. 두 지역 모두 보이는 유사한 벽화 주제 배치는 섬북지역 화상석묘의 들보와 벽면 화상의 배치 방식과 크기 비례와 연관성이 있어 보인다.[115]

---

115 섬북지역 화상석묘의 주제와 화상 배치에 대해서는 전호태, 앞의 책, 2007.

도 66 | 《악무와 초거출행도》, 전실 동벽, 파일송고오포 1호묘

　북벽은 정중앙에 후실로 향하는 문을 만들었는데 목제 문을 모방하여 문을 홍색으로 그렸다. 문의 좌우에 각각 누각도를 반으로 나누어 그렸다. 두 쪽으로 건축도를 나누어 그리는 방법은 봉황산 벽화묘에도 보이는 기법이다. 이층 누각은 두공과 기와지붕 세부를 묘사하였다. 좌측 누각도 앞에는 팔자수염의 남성이 천에 싸인 물건을 들고 있고, 우측 누각도 앞에는 깃털이 달린 관을 쓴 두 명의 여자시종이 쟁반, 두료 등을 들고 서있다.

　북벽 좌측 인물의 뒤쪽으로는 몇 명의 인물들이 서있고 하단에는 촘촘한 세로줄을 긋고 그 위에 녹색을 칠하였다. 발굴보고서에서는 이러한 세로줄과 녹색 채색이 연못을 표현하였을 가능성이 있다고 보았다. 봉황산 벽화묘의 누각도 하단에도 관찰되는 문양이다.

　북벽의 후실로 가는 문 위쪽에는 7(또는 9)명의 인물이 있다(도67). 발굴보고서에서는 가장 앞의 두 명의 인물들을 "공자견노자"의 장면으로 보았다. 세 번째부터 다섯 번째 인물은 여성이며 화면 가장 우측의 여섯 번째와 일곱 번째 인물은 어린 아이로 보인다.[116] 5번째 여성

116　『中國壁畵全集 內蒙古』의 도 13에서는 9명의 인물의 送行圖로 실려 있으나 발굴보고서에서는 다섯 번째 인물과 두 명의 어린 아이 사이의 벽면이 사라져 없다. 도록에 의하면 2001년 오심기 알로도 1호묘

도 67 | 《행렬도》, 전실 북벽, 파일송고오포 1호묘

은 수건을 들고 눈물을 닦고 있는 듯이 보인다. 6번째와 7번째 여성은 녹색상의에 흰색치마를 입고 있는데 6번째 여성의 왼손에 청색 옷을 입은 작은 어린아이가 매달려 있다. 행렬의 가장 끝에는 두 명의 아이가 따라가고 있다.

전실 천장의 중앙에는 용봉동체의 신수가 그려졌다 앞부분은 용머리고 뒷부분은 봉황의 몸체이다. 주위에 운기문을 가득 그렸다. 용의 머리는 묘의 입구를 향한다. 후실은 삼면 벽과 천장에 벽화가 있다. 훼손이 심하여 북벽과 천장부, 그리고 동서 양벽의 일부분만 남아있다.[117]

파일송고오포 2호묘의 묘장구조는 1호묘와 동일한 장사파식묘도전후실식동실묘長斜坡式墓道前後室式洞室墓이다. 천장은 경산식정硬山式頂이다. 벽화는 전실前室 사벽四壁, 측감側龕, 묘정墓頂, 천장 경사면과 후실後室 삼벽三壁, 묘정墓頂 등에 그려졌다. 현존하는 벽화는 10여 폭이다.[118]

전실 서벽 문틀의 윗부분에 그려진 송행도에서 3번째에서 7번째까지의 인물은 모두 여성이다.

117 후실 북벽은 흑색 테두리 문틀이 있고 상부에는 권초문, 하부에는 문에 기대선 부인상을 그렸다. 양측의 문틀에 연남색 우임 장포를 입은 한 명의 여인을 각각 그렸다.
후실 동벽 벽화는 백색으로 지장층을 그리고 흑색 선으로 테두리를 그렸는데 운기문만 남아있다. 서벽도 흑색 테두리와 극소의 권초문이 남아있다. 천장도 훼손이 심해 연녹색, 자색 운기문만 보이나 전실 천장과 기본적으로 유사할 것이다.

118 벽화는 砂巖 표면을 고르게 한 후, 사암 표면에 국부적으로 아주 얇은 백색 안료를 한 층 깔아 벽화의 바탕층으로 만들고 그 표면에 그림을 그렸다. 硃砂, 炭墨, 石靑, 赭石, 蛤粉 등의 안료를 사용하였다.

전실 북벽은 도기도導騎圖와 산림방목도山林放牧圖이다.[119] 전실 남벽은 누각연음도樓閣宴飮圖와 연명도燕鳴圖이다. 전실 동벽은 방목우경도放牧牛耕圖이고 전실 서벽은 거마출행도다. 천장은 백조봉비도百鳥鳳飛圖이다. 후실 동, 서, 남 세 벽 모두에 권초상서도卷草祥瑞圖가 그려져 있다. 후실 천장은 비룡어천도飛龍御天圖, 태양금오太陽金烏, 월량섬서月亮蟾蜍, 성상도星象圖 등이다.

M1의 평면 형식과 전후실 평면 '요凸'자형의 묘실 형식은 정변 양교반 동한 벽화묘, 서안 공가만 1호묘와 유사하다. 1호와 2호묘 벽화는 서한시기에 유행한 비화승선飛化乘仙에 동한 시기의 거마출행車馬出行, 연락宴樂, 장원莊園, 방목放牧, 농경農耕, 역사고사 등 현실 생활 주제가 더하여졌다. 산림도와 수렵도, 역사고사와 장송행렬도 주제는 섬북과 내몽고지역의 동한시기 벽화묘들과 공유하는 특징이다.

3. 섬북 · 내몽고 동한 벽화의 특징과 연원

1) 벽화의 주제와 표현의 비교

(1) 인물도 : 묘주도와 역사고사도

다음에서는 주제별로 북방지역 동한시기 벽화묘의 특징을 정리한다. 북방지역 벽화묘의 묘주도는 학탄 벽화묘와 양교반 벽화묘(2005)의 묘실 후벽의 상단에서 발견된다.

묘주부부 모두 상반신만 묘사한 반신상이다. 섬북지역 벽화묘에서 묘주를 상반신만 그리거나 건물이나 가구의 후면에 배치하는 형식은 관중지역 서한 후기 벽화묘에서 보이는 특징이다. 양교반 벽화묘(2015)에는 전실 남벽의 건축장원도의 정면 5칸 건물 내부에 묘주부부가 앉아 있다. 미랍호 벽화묘에도 다층 누각 안에 여러 명의 인물대좌도가 있다.

악무잡기도는 학탄 벽화묘, 봉황산 벽화묘, 양교반 벽화묘(2005, 2015)에 보이는데 긴 소매를 날리는 여자무용수와 상반신 나신의 곡예사 등 구성이 거의 같으며 한대 도용에서도 혼히 볼 수 있는 조합이다. 악무잡기도도 건축도와 결합되어 표현되었다. 봉황산 벽화묘는 단층 다칸 건물 내부에 여러 명의 인물이 마주 앉아 있으며 정원에는 백희가 펼쳐지고 있다.

다층누각은 2015년 양교반 벽화묘, 미랍호 벽화묘, 파일송고오포 벽화묘, 봉황산 벽화묘

---

119 전실 북벽 중간 부분에 홍색 문틀과 백색선의 능격문이 그려져 있다. 능격문마다 가운데에 圓點紋으로 장식되어 있다. 전실 북벽 좌측 상부에는 몇 마리의 錦雞와 鳥雀, 또는 白冠銀翅, 紅冠烏尾 형상이 있다.

에 그려졌다. 봉황산 벽화묘는 정원도 옆에 연결된 누각 위에서 활쏘기가 행해진다. 파일송고오포 벽화묘는 문의 좌우에 그려진 다층누각 앞을 문지기가 지키고 있다.

"공자견노자도"는 양교반 벽화묘(2005, 2009)와 파일송고오포묘에 출현한다. 2009년 양교반 벽화묘에는 "이도살삼사" 고사도 같이 묘사되었다. 파일송고오포 한대 벽화묘 북벽 상부의 "공자견노자도"는 2005년, 2009년 발견 양교반 벽화묘와 유사한 화본을 사용한 것으로 보인다. 낙양지역 서한시기 공심전묘 벽화와 화상석에 보이던 "공자견노자"와 "이도살삼사"와 같은 역사고사도가 섬서 정변 양교반과 내몽고 파일송고오포까지 전파된 것이 흥미롭다.

(2) 기마행렬도

기마행렬도는 묘실의 전체 벽면 벽화가 공개되지 않은 미랍호 벽화묘를 제외하고 위에서 살펴본 북방지역 벽화묘에 모두 출현한다. 대개 장방형의 단실이나 이실의 단순한 구조이기 때문에, 하북, 하남의 다실전축분에 보이는 대규모의 거마출행도 형식이 아니라 1~3대의 마차와 말로 구성된 간단한 행렬이다. 묘의 구조상의 차이점과 함께 묘주의 높지 않은 등급도 반영된 구성으로 보인다. 말의 표정이 과장되거나 발을 높이 치켜든 동세 표현이 강조되며 말과 마차 바퀴가 인물보다 크게 강조되어 그려지는 공통점이 있다. 학탄 벽화묘와 2005년 발견된 양교반 벽화묘의 거마출행도는 1대의 마차가 벽면에 크게 묘사되어 구성이나 배치, 말의 표현이 거의 유사하다. 봉황산 벽화묘의 거마행렬도는 건축도의 하부에, 2009년 양교반 벽화묘는 난액 부분에 출현하는데 2대 이상의 마차가 등장한다. 두 벽화묘의 거마행렬도의 앞발을 올린 말의 동작 표현이나 마차의 바퀴와 세부 표현이 흡사하다. 2015년 양교반 벽화묘 전실 북벽의 기마도는 수레에 앉은 인물과 화개, 수레바퀴, 말의 표현이 학탄 벽화묘와 같이 비례가 맞지 않아 고졸하다.

(3) 산악도와 수렵도

2005년 양교반 벽화묘를 제외하고 앞에서 서술한 모든 북방 벽화묘에 산악도 내지는 수렵도가 출현한다. 학탄묘의 묘실 후벽 하부의 수렵도는 서안 이공대학교의 수렵도의 형식을 계승하여 깔끔한 곡선으로 산악형태를 보다 도안화하여 표현하였다. 2009년 양교반 벽화묘 후실 북벽의 산악도는 녹색 바탕에 완만한 흑색 곡선으로 몇 겹으로 산이 묘사되고 머리 또는 뒷모습을 보이는 사슴들이 산봉우리 위에 보이는데 학탄 벽화묘의 묘실 후벽의 산악도와 유사하면서 보다 거칠고 굵은 선으로 산세와 동물을 표현하였다.

봉황산 벽화묘 묘실 서벽 북단 산악도는 봉우리 위로 얼굴과 목을 내민 말과 소의 모습이 2009년 양교반 벽화묘의 동물 묘사와 같다. 나뭇잎을 암녹색으로 그리고 내부에 밝은 녹색을 받쳐 그린 것이나 산봉우리를 위에서 아래로 음영을 더해 그리는 방법 등이 양교반 벽화묘보다 진전한 표현기법을 보여준다.

미랍호묘 묘실 북벽에 병치된 수렵도와 산악도는 산악의 형태, 동물의 묘사 등이 고구려 수렵도 벽화와 친연성을 보여 주목된다. 산악도를 수렵도와 병치하는 구성은 하남 남양 화상석, 산동 기남화상석 등에서도 볼 수 있는 구성이다. 파일송고오포묘 남벽 우측 산림방목도는 산의 형태나 산속의 인물, 동물 표현이 위에서 서술한 섬북과 내몽고 벽화묘와 거의 같다. 섬북과 내몽고지역 동한시기 벽화묘들의 산악도와 수렵도는 섬서 관중지역의 한대 벽화묘의 전통의 계승관계를 잘 보여주는 동시에 고구려 벽화의 산악도와 수렵도의 형식을 예시한다.

2) 북방지역 벽화묘의 연원

이상에서 살펴본 섬북과 내몽고지역의 벽화묘의 구조와 벽화 주제의 구성은 관중지역 서한 후기 벽화묘와 섬북지역 화상석묘에서 연원을 찾아볼 수 있다. 관중지역은 서한 후기에 여러 기의 중요 벽화묘가 출현한다. 대표적인 벽화묘는 발견 연도순으로 서안 남교 곡강지 1호묘, 서안 교통대학 벽화묘, 서안 이공대학 벽화묘, 서안 곡강 취죽원 벽화묘 등이다.

곽거병묘의 석수상을 연상시키는 서수상만으로 구성된 곡강지 벽화묘도 있고, 곡강 취죽원묘와 같이 각 벽면에 실물에 가까운 크기의 인물 5~8인을 배치하고, 벽면 상단에 휘장과 운기문을 그리고, 천장에는 천상도와 일월상을 배치하기도 하였다.

이공대학 벽화묘는 아치형 천장에 일월, 주작, 선학 등 천상도를, 동벽과 서벽은 두 부분으로 나누어 거마출행도와 수렵도, 무악도와 연락도로 나누어 벽화를 구성하였다. 교통대학 벽화묘는 아치형 천장의 두 개의 큰 동심원 안에 일월, 청룡, 백호, 주작, 28성수도를 그리고 주실 후벽에 운기문 가운데 승선하는 천인 등을 그려 천상세계를 위주로 벽화를 구성하였다. 이공대학 벽화묘와 교통대학 벽화묘, 곡강지 벽화묘는 구조가 유사한 전축분으로 벽화의 구성면에서는 현실세계와 천상세계의 두 주제를 복합적으로 구성하였다. 이공대학 벽화묘의 수렵도는 비교적 이른 시기에 출현한 활달한 필치로 그린 수렵도로서 이후에 섬북지역과 내몽고지역에 출현하게 되는 수렵도의 연원을 잘 보여준다.

섬북과 내몽고지역 동한 벽화묘들과 관중지역 서한 벽화묘의 공통점은 다음과 같다. 첫째는 수렵도, 천상도와 같은 특정 주제의 공유, 둘째는 소재의 배치와 표현방법의 계승, 셋째는 벽화의 바탕면을 녹색이나 적색으로 칠한 후에 그 위에 벽화를 그리는 제작 방법의 유사성이다.

벽화 배치를 보면 2015년 발견 양교반 벽화묘는 전실 북벽과 남벽은 산악도를 하단에 배치하고, 북벽은 기마도, 남벽은 누각장원, 연락인물 등이다. 건축도를 상단에, 산악도를 하단에 배치한 형식은 내몽고 화림격이 신점자 동한 벽화묘의 후실의 장원도의 구성과 같다.

전실의 서벽, 즉 후실로 넘어가는 곳에 세워진 기둥에는 시녀가 향로 위에 선 모습을 그렸다. 묘실 입구와 후실 입구 벽면의 기둥에 문지기와 시녀상을 배치하여 그린 것은 여타 벽화묘에서는 드문 것이다. 인물과 향로를 상하로 좁은 하나의 화면에 배치하는 방식은 섬북지역과 하남지역 동한 화상석묘에 자주 보이는 소재 배치방식이다. 2005년 발견 양교반 벽화묘에도 복희와 여와도상이 같은 공간에 배치되었다. 하남과 섬북지역 화상석묘의 영향 관계를 짐작하게 한다. 앞에서 살펴본 북방지역 벽화묘에서 산악도가 강조된 것은 화림격이 신점자 벽화묘와 같이 해당 지역의 지리적 특성을 반영한다.

양교반 벽화묘 3기는 벽화 주제와 표현 면에서 다른 지역의 한대 벽화묘들과 복합적인 연관관계를 보인다. 주제 면에서는 관중지역 벽화의 성수도와 거마출행도, 중원·동부지역의 벽화와 화상석의 역사고사도를 계승하고 있다. 2015년 발굴 양교반 벽화묘와 2009년 발굴 양교반 벽화묘, 학탄 벽화묘, 알로도 1호묘, 서안 교통대 벽화묘의 성수도는 일월의 위치나 성상도의 구도나 구성방식에서 계승 관계가 지적된다.

내몽고 지역 벽화묘 가운데 봉황산 1호묘의 묘실 북, 동, 서벽의 상부는 서안 곡강 취죽원 서한 1호묘와 같이 홍색 바탕에 흑, 백, 남색으로 권운문을 그린 휘장이 둘러쳐져 있다. 미랍호 벽화묘는 휘장을 치지 않았으나 들보의 문양을 봉황산 1호묘와 같은 운기문으로 장식하였다.

파일송고오포 1, 2호묘의 벽화는 전체적으로 봉황산 벽화묘, 양교반 벽화묘, 학탄 벽화묘, 서안 이공대학 벽화묘 등과 주제와 표현에서 유사하여 관중과 북방지역 간의 벽화문화의 전파와 교류에 중요한 자료를 제공한다.

위에서 살펴본 북방지역의 동한시기 벽화묘는 묘주도의 표현과 배치, 산악도의 구성과 배치, 거마행렬도의 구성 등에서 거의 동일한 화공집단에 의해서 그려지지 않았을까 하는 추측을 하게 하는 공통점을 많이 갖고 있다. 이러한 동일한 화본 내지는 화공 집단의 활동은 섬북지역 화상석들에서도 관찰된다. 섬북지역 화상석묘들은 대개 유사한 화본을 공통적으로 사용하고 유사한 소재의 배치 구성을 반복하는 특징을 갖고 있다.

서안 교통대학 벽화묘는 천장과 벽면 바탕을 어두운 적녹색으로 모두 칠하였는데 이러한 벽화 제작 방법은 학탄 벽화묘, 양교반 벽화묘, 미랍호 벽화묘 등으로 계승된다(표 4). 2005년 발견된 양교반 벽화묘는 학탄 벽화묘와 같이 청녹색 바탕색 위에 4가지 다른 종류의 안료를 사용하여 벽화를 그렸다. 2009년 발견 양교반 벽화묘의 후실 두공과 들보는 나무의 결을 살려 그리지 않고 황색으로 칠하여 순읍 백자촌 동한 벽화묘 묘실 후벽의 황색 천문과 같은 상징성을 담고 채색되어진 듯 보인다.

표 4 | 서안 교통대학묘와 정변 양교반 거수호묘 천상도의 비교

서안 교통대학묘	정변 양교반 거수호묘
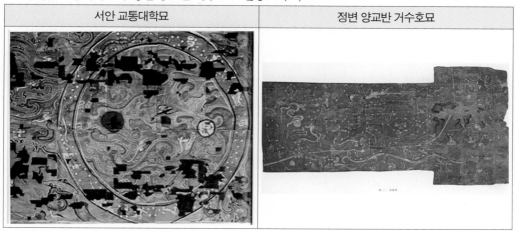	

또한 섬북과 내몽고 벽화 인물의 유사한 관모의 착용이 주목되는데 봉황산 벽화묘의 벽화 인물의 독특한 관모(챙이 넓고 모정이 높으며 깃털이 꽂혀 있음)는 학탄 벽화묘, 파일송고오포 벽화묘 등에서도 볼 수 있다.

주제와 배치 및 표현방법의 연속성은 관중지역의 사민이 하서지역으로 이루어져 하서지역의 한위진 벽화묘가 조성되는 배경이 되듯이 북방지역에 동한 후기 한군현의 설치로 인구의 이주가 이루어지면서 벽화와 화상석으로 묘장을 장식하는 장의미술 형식이 전파되고 동시에 그러한 형식의 묘장을 축조하기 위한 화본의 유통과 화공집단의 이동에서 배경을 찾을 수 있을 것이다.

4. 섬북·내몽고 동한 벽화묘의 의의

이상으로 북방지역 벽화묘의 구조와 벽화의 특징을 정리한 후 중원지역, 관중지역 벽화묘들과 비교하여 지역간 연관관계, 벽화와 화상석과의 관계 등을 고찰하였다. 섬북과 내몽고지역의 몇몇 동한 벽화묘들은 발굴보고서가 아직 나오지 않아 구체적인 구조나 벽화 구성을 정확하기 알기 어려운 예도 있어 연구의 어려움이 있다.

동한 후기에 동북, 북방, 하서를 잇는 북부지역이 벽화묘 축조의 중심지로 떠오른다. 이들 북부지역은 고분벽화 문화의 분포와 전파에서 동일한 제재를 공유하면서도 지역적 특징의 형성이 관찰된다. 이를테면 요양지역 벽화는 벽화문화가 하남에서 하북을 거쳐 전파되는 과정에서 승선 관련 제재가 사라지고 주로 생활풍속적 제재들로 구성된다. 하서지역에는 서한부터 중원과 관중지역에서 발달한 천상세계 관련 제재가 묘문 위의 문루나 묘실 천장에 배치되었다.

북방지역, 즉 섬북지역과 내몽고지역 벽화묘는 관중지역 서한 후기 벽화묘와 주제 구성과 배치 및 벽화기법 면에서 많은 친연성을 보여준다. 벽화묘의 구조상 관중지역은 전축묘, 북방지역은 토동묘 위주라는 점이 차이가 있다. 관중지역 서한 벽화묘의 주제와 화면 구성, 채색방법 등은 해당 지역에서는 동한시기에 더 이상 활발하게 벽화묘가 제작되지 않는 듯이 보이는 대신 북방지역의 내몽고와 섬북지역으로 전파되어 그 특징이 보존된다.

섬북과 내몽고지역 동한 벽화묘와 서안지역 서한 후기 벽화묘의 구조와 벽화 주제면에서의 유사성은 수렵도, 천상도와 같은 특정 주제의 공유, 제재의 배치와 표현방법에서의 계승, 벽화의 바탕면을 녹색이나 적색으로 칠한 후에 그 위에 벽화를 그리는 제작 방법의 사용 등을 들 수 있다. 주제와 배치 및 표현방법의 연속성은 관중지역의 사민이 북방지역으로 이루어지고 화본의 유통과 화공집단의 이동 등에서 배경을 찾을 수 있을 것이다. 관중지역의 사민이 하서지역으로 이루어져 하서지역의 한위진 벽화묘가 조성되는 배경이 되듯이 북방지역 역시 동한 후기 한군현의 설치로 인구의 이주가 이루어지고 화상석묘와 벽화묘가 축조되었다.

북방지역은 내몽고와 섬북지역을 포함하는데, 섬북지역은 동한시기에 많은 수의 화상석묘가 섬북지역의 유림, 미지, 수덕 등에 건축되어 화상 모본의 활발한 유포가 이루어지며 섬북지역 화상석묘의 건축구조 특성상 문미와 벽면으로 나뉘어져 화본이 활용된다. 동한과 흉노, 선비의 경계지대에 위치한 섬서지역의 화상석은 문미나 문주에 다양한 동물의 병렬

또는 상하 배치 및 운기문과 결합된 사슴문이 독특한 특징이다. 이러한 문미의 일렬로 세운 소형의 인물상 구성과 벽면의 대형의 인물, 동물 배치는 북방지역 벽화묘와도 공유하는 특징이다.

섬북지역 화상석에서의 모본의 사용은 섬북과 내몽고지역 벽화묘에서 구획을 나누지 않은 벽면과 천장에 크기 비례가 맞지 않는 여러 주제들이 동시에 배치되는 어색한 구성과 연관되어 있는 것으로 보인다. 섬북지역 화상석묘 유행시간은 동한東漢 화제和帝 영원2년永元二年(90)에서 순제順帝 영화5년永和五年(140) 전후로 대략 50년간의 시간이다. 1세기 말 이래 섬서 미지米脂, 수덕綏德 등 섬북지역에 주로 조성되던 화상석묘가 섬서 북단 신목神木 대보당大保當에 세워지는 것은 100~140년, 산서山西 이석離石 일대에 세워지는 시기는 140년 이후이다. 따라서 섬북지역 벽화묘의 제작연대도 대략 동한 후기로 볼 수 있다.

내몽고와의 경계에 가까운 정변현定邊縣과 정변현靖邊縣에 위치한 두 벽화고분은 한화상석이 다수 출토된 섬서 미지, 수덕, 신목과 산서 이석과 비교적 가까운 거리에 있다. 동한과 흉노, 선비의 경계지대에 위치한 섬서지역의 화상석은 다양한 선계 표현이 특징인데 하남의 선계 인식과 표현이 섬서에 전해지는 시기와 과정을 보여주는 점에서 중요하다.[120] 정변 학탄 1호묘와 정변 양교반 1호묘의 벽화 내용에서 현실생활 제재 외에 중원과 관중지역 서한~동한 벽화묘에서 보이는 천상도와 승천사상 관련 주제가 같이 나타나 주목된다. 섬서 정변 양교반 1호묘 전·후실의 벽면에 목조 건축 구조를 모방해 그린 점은 하남성 낙양 금곡원 신망묘, 내몽고 악탁극 봉황산 1호묘, 요녕성 요양의 벽화묘와 유사하다.[121] 정변 학탄 1호묘는 녹색을 주조로 한 벽면의 바탕 설채가 독특한데, 녹색 벽면 위에 인물과 동물의 산악 배치 방식과 다소 희화화된 동물의 표현법이 내몽고 포두 소만 한대 흉노묘 출토의 황유 부조 도준陶樽 장식과 유사하다.[122]

---

120 후한 중기까지 섬서지역의 중심도시로 번영했던 미지, 수덕, 신목의 화상석에서는 선계 표현 유형이 다양하게 확인된다. 신목 대보당 한화상석의 기본주제는 '내세승선(來世昇仙)'이다. 河南양식으로 표현된 신목 대보당 한화상석 천주형 곤륜산은 서왕모의 곤륜선계에 대한 인식과 표현이 하남에서 섬서로 전해지는 시기, 과정에 중요하다. 1세기 말 이래 수덕, 미지 등 섬북지역에 주로 조성되던 화상석묘가 산서의 이석 일대에 세워지는 시기는 140년 이후이다. 전호태, 『중국 화상석과 고분벽화 연구』, 솔, 2007, pp.81~120, p.123.

121 섬서 정변 고분벽화에 대해서는 黃佩賢, 『漢代墓室壁畵硏究』, 文物出版社, 2008, 도 61~71.

122 내몽고 포두 소만의 흉노묘 출토 황유 부조 도준은 王永强 외, 『中國少數民族文化史 圖典』, 北方卷 上卷, 廣西敎育出版社, pp.99~100.

이러한 북방계통의 산악도에 대해서 선행연구에 의하면 기원전 4세기 무렵 이미 중국 서북부, 몽골, 남시베리아, 중앙아시아에 이르는 초원 산악 지역에 독자적 산악도가 유목민 기반으로 출현하였다. 소퍼와 설리반의 산악도의 고대 서아시아 기원론에서 아시리아나 페르시아 청동 그릇의 산악도는 3개 산봉우리로 구성되었는데, 여기에서 반원형, 삼각형 산들이 중첩된 형태의 한대 산악도가 유래한 것으로 본다. 북흉노 고분인 몽골의 노인 울라 6호묘 출토 은기의 산악도나 고구려의 약수리 벽화고분과 덕흥리 벽화고분의 산악도도 형태상 아시리아·페르시아 계통의 산악도 유형으로 보인다.[123] 또한 28성수도가 관중지역의 서한 후기 벽화묘에 출현하였다가 동한의 섬북 정변 양교반 벽화묘에 다시 출현하는 것도 두 지역 간의 시간의 흐름에 따른 벽화 도상의 전파를 잘 보여준다.

동한 후기에 이르러 벽화문화의 확산은 다음 시기인 위진시기에 중국의 동북과 서북으로 벽화묘가 퍼져나가고 그와 동시에 고구려에서도 벽화묘가 축조되는 배경으로 볼 수 있다. 고구려 고분벽화의 연원으로 그동안 연구된 동북지역 벽화묘나 산동지역 화상석묘는 주제 면에서 고구려의 집안과 평양지역 고분벽화의 주제를 다 포괄하기 어려웠다. 관중지역 서한 후기 이공대학 벽화묘의 수렵도는 고구려 고분벽화와 지리적, 시기적으로 멀리 떨어져 있어서 직접적인 연결이 어려웠다. 기존에 잘 알려진 내몽고 화림격이 신점자 1호분은 지리적으로 고구려 고분벽화와 가까우나 하남, 하북지역 벽화의 특징이 더 많이 담겨 있다. 북방지역을 따라 흐른 북방기류[124]에서 출현한 것으로 보이는 집안지역의 특징적인 수렵도의 연원에 대해서 동북지역과 산동지역의 화상석과 벽화로는 설명하기 어려웠다. 하지만 최근에 소개된 섬북과 내몽고지역의 수렵도와 산악도 및 인물도의 구성과 배치 등은 고구려의 초기 고분벽화가 형성되는 하나의 연원을 북방지역에서 찾을 수 있도록 시사해준다는 점에서 중요한 자료라고 할 수 있다. 요양지역 벽화고분이 한족인구의 요동 이주를 통한 벽화문화의 전파를 의미한다면, 내몽고와 섬북지역 벽화고분은 한의 벽화문화가 흉노계 북방문화와 접하면서 문화변용을 표현하는 사례로 중요하다.

---

123 서정록, 『백제금동대향로』, 학고재, 2001, p. 207.

124 '북방기류'라는 용어는 고구려 벽화에 보이는 일정한 문양과 특정한 양식적 표현이 서역 미술, 특히 돈황 벽화의 유사한 사례들의 선구가 되고 있어 이러한 고구려의 조형성이 북방의 넓은 지역에 영향을 미치면서 흐르는 현상을 명명한 것이다. 권영필, 「고구려 회화에 나타난 대외교섭」, 『고구려 미술의 대외교섭』, 예경, 1996, p. 184; 권영필, 「아프라시압 궁전지 벽화의 '고구려 사절'에 관한 연구」, 『중앙아시아 속의 고구려인 발자취』, 동북아역사재단, 2008, pp. 14~59.

먼저 수렵도의 표현에서 섬북과 내몽고 동한 벽화묘의 자유롭게 요동치는 듯한 산악의 표현과 그 위를 달리는 기마인물과 수렵동물의 어울림, 고졸한 수목의 표현은 고구려 무용총 수렵도의 원형을 예시한다는 점에서 극히 중요하다. 묘주도와 복잡한 건축도의 결합은 안악1·2호분, 수산리벽화분의 형식을 미리 보여준다. 천상도는 덕흥리 벽화분의 천상도의 견우와 직녀도의 모본의 전파경로를 짐작하게 하며 고구려 천장 벽화에서 발달한 별자리 그림의 원형을 찾아볼 수 있다. 따라서 북방지역 벽화묘의 주제와 표현들이 지리적으로 인접한 고구려 지역으로 흘러들어가 고구려 벽화의 특징을 만들어내는데 일조하였음을 알 수 있다. 고구려 고분벽화의 형성에서 중국의 북방지역을 따라 흐른 북방기류의 일부로 장의미술의 벽화의 흐름을 확인할 수 있다는 점에서 섬북과 내몽고지역의 최근에 발견된 벽화묘들의 연구의 중요성이 있다고 하겠다.

표5 | 북방지구 벽화묘 평면도

고분명	평면도
陝西定邊郝灘東漢壁畫墓	
陝西靖邊東漢壁畫墓 (2005)	
陝西靖邊縣楊橋畔鎭楊橋畔二村南側渠樹壕 漢墓(2009)	미발표

고분명	평면도
陝西靖邊楊橋畔渠樹壕漢壁畵墓 (2015)	
內蒙古鄂托克鳳凰山1號東漢壁畵墓	
內蒙古鄂托克旗烏蘭鎭米拉(蘭)壕漢墓	미발표
內蒙古鄂爾多斯巴日松古敖包漢代壁畵墓	

표6 | 북방지역 벽화묘의 벽화 주제 비교

고분명	묘주도	역사고사도	기마행렬도
陝西定邊郝灘東漢壁畵墓			
陝西靖邊橋畔東漢壁畵墓 (2005)			
陝西靖邊縣楊橋畔鎭楊橋畔二村南側渠樹壕漢墓 (2009)			
陝西靖邊楊橋畔渠樹壕漢壁畵墓 (2015)			
內蒙古鄂托克鳳凰山1號東漢壁畵墓			
內蒙古鄂托克烏蘭鎭米拉(蘭)壕壁畵墓			
內蒙古鄂爾多斯巴日松古敖包漢代壁畵墓			

고분명	백잔잡기도	수렵과 산악도	건축도	천상도
陝西定邊郝灘東漢壁畫墓				
陝西靖邊楊橋畔東漢壁畫墓 (2005)				
陝西靖邊縣楊橋畔鎮楊橋畔二村南側渠樹壕漢墓 (2009)				
陝西靖邊楊橋畔渠樹壕漢壁畫墓 (2015)				
內蒙古鄂托克鳳凰山1號東漢壁畫墓				
內蒙古鄂托克烏蘭鎮米拉(蘭)壕壁畫墓				
內蒙古鄂爾多斯巴日松古敖包漢代壁畫墓				

제3장
한대 화상석의 지역적 특징

Ⅰ. 남양 한대 화상석묘의 발달과 분기별 특징

1. 남양 화상석묘의 발굴과 연구

한대漢代의 묘실墓室, 묘지사당墓地祠堂, 묘궐墓闕 등 건축물의 축조에 사용된 석재에 화상을 새긴 화상석畵像石은 상장예제 성격의 건축을 장식하는 장의예술이다. 한화상석은 서한 말기부터 동한 말까지 후장풍습에 수반하여 유행하였다. 한대 화상석은 5대 분포구에 집중되어 발견된다. 산동 남부와 강소 북부지역, 하남지역, 사천지역 등이 대표적인 화상석 분포지역이다.[1]

한화상석 연구는 주로 중국, 일본, 서구에서 수행되어, 초기에는 화상석의 분포와 발달의 개관, 주요 화상석의 내용 설명을 중심으로 하였다. 연구가 진행되면서 하남, 산동, 사천 화상석의 지역적 특징, 무량사와 기남화상석묘와 같은 개별 화상석묘 또는 화상석사당 연구, 화상석의 화제畵題 분류와 고찰, 화상석 내용과 묘주, 자손 및 후원자들과의 관계, 제작 기법 연구, 화상석의 위치와 내용과의 상관관계 등으로 확대되었다. 국내에서는 2000년대 이후 서왕모, 교상교전도橋上交戰圖, 동물도상, 인물도와 같은 화제를 중심으로 연구가 전개되고 있다.[2]

한국의 고대 회화, 특히 고구려 고분벽화의 연구에는 한대 화상석의 연구가 기본이 되어야 한다. 기존의 고구려 벽화와 중국 화상석의 비교는 중국의 화상석 집중 분포구 중에서 섬서성과 산서성 화상의 선계 인식과 승선도가 검토되었으며, 각 지역의 일상·월상, 사신도, 서왕모 등 화상석의 특정 화제를 중심으로 연구되었다.

중국 화상석의 5대 분포구 중에서 하남성 지역은 한대 화상석의 초기 발달 양상을 살펴볼 수 있는 지역으로 특히 남양 지역 화상석이 잘 알려져 있다. 남양 한대 화상석은 동한 말년 이후 도굴로 인해 화상석묘가 훼손되기 시작하였는데 이르게 삼국위진시기부터 한화상

---

1 남양 화상석묘의 발굴과 연구는 박아림, 「하남성 남양 한대 화상석묘의 발달과 분기별 특징」, 『21세기의 한국고고학 Ⅳ』, 주류성, 2011, pp.647~672에 실린 논문을 재수록하였음.
2 신립상, 『한대 화상석의 세계』, 학연문화사, 2007; 전호태, 『중국 화상석과 고분벽화 연구』, 솔, 2007; 김병준, 「한대 화상석의 "橋上交戰圖" 분석-화제간의 상호 유기적 이해를 위한 시론」, 『강좌미술사』, 26, 2006, pp.391-422.

석을 건축재료로 재차 이용하여 현재 남양에서 발견되는 위진묘 중에서는 한대 화상석을 사용한 예가 많다. 이미 축조된 화상석묘에서 화상석을 가져다가 새로 만드는 고분에 사용하는 재장화상석묘再葬畫像石墓가 남양시 및 부근에 10여기가 있으며 이는 남양지역에서 발굴된 전체 화상석묘 중 상당부분을 차지한다. 명대에는 고사찰의 재건축시에도 한화상석이 사용되었고 명청대 남양 고성의 축조에도 대량의 한화상석을 사용하였다.

20세기 초까지는 학술계나 민간에서 남양 한대 화상석의 존재를 알지 못했으나 1920년대부터 그 존재가 학자들에게 알려지게 된다. 1923년에서 1924년 사이 북경대학 역사어언연구소歷史語言硏究所 연구생이자 후에 저명한 갑골학자가 된 동작빈董作賓과 남양지역 인사인 양장보楊章甫 등이 남양성 부근에서 한대 화상석각을 발견하게 되나 그 용도나 출처는 모르는 상태였다. 1927년 겨울 남양 출신 교육가이자 방지학자方志學者이면서 하남성 통지관편수通志館編修였던 장중부張中孚가 우연히 화상석각을 발견하고, 산동에서 발견된 한대 화상석과 유사한 점에 주목하여 화상석을 40건 이상 수집하고 수십 폭의 화상석 탁본을 개봉으로 가지고 돌아간다. 당시 하남성 박물관 관장 관백익關百益이 탁본 40편으로 구성한『남양한화상집南陽漢畫像集』을 1930년 9월 상해 중화서국에서 출판 발행하였고 이는 남양 한화상석을 소개하는 첫 번째 도록이었다. 이로부터 남양 화상석이 전국 학술계의 관심을 받기 시작한다.

화상석묘의 발굴은 1930년대 들어서 남양현南陽縣 교육국장 손문청孫文靑에 의하여 이루어지게 된다. 1931년 여름 남양지역의 폭우로 남양성에서 서남쪽으로 18리 떨어진 초점촌草店村 부근에서 고분이 발견된다. 이에 손문청은 초점촌 고분을 조사, 측회, 촬영하고 27건의 화상석을 확인, 44폭의 탁본을 만든다. 1933년 손문청은 현재 방성현 광양진廣陽鎭에서 두기의 한대 고분을 추가로 발굴하고 탁본을 30여 폭 제작한다. 같은 해 갑골학자 동작빈이 남양으로 귀향하여 초점한묘 화상을 조사한다. 같은 해 손문청은 남양성 지역에서 한화상석 294건을 발견하고 144폭의 탁본을 만든다. 1935~36년 사이에는 노신魯迅이 241장의 남양 한대 화상석 탁본을 수집한다. 1949년 중화인민공화국이 건립된 이후, 남양 한대 화상석에 대한 연구가 중시되면서 남양 경내에 60기가 넘는 한화상석묘가 발굴되었다. 1935년 창건된 남양한화관은 현재 한대 화상석을 2000여 건 소장하고 있어 중국의 한대 석각예술박물관 중에서 소장품이 가장 많은 곳이기도 하다.

1923년 이래 현재까지 발굴된 중요 남양 화상석묘는 남양시와 그 인근에 25기, 당하지역 8기, 방성지역 3기, 등주지역 2기가 있다. 대표적인 화상석묘로는 남양 양관사묘楊官寺墓

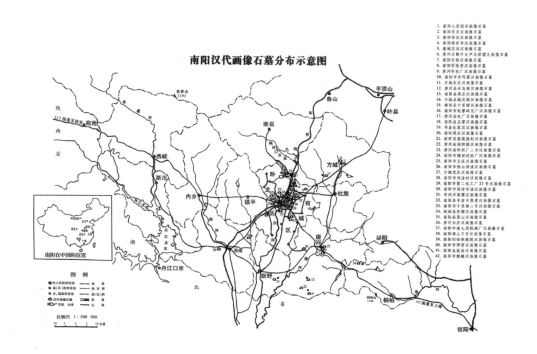

南阳汉代画像石墓分布示意图

1. 南阳七里园汉画像石墓
2. 南阳东关汉画像石墓
3. 南阳徐家汉画像石墓
4. 南阳杨官寺汉画像石墓
5. 襄城沈河汉画像石墓
6. 唐河汉郡平火户与后闵久画像石墓
7. 南阳军帐汉画像石墓
8. 南阳军帐营汉画像石墓
9. 唐河针织厂汉画像石墓
10. 南阳市汉画汉画像石墓
11. 方城县关汉画像石墓
12. 唐河县关关汉画像石墓
13. 湖阳县某庄汉画像石墓
14. 方城县某桥汉画像石墓
15. 方城县十里镇汉画像石墓
16. 南阳市赵寨机厂汉画像石墓
17. 唐河县电厂汉画像石墓
18. 南阳县王寨汉画像石墓
19. 邓县杜某庄汉画像石墓
20. 南阳冠庄汉画像石墓
21. 新野县韶海路村汉画像石墓
22. 唐河县湖阳镇汉画像石墓
23. 唐河县针织厂二号汉画像石墓
24. 南阳市建村试验厂汉画像石墓
25. 南阳市王庄汉画像石墓
26. 南阳县独山庄汉画像石墓
27. 方城党庄汉画像石墓
28. 南阳市河庄村汉画像石墓
29. 南阳市河庄村汉画像石墓
30. 南阳市第二化工厂21号汉画像石墓
31. 郑州市某镇汉画像石墓
32. 南阳市唐子慈官汉画像石墓
33. 南阳市十里城关一号汉画像石墓
34. 唐柏某安慈汉画像石墓
35. 淅川县汉画像石墓
36. 南阳自庄汉画像石墓
37. 南阳中建七局机械厂汉画像石墓
38. 南阳磨山2号汉画像石墓
39. 南阳宏信慈提汉画像石墓
40. 南阳市形官汉画像石墓
41. 南阳县禹汉汉画像石墓
42. 南阳市顺辅汉画像石墓

도 1 | 《남양 한대 화상석묘 분포도》

(1962년 발굴), 남양현 영장묘英莊墓, 남양 석교묘石橋墓, 당하唐河 침직창묘針織廠墓(1972), 풍군유인묘馮君孺人墓(1978), 방성方城 동관묘東關墓(1977), 조채묘趙寨墓(1972), 등현鄧縣 장총점묘長塚店墓(1973) 등 40여 기가 있다(도 1).

화상석 집중 분포지역 중 하나인 하남성 남양 화상석에 대하여는 현재까지 중국에서 300여 편의 논문과 20여권의 저서가 나올 정도로 많은 연구가 진행되었으며 구미학계에서는 리처드 루돌프나 진 제임스 등이 남양지역에 많이 보이는 각저도나 연회도와 같은 특정 주제를 다루거나 중국 화상석 발달에 있어서의 남양 화상석의 역할을 조명하는 논문을 발표하였다.[3] 국내에서는 남양화상석의 개관과 대표적 주제에 대하여 간략하게 정리한 영문 논

---

3 Richard C. Rudolph, "Han Dynasty Reliefs Nanyang," *Oriental Art* no. 3, 1978, pp. 179~184. _____, "The Enjoyment of life in the Han reliefs of Nanyang," in David T. Roy and Tsuen Hsuin Tsien, *Ancient China: Studies in Early Civilization*, Hong Kong, 1978, pp. 269~282. Jean M. James, *A Guide to the Tomb and Shrine Art of the Han Dynasty 206 B.C.E. - C.E. 220*, 1996. _____, "The Role of Nanyang in Han Funerary Iconography," *Oriental Art* 36, 4, 1990/91, pp. 222~232.

문을 발표하였으나 90년대 이전 발굴자료를 기반으로 하여 여러 가지로 부족함이 많았다.[4] 그러던 중 2010년 2월 하남성 지역 화상석 답사를 통하여 남양한화관을 직접 방문할 기회를 얻었다. 이에 남양 기린강 한묘 등 독특한 풍격을 지닌 개별 남양 화상석묘에 대한 연구를 보다 구체적으로 진행하기 위한 기초 작업으로 새로 발굴된 여러 고분들을 포함하여 남양 한대 화상석묘의 발달을 대표적 화상석묘의 구조와 화상석 주제를 통해 정리하고자 한다.

남양지역을 포함한 하남성 지역의 화상석 발달의 분기는 1기 서한 중기(남양 조채묘), 2기 서한 만기(남양 양관사묘), 3기 신망시기(남양 풍유인묘), 4기 동한 조기(남양 영장묘), 5기 동한 중기(등주 장총점묘), 6기 동한 만기(밀현 타호정 1호묘)로 나뉜다.[5] 남양 화상석묘가 하남성 지역에서 1기부터 5기까지 화상석 발달의 중심지로서 역할을 한 것을 알 수 있다.

장영거蔣英炬도 『한대화상석여화상전漢代畫像石與畫像塼』에서 남양南陽, 악북鄂北지역을 산동, 강소, 안휘지역에 이어서 두 번째로 중요한 한대 화상석 생산과 발전의 중심지로 다루고 있다.[6] 장영거는 남양, 악북지역 화상석의 발달을 조, 중, 만기의 3기로 구분하였다. 조기는 주로 석실묘로서 당하 지역에 집중되어있고 남양, 등주지역에서는 소량만 발견된다. 이르게는 소제와 선제 시기, 늦게는 서한 말년이다. 대표 화상석묘로는 남양시南陽市 조채趙寨 전와창磚瓦廠 한화상석묘가 있다. 실생활 내용이 대부분으로 역사 고사와 신귀상서류神鬼祥瑞類 도상은 적다. 중기는 왕망시기에서 동한 조기까지이며 전석혼합묘가 주가 된다. 당하唐河 신점新店 천봉오년天鳳五年(AD 18) 풍유인묘馮孺人墓, 당하 전창묘, 남양 초점묘, 남양 석교묘, 방성 성관진묘, 남양 영장묘, 남양 영장 4호묘, 당하 백장묘, 남양 기린강묘, 당하 침직창 1, 2호묘 등이 있다. 만기는 동한 중, 만기의 고분들이다. 전석혼합 구조가 주를 이룬다. 방성동관묘, 양성襄城 자구茨溝 영건칠년묘永建七年墓(132) 등이 있다. 아래에서는 남양 한화상석의 발달을 보다 세분화하여 논한 『남양한대화상석묘南陽漢代畫像石墓』의 분기를 기반으로 남양 화상석묘의 발달과 분기별 특징을 살펴본다.[7]

---

4 박아림, 「Han dynasty relief sculpture in Nanyang, Henan」, 『고구려연구』, 2006, vol. 23, pp. 225-247

5 中國畫像石全集編輯委員會, 『中國畫像石全集 (1-7)』, 山東美術出版社, 2000.

6 蔣英炬 외, 『漢代畫像石與畫像塼』, 文物出版社, 2003.

7 南陽漢畫館, 『南陽漢代畫像石墓』, 河南美術出版社, 1998.

2. 남양 화상석묘의 분기와 주요 고분

1) 제1기 화상석묘의 구조와 주제

남양 한대 화상석묘 중에서 기발굴된 30여기의 중요 화상석묘의 발달을 구분하면 제1기 서한 중기, 제2기 서한 만기, 제3기 동한 조, 중기, 제4기 동한 만기로 나뉠 수 있다. 남양화상석묘 제1기를 대표하는 고분은 남양시 조채 전와창 한화상석묘이다(도 2).[8]

남양시 조채 전와창 창구廠區 동쪽에 위치하고 있다. 1972년 2월에 발굴이 진행되었다. 무덤은 정동향이고 동서 길이 5.86m, 남북 너비 5.30m이며 묘실 평면은 정방형이다. 주실, 전실, 두 개의 측실로 구성되며 전석磚石혼합구조이다. 주실과 두 측실 벽 및 주실 권정은 벽돌로 축조되었다. 전실과 남북 측실 천장은 석판으로 구성된 평천장이며, 주실 천장은 아치형 천장이다. 주실 천장 높이는 3.10m이다.

화상석은 총 13폭으로 5개의 문주門柱, 8개의 문비門扉에 화상을 새겼다. 남양지역 조기 화상석은 화상의 위치가 묘문 문비門扉, 문주, 문미석門楣石 정면에 한정되고 묘문석의 앞면에 화상이 집중 배치된다. 5개 문주에는 문궐, 능형도안이 새겨졌고, 8개의 문비에는 누각, 사방 연속 능형연환도안이 있다. 상층은 3층의 문궐, 하층은 능형도안으로 구성되었다. 또한 홍색, 황색, 남색 등 다종의 색채를 사용하여 채색하였다. 주실 내에는 화상이 없다. 서한 중기인 소제昭帝시기(재위 BC 86~74)에 건축된 것으로 추정되며 하한은 선제宣帝 시기(재위 기원전 73~49)이다. 남양에서 시대가 비교적 이른 한화상석묘이다. 신입상에 의하면 조채 전와창 한묘의 쌍궐청당도는 묘지의 사묘 표현이고, 복숭아 모양의 나무는 묘지를 상징한다.[9] 천벽

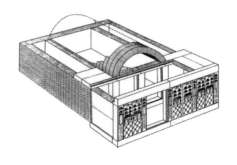
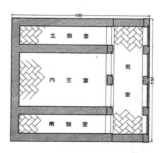

도 2 | 《투시도》(좌), 《평면도》(우), 전와창묘

8　南陽市博物館, 「南陽縣趙寨磚瓦廠漢畵像石墓」, 『中原文物』, 1982年 1期.

9　信立祥, 김용성 역, 『漢代 畵像石의 世界』, 학연문화사, 2005.

문과 옥벽도상은 묘주 시체의 부패를 방지하기 위한 것이다. 소누도는 조채 전와창 한묘의 청당, 나무, 천벽 모두 곤륜산선계를 나타낸다고 보았다.

제1기 남양화상석묘의 특징을 정리하면 조기 화상석의 내용은 비교적 간단하여 기하학 도안과 건축화상 양대 주제로 구성된다. 특히 기하학도안이 가장 많다. 기하학 도안은 조채 묘의 경우 문비와 문주 하부에 있는데 문주 하부는 능형도안, 문비 하부는 오성연주五星聯珠 도안이다. 건축화상은 5개의 문주와 8개의 문비 상반부에 궐, 누각과 같은 건축화상을 중복하여 대칭으로 배치하였다. 건축화상 역시 명료한 도안화의 특징을 보인다. 기법은 음선각과 양선각의 두 종류가 있고, 소량의 천부조가 출현한다.

2) 제2기 화상석묘의 구조와 주제

남양지역 제2기(서한 만기) 화상석묘는 왕망의 신 이전과 왕망시기 고분으로 나뉜다. 서한 만기(왕망 신 이전)의 대표적 고분으로는 남양南陽 양관사楊官寺 한화상석묘, 신망시기의 당하唐河 신점촌新店村 풍군유인馮君孺人 화상석묘(왕망 천봉5년), 당하唐河 침직창針織廠 한화상석묘, 당하唐河 전창電廠 한화상석묘, 당하唐河 백장白莊 한화상석묘가 있다. 제2기 화상석묘의 구조는 주실, 전실, 좌우 양이실로 구성되며 전석혼합결구이다. 묘실 평면은 서한 만기의 전형적 묘장 형식인 '회回'자형이다. '회'자형묘는 한 개 또는 2개의 후실(주실) 사이에 하나의 칸막이벽(격장隔墻)이 형성된 형태이다. 백장 한묘(신망시기)는 장방형 다실묘로 회랑과 주실 전면에 장방형 전실이 형성되었는데 이는 서한 중기의 조채묘에서 발전, 변천한 것이다. 풍유인묘도 '회'자형묘로 전실을 제외하고 용도 및 남북이실은 벽돌로 지어졌다.

제2기의 전반부인 왕망 신 이전 시기를 대표하는 양관사묘는 1962년 3월 발굴되었으며, 너비 5.6m, 길이 6.47m의 석축묘로 무덤의 방향은 동향이다.[10] 고분은 전실, 주실, 남측실, 북측실, 후실로 구성되었다. 주실은 격벽에 의해 남북주실로 나뉜다. 화상은 묘문과 주실의 문에 집중 배치되었다. 묘문에는 능형문, 옥벽문, 천벽문이 그려졌다. 문주 앞면에는 쌍궐청당도가, 문기둥 아래에 백락상마도(백락이라는 제기)가 있다. 수렵도에는 '산山'자 제기가 있다. 그 외에 역사고사화상으로 공자와 노자, 향탁의 세 인물이 그려진 공자견노자도孔子見老子圖, 도망가는 조순趙盾과 사나운 개가 쫓는 모습이 그려진 진영공晉靈公과 조순의 고사도가

---

10 河南省文物管理委員會, 「河南南陽楊官寺漢代畵像石墓發掘報告」, 『考古學報』 1963年 1期.

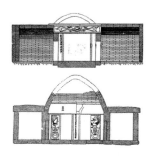
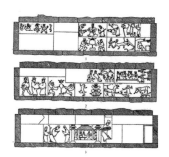

도 3 | 《평면도와 투시도》(상), 《부면도》(하), 풍유인묘

있다. 남양 양관사묘의 화상석은 서한 중기의 화상석과 기본적으로 유사하다.

제1기의 조채묘와 당하현 석회요촌묘에는 쌍궐누각수목도, 쌍궐청당수목도 등의 주제가 나타나고, 문비, 문주, 문액석에만 화상이 새겨진다. 제2기 양관사묘에서는 제1기의 화상석이 출현하는 묘문 입주와 문비 외에, 전실 안의 주실 문비, 후실에 화상이 배치되어 화상 배치가 확대된 것을 알 수 있다. 이는 화상석 장식이 묘문에서 묘실을 향하여 안으로 이동하는 추세를 표현하는 것이다. 건축, 기하학 도안이 비교적 큰 비중을 차지하며, 일정 수량의 역사고사, 소량의 신수신인神獸神人 등 인물과 동물화상이 출현한다. 새로운 주제인 역사고사 화상이 출현하면서 묘실 화상의 내용이 사당화상의 영향을 받기 시작한 것을 알 수 있다. 또한 화상 위치, 내용에서 현저한 과도적 특징이 드러난다. 하나의 화면을 나누지 않고 주종을 불문하고 여러 폭의 내용이 다른 내용의 화상을 배치하고 있다. 이는 서한 말기까지는 남양 지역 화상배치에 아직 일정한 규칙이 없는 상태를 보여준다.

제2기 중에서 후반에 해당하는 왕망시기 대표 한화상석묘는 당하현 신점촌 욱평대윤 풍유인 화상석묘(왕망 천봉 5년), 당하 침직창 한화상석묘, 당하 전창 한화상석묘, 당하 백장 한화상석묘가 있다.

1978년 발굴된 풍유인묘는 '郁平大尹馮君孺人始建國天鳳五年十月十柒日癸巳葬'이라는 기년명문이 있어 왕망 천봉 5년(기원후 18)에 지어진 것을 알 수 있는 화상석묘이다(도3). 동향의 묘실 평면은 '회回'자형으로 동서 길이 9.5m, 남북 너비 6.15m이다.[11] 전실을 제외하고 용도 및 남북 이실은 벽돌로 축조하였다. 전실 뒤에 문이 있어 남북으로 긴 중실과 통하고 중실 뒤쪽에 남후실과 북후실이 있다. 중실 남북 양쪽에는 문이 있어서 회랑과 통한다. 중실은 궁륭형, 전실은 아치형, 나머지 묘실은 평천장이다. 묘실 안 여덟 개소에서 석각문자 제기가 발견되었다. 이를 통해 묘주의 성명과 신분, 묘의 축조연대 및 묘실의 명칭과 용도를 알 수 있다. 총 35건의 화상석이 발견되었으며 화상 위에 주칠이 되어있다.

또 다른 왕망시기 대표적 화상석묘인 당하현침직창묘는 1971년 발굴되었다(도4).[12] 동향이며, 전실, 주실, 회랑으로 구성되었다. 고분은 동서 길이 5.08m, 남북 너비 4.25m, 높이 2.23m이다. 주실은 격벽으로 나누어 남주실과 북주실로 구성되며, 석판을 이용한 평천장이다. 묘문, 각 실의 벽면, 전실과 주실의 천장부에 모두 풍부한 내용의 화상이 있다. 침직창한묘의 천상도는 잘 알려져 있는데 북주실과 남주실 모두 6개의 석판으로 구성되었다. 북주실 묘정은 백호·삼족오, 하백출행, 사령四靈, 장홍長虹, 태양, 백호가 있고 남주실의 묘정에는 달과 원형의 별 연속도안이 있다.

왕망시기 남양지역 화상석의 특징을 정리하면 묘장 내에서 화상 수량이 증가하고, 조형예술이나 조각 수준이 모두 발달하였다. 화상이 묘문 정면에 국한되지 않고, 묘문 뒷면 및 주실 내에도 위치하며, 주실 내부가 화상을 표현하는 주요 공간이 된다. 그리고 하나의 돌 양면에 화상을 새기는 경우가 증가한다. 화상 내용은 사실 위주로 묘주의 생전 생활 내용을 반영한 것이 많다. 또한 상서, 구축驅逐, 승선제재 화상이 일정 비율을 차지하기 시작한다. 승선 화상이 점차 증가하면서 이후의 동한 한묘에서는 대량으로 출현하게 된다. 이는 한대 민간 도교 신앙의 성숙과 동한 참위학讖緯學의 홍성과 연계되어 있다. 서한 중기 성행한 도안과 건축 화상은 드물게 출현한다. 서한 중기 이후 한무제 시대 유가사상이 정통화되면서 이 시기 화상 중에도 유가논리, 도덕관념을 반영한 역사고사화상이 많이 출현한다. 제2기

---

11   南陽地區文物隊, 南陽博物館, 「唐河漢郁平大尹馮君孺人畵像石墓」, 『考古學報』, 1980年 2期.

12   周到, 李京華, 「唐河針織廠漢畵像石墓的發掘」, 『文物』, 1973年 6期.

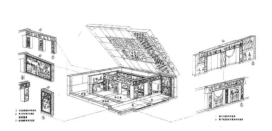
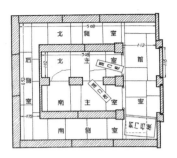

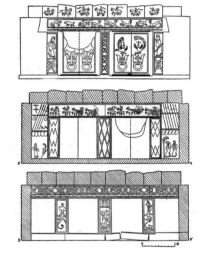

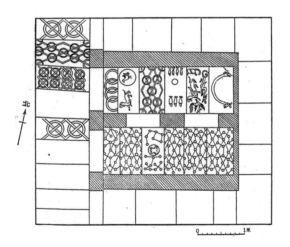

도 4 |《투시도와 평면도》(상),《부면도》(하) 침직창묘

후반부인 왕망시기에 이르면 고분 내에서 화상의 배치에 이미 일정한 규율이 출현한다. 조기의 단순함을 벗어나 과도기에서 여러 종류의 내용과 풍격이 융합하여 일체화되는 단계라고 할 수 있다. 이를테면 문미 정면에는 이룡천벽(또는 교미交尾), 거기출행車騎出行 또는 축역구마逐疫驅魔 등이 그려지고, 문주 정면에는 문리를 많이 새기며 소량의 도안도 존재한다. 문비 정면 화상으로는 대개 주작과 백호, 포수함환이 출현한다.

왕망시기 이전 묘장은 묘문 정면에 화상이 그려지나, 왕망시기에는 묘문 뒷면에도 화상, 특히 문리, 무사류가 새겨진다. 묘실 내에는 악무기에, 배알연음이 많이 묘사된다. 또한 순석 구조의 묘장 천장부에 천문성상 화상이 출현하는 것이 특징이다. 이를테면, 침직창묘 묘정에 일월성숙 및 관련 천문신화 화상이 있다. 기법은 박지천부조를 위주로 한다. 풍군유인묘 중 한 폭의 궐장도는 소량의 양선각의 예이다. 비교적 이른 신망시기 몇몇 고분의 화상은 서한 중기 화상의 주요 특색을 보존하고 있으나, 비교적 늦은 신망시기 묘장은 초기 화상 격식을 탈피하여 완전히 새로운 예술풍격을 형성한다.

3) 제3기 화상석묘의 구조와 주제

제3기(동한 조·중기)는 남양화상석묘의 최성기로 발굴된 묘장의 수량이 가장 많다. 남양 당하唐河 침직창針織廠 2호 한화상석묘, 방성方城 동관東關 한화상석묘, 방성현方城縣 성관진城關鎭 한화상석묘, 남양현 영장英莊 한화상석묘, 남양 중건칠국기계창中建七局機械廠 한화상석묘, 남양 석교石橋 한화상석묘, 등현鄧縣 장총점長家店 한화상석묘, 남양시 기린강麒麟崗 한화상석묘, 남양 초점草店 한화상석묘 등이 있다(도5).

제3기 남양 화상석묘의 구조적 특징은 이전의 장방형과 '回'자형 평면 외에 'T'자형, '品'자형 등 새로운 구조가 출현한다. 장방형묘에서 발전한 'T'자형은 남양현 영장 한화상석묘에서 보듯이 전실의 너비가 주실보다 넓다. 남양 석교 한화상석묘의 경우 전실, 양 이실, 남후㈜실, 북후실의 다섯 개의 묘실로 구성되었는데 전실이 주실보다 넓은 것 외에 부장품 배치를 위해 좌우 이실을 사용한 것을 볼 수 있다.[13] 방성 동관묘의 '회'자형 구조는 서한 만기 '회'자형 묘의 유존이다. 장방형과 T자형은 대부분 두 개의 주실이 병렬된 부부합장묘이며, 삼주실 병렬은 중건칠국기계창묘, 초점묘, 기란강묘등에서 보이나 그 수가 많지 않다. '品'자형은

---

13 석교 화상석묘는 동향의 고분으로 화상석은 묘문과 각 실의 문에 집중 배치되었다. 무덤 내부의 동서 길이는 4.02m, 남북 너비는 7.02m이다. 각 실의 천장은 모두 아치형이다.

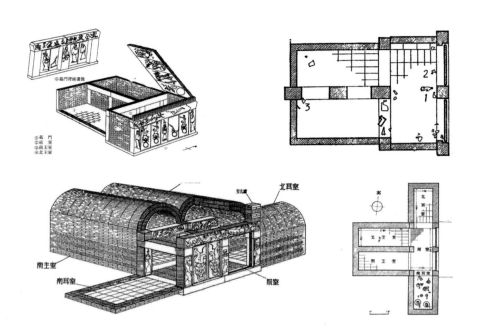

도 5 | 《투시도와 평면도》, 석교묘(상), 영장묘(하)

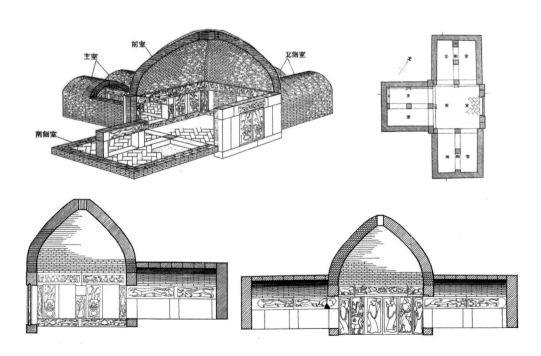

도 6 | 《투시도와 평면도》(상), 《부면도》(하), 장총점묘

T자형묘에서 발전한 것이다.

제3기의 대표고분으로는 등현 장총점 화상석묘가 있다(도6).[14] 1973년 발굴되었으며 동향의 전석축 화상석묘로 많은 수량의 화상석이 발견되었다. 전실, 후(㉑)실, 남북 측실로 구성되었으며, 후실과 남북측실은 각각 석축의 격벽으로 나뉜다. 후실은 사이에 문이 있어 서로 통하는 병렬의 묘실로 구성되었다. 묘문, 전실 네 벽, 후실 및 남북 측실 격벽에 화상을 가득 새겼다. 묘문 문액석의 앞면과 뒷면, 후실 문액, 후실과 남북 측실의 격벽의 양변 및 문짝의 상부에 모두 선금신수도상이 있어서 무덤 안에서 선금신수도상이 전체 화상의 절반 이상을 차지한다. 남양지구 화상 배치를 보면 벽사와 묘주 영혼과 시체를 안전하게 보호하는 화상 내용이 주를 이루는데 남양지구 민간풍속과 직접 관련이 있는 것으로 여겨진다.

제3기 화상석의 특징을 정리하면 대개 전석혼합묘로 석재는 주로 묘문, 주실의 문, 이실(또는 측실)의 문, 전실 들보 및 주실 격장 등의 부분에 사용되었으며 화상도 이들 부분에 집중되어있다. 석재 사용량이 감소하고 벽돌 사용이 증가하여 화상석을 새기는 데 있어서 석재 이용률이 높아졌다. 따라서 묘에서 석면이 있는 곳에는 기본적으로 모두 화상을 새겼다. 또한 하나의 돌에 여러 주제의 그림을 그리는 현상이 보편화된다. 어떤 경우는 하나의 돌에 4종의 화상이 담겨있다. 화상 내용이 풍부하고 제재가 다양하다. 각 종류의 화상이 묘에서 비교적 일정한 위치에 출현한다. 동한시대 참위미신사상의 발달로 신화, 상서, 벽사, 승선 화상이 상당히 높은 비율로 나타나며 고분 안에서 중요한 위치를 차지하고 있다. 조기에 유행했던 기하도안과 건축화상은 소량만 존재하며 일반적으로 차지하는 면적이 극히 적으며 장식적 의미가 농후하다. 역사고사는 비교적 드물다.

많은 수의 고분에서 화상 내용과 배치에 격식화의 경향이 보인다. 묘의 문비 정면에는 축귀벽사의 화상과 상서승선화상을 많이 새겼다. 예를 들면 문비 정면에 대부분 백호 포수함환 화상을 배치하여 축귀벽사의 의미가 두드러진다. 서한시기에 주작과 백호를 문비에 상대적으로 병렬하던 화상이 드물어졌다. 묘문 입주 정면을 보면 문리를 배치하고 문리의 위쪽에 곰, 주작, 선학, 다두신조 등 신금서조가 출현한다. 전실 들보 양측에 응룡 또는 청룡, 백호 화상을 많이 그렸다.

고분의 전실 개정석 아랫면에는 대부분 일월성수 또는 천상신화화상이 있다. 대표적인

---

14   南陽漢代畵像石 編輯委,「鄧縣長塚店漢畵像石墓」,『中原文物』1982年 1期.

예인 기린강한묘 묘정 천상도는 모두 9개의 석판으로 구성된다. 운기문 장식을 배경으로 중앙에 사신四神 및 황제, 좌단에 여와, 남두육성, 우단에 복희와 북두칠성의 세 부분으로 구성된다. 중앙에 산형관을 쓴 황제 형상을 새겨 한대 성행한 오행 관념을 보여준다. 기린강묘의 복희 여와는 천상도의 하나의 구성 부분으로 나타나는데 다른 남양 고분에서 복희 여와가 통상 묘문에 위치하는 것과 대조된다.

왕장 화상석묘 묘정 천상도는 상희 봉월도, 청룡, 풍우, 하백도가 그려진 5개의 석판으로 구성되었다. 남양 신점진 영장 4호한묘의 전실 묘정 천상도는 4개의 석판으로 구성되었다. 남에서 북으로 양조, 응룡, 호거승선, 항아분월의 순이다. 화면 중앙에 거대한 양조가 있고 뒤에 일륜을 지고 있다. 주위가 운기선으로 둘러싸여 있으며 일훈이 출현한다. 그 외에 초점한묘, 남양 동관진묘도 천상도로 유명하다.

제3기의 화상석묘의 주실 문미에는 무악기예를 많이 배치한다. 대개 주실 양측주 정면 또는 중주 정면에 복희와 여와 합상 또는 꼬리 부분이 상교하는 도상이 있다. 측주의 경우 하나는 복희, 하나는 여와를 새겼다. (많은 경우 손에 선초仙草, 화개, 일월을 듬) 많은 묘실의 입주 상에 대량의 시녀 형상이 출현하는 점은 서한시기의 묘장에서 시녀 화상이 극히 적은 점과 대조된다.

4) 제4기 화상석묘의 구조와 주제

제4기(동한 만기)는 남양화상석의 쇠락기로 묘장 수량이 이전에 비해 감소한다. 대표고분으로는 남양 중원기교中原機校 한화상석묘, 방성方城 당장黨莊 한화상석묘, 양성현 자구 한화상석묘(영건永建7년 축조) 등이 있다. 제4기 화상석묘들은 장방형, 중자형, 십자형, 요철형 등 다양한 형태를 가진 대형다실묘이다. 동한 중기 이후 화상석묘가 이미 쇠퇴하기 시작하였기 때문에 화상석 수량이 감소한다.

제4기의 대표적 화상석묘는 1963년에 발굴된 양성현 자구한화상석묘(영건7년 축조)가 있다(도7).[15] 서향의 무덤으로 동서 길이 11.6m, 남북 너비 9.22m이다. 전실, 중실, 후실과 좌전실左前室, 좌후실, 우전실右前室, 우이실右耳室 등 모두 8개의 묘실로 구성되었다. 전실과 우이실은 아치형 천장이고 나머지는 궁륭형 천장이다. 각 실의 문은 석재이며 나머지는 모두 벽

---

15 河南省文化局文物工作隊, 「河南襄城茨溝漢畵像石墓」, 『考古學報』, 1964年 1期.

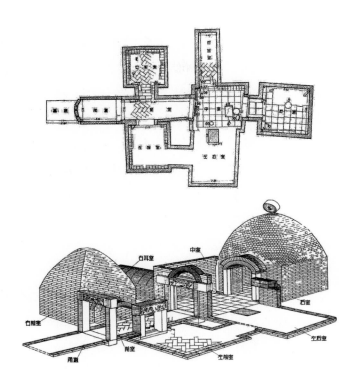

도 7 | 《평면도와 투시도》, 자구묘

돌로 축조되었다. 중실 북벽 중부에 주서朱書의 제기(영건칠년정월십사일조永建七年正月十四日造)
가 있다. 동한 순제順帝(재위 125~144)의 연호 영건7년 3월(132)에 해당된다. 후벽 개정석에 두
꺼비와 월륜도가 그려져 있고, 묘문, 좌전실문과 중실문의 문액석에 화상석이 있다. 중실문
의 문액석은 양면에 화상이 있으며 모두 선금신수도이다. 총 5건의 화상석이 있다.

　제4기에 와서는 화상내용이 단순해지고 많은 경우 중복되며 조각기법이 다소 떨어진다.
제1기와 같이 기하도안이 비교적 많고, 이룡천벽, 이룡교미 화상이 많이 나타난다. 반면 동
물, 문리, 상서, 구사축역, 승선, 무악기예의 화상은 드물게 보인다. 묘문에 백호 포수함환 화
상이 새겨지고 묘실의 궁륭천장 중앙에 두꺼비, 연화 화상이 나타나는데, 연화의 출현은 동
한 만기 불교예술이 남양에 유입되어 이 지역 장속에 영향을 미친 것을 보여준다.

3. 남양 화상석의 특징

　이상으로 남양 한대 화상석의 분기별 주요 고분의 구조와 화상석 주제의 특징을 정리하

였다. 남양지역 화상석묘는 단실묘, 전후이실묘前後二室墓, 전중후삼실묘前中後三室墓 등 고분 구조면에서 다양한 변화를 볼 수 있다. 남양지역 화상석묘에는 산동, 안휘, 강소 등지에서 보이는 석곽묘石槨墓가 없다. 무덤의 구조는 비교적 복잡하여 순석純石결구의 묘장도 있고 전석磚石 혼합축조 묘장도 있다. 무덤 구조는 단순한 것에서 복잡한 구조로 변화하였으나 복잡한 구조의 무덤이 출현한 후에도 단순한 형태의 고분 역시 축조되었다.

남양 지역의 화상석 생산은 서한 중만기에서 동한 조·중기까지 번성하고 동한 만기에 쇠락한다. 사당 화상석이 많은 산동지역과 달리 남양지역 한화상석은 모두 고분에서 출토되었다. 농경생산을 포함하여 생산활동을 주제로 한 화상이 거의 보이지 않으며, 역사고사 화상도 비교적 적다. 신귀상서류神鬼祥瑞類의 내용이 비교적 많으며 그 중에서도 천상 관련 화상이 풍부하다. 또한 화상석묘 내부의 화상 분포에 일정한 규칙이 있다. 배치에 따라 세 가지 주제로 나뉠 수 있는데 첫째는 묘정 화상으로 천문성상, 신화 구성의 천계이다. 둘째는 묘실 사면 벽의 화상으로 한대 사회현실 생활을 반영하거나 역사고사 주제의 화상이 장식되었다. 셋째는 묘문 화상으로 상서, 승선, 벽사류이다. 당시 천장을 천신의 거주지로 여겨 많은 신화 전설화상을 묘정에 새긴 것을 볼 수 있다. 묘문은 묘주인 영혼 승천의 통과처로서 축귀벽사에 있어서 중요한 장소이며, 묘문에 구사축역驅邪逐疫의 의미를 가진 대량의 상서, 승선, 벽사 종류의 화상이 분포한다. 중요한 천문성상 화상이 발견되는 화상석묘는 제2기와 제3기에 주로 나타나며, 대표적 예로는 침직창한묘, 기린강한묘, 고묘한묘, 신점진 영장 4호 한묘, 왕장 화상석묘 등이 있다.

한대 화상석의 연구는 고구려 고분벽화의 이해를 위하여 기본적으로 선행 연구되어야 하는 분야임에도 불구하고 한대 벽화고분에 비교할 수 없이 많은 수량의 화상석 발굴자료를 다루어야 할 뿐 아니라 화상석 제작의 배경이 되는 한대의 역사문화 연구가 병행되어야 하는 탓에 아직까지 국내에서는 일부 연구자를 제외하고 연구성과가 축적되지 못한 상태이다. 이상으로 남양지역 한대 화상석의 발달과 분기별 특징을 정리하였으며 중요한 개별 남양 화상석묘에 대한 사례연구로 다음에서는 하남성 남양 기란강한묘에 대하여 살펴본다.

Ⅱ. 남양 기린강한묘 연구

1. 기린강한묘의 발굴

고구려 고분벽화의 연구는 고구려 벽화의 독자성과 개별성에 대한 고찰과 함께 그 발생과 기원에 큰 영향을 미친 중국의 한대에서 당대까지의 고분미술의 발달에 대한 비교 이해가 병행되어야 한다. 최근까지 고구려 벽화 연구자들에 의한 중국 고분벽화와의 비교연구가 활발하게 진행되어 왔으며 이에 따라 해당 분야에서 어느 정도 연구 성과가 축적된 상태이다. 고구려 벽화의 발생에 영향을 미친 한대 고분미술의 이해는 고분벽화와 함께 고분 및 사당 화상석의 이해가 같이 이루어져야 한다.

한대의 사당, 고분, 궐 등을 장식한 화상석은 중국, 일본, 서구에서 오랜 기간 동안 꾸준히 연구가 진행되어왔으며 한국에도 개설적인 연구 성과들이 번역 소개되어 있다. 그러나 고구려 벽화와 한화상석과의 비교연구는 회화와 조각이라는 장르의 차이점, 동한시대에 주로 발달한 점, 고구려 벽화와 직접적으로 연결되는 위진시대 화상석고분, 사당은 드문 점 등의 이유로 인하여 오랜 기간 동안 고구려벽화 연구에 천착한 선도연구자를 제외하고는 관련학자들에 의한 비교연구가 아직 활발하게 확대되지 못한 상태이다. 이에 따라 고구려 벽화 이해를 위하여 한대 화상석의 발달과 대표적 제재들을 지역과 시기별로 고찰하는 기초 작업의 필요성을 인식하고 이를 위해 사례연구로서 한대 화상석의 대표적 출토지역인 하남성의 한대 화상석고분을 선택하여 고찰하고자 한다.[16]

신입상信立祥의 분류에서 한대 화상석의 2대 분포구는 산동성 전체, 강소성 중북구, 안휘성 북부, 하남성 동부, 하북성 동남부(제1분포구)와 하남성 서남부와 호북성 북부지구(제2분포구)이다. 제1분포구와 함께 제2분포구는 일찍이 서한 중기에 한화상석묘가 출현하여 유행한 발상지면서 가장 영향력이 컸던 분포구이다.[17] 하남성의 한화상석 주요 발견지역은 남양, 당하, 등현, 방성, 신야가 있다. 그중에서도 남양시는 한대漢代 형주자사부荊州刺史府의 남

---

16 기린강 한화상석묘에 대한 부분은 박아림, 「中國 河南省 南陽 麒麟崗漢墓 硏究」, 『고구려발해연구』, 제38집, 고구려발해학회, pp. 281~318을 재수록하였음.

17 신입상, 『한대화상석의 세계』, 학연문화사, 2005, p. 28.

양군南陽郡의 치소인 완성宛城으로 서한시대 낙양洛陽, 한단邯鄲, 성도成都 등과 함께 전국 오도五都 중 하나였으며, 남북교통의 요충지로서 당시 남북무역의 최대 집산지였다. 한나라 정부는 이곳에 철관, 공관 등 관영수공업 공장을 설치하였고, 서한 중기에는 전국에서 제일 유명한 상공업 도시로 발전한다.[18] 서한 중기 어사대부御使大夫 상홍양桑弘羊도『염철론鹽鐵論』에서 서한의 상업도시 가운데 완을 처음으로 꼽아 완성의 경제 발달 정도를 짐작할 수 있다. 남양인南陽人 장형張衡의 문학작품인『남도부南都賦』를 통해서도 완성宛城과 그 주변의 모습을 짐작할 수 있다. 『한서漢書』지리지地理志에 의하면 남양군에는 서한 만기에 36개의 현이 설치되고 호수가 359,316호, 인구 1,942,050인으로 전국 최대의 군이 된다.

또한 동한시대에는 개국 황제인 광무제光武帝 유수劉秀가 남양군 채양현蔡陽縣 사람으로 기원전 1세기에 남양군을 분봉 받고는 세력을 확장하였다. 동한 제국을 건국한 유수는 많은 남양군 출신의 근친과 공신들을 중용하여 조정 중신으로 임명하여 32명의 개국공신 가운데 13명이 남양군 출신이고 운대雲臺에 올려진 28명의 장군 가운데 10명이 남양군 출신이었다. 동한시대 황후 다섯 명과 귀인 한 명이 남양인이고 남양군의 공주로 봉해진 사람이 일곱이나 된다. 남양군은 제향帝鄉으로서 경제가 발전하면서 인구가 급격하게 증가하였다.『속한서續漢書』군국지郡國志에 의하면 동한시대 남양군에는 현성이 37개, 호수가 528,551호, 인구는 2,439,618인이었다.[19]

이러한 정치적 안정과 경제적 발달을 배경으로 남양에는 많은 화상석묘가 지어졌으며 1949년 이래 남양 경내에 발굴된 한화상석묘가 60기가 넘는다. 기린강 한화상석묘, 방성 한화상석묘, 영장 한화상석묘 등 대표적인 남양 한화상석묘에서 나온 주요 화상석은 1935년 창건되고 2000여 건의 화상석이 소장된 하남 남양한화관에 전시되어있다. 2010년 2월 남양한화관을 방문하여 기린강 한화상석묘, 방성 한화상석묘, 영장 한화상석묘 등에서 나온 주요 화상석들을 실견하였다.

1988년 남양시 박물관이 남양시 서교西郊 기린강에서 발굴한 기린강 한화상석묘는 현재까지 남양 지구에서 발굴된 화상석묘 중에서 가장 풍부한 화상내용이 갖춰진 무덤 중 하나이다.[20] 기린강한묘가 위치한 남양시 서교西郊 3.5㎞의 기린강촌 서변西邊의 동쪽에 백리해

18 『漢書』召信臣傳, 신입상,『한대화상석의 세계』, 학연문화사, 2005, p. 28.
19 『續漢書』郡國志, 신입상,『한대화상석의 세계』, 학연문화사, 2005, pp. 27-28.
20 당시 개발 지역에 위치한 大塚(높이 약 2.6m, 1500㎡)의 아래 부분에 분포한 24기의 묘장 가운데 한 무덤

촌百里奚村이 있다. 백리해촌은 춘추시대 진국秦國 목공穆公의 재상 백리해의 고향으로 기린 강의 이름이 "인중기린人中麒麟" 백리해가 이곳에 은거하여 얻었다고 하는 설이 있어[21] 기린 강이라는 명칭이 이미 한대에 존재했을 가능성이 있다. 또한 북송北宋 구양수歐陽脩의『집고 록集古錄』에 의하면 "남양宛 서쪽에 석수石獸가 있는데 그 형상이 천록天祿, 벽사辟邪와 유사 하여 그 지역 사람들이 기린이라 불렀다"는 기록이 있다.[22]

기린강한묘는 건축에 사용한 석판石板과 조석条石이 111괴塊, 화상조각이 153폭幅에 달한 다. 대량으로 조각된 화상석만이 아니라 남양 지역에서 발견된 여러 폭의 천상도 가운데 가 장 복합적인 천상세계를 표현한 천상도가 3폭 발견되었다. 남양지역 화상석과 한대 회화의 발달을 고찰하는 데 있어서 중요한 고분일 뿐만 아니라 전국시대 초나라 지역 출토 백화와 칠기화, 서한시대 호남성 장사 출토 마왕퇴 백화, 그리고 동진 고개지의 회화를 잇는 높은 수준의 인물화가 그려져 있어 연구의 가치가 높다.

고구려 고분벽화를 포함하여 동아시아 고분미술의 상당수 제재들은 서한시대 호남성 장 사 마왕퇴 1호 한묘에서 출토된 백화에서 그 기원을 찾을 수 있다. 기원전 2세기에 제작된 마왕퇴 백화에서 보이는 고분미술의 제재와 표현이 3-4세기 고구려 벽화가 출현하기까지 어떻게 변천 발달했는가를 보여주는 한대 벽화와 화상석의 고찰은 고구려 벽화의 이해에 필수적이다. 따라서 마왕퇴백화와 같은 전국시대~한대 초문화에 직접적인 영향을 받은 남 양 한화상석을 살펴봄으로서 고구려 벽화 제재의 기원과 표현방식의 연원을 고찰해보고자 한다.[23] 하남성 남양지역의 대표적 한화상석묘로서 남양기린강한묘의 구조적 특징과 화상

이 기린강 한화상석묘이다. 같은 해 5월 10일에 발굴이 진행되었으며 M12호로 편호하였다. 黃雅峰,『南 陽麒麟崗漢畵像石墓』, 三秦出版社, 2007, p.1. 한옥상은『남양한화상석』에서 기린강한묘에 110塊의 화상 석을 사용하였으며 155幅의 화상이 있다고 기록하였다. 韓玉祥,『南陽漢代畵像石墓』, 河南美術出版社, 1998, p.135.

21 『水經注』, "梅溪又南逕百里奚古宅." 黃雅峰,『南陽麒麟崗漢畵像石墓』, 三秦出版社, 2007, p.34.

22 『集古錄』, "南陽(宛) 西有石獸 其形狀與 天祿, 辟邪相類, 當地人稱之爲麒麟 村莊也因之而得名." 黃雅峰, 『南陽麒麟崗漢畵像石墓』, 三秦出版社, 2007, p.1.

23 춘추전국시대에 남양은 장기간 초나라 관할범위에 속하였다. 이 지역의 淅川縣 경내에 많은 대형 춘추 시대 초나라 고분이 있으며 남양시, 方城縣, 新野縣에서도 초나라 유물과 유적이 발견되었다. 남양한화 중의 진묘수(또는 해치)와 大儺逐疫 장면은 楚人의 鎭鬼辟邪 習俗을 계승 표현한 것이다. 남양의 악무 백잔화상도 舞樂이 성행하였던 초문화의 영향과 유관하다.『楚辭』「九歌」 王逸註에 의하면 "昔楚國南郢 之邑, 沅, 湘之間, 其俗信鬼而好祀. 其祀, 必作歌樂鼓舞以樂諸神."이라고 하였다. 남양 한화 중에서 초나 라에서 기원한 建鼓舞가 중요한 무용 형식으로 호좌나 장방형좌를 가진 건고가 위주가 되고 두 명이 춤 을 추는 형태이다. 증후을묘의 원앙형합의 칠화와 신양 장대관 초묘에서 유사한 건고무가 있으며 증후

석 제재의 종류 및 배치의 특징과 대표적 제재의 표현양상, 남양화상석의 문화적 기원 및 지역적 영향관계를 살펴 봄으로서 남양지역 다른 화상석묘와 비교하여 고찰하고 이를 통하여 고구려 벽화의 기원과 발달에 영향을 미친 동한시대 한화상석의 지역적 발달상과 표현양상을 연구하고자 한다.

2. 기린강한묘의 구조와 화상석의 제재

1) 구조

기린강한묘는 서향座東向西의 횡혈식다실橫穴式多室 아치형 천장拱券頂묘로서 전磚, 석石을 혼합하여 축조한 무덤이다. 묘정이 지표보다 낮으며 묘의 총길이 4.10m, 너비 3.58m이다.[24] 묘의 중심 구조는 전부 석, 석판으로 구성되었다. 모두 111개의 석판을 사용하였으며 석판에 새겨진 화상은 153폭이다. 묘실 평면은 "이而"자형이다. 무덤은 두 개의 대문, 전실前室, 남주실南主室, 중주실中主室, 북주실北主室의 다섯 부분으로 구성되었다(도 8).

두 개의 대문大門은 남문과 북문으로 나뉜다. 전실은 남북으로 긴 장방형으로 두 개의 석

을묘에서 실제 출토된 건고의 사례가 있다. 남양 한화상석의 乘龍升仙, 騎虎升仙, 騎鹿升仙 등 승선 화상도 초문화의 영향이다. 용, 사슴, 호랑이, 물고기, 비렴 등 仙鳥瑞獸들은 묘주의 승선을 도와주는 기능을 가지고 있으며 이는 楚人의 습속과 통한다. 굴원의 『초사』와 같은 초나라 문헌 에는 영혼 승선 기록이 많다. 남양 한화의 신화 전설속의 신들도 초문화 영향으로 남양의 한화상석 중에 나오는 雷神, 風伯, 雨師, 山神 등 화상은 대다수 초나라 사람들의 신이다. 信鬼好巫로 알려진 초나라의 전통이 한나라 민간 祠神활동으로 계승된 것이다. 남양 한화 중의 곰도 초문화와 중요한 영향관계에 있다. 1990년 남양 한화관 소장 화상석 1260건, 화상 1700여 폭 중에서 곰이 있는 화상이 420폭 이상으로 1/4을 점한다. 辟邪逐疫의 상징인 곰은 대나의식 중에서 방상시 역할을 한다. 초인들은 곰 토템 신앙을 가지고 있었으며 이는 초나라 왕의 이름에 '熊'자가 들어가는 것으로도 알 수 있다. 남양한화 중의 주작도 초문화 영향으로 본다. 초나라에는 선조에 대한 鳳토템 신앙이 있어서 祝融을 시조로 숭상하며 鳳을 축융의 화신으로 여겼다. 각지에서 출토되는 초 문물 중에서 鳳의 조각과 도상이 많다. 호북성 강릉 우대산 초묘에서 출토된 木胎 漆繪 鳳雕像이 36종에 달한다. 韓玉祥, 「楚文化對南陽漢畵的影向」, 『漢畵學術文集』, 河南美術出版社, 1996; 李陳廣, 金康, 「南陽漢畵像石述評」, 『南都學叢』, 1990년 5期; 王玉金, 「試析楚文化對南陽漢畵的影向」, 韓玉祥 主編, 『漢畵學術文集』, 河南美術出版社, 1996, pp. 204~215; 韓玉祥 主編, 「略論南陽漢畵昇仙辟邪中的楚文化因素」, 『漢畵學術文集』, 河南美術出版社, 1996, pp. 196~203; 趙成甫, 「楚畵楚俗對南陽漢畵像石的影響」, 楚文化研究會 편, 『楚文化研究論集 4』, 湖北人民出版社, 1994, pp. 543~551. 한대 大儺 儀式에 대해서는 마이클 로이, 『古代 中國人의 生死觀』, 지식산업사, 1988, p. 160; 신입상, 『한대화상석의 세계』, 학연문화사, 2005, p. 208.

24 무덤의 南大門 門楣 上方과 前室拱券頂結合部位에 불규칙한 원형 도굴 구멍이 있다. 韓玉祥, 『南陽漢代畵像石墓』, 河南美術出版社, 1998, p. 135.

문石門과, 네 개의 석문비石門扉가 달렸다.[25]
전실 묘정은 9매의 석판으로 덮고, 석조 상부
에 다시 장방형 전돌을 사용하여 아치형 천
장拱券頂을 형성하였다.

주실은 동서가 긴 장방형으로 남북 병렬의
남, 북, 중의 삼주실로 구성되었다. 주실 문은
두 개의 문미門楣, 네 개의 입주立柱와 세 개의
석문과 6개의 석문비로 구성되었다. 북주실
과 중주실 사이에는 벽이 없이 세 개의 사각
형 기둥이 세워져 있다. 남주실 서쪽에는 소
전小磚으로 건축한 평대平臺(길이 1.72m, 높이
0.42m)가 있는데 남주실과 너비가 같다.

전실과 같이 북주실은 6매의 석판, 중주실
은 4매의 석판을 이용하여 천장을 덮었다. 다
음으로 세 주실 모두 소전을 사용하여 아치

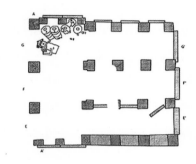

도 8 | 기린강묘 위치와 《평면도》

형 천장을 만들었다. 대문, 전실, 삼주실의 치수는 다음 표와 같다(표 1).

표 1 | 기린강 한화상석묘 묘실 치수

	길이	너비	높이
묘도		3.2m	
남문		0.96m	1.42m
북문		1.12m	1.37m
전실	1.36m	4.04m	1.45m
북주실	2.74m	0.94m	0.94m(지표~석판천장) 1.54m(지표~벽돌 천장)
중주실	2.74m	0.95m	0.92m
남주실	2.68m	0.78m	1.58m

다음에서는 기린강한묘를 다른 남양지역 화상석묘들과 무덤구조면에서 비교해본다. 한

---

25 남주실 앞의 전실은 대문이 설치되지 않고 남주실 앞쪽의 묘의 대문에는 아무런 화상석 장식이 없다. 二
大門 뒷면이 전실 서벽이 된다.

옥상은 남양화상석묘의 발달을 네 기로 구분하고 기린강한묘를 제3기 동한 조·중기로 편년한다.[26] 남양화상석묘 제1기를 대표하는 고분은 남양시 조채 전와창 한화상석묘이다.[27] 남양시 조채 전와창 한화상석묘는 주실, 전실, 두 개의 측실로 구성되며 전석磚石혼합구조이다. 서한 중기인 소제昭帝시기(재위 기원전 86~74)에 건축된 것으로 추정되며 하한은 선제宣帝 시기(재위 기원전 73~49)이다. 남양지역 제2기(서한 만기) 화상석묘는 왕망 신 이전과 왕망 시기 고분으로 나뉜다. 남양 양관사 한화상석묘, 신망시기의 당하 신점촌 풍유인 화상석묘(왕망 천봉 5년), 당하 침직창 한화상석묘, 당하 전창 한화상석묘, 당하 백장 한화상석묘가 있다.[28] 제2기 화상석묘의 구조는 주실, 전실, 좌우 양이실로 구성되며 전석혼합결구이다. 묘실 평면은 서한 만기의 전형적 묘장 형식인 회'回'자형이다.

기린강麒麟崗한화상석묘가 속하는 제3기(동한조·중기)의 화상석묘로는 남양 당하 침직창 2호묘, 방성 동관묘, 방성현 성관진묘, 남양현 영장묘, 남양 중건칠국기계창묘, 남양 석교묘, 등현 장총점묘, 남양 초점묘 등이 있다.[29] 제3기 남양 화상석묘의 구조적 특징은 이전의 장방형과 '회回'자형 평면 외에 'T'자형, '품品'자형 등 새로운 구조가 출현한다. 장방형묘에서 발전한 'T'자형은 남양현 영장 한화상석묘에서 보듯이 전실의 너비가 주실보다 넓다. 남양 석교 한화상석묘의 경우 전실, 양 이실, 남주실, 북주실의 다섯 개의 묘실로 구성되었는데 전실이 주실보다 넓은 것 외에 부장품 배치를 위해 좌우 이실을 사용한 것을 볼 수 있다.[30] 장방형과 T자형은 대부분 두 개의 주실이 병렬된 부부합장묘이며, 삼주실 병렬은 중건칠국기계창묘, 초점묘, 기란강묘등에서 보이나 그 수가 많지 않다. 제4기(동한 만기)는 남양화상석

---

26 남양 한화상석묘의 발달과 분기에 대하여는 박아림, 「하남성 남양 한대 화상석묘의 발달과 분기별 특징」, 『21세기의 한국고고학 IV』, 주류성, 2011, pp.647~672 참고.

27 南陽市博物館, 「南陽縣趙寨磚瓦廠漢畵像石墓」, 『中原文物』, 1982年 1期.

28 河南省文物管理委員會, 「河南南陽楊官寺漢代畵像石墓發掘報告」, 『考古學報』, 1963年 1期; 南陽地區文物隊, 南陽博物館, 「唐河漢郁平大尹馮君孺人畵像石墓」, 『考古學報』, 1980年 2期; 周到, 李京華, 「唐河針織廠漢畵像石墓的發掘」, 『文物』, 1973年 6期; 南陽漢畵像石編委會, 「唐河縣電廠漢畵像石墓」, 『中原文物』, 1982年 1期; 南陽市文物研究所, 唐河縣文化館, 「河南唐河白莊漢畵像石墓」, 『中原文物』, 1997年 4期.

29 南陽地區文物工作隊, 唐河縣文化館, 「唐河縣針織廠二號漢畵像石墓」, 『中原文物』, 1985年 3期; 南陽市博物館, 方城縣文化館, 「河南方城東關漢畵像石墓」, 『文物』, 1980年 3期; 南陽地區文物工作隊, 方城縣文化館, 「河南方城縣城關鎭漢畵像石墓」, 『文物』, 1984年 3期; 南陽地區文物工作隊, 南陽縣文化館, 「河南南陽縣英莊漢畵像石墓」, 『文物』, 1984年 3期; 南陽市文物研究所, 「南陽中建七局機械廠漢畵像石墓」, 『中原文物』, 1997年 4期; 南陽漢代畵像石 編輯委, 「鄧縣長冢店漢畵像石墓」, 『中原文物』, 1982年 1期.

30 석교 화상석묘는 동향의 고분으로 화상석은 묘문과 각 실의 문에 집중 배치되었다. 무덤 내부의 동서 길이는 4.02m, 남북 너비는 7.02m이다. 각 실의 천장은 모두 아치형이다.

의 쇠락기로 대표고분으로는 남양 중원기교中原機校 한화상석묘, 방성 당장 한화상석묘, 양성현 자구 한화상석묘(영건永建7년 축조, 132) 등이 있다. 자구 한화상석묘는 묘도, 용도, 전실, 중실, 후실, 우전실, 좌전실, 우이실, 좌후실 등 아홉 개의 실로 구성되었다. 일곱 개의 묘실이 불규칙적으로 상호 연결된 것은 동한 후기 묘장형제의 전형을 대표한다. 묘실구조는 소전이 위주이다.[31]

하나의 전실과 세 개의 주실로 구성된 기린강한묘의 구조는 남양 일대 화상석묘의 보편적인 구조인 하나의 전실과 두 개의 주실로 구성된 형식을 벗어난 것이다. 남양화상석묘 중에서 삼주실 구성의 예를 찾아보면 남양 조기(제1기) 화상석묘로 간단한 장식문양만 발견되는 당하현 호양진 한화상석묘가 삼주실로 구성되었으며 제2기인 당하 백장한묘도 삼주실과 측실로 구성되었다.[32] 제3기 화상석묘인 석교 화상석묘, 왕장王莊 화상석묘의 묘실 평면과도 유사하나 기린강한묘는 하나의 주실이 추가되었다. 같은 제3기(동한 조·중기)로 편년되는 남양 중건칠국기계창한묘는 전실과 삼주실로 구성되어 무덤 평면 형태가 기린강묘와 같다.[33] 비교적 최근인 2001년 발굴된 남양 진붕陳棚 한대漢代 채회화상석묘彩繪畵像石墓(왕망시기 혹은 동한초년)도 묘도와 세 개의 묘실로 구성되었다.[34]

한 무덤에 두 개의 대문을 설치한 것은 서한 만기의 남양 화상석묘 중에서 출현하여 동한 시대에 유행한 것이다. 전석을 혼합하여 무덤의 축조 재료로 사용한 기린강한묘는 순석純石 결구 화상석묘나 석재를 주로 사용하고 소전을 보조로 사용한 서한 중만기 남양화상석묘에 비하여 소전의 사용이 증가하였다. 묘정에 먼저 석판을 덮고 그 위에 소전으로 아치형 천장을 만들었다.

기린강한묘에서 발견되는 153폭의 화상畵像은 무덤의 문미門楣, 문주門柱, 문비門扉, 문함門檻, 묘정墓頂, 격량隔梁, 장벽석墻壁石에 조각하였다. 조각기법은 척저천부조剔底淺浮彫이며, 개별 화상에 양선각陽線刻을 더하였다. 이러한 조각 기법은 남양 서한 중만기 화상석 중에서 출현한다. 세 주실의 앞쪽 기둥에 장식된 용두龍頭에는 투조와 고부조를 사용하였다. 조각 기법상 기린강한묘는 동한 조기 또는 이른 중기에 지어진 것으로 추정한다.

31 河南省文化局文物工作隊, 「河南襄城茨溝漢畵像石墓」, 『考古學報』, 1964年 1期.
32 南陽地區文物工作隊, 唐河縣文化館, 「唐河縣湖陽鎭漢畵像石墓淸理簡報」, 『中原文物』, 1985年 3期.
33 蔣英炬 외, 『漢代畵像石與畵像塼』, 文物出版社, 2003.
34 蔣宏杰·赫玉建, 「河南南陽陳棚漢代彩繪畵像石墓」, 『考古學報』, 2007年 2期.

2) 화상석 제재의 종류와 배치

(1) 묘실 대문 화상

다음에서는 기린강한묘의 전실과 주실의 벽과 천장에 조각된 화상석 제재의 종류와 배치를 알아본다. 기린강한묘에서 발견된 153폭의 화상의 위치를 파악하는 것은 황아봉黃雅峰의 『남양기린강 한화상석묘南陽麒麟崗漢畫像石墓』를 주로 하고 한옥상韓玉祥 주편의 『남양한대화상석묘南陽漢代畫像石墓』를 참고하였다(도9).[35] 황아봉의 책에서 CAD 작업을 이용하여 각 화상의 배치를 입체적으로 보여주고 있으나 몇몇 화상의 경우 위치 파악이 어려워 모든 화상의 위치를 아래 표에 표시하지는 못하였다. 하나의 제재에 대하여 황아봉과 한옥상의 해석이 다른 경우에만 따로 표시하고 나머지는 황아봉의 제재명을 따랐다.

표2 | 묘실 대문의 화상 배치

동왕공서왕모(황아봉)/ 仙人, 鬪獸(한옥상)		동왕공서왕모(황아봉)/ 飛龍, 升仙(한옥상)				화상없음	
門楣下面: 상희봉월(황아봉)		문미하면: 희화봉일(황아봉)					
執戟 門吏	주작 포수 함환	주작 포수 함환	집둔 문리	백호 포수 함환	백호 포수 함환	執棨戟문리	화상없음

대문은 두 개의 석문과 4개의 문비, 3개의 입주로 구성되었다(표2). 대문 화상의 주요 제재는 입호立虎포수도, 집홀인물執笏人物도, 주작포수도, 희화봉일도, 상희봉월도, 집둔문리도, 집극문리도 등이다. 그중에서도 중요 화상은 대문 문미 정면, 문비, 세 개의 입주 정면에 있다. 대문 문미 정면은 두 개의 석판으로 구성되었다. 황아봉의 해석에 의하면 동왕공과 서왕모도로서 동왕공이 화면 우측 끝 구름 위에 앉아있고, 화면 가운데에는 용이 날고 있으며 용의 앞쪽에 인수사신人首蛇身으로 두 개의 다리가 있는 여인상이 있다. 황아봉은 이 인신사신의 여인상을 서왕모로 추정한다. 황아봉에 의하면 서왕모의 좌측 괴물은 섬여蟾蜍로 서왕모의 사미를 잡고 희롱하는 상이다. 섬여의 좌측에는 긴 끈이 달린 물건(?)을 끌고 앞으로 달려가는 신괴가 있다. 반면 한옥상 등은 선인仙人, 투수鬪獸, 비룡飛龍, 승선升仙의 개별적인 제재가 한 화면에 그려진 것으로 해석한다.

---

35 黃雅峰, 『南陽麒麟崗漢畫像石墓』, 三秦出版社, 2007; 韓玉祥, 『南陽漢代畫像石墓』, 河南美術出版社, 1998.

도 9 | 《투시도》, 기린강묘

황아봉이 동왕공으로 해석한 인물은 손을 앞에 모은 측면상으로 그려진 한 남성으로 영지를 손에 든 선인이 인도하는 운기를 타고 날아가고 있으며 그 앞에는 용이 인도하고 있다. 남자인물의 관모나 옷자락이 뒤로 날리고 있어 생동감을 느낄 수 있다.

용의 앞쪽에 있는 인수사신人首蛇身의 여인상은 서왕모로 추정한다. 서왕모의 좌측 괴물은 섬여로 서왕모의 사미를 잡고 희롱하는 상인데, 이와 유사한 괴수상이 북주실과 중주실의 묘정의 천상도 중앙에도 각각 나타난다. 대문 문미 정면 화상과 두 주실 묘정 천상도 화상 모두 손에 영지를 든 인수사미人首蛇尾의 신이 곰과 같은 괴물을 희롱하고 있는 형상이다. 황아봉은 주실의 두 천상도에 등장하는 이 괴물을 고매신으로 해석하고 있다.[36]

섬여 또는 방상시의 앞에는 커다란 눈을 가진 나신의 신괴神怪가 긴 끈이 달린 물건(?)을 끌고 앞으로 달려가고 있다. 이 신괴는 주실의 벽면에 주로 묘사된 기린강한묘 특유의 독특한 풍격이 있는 신선, 신수상과 유사하다.

황아봉이 섬여로 해석한 괴물은 큰 두 눈과 곰과 같이 불룩한 배, 두 팔과 다리를 공중으로 휘젓고 있는 모습이 기린강한묘나 남양지역 다른 화상석묘에서 보이는 방상시와 오히려 유사하다. 그러나 크고 튀어나온 눈과 배의 모습이 남양지역 고분에서 보는 방상시에 가깝다. 한대 황궁에서 매년 섣달에 대나大儺라는 귀신을 쫓는 의식을 거행하였는데 대나의식의 방상시方相氏는 악귀가 두려워하는 존재로 귀신을 쫓고 질병을 물리치는 능력을 가진 무서운 신이다. 『속한서續漢書』「예의지禮儀志」에 의하면 곰의 껍데기와 황금의 네 눈은 방상시가

36　고매신에 대하여 전호태, 『화상석 속의 신화와 역사』, 소와당, 2009, pp. 13~19.

귀신을 물리치는 과정에 나신으로 분장할 때 사용하는 복장 도구이다.[37]

대문 문미 화상을 전체적으로 보면 황아봉의 동왕공서왕모도라는 해석은 다소 무리가 있는데, 이는 한화상석에서 대개 서왕모와 동왕공은 유사한 형태, 즉 인신사미상, 또는 정좌상으로 묘사되는 것이 보통이기 때문이다. 황아봉의 해석처럼 동왕공은 운기문을 타는 남성상으로, 여와는 인신사미인으로 표현되는 예는 드물다. 그렇기 때문에 화면 오른쪽 끝에 그려진 인물은 승선하는 묘주로 보고, 앞에 그려진 인신사미인은 같은 화면에 그려진 신인神人, 방상시, 용, 영지를 든 신선과 같이 승선을 인도하는 역할을 하는 것으로 해석하는 것이 타당할 것이다.

북대문(북주실 앞쪽)의 문비에는 주작포수함환 한 쌍이, 남대문(중주실 앞쪽) 문비에는 백호포수함환 한 쌍이 있다. 세 개의 입주立柱 중에서 중입주中立柱에는 집둔문리(상단에 연환), 북입주에는 집극문리執戟門吏, 남입주에는 집계극執棨戟문리가 있다. 입주에는 문리를, 문비에는 주작 또는 백호와 포수함환을 배치하는 것은 당하 침직창 화상석묘, 당하현 전창한 화상석묘, 등현 장총점 한화상석묘, 남양현 영장 한화상석묘 등 남양 화상석묘에서 자주 보이는 배치구성이다. 그 외 남대문南大門 문미門楣 하면에 희화봉일도(한옥상-일신), 북대문北大門 문미 하면에 상희봉월도(한옥상-월신)가 위치하고 있다.

다른 남양 한화상석묘의 문미 화상과 비교하면 우선 제2기, 특히 서한 만기의 당하 침직창한묘의 묘문 문미 정면에는 동물의 각저희, 묘문 문미 배면에는 기마행렬도가 있다. 제3기인 장총점묘는 묘문 문미 정면에 동물 각저희, 묘문 문미 배면에는 수렵도가 있다. 남양현 영장 한화상석묘는 묘문 문미 정면에 악무백잔이, 남양 중건칠국기계창 한화상석묘의 묘문 문미 정면에는 인간과 동물이 겨루는 각저희가 배치되었다. 이 각저희가 기린강한묘에서는 전실 문미에 나타나며 황아봉은 이를 구마도驅魔圖로 명명한다.

다른 남양한묘의 대문 문미에는 대체로 각저희가 자주 보이고 있어, 한 인물의 승선장면을 묘문 문미 정면에 그린 기린강한묘는 승선관의 직접적인 표현이 묘문에서부터 적극적으로 나타나고 있음을 알 수 있다. 이는 삼주실의 벽과 천장도 대체로 현실생활 제재보다 신수, 신인화상이 많은 것과 연관지어 생각해볼 수 있겠다.

---

37 信立祥,『한대 화상석의 세계』, 학연문화사, 2005, p. 207.

(2) 전실前室 화상畵像

전실의 주요 화상 제재는 백호, 호묘방상護墓方相, 규룡虯龍, 봉합여자捧盒女子, 영성靈星(용龍), 귀부貴婦, 배알拜謁, 황제일월신黃帝日月信, 복희, 구마驅魔, 이비二婢 등이다.

전실의 서벽(즉 앞벽) 상단 왼쪽에는 백호도가 오른쪽에는 구마도驅魔圖(황아봉)/사우射牛와 투수鬪獸(한옥상)가 있다(표 3). 입주에는 능형문, 집혜執彗문리, 시비侍婢, 집홀執笏문리가 있다. 서벽 문미는 산악문 위로 달리는 백호, 몸을 뒤로 돌려 동물을 사냥하는 기마인물, 상반신이 나신인 상투 튼 인물이 소의 뿔을 아래로 누르는 격투장면이다.

표 3 | 전실 서벽의 화상 배치 (남-북)

백호			驅魔(황아봉)/射牛와 鬪獸(한옥상)		
능형문		執彗 문리		侍婢	문리

맞은편의 전실 동벽 문미는 두 개의 석판에 묘주부부가 악무백잔을 즐기는 장면을 그렸다. 보다 크기가 작은 오른쪽 석판에는 왼쪽 석판에 비하여 보다 날카로운 선으로 의습선 등을 자세하게 묘사한 인물들이 가운데 앉아있고 이들의 머리모양이 북주실과 중주실 후벽에 새겨진 남녀묘주상과 유사하여 아마도 악무백잔을 즐기는 묘주부부의 모습으로 보인다(표 4).

전실 동벽의 네 개의 입주 정면은 봉황, 집훈로시자執薰爐侍者, 집오執晤문리, 집홀執笏문리의 순으로 조각되었다. 전실에서 각 주실로 넘어가는 입구 문지방 앞면에 맹시猛兕를 새긴 것은 무덤방 입구에 독각 진묘수를 설치하는 중국 고분의 전통과 연계되어 흥미롭다.[38]

---

38 한대 진묘수에 대한 연구로는 김수민, 「鎭墓獸의 전개와 漢代, 그 상징성에 대한 고찰」『역사민속학』, no. 36, 2011, pp. 251-278.

표 4 | 전실 동벽의 화상 배치

악무백잔						
봉황		貴婦圖		捧薰爐 侍者		執笏문리
	猛兕		猛兕		猛兕	

표 5 | 전실 북벽의 화상 배치 (서-동)

驅魔(황아봉)/鬪獸(수렵도, 한옥상)					
護墓 방상	백호		虬龍	靈星(龍)	護墓人物
	捧盒여인			귀부인	

전실의 문미 화상을 살펴보면 동벽의 악무백잔을 제외하고 모두 사람과 사람 또는 동물과 사람의 각저 장면으로 북벽과 남벽의 가문假門 문미門楣는 모두 구마도驅魔圖이다. 북벽 문미에는 오른편의 창을 든 인물을 향해 왼편의 인물이 달려들어 격투를 벌이는데 긴 두루마기를 입고서 넓은 소매와 옷자락을 날리는 모습이나 의습선을 유려하게 선각하여 날렵한 동작세가 잘 표현되었다. 남벽 문미의 격투는 방상시와 유사한 인물이 화면 왼편에 정면으로 서있고 오른편의 인물이 등을 보이며 창을 들고 달려드는 모습이다. 운기문이 배경으로 베풀어져 있어서 천상세계의 격투 장면임을 보여준다.

전실 북벽과 남벽은 상하 2단으로 나뉜다. 또한 기둥이 하나 가운데 있어 좌우 두 면으로 나뉜다. 이에 따라 북벽과 남벽은 모두 네 개의 다른 화상으로 구성된다. 하나의 석판에 하나의 인물 또는 동물을 넣은 단순한 화면 구성이다. 침직창 한화상석묘 주실에서는 하나의 벽면을 네 칸으로 나누어 역사고사와 악무도 등 각기 다른 주제로 장식하였다. 기린강한묘 전실 벽은 상단은 신수神獸로, 하단은 여인상으로 배치하는 규칙성을 보여준다.

북벽의 서쪽면 상단은 백호로 전실前室 앞벽 문미 남주실 문미에 새겨진 백호와 유사하다. 하단은 키가 큰 봉합捧盒여인(서)과 귀부인(동)이다. 남양의 2, 3기 화상석묘의 여인상과 흡사하게 모자, 얼굴, 옷소매 등을 동글동글하게 표현하였다. 동쪽면 상단은 영성靈星(용龍)이고, 하단은 귀부인도이다. 귀부인상은 북주실 동벽의 여자묘주도와 유사하게 양손을 바깥으로 뻗은 점, 날카로운 의습선을 보다 자연스럽게 묘사하고 있는 점이 주목된다(표 5).

남벽의 동쪽면 상단과 하단은 각각 2인의 인물이 그려졌다. 상단은 무릎꿇고 앉은 여인상과 뒤에 지키고 선 시종이, 하단은 무덤 입구를 향하고 선 두 명의 여인이 있다. 둥근 선 처리가 북벽 서쪽면 하단의 봉함여인상과 유사하다(표 6).

표 6 | 전실 남벽(동-서)

驅魔圖			
拜謁圖	虹龍	靈星(龍)	복희
二婢圖		捧衣女子圖	

남벽의 서쪽면 상단은 영성(龍)이 있고, 하단은 여인상이다. 무덤 입구를 향해 (옷을 손에 들고서) 머리를 다소곳이 숙인 자세로 측면으로 그려진 여인상으로 북벽 동쪽면 하단의 여인상과 같이 인물 묘사가 뛰어나다.

전실 북벽과 남벽에는 모두 7명의 인물이 그려졌는데 두 가지 형태의 인물 묘사, 즉 동글 동글하게 표현한 고졸한 형태의 인물과 날카롭고 세련된 선으로 처리된 인물이 같이 나타 난다. 전실 북벽과 남벽 문미에 그려진 구마도에 보이는 남자 인물상 역시 세련된 옷자락과 주름 표현을 보이고 있다. 두 가지 형태의 인물이 출현하는 것은 묘사된 인물의 신분상의 차 이를 보여주는 것일 수도 있고 고졸한 형태에서 세련된 인물묘사로 발전되는 과도기 현상 을 보여주는 것일 수도 있다. 귀부인상은 하남성 밀현 타호정 벽화묘나 산동성 기남 북채 화 상석묘의 인물상 묘사에서 보이는 날카롭고 보다 사실적인 의습선 처리 솜씨로 진전하고 있는 과정을 잘 보여준다. 전실 북벽과 남벽 이가문문미=假門門楣에 그려진 구마도驅魔圖에 보이는 남자 인물상 역시 세련된 옷자락과 주름 표현을 보이고 있다.

기린강한묘 전실의 문미 화상을 정리해 보면 악무백잔도(동), 구마驅魔(서)(한옥상-백호, 사우 射牛, 투수鬪獸), 구마도驅魔圖(남, 북)(한옥상-투수鬪獸)로 구성되어 남양화상석의 가장 대표적인 제 재라고 할 수 있는 악무백잔도와 각저희(황아봉에 의하면 '구마도驅魔圖')가 그려졌다. 서벽 문미 는 인간과 동물, 북벽과 남벽 문미는 인물과 인물의 격투 장면으로 차이가 있다(도 10).

다른 남양 한화상석묘와 비교해보면 우선 제2기의 당하 침직창한묘의 전실 문미 앞면은 원과 사각형 격자로 구성된 장식문양도로서 천상도의 장식문양도와 함께 장식적인 제재가 두드러진다. 그러나 같은 3기인 등현 장총점 한화상석묘에서는 전실 상단이 악무백잔도(북), 각저희(서), 수렵도(동), 악무백잔도(남)가 배치되어 문미 화상의 구성이 거의 유사함을 알 수 있다.

전실의 천장에 그려진 천상도(길이 365cm, 너비 153cm)는 9개의 석판으로 구성되어 남양지역

도 10 | 《문미 화상석》, 전실 서벽(상), 북벽과 남벽(하), 기린강묘, 남양한화상석박물관

에서 발견된 천상도 중에서 가장 완전하게 정비된 사례이다(도 11).[39] 운기문 장식을 배경으로 중앙에 사신四神 및 황제, 좌단에 상희봉월과 남두육성, 우단에 희화봉일과 북두칠성의 세 부분으로 구성된다. 북쪽부터 남두육성, 상희봉월, 백호, 주작(상上), 황제黃帝(중中), 현무(하下), 청룡, 희화봉일, 북두칠성 순이다.[40] 실제 방위와는 상관없이 무덤 안의 피장자의 위치에 따라 현무를 화면의 하단, 즉 무덤 안에서의 북쪽 방향에 배치하고 좌청룡우백호를 배치하였다. 대체로 하나의 제재를 하나의 판석에 그렸으나, 백호는 두 매의 돌에 나누어 그렸다. 일월신이 같은 방향, 즉 오른쪽으로 꼬리를 말고 있는 점이 특이하다. 중앙에 정면으로 앉은 인물은 학자에 따라서 황제 또는 태을로 인식된다. 중앙에 산형관을 쓴 황제 형상을 새겨 한대 성행한 오행 관념을 보여준다. 황제를 중심에 두고 사신四神이 사방을 둘러싸고 있다. 화면의 제한으로 황제의 상하에 위치한 주작과 현무의 크기가 작게 묘사되었으나, 청룡와 백호는 하나 또는 두 매의 석판을 차지할 정도로 크게 그려졌다. 사신의 바깥쪽에 있는 인신사미人身蛇尾의 신은 학자에 따라 상희봉월과 희화봉일, 또는 복희와 여와로 해석된다.

우훙Wu Hung에 의하면 2세기 중엽에서 후반에 태을太乙이 도교의 주된 숭배대상이 되고 태을 숭배가 장례의식 속에 편입되면서 당시의 많은 진묘문鎭墓文에서 지하세계에서 사자를 보호하기 위한 대상으로 태을신을 언급하고 있다. 이런 시대적 배경을 고려하면 해당 지역에서 발전한 도교의 천상신으로서 태을의 독특한 초상이 있는 기린강한묘의 건축자는 도교

---

39 기린강한묘 천상도에 대한 연구로는 黃佩賢, 「漢代四靈圖像的構圖分析」, 陳江風, 『漢文化研究』, 河南大學出版社, 2004, pp. 166-168.

40 황아봉은 희화와 상희, 한옥상과 Wu Hung은 복희와 여와로 해석한다. 2세기 중엽에서 후반에 태을이 도교의 주된 신이 되는데 기린강한묘에 이러한 태을신의 묘사를 볼 수 있다. Wu Hung, *Art of the Yellow Spring*, University of Hawaii press, 2010, p. 57.

도 11 | 《천장 화상석》, 북주실(상), 중주실(중), 전실(하), 기린강묘, 남양한화상석박물관

의 태을신을 무덤의 천장에 그려서 사후의 안전과 영생을 추구 표현하려고 한 것이다.[41]

　제2기인 침직창한묘와 제3기에 속하는 몇 기의 화상석묘에도 천상도가 있다. 남양화상석묘 제2기에서 서한 만기(신망 이전)로 편년되는 침직창한묘는 전실과 두 개의 주실로 구성된 화상석묘이다. 전실 천장의 아홉 매의 석판에 크기가 다른 능형연환문을 새겨 천상도가 단순한 장식문양도로 구성되었다. 대신 북주실 천장의 한 매의 석판에 사신도가 한꺼번에 그려져 있으며 일상과 월상이 북주실과 남주실에 나누어 그려졌다.

　단순한 장식문양인 능형연환문이 그려진 제2기에 비하여 제3기의 기린강한묘 전실 천상도는 보다 발달된 천상관을 보여준다. 같은 제3기에 속하는 화상석묘 중에서 천상도가 있는 무덤으로는 영장한묘, 초점한묘, 왕채王寨한묘, 포산1호蒲山一號 한화상석묘漢畵像石墓가 있다. 동한 조기에 속하는 영장한묘는 전실 천장에 양조陽鳥와 성수星宿, 응룡應龍, 호거뇌공虎車雷公, 항아분월의 4폭의 화상으로 구성된 천상도가 있다.[42] 왕채王寨한묘에서는 전실 양량하면石梁下面에 혜성도가 발견되었다. 남양 포산1호蒲山一號 한화상석묘漢畵像石墓 전실의 천문도상은 묘정의 세 매의 석판에 항아분월, 승선 및 백호성좌, 창룡蒼龍성좌가 새겨져있다. 초점한묘의 천상도는 월상과 성수星宿, 양조와 성수星宿의 두 폭으로 구성되었다. 제3기 고분의 전실 천장 화상에서 반복되는 제재는 일월, 성수星宿, 양조陽鳥, 사신四神 등이며 항아분월과 호거뇌공虎車雷公와 같은 천상신화가 그려진 것이 주목된다.

　재장묘인 남양현南陽縣 십리포十里鋪 한화상석묘漢畵像石墓는 서향의 무덤으로 전실 천장은 남북방향으로 놓인 3매의 석판으로 구성되었다. 전실 동 개정석 아래에 신령神靈(고구려 천왕지신총의 지축상과 같이 머리 둘 달린 짐승)과 양조 화상이 있다.[43]

　침직창한묘의 천상도는 다양한 제재가 등장한다는 점에서 기린강한묘의 천상도와 유사하나, 장식문양도가 많은 비중을 차지하고 있고, 사신의 형상이 고졸하고 비중도 작다. 2세기 중엽에서 태을이 도교의 주된 신앙의 대상이 되는데 침직창한묘에서는 아직 태을(또는 황제)까지 포함된 오행신앙의 표현이 아직 완전하게 정비되어 발달하지 못한 상태이다. 기린강과 같은 제3기 남양화상석묘의 천상도는 항아분월과 호거뇌공虎車雷公, 양조, 백호, 창룡 등 다양한 천상 신화와 제재가 그려지나 기린강 한묘 전실 천장도에 보이는 고도로 정비되

41　Wu Hung, *Art of the Yellow Spring*, University of Hawai'i Press, 2010, p. 57.

42　黃雅峰, 『南陽麒麟崗漢畵像石墓』, 三秦出版社, 2007, p. 360, 도 5.

43　신령과 양조화상은 韓玉祥, 『南陽漢代畵像石墓』, 河南美術出版社, 1998, p. 199, 도 2.

어 발달된 복합적 천상세계의 구현에는 미치지 못하고 있다.

기린강한묘의 전실 천장의 화상은 중앙에 산형관을 쓴 정면 좌상의 태일太一, 사신, 복희 여와, 북두칠성과 남두육성이 대칭으로 배치되어있다. 기린강한묘 화상은 2세기 중반~후반에 도교의 중심신으로 묘사된 태일을 보여준다. 태일의 숭배는 장례제의에도 반영되어 당시의 많은 진묘문에서 태일이 지하세계에서 사자를 보호하기를 바라는 내용이 서술되었다. 기린강한묘의 묘주는 태일신을 천장에 그려 사후의 안전과 불멸의 희망을 표현하였다.[44]

(3) 주실 화상

기린강한묘에는 세 개의 주실이 있으며 남주실 천장을 제외하고 모두 화상으로 장식되어 있다(표 7~12). 북주실과 중주실 사이에는 세 개의 기둥이 있으며 벽은 없다. 중주실과 남주실 사이는 벽과 세 개의 기둥이 세워져 있다.

북주실의 주요 장식 화상은 부인, 여와, 응룡, 운기, 고매, 풍신비렴, 주작, 백호, 대상, 우인, 기린, 백록, 복희여와 등이다. 중주실의 주요 장식제제는 부인, 여와, 응룡, 운기, 묘주, 현고, 괴수, 신수, 삼두조, 선인비렴, 우인, 선인승구仙人升龜, 복희, 여와, 고매 등이다. 남주실의 장식 화상은 집홀문리도, 집오문리도, 봉훈로捧薰爐시자, 복희, 귀부인, 종포신, 선인불사초, 시자, 궐배, 복희, 여와, 고매 등이다.

표 7 | 북주실 북벽

용두			고매신(황아봉)			풍신비렴			
여와	청룡	神龜 (현무)	白鹿	怪獸	麒麟	大象	白虎		朱鳥

---

44 Wu Hung, *Arts of the Yellow Spring*, University of Hawai'i Press, 2010, p. 58.

표 8 | 북주실 남벽

神獸			神獸				용두			
跪拜	捧物		跪拜			봉황	跪拜	봉함시자	주작	장식문양

표 9 | 중주실 북벽

용두			운기				운기			
장식문		봉함시자도	봉훈로시자			捧物인물			捧物인물	

표 10 | 중주실 남벽

神獸				선인비렴					용두		
神人	神獸	인물2인	S자형괴수	신수(뇌신)	삼두조	선인승구	S자형괴수	고매신	용	현고	복희

표 11 | 남주실 북벽

용두			신수			신수(벽사)		
부인	종포신(궐장)		神獸飛鼠	인물2인		선인불사초	跪拜	

표 12 | 남주실 남벽

猛兕					
猛兕	없음	跪拜	없음	시자	없음

주실 화상 가운데 먼저 북주실과 중주실의 후벽과 북·중주실 사이에 세워진 기둥에 그려진 인물상을 먼저 살펴본다. 북주실 후벽과 중주실 후벽에 새겨진 단독 인물 입상은 무덤의 남, 여 주인공 초상으로 추정된다(도 12). 남양 전창한화상석묘와 함께 남양지역의 한묘 가운데 묘주 초상이 나타나는 드문 예이다. 북주실의 후벽은 여자상, 중주실의 후벽은 남자상으로 두 손을 들고 몸을 왼편으로 내민 3/4 측면의 입상으로 표현된 것이 독특하다. 평정건을 쓴 듯한 남자묘주는 옷고름이 공중으로 휘날리고 있으며, 위로 올린 팔 밑으로 긴 소매가 흘러내리고 있고 가는 허리 밑으로 두루마리의 옷자락이 넓게 펼쳐지면서 바닥을 넓게 덮고 있다. 바닥에 넓게 펼쳐진 두루마리 밖으로 말린 옷주름 같기도 하고 방석과 비슷한 형태가 보인다. 발치에 넓은 승반을 가진 박산형의 향로가 놓여 있다. 세밀한 의습선 처리나 앞으로 전진하는 듯 하면서 뒤로 옷자락이 날리는 형상은 고개지의 여사잠도에 보이는 여인입상을 연상시킨다. 북주실 후벽의 여인상은 더듬이처럼 뻗은 두 갈래가 있으며 위가 평평한 모

도 12 | 《남녀인물상》, 북주실 후벽(좌), 중주실 후벽(우), 기린강묘

자를 쓰고 있다. 다른 제2기와 제3기 남양화상석의 여인상이 대부분 삼산형과 같이 동글동글하게 묘사된 모자를 쓰고 있는 것과 대조된다. 여자묘주도 두 손을 앞으로 내밀고 화면의 오른쪽 방향으로 진행하고 있는 듯이 보이며 흘러내린 소매자락과 풍성한 두루마리 표현이 자연스러우며, 가파른 어깨와 가는 허리에 비해 바닥으로 옷자락이 넓게 펼쳐져서 전체적으로 안정감을 준다. 남녀 묘주 초상으로 미루어 북주실은 여자묘주의 공간, 중주실은 남자묘주의 공간임을 추정할 수 있다. 남주실의 후벽은 아무런 장식이 없다.

북주실과 중주실 사이에는 모두 세 개의 입주가 있는데 현실 세계의 인물 좌상들을 배치하였다. 옷자락을 넓게 펼치고 앉은 좌상의 인물들로 서로 대화를 나누듯이 얼굴을 옆 사람을 향해 돌리고 있다던가, 두 손을 앞에 모아 묘주를 올려다 보는 듯한 형태로 묘사되기도 하고, 향로를 들고 무덤 입구를 향해 앉아 있는 등 다양한 모습의 인물상이 표현되었다. 대부분 북주실과 중주실 후벽에 서있는 남녀묘주상 앞에 앉아 수종드는 인물 좌상들로 보인다. 특히 여자묘주상과 같은 북주실에 있는 인물들은 서로에게 몸을 기울이는 등 손짓과 몸짓을 통하여 서로 간의 관계를 형성하고 있다. 이는 낙랑채협총에서 나온 효자도의 인물들의 동작을 통하여 볼 수 있는 한대 인물화의 특징이다.

한편 남자묘주초상이 있는 중주실 북쪽 기둥에 새겨진 인물들은 모두 몸이 무덤 입구를 향하여 앉아 있는데 그 중 뒤의 두 명의 인물은 고개를 돌려 묘주를 바라보고 있으며, 맨 앞의 인물만 손에 향로를 들고 앞을 보고 단정하게 앉아 있다.

다음으로는 주실에 새겨진 신수神獸와 신인神人의 표현을 살펴본다. 북주실 북벽과 중주실 남벽에는 신수를 배치하여 후벽과 기둥에 새겨진 인물들로 표현된 현실 세계를 둘러싼 선계의 공간을 표현하였다.

북주실 북벽과 기둥은 여와-청룡-신구神龜(현무)-백록白鹿-괴수怪獸-기린麒麟-대상大象-백호白虎-주작朱鳥의 순으로 화상이 배치되었다. U자형으로 몸이 구부러진 청룡이나, 뒷모습을 보이면서 대각선방향으로 전진하면서 앞발을 든 큰 코끼리는 자유로운 표현을 특징으로 하는 여타 남양한화상석에서도 보기 힘든 기린강 특유의 발달된 표현력과 생동감이 넘치는 기이한 형태의 신수들이다(도3).

중주실 남벽과 기둥은 대부분 신수로 장식되었는데, 신인장승神人長丞-신수-인물 2인-S자형 괴물-신수(뇌신)-삼두조-선인승구仙人乘龜-S자형 괴물-고매신-용-현고玄孤-복희의 순이다. 중주실 남벽 중가문 후벽에 있는 선인승구는 거북이를 타고 하늘로 승천하는 여인을 형상화하였는데 양손에 든 불사초不死草가 유려한 곡선미를 보이며 상방으로 날리고 있다. 과장

도 13 | 《대상(大象)》, 북주실 북벽, 기린　　도 14 | 《신선》, 남주실 북벽, 기린강묘,
강묘, 남양한화상석박물관　　　　　　남양한화상석박물관

된 동작과 과도하게 구부러진 형태를 보이는 신인과 신수의 모습이 증후을묘 칠화나 마왕
퇴 칠관화에 보이는 서예적 필선과 자유로운 상상력을 특징으로 하는 초문화의 영향을 보
여준다.

　남주실은 양쪽벽이 모두 막혔는데, 북벽은 인물을 벽면에, C자 또는 S자형으로 몸이 구부
러진 신선들을 기둥에 새겼다(도 14). 반면 남주실 남벽은 기둥에만 인물을 새기고 벽면에는
화상이 없다.

　주실 화상 제재 배치의 특징을 보면 남녀묘주 초상에 있어서는 북주실과 중주실을 구별
하였으나 다른 화상 제재의 배치에 있어서는 남녀에 연관된 제재의 구분이 그다지 두드러
지지 않는 듯하다. 세 개의 주실의 화상 배치를 보면 북주실과 중주실을 따로 별개의 공간으
로 나눠서 장식하기 보다는 북주실과 중주실을 하나의 공간으로 인식해 북주실 북벽과 중
주실 남벽에 유사한 제재를 대칭 배치하였으며 북주실과 중주실 사이에 세워진 입주에 유
사한 화상 제재를 배치하였다는 점에서 알 수 있다. 이는 북주실과 중주실 사이에 벽이 없고
대신 세 개의 입주만으로 공간을 구획하고 있는 점과 연관이 있어 보인다.

　대칭배치된 제재를 보다 자세히 살펴보면 북주실 북벽과 중주실 남벽은 대개 신수, 신인
神人과 같은 비현실적인 제재로 장식하였으며, 서로 맞붙은 북주실 남쪽 입주와 중주실 북

쪽 입주는 현실세계의 인물상으로 장식하였다. 복희와 여와는 각각 남주실 문 북입주 북측면(중주실 남벽 입구 첫 번째 기둥의 정면)(황아봉 도68)과 북주실 문 북입주 남측면(북주실의 입구 북벽 첫 번째 기둥의 정면) (황아봉 도71)에 마주보고 배치되었다.[45] 북주실 북벽 동가문 문미 정면과 중주실 남벽 동가문 문미 정면에는 풍신비렴風神飛廉이 입구를 향해 달려가는 형상이 대칭 배치되었다.

마지막으로 주실 천장의 화상을 살펴본다. 기린강한묘에는 모두 3개의 천상도가 전실, 북주실, 중주실에 등장한다. 천상도는 북주실과 중주실에만 있으며 남주실에는 없다. 천장을 덮는 개정석의 잘린 부분의 간격이 일정하지 않다. 황아봉에 의하면 북주실과 중주실의 천상도는 복희여와고매도이며 한옥상은 북주실 천장은 신수, 선인仙人도로, 중주실 천장은 이수異獸, 신인도이다. 북주실과 중주실 천상도는 전실 천상도와 같이 배경에 운기문이 얕게 깔린 가운데 손에 영지를 든 인수용미人首龍尾의 두 선인이 방상시와 유사한 신수를 가운데 두고 날고 있다. 신수는 큰 두 눈과 큰 입을 벌리고 네 발을 공중에 휘젓고 있으며, S자형으로 몸이 휘어진 두 명의 선인仙人이 양쪽에서 꼬리를 신수에게 걸치며 희롱하는 형상이다. 남자묘주의 초상이 있는 중주실의 두 선인은 머리를 반대 방향으로 튼 형상으로 화면에 변화를 주고 있다. 두 천상도의 좌측에 거북이 또는 달팽이와 유사한 동물이 등장한다.

전국 각지에서 출토, 수집된 한화상석 중에서 남양지역의 천문도상 수량이 최다이며 내용이 가장 풍부하다. 손이촌孫怡村에 의하면 2003년까지 남양에서 총 81폭의 한화상석 천상도가 출토되었고, 그 중에서 52폭이 화상석묘에서 나온 것이다. 81폭 중에서 48폭에서 일월도상이 나온다.[46]

다음에서는 다른 남양 화상석묘의 주실 천상도와 비교해본다. 한옥상 등에 의해 남양화상석묘 제2기 중 서한 만기(신망 이전)로 편년되는 침직창한묘는 천상도가 전실, 북주실, 중주실 세 곳의 천장에 장식되어 기린강한묘 천상도와 가장 유사한 대형의 천상도가 있다. 침직창한묘 천상도는 서한시대 남양의 대표적 천상도로 동한의 기린강 천상도에 비교하여 남양 천상도의 서한에서 동한으로의 변천을 파악할 수 있는 중요한 무덤이다. 남주실은 서쪽에서 네번째 석판에 월상을 넣고 그 외 석판은 모두 성수星宿로 장식되었다. 북주실은 서쪽

---

45 黃雅峰, 『南陽麒麟崗漢畫像石墓』, 三秦出版社, 2007, 도 68, 71.
46 孫怡村, 「淺析南陽漢畫像石天文圖像之功能」, 『漢畫硏究 : 中國漢畫學會第十屆年會論文集』, 湖北人民出版社, 2006, p. 260.

부터 장홍長虹, 사신四神, 하백출행도, 6마리의 물고기, 연환, 백호 등의 순이다.

기린강화상과 차이점은 전실 천장을 연환문으로 장식한 점, 사신도가 북주실에만 나타난다는 점, 사신도의 크기와 비중이 작다는 점, 남주실과 전실 두 곳의 천상도를 불규칙한 능형으로 연결된 성수星宿로 구성하여 장식성이 두드러진다는 점, 북두칠성과 남두육성이 따로 표현되지 않았으며, 복희·여와가 출현하지 않는다는 점, 일상과 월상이 북주실과 남주실에 따로 표현된 점이다. 위인화魏仁華는 침직창 천상도가 서한 후기 성행한 참위미신, 천인감응, 음양오행사상과 관련되어 있으며, 북주실에 태양, 백호, 장홍長虹 등을 배치하여 남자묘주의 공간이며, 남주실은 밤을 표현하는 달과 성수星宿로 장식하여 여자묘주의 묘실로 추정하였다.[47]

같은 제3기에 속하는 영장한묘 등은 주로 전실에 천상도가 있다. 제4기의 천상도로는 남양현고묘한묘가 있다. 묘도, 묘문, 남북중南北中의 3실三室로 구성되었다. 남양 한화상석묘에 실린 묘정 천상도는 5매이다. 쌍수주작성상도雙首朱雀星象圖가 남측실 개정석에, 뇌신격고도雷神擊鼓圖가 중실 개정석에 있다. 엷은 운기문을 배경으로 하고 있는 점은 기린강한묘와 유사하다. 그 외 성운도가 북실과 중실의 개정석에 장식되었다.

남양지역 화상석묘의 1/4을 차지하는 재장묘에서도 천상도가 발견된다. 남양시 동관진묘의 주실 묘정은 7매의 석판으로 구성되었다. 그 중 5매의 석판에 새긴 화상이 일월합벽도를 이룬다. 왕장 화상석묘 묘정 천상도는 개정석 5매로 구성되었다. 각각 상희봉월, 청룡, 오곡五鵠, 풍우, 하백이다. 남양시 서관西關 한화상석묘에도 항아분월도가 있다. 남양현 십리포十里鋪 한화상석묘漢畵像石墓 중실은 동서방향으로 놓인 두 매의 석판으로 덮었으며, 후실은 남북방향으로 놓인 5매의 석판을 사용하였다. 중실 남개정석에 비렴, 현무, 구두수九頭獸, 우인, 중실 북개정석에 우인, 주작, 청룡, 백호, 달, 후실 개정석에 성수, 양조가 장식되었다. 남양현 고묘한묘와 같이 엷은 운기문을 배경으로 하고 있는데, 하나의 석판에 3-4가지의 제재를 율동감 넘치는 곡선형으로 연결시켜 그린 점이 기린강한묘와 보다 유사하다.

남양지역 천상도를 정리하면 당하 침직창묘에 사령화상이 출현하며 주작, 현무, 청룡, 백호 사상이 완전 구비되었으며, 남양 기린강한묘에 동궁창룡, 서궁백호, 남궁주작, 북궁현무가 표현되고, 그 외 고분들에서는 북두성, 혜성, 양조, 항아분월, 일월동휘, 일월합벽 등의 화

---

47 陳江風, 『漢文化硏究』, 河南大學出版社, 2004, p.114.

상석이 있다. 기린강 천상도에 보이는 다양한 제재의 결합과 정비된 오행 사상체계의 표현, 신인神人과 신수神獸의 세련된 표현으로 미루어 보면 기린강한묘는 3기에 속한 화상석묘들과 4기의 남양현 고묘한묘보다 발달된 듯이 보인다. 가장 유사한 십리포 한화상석묘는 재장묘로 정확한 조성시기를 비교하여 알 수 없으나 천상도로만 판단한다면 기린강한묘는 다른 천상도 고분들보다 늦게 조성된 무덤으로 볼 수 있다.

남양 한화상석묘의 천장에 그려진 천상도의 기원을 살펴보면 서한시대 하남성 낙양의 복천추묘의 천상도, 하남 영성 망탕산 시원묘(기원전 137, 143)의 천상도, 호남성 장사 마왕퇴 1호와 3호묘 출토 백화 등을 들 수 있다. 복천추묘의 후실 천장의 꼭대기에는 복희와 여와, 일상과 월상, 청룡과 백호, 묘주부부 승선도가 있다. 화면의 왼쪽 끝부터 일상, 복희, 삼두조를 탄 여묘주, 뱀을 탄 남묘주, 두꺼비와 구미호, 운기에 둘러싸인 승을 쓴 서왕모(묘주부부를 향하고 있음), 백호, 주작, 방상시, 월상, 여와의 순이다. 모든 제재가 화면의 오른쪽을 향해 날고 있는 가운데 복희와 여와는 서로 마주보고 있다. 사다리꼴의 후실 후벽 상부에 곰 모양의 나신도儺神圖가 있다. 시원묘의 주실 천장과 서벽, 남벽에는 청룡, 백호, 주작 등의 방위신과 영지, 연꽃, 구름덩이, 능형 등의 문양이 채색되었다. 거대한 용의 길이는 5m이며 힘이 넘치는 형상에 색채가 현란하다.

1978년 호북 수주 전국조기 증후을묘에서 출토된 칠상자에는 28성수星宿가 그려져 있으며 초나라 사람들이 북극성을 숭배하였음을 보여준다. 전국 조기·중기에 초나라에 이미 완정한 사상四象이 정비된 예이며, 한대 남양 천문학에 영향을 미친 것으로 보인다. 기린강한묘의 천상도 역시 초문화의 풍부한 천문학 지식과 천상에 대한 이해에 영향을 받아 나타난 남양지역의 많은 천상도天象圖의 한 예이다.

3. 기린강한묘 화상의 특징과 편년

1) 인물도와 천상도의 발달

기린강한묘 화상의 특징은 인물도의 발달, 다수의 신령신수神靈神獸와 신인神人종류의 등장, 묘정 천상도의 발달을 지적할 수 있다. 기린강한묘 주실 화상 제재들은 대개 하나의 벽에 하나의 제재만을 크게 그리고 있으며, 신수神獸, 신인神人의 제재가 많다. 이러한 신수나 신인들은 'C'자나 'S'자형으로 구부러진 형태로 묘사되거나 과장된 동작을 보인다. 또한 현실 생활에서의 인물상은 제2기의 인물상들에서 보다 발달하여 기남화상석묘나 타호정화상석묘와 같은 동한 후기의 한화상석묘의 인물상에 근접한 표현을 보여준다. 또한 북주실과 중주실 후벽에 남자, 여자 묘주의 초상으로 추정되는 인물상이 있어 하남성 당하 전창 화상석묘의 서주실 동쪽면에 그려진 묘주좌상과 함께 묘주초상이 등장하는 드문 화상석묘이다.[48] 묘주초상이 자주 그려지는 벽화묘와 달리 화상석묘에서는 묘주 초상이 직접적으로 그려지는 예가 드물다. 기린강 한묘 전실의 천상도는 동한시대 정비된 천상세계를 구현한 예로서 서한 양효왕묘 인근에서 발견된 시원묘柿園墓의 천상도에서 시작되어 낙양 복천추묘 등 하남성 지역 벽화묘와 화상석묘로 이어지는 천상도의 발달상을 잘 보여준다.

첫째 기린강화상석묘는 당하 전창한묘, 허아구묘許阿瞿墓와 함께 화상석묘에서 묘주도가 등장하는 드문 예이다. 묘주를 포함한 인물화에서 중국의 전국시대 장사출토 백화, 서한 마왕퇴 1, 3호묘 백화, 낙양 소구 61호묘, 하남 밀현 타호정 화상석묘, 동진의 고개지를 잇는 인물화의 발달에서 중간 단계를 보여준다.

기린강한묘의 화상석에 보이는 인물 묘사에는 서한이나 신망시대로 구분된 화상석묘에서 볼 수 있는 것과 같이 다소 고졸한 인물 표현이 있는 가하면, 고개지의 여사잠도를 연상시키는 세련된 의습선과 동세를 표현한 인물 묘사 방법 두 가지가 사용되었다. 주로 삼주실에 배치된 인물들이 후자에 속하며, 전실 북벽과 남벽의 인물상이 전자이다. 전실 벽의 인물상들은 2명의 인물을 제외하고 대개 작은 체구에 얼굴과 몸, 옷 등이 동글동글한 형태로 단순화되어 표현되었다. 반면 남녀묘주와 전실 동벽 문미의 악무백잔도에서는 소매나 옷자락 끝이 날카롭게 묘사되고 선각을 이용하여 소매와 어깨 등에 의습선을 표현하여 동세와 입체감을 표현하려고 하였다. 북주실과 중주실 사이의 기둥에 새겨진 인물들도 각 인물의 앉음새나 손의 자세, 옷의 부피감 표현이 자연스럽고 세련되었으며 다양한 자세를 표현하는 것이 가능해져 인물 표현이 평면적이지 않고 입체적으로 진행되고 있음을 알 수 있다. 이러한 기린강한묘의 세련된 인물 표현은 하남성 낙양 출토 공심전에 새겨진 인물과 주작(하남성박물관 소장, 필라델피아미술관 소장)의 날카로운 선을 연상시키며, 보스턴박물관 소장 낙양 출토 인물화, 하남성 밀현 타호정 한화상석묘의 인물시녀화, 산동성 기남 화상석묘의 인물화,

48 제2기에 속하는 당하 전창화상석묘는 동서주실로 나뉘는데 동주실 서부면에 궐장도가 있으며, 서주실 동부면에 묘주 좌상이 있다. 양옆의 기둥에는 묘주를 향해 앉은 시종상이 있다. 韓玉祥, 『南陽漢代畵像石墓』 河南美術出版社, 1998, 66쪽. 신입상에 의하면 남양지구 발견 수십 기의 한화상석묘 가운데 묘주 모습이 후실에 있는 화상은 이것이 유일하다고 하였는데 기린강한묘의 발굴로 후실의 묘주상이 추가되었다. 신입상, 『한대 화상석의 세계』 학연문화사, 2005, p.309.

절강浙江 해녕海寧 장안진長安鎭 화상석묘畵像石墓의 인물화,[49] 동진 고개지의 여사잠도로 이어지는 인물화 발달의 중간 단계를 잘 보여준다. 기남화상석에 보이는 유연하게 그려진 소매, 실물 같은 느낌을 자아내는 의복, 주름표현으로 양소매, 어깨, 소매 뒷자락 등에 입체감을 나타내려 의도 등을 기린강 화상석에서도 어느 정도 엿볼 수 있다. 기린강한묘의 발달된 인물 표현은 현존하는 동한에서 위진시대 인물화가 많지 않은 상황에서 단계별 발달상을 잘 보여주는 대표적인 예다. 옷주름 자락의 날리는 표현이라던가 인물 좌상에 있어서 풍성한 주름 양감 표현 등은 안악 3호분 남녀묘주의 인물 좌상과 유사한 표현을 볼 수 있다.

또한 기남화상석에서 주목되는 구도인 두 사람이 마주보고 있는 형상 표현, 즉 좁은 화면 내에서 두 사람이 마주보게 등을 돌린 인물을 설정하여 공간 개념의 설정을 의도한 것이라든가, 횡으로 나열되어 배치하는 상태로 양자 간에 거리감을 설정한 것, 어깨와 발의 사선 표현 기법, 격동적인 운동감을 자아내는 자태의 과장 등도 정도의 차이는 있으나 기린강화상석 인물화에도 그 초보적인 단계가 보인다고 할 수 있다.[50]

기린강 한화상의 두번째 특징은 신수와 신인과 같은 신령스러운 존재들이 전실과 주실의 천장, 주실의 벽과 기둥을 장식하는 주요 제재라는 점이다. 등장하는 종류로는 복희, 여와, 희화, 상희, 동왕공, 서왕모, 방상 등이 있다. 북주실과 중주실의 묘정에는 복희, 여와 도상이, 묘문의 동왕공 서왕모, 전실의 방상시가 배치되었다.

남녀묘주 초상에서 보이는 인물 동세의 자연스러운 표현은 선인과 신수를 묘사하는 데서는 역동미가 더해져서 기린강한묘 화상의 특징인 생동감을 두드러지게 한다. 중주실 남벽의 선인승구도는 호남성 장사시 진가대산 초묘 출토의 인물용봉백화와 호남성 장사시 자탄고 초묘 출토의 인물어룡주백화를 연상케하는 유려한 곡선미가 돋보인다. 또한 남주실 북벽 입주를 장식하는 'C'자형으로 몸이 구부러진 신선도 장사 마왕퇴 1호묘 칠관화에 그려진 운기 가운데 유영하는 신선(신수)를 연상케 한다. S자 또는 C자형으로 몸을 구부린 자연스러운 동세가 표현된 동물상은 전실 문미, 북주실 북벽, 중주실 남벽, 남주실 북벽에 다수 등장한다.[51] 인물의 동세 표현과 마찬가지로 동물의 표현에서 단축법을 사용한 듯 좁은 화면 안

49 岳鳳霞, 劉興珍, 「浙江海寧長安鎭畵像石」, 『文物』, 1984年 3期.
50 정은숙, 『한대 화상석에 나타난 인물화 연구』, 성균관대학교 대학원, 박사학위논문, 2001.
51 韓玉祥, 『南陽漢代畵像石墓』, 河南美術出版社, 1998, 도39, 43, 61, 67, 68.

에서 앞 또는 뒤로 몸통을 굽혀 몸체의 부피를 자연스럽게 표현한 점도 독특하다.[52] 이러한 신수, 선인들의 역동적인 묘사와 천상세계의 재현과 강조는 고구려 오회분 4호묘나 강서대묘의 천상도 등 고구려 후기 벽화 천상도의 특징이다.

남양지역 화상석은 왕망시기부터 묘장 내에서 화상 수량이 증가하고, 조형예술이나 조각 수준이 모두 발달한다. 화상이 묘문 정면에 국한되지 않고, 묘문 뒷면 및 주실 내에도 위치하며, 주실 내부가 화상을 표현하는 주요 공간이 된다. 그리고 하나의 돌 양면에 화상을 새기는 경우가 증가한다. 화상 내용은 사실 위주로 묘주의 생전 생활 내용을 반영한 것이 많다. 또한 상서, 구축驅逐, 승선제재 화상이 일정 비율을 차지하기 시작한다. 승선 화상이 점차 증가하면서 이후의 동한 한묘에서는 대량으로 출현하게 된다. 이는 한대 민간 도교 신앙의 성숙과 동한 참위학讖緯學의 흥성과 연계되어 있다. 서한 중기 성행한 도안과 건축 화상은 드물게 출현한다. 서한 중기 이후 한무제 시대 유가사상이 정통화되면서 이 시기 화상 중에도 유가논리, 도덕관념을 반영한 역사고사화상이 많이 출현한다. 제2기 후반부인 왕망시기에 이르면 고분 내에서 화상의 배치에 이미 일정한 규율이 출현한다. 조기의 단순함을 벗어나 과도기에서 여러 종류의 내용과 풍격이 융합하여 일체화되는 단계라고 할 수 있다. 이를테면 문미 정면에는 이룡천벽(또는 교미交尾), 거기출행車騎出行 또는 축역구마逐疫驅魔 등이 그려지고, 문주 정면에는 문리를 많이 새기며 소량의 도안도 존재한다. 문비 정면 화상으로는 대개 주작과 백호, 포수함환이 출현한다.

왕망시기 이전 묘장은 묘문 정면에 화상이 그려지나, 왕망시기에는 묘문 뒷면에도 화상, 특히 문리, 무사류가 새겨진다. 묘실 내에는 악무기예, 배알연음이 많이 묘사된다. 또한 순석 구조의 묘장 천장부에 천문성상 화상이 출현하는 것이 특징이다. 이를테면, 침직창묘 묘정에 일월성숙 및 관련 천문신화 화상이 있다. 기법은 박지천부조를 위주로 한다. 풍군유인묘 중 한 폭의 궐장도는 소량의 양선각의 예이다. 비교적 이른 신망시기 몇몇 고분의 화상은 서한 중기 화상의 주요 특색을 보존하고 있으나, 비교적 늦은 신망시기 묘장은 초기 화상 격식을 탈피하여 완전히 새로운 예술풍격을 형성한다.[53]

기린강한묘가 속한 제3기 화상석묘는 대개 전석혼합묘로 석재는 주로 묘문, 주실의 문, 이실(또는 측실)의 문, 전실 들보 및 주실 격장 등의 부분에 사용되었으며 화상도 이들 부분

---

52 韓玉祥, 『南陽漢代畵像石墓』, 河南美術出版社, 1998, 도62, 도93, 도94.

53 南陽漢代畵像石編輯委, 「鄧縣長塚店漢畵像石墓」, 『中原文物』, 1982년 1기.

에 집중되어있다. 석재 사용량이 감소하고 벽돌 사용이 증가하여 화상석을 새기는 데 있어서 석재 이용률이 높아졌다. 따라서 묘에서 석면이 있는 곳에는 기본적으로 모두 화상을 새겼다. 또한 하나의 돌에 여러 그림을 그리는 현상이 보편화된다. 어떤 경우는 하나의 돌에 4종의 화상이 담겨있다. 화상 내용이 풍부하고 제재가 다양하다. 각 종류의 화상이 묘에서 비교적 일정한 위치에 출현한다. 동한시대 참위미신사상의 발달로 신화, 상서, 벽사 승선 화상이 상당히 높은 비율로 나타나며 고분 안에서 중요한 위치를 차지하고 있다. 조기에 유행했던 기하도안과 건축화상은 소량만 존재하며 일반적으로 차지하는 면적이 극히 적으며 장식적 의미가 농후하다. 역사고사는 비교적 드물다.

많은 수의 고분에서 화상 내용과 배치에 격식화의 경향이 보인다. 묘의 문비 정면에는 축귀벽사의 화상과 상서승선화상을 많이 새겼다. 예를 들면 문비 정면에 대부분 백호 포수함환 화상을 배치하여 축귀벽사의 의미가 두드러진다. 서한시기에 주작과 백호를 문비에 상대적으로 병렬하던 화상이 드물어졌다. 묘문 입주 정면을 보면 문리를 배치하고 문리의 위쪽에 곰, 주작, 선학, 다두신조 등 신금서조가 출현한다. 전실 들보 양측에 응룡 또는 청룡, 백호 화상을 많이 그렸다.

고분의 전실 개정석 아랫면에는 대부분 일월성수 또는 천상신화 화상이 있다. 대표적인 예인 기린강한묘 묘정 천상도는 모두 9개의 석판으로 구성된다. 운기문 장식을 배경으로 중앙에 사신 및 황제, 좌단에 여와, 남두육성, 우단에 복희와 북두칠성의 세 부분으로 구성된다. 중앙에 산형관을 쓴 황제 형상을 새겨 한대 성행한 오행 관념을 보여준다. 기린강묘의 복희 여와는 천상도의 하나의 구성 부분으로 나타나는데 다른 남양 고분에서 복희 여와가 통상 묘문에 위치하는 것과 대조된다.

제3기의 화상석묘의 주실 문미에는 무악기예를 많이 배치한다. 대개 주실 양측주 정면 또는 중주 정면에 복희와 여와 합상 또는 꼬리 부분이 상교하는 도상이 있다. 측주의 경우 하나는 복희, 하나는 여와를 새겼다(많은 경우 손에 선초仙草, 화개, 일월 등을 들었음). 많은 묘실의 입주 상에 대량의 시녀 형상이 출현하는 점은 서한시기의 묘장에서 시녀 화상이 극히 적은 점과 대조된다.

기린강한묘의 화상석 속의 신수와 신선의 묘사, 묘주의 초상은 전국시대 초나라와 서한 채회칠화와 백화의 전통을 잇고 있는 것으로 여러 학자들에 의하여 지적되었다. 채회칠화는 널과 덧널의 표면이나 부장품을 넣는 의장상자와 식품류를 넣는 나무상자 표면에 채색하거나 칠로서 묘사한 그림으로 전국시대의 증후을묘曾侯乙墓 출토품들이 대표적이다. 용과 봉황, 괴수, 운문 등의 묘사가 이 시기의 가장 대표적인 주제이다. 춘추전국시대 칠기의 종류는 매우 다양하여 가구, 생활용기, 악기, 병기의 부속품 등에 옻칠이 보편적으로 사용되었으며 채색의 문양장식은 더욱 정미해지고 일정한 내용을 묘사한 칠화漆畵 작품도 출현한다.

호북성 수현의 증후을묘의 채색 내관 양쪽에는 방상시가 신수神獸를 거느리고 창을 잡고 역귀를 몰아내는 나의도儺儀圖(귀신 쫓는 의식을 그린 것)를 묘사하였다. 증후을묘에서 출토된 5개의 의장상자 표면도 화려하게 장식하였으며 묘사한 제재는 이십팔수도二十八宿圖, 청룡백호도, 신수神獸 및 인면사도人面蛇文, 신조神鳥, 용 등이다. 전국시대부터 서한 조기에 이르기까지 채회칠화는 묘사의 주제가 기본적으로 용, 용호, 용봉, 및 신조, 신수 등에 집중되어있다. 신양信陽 장대관長臺關 초묘楚墓에서 출토된 채칠금슬彩漆琴瑟에는 용을 부리면서 승천하는 신선의 모습이 묘사되었다. [54]

1949년 호남성 장사시 진가대산陳家大山 초나라 무덤 출토의 인물용봉백화人物龍鳳帛畵(길이 31㎝, 폭 22.5㎝)는 조기 정기백화의 전형으로 용과 봉황이 여성인 무덤 주인을 둘러싼 모습으로 표현하였다. 가는 허리에 긴 치마를 입고 몸을 옆으로 돌리고 서서 합장하고 축수하는 모습의 귀족여인이 용과 봉황의 인도로 천국을 향해 오르는 모습이다. 1973년 장사시 자탄고子彈庫 초나라 무덤 출토의 인물어룡주人物魚龍舟백화(길이 37.5㎝, 폭이 28㎝)는 남성인 무덤 주인이 측면을 보며 서있는 모습을 중심으로 그 아래에 머리를 들고 똑바로 선 봉황을 묘사하였다. 화면 정중앙에 관을 쓰고 긴 도포를 입은 수염을 기른 귀족 중년 남자가 몸을 옆으로 돌리고 칼을 찬 모습으로 서있다. 머리 위에 화려한 산개傘蓋가 있고, 배처럼 보이는 거대한 용을 부리면서 천국을 향해 날아 올라가는 모습이다. 백화의 남녀는 모두 묘주인의 초상으로 여겨진다. 전국시대 초상화의 특징은 인물은 모두 측면의 입상이며 의관과 복식으로 그들의 신분을 묘시한다. 신체의 비례가 균형있고 몸가짐과 태도가 엄숙하며 경건하다. 필선은 유려하고 힘이 있으며 채색은 평칠과 선염을 겸용하여 장중하고 우아한 격조를 보여준다. [55]

측면의 묘주가 행렬하는 초상이 나타나는 서한 마왕퇴 1호분과 3호분(기원전 168년)의 백화는 초혼 그림으로 해석이 되는데 초 지방에 전해오는 초사楚辭의 세계가 배경으로 전국 시대 널리 퍼진 신선사상에 기초한다. 동한의 왕일王逸의 초사장구楚辭章句에는 "초에서는 선

---

54 신입상,『한대 화상석의 세계』 학연문화사, 2005, p.41.
55 황요분,『한대의 무덤과 그 제사의 기원』 학연문화사, 2006, pp.354~359.

왕의 묘와 공경의 사당에 천지 산천의 신령, 기이하고 진기한 것, 옛 성현과 괴물의 일을 그렸다"라는 기록이 있다. 굴원(기원전 343?~285?)이 이 그림을 보고 마침내 천문天門을 지었다고 한다. 『초사』의 「천문」에 나오는 173개의 의문의 내용을 보면 초나라 묘당의 벽에는 신화전설, 역사고사, 자연현상 등을 제재로 하는 다양한 내용의 벽화가 그려져 있었음을 알 수 있다.

남양과 초나라 문화와의 관계는 여러 학자들이 지적하였듯이 기린강은 옛 초나라 땅으로 이 구역 내의 절천현浙川縣 경내에 이미 대형 춘추시대 초나라 무덤이 있으며, 상장喪葬 중 표현된 초문화 요소가 비교적 많아서 그 묘제가 초문화의 영향을 받았음을 명료하게 보여준다.[56] 한대 신선사상은 도교사상의 한 가지로 기초는 초나라 사람의 비승성선지설飛昇成仙之說에서 온 것이다. 초나라 사람의 진귀벽사鎭鬼辟邪, 영혼승천의 미신장속이 동한시기에 도가사상 결합하여 일어났다. 남양 한화상석의 선조서수仙鳥瑞獸와 용, 사슴, 호랑이, 물고기, 비렴 등 묘주의 승선을 도와주는 기능을 가지고 있으며 이는 초나라 사람들의 습속과 통한다.

오증덕도 「재론남양한화상석지예술연원再論南陽漢畵像石之藝術淵源」에서 남양한화상석 생산시대배경을 분석하면서, 고고발견된 초화楚畵 내용을 열거하고, 제재題材, 기법, 포국布局 특징, 동감動感 예술 등 방면에서 남양 한화상석과 초화를 비교하여, "초화예술이 남양한화상석예술의 선도先導라고" 결론을 내렸다.[57] 따라서 기린강한화상석의 대표적 제재들에서 보이는 초나라 무악풍舞樂風과 초나라 비승성선지설飛昇成仙之說과 진귀벽사鎭鬼辟邪의 재현, 그리고 초나라 칠화의 서예적 필선의 영향 등에서 초문화의 영향을 살펴볼 수 있다.

2) 기린강한묘의 편년

기린강한묘의 편년에 대해서는 왕망시기에서 동한 조기(장영거蔣英炬), 동한조·중기(한옥상, 황아봉), 동한 만기(서영빈徐永斌)로 보는 견해가 있다.[58] 한옥상 등은 기린강한묘가 묘장형

---

56 黃雅峰, 『南陽麒麟崗漢畵像石墓』, 三秦出版社, 2007, p. 37.

57 李陳廣, 金康, 「南陽漢畵像石述評」 『南都學叢』 1990년 제10권 제5기; 王玉金, 「試析楚文化對南陽漢畵的影向」 韓玉祥 주편, 『漢畵學術文集』, 河南美術出版社, 1996, pp. 204~215; 韓玉祥 주편, 「略論南陽漢畵昇仙辟邪中的楚文化因素」 『漢畵學術文集』, 河南美術出版社, 1996, pp. 196~203.

58 남양 한화상석묘의 분기와 발달에 대하여는 졸고, 『하남성 남양 한대 화상석묘의 발달과 분기별 특징』 참고.

제, 출토기물, 화상풍격으로 미루어 보아 동한 전기의 무덤이라고 하였고,[59] 황아봉은 동한 조기 혹은 중기에서 이른 화상석묘로 편년한다.

남양지역 화상석묘 중 명확한 기년을 가진 무덤은 당하현 욱평대윤묘郁平大尹墓 외에 양성현 자구 한화상석묘(동한東漢 영건7년永建七年, 132), 재장묘再葬墓인 허아구許阿瞿 화상석묘(동한 건녕3년, 170)가 있다.[60] 욱평대윤郁平大尹 풍군유인馮君孺人 화상석묘畵像石墓 발굴 이전에는 남양화상석묘의 출현이 동한 조기보다 이르지 않은 것으로 추정되었다. 그러나 1979년 욱평대윤묘의 발굴로 그 결론이 부정되었다. 이 무덤에서 나온 "郁平大尹馮君孺人始建國天鳳五年十月十柒日癸巳葬"라는 기록에서 천봉5년天鳳五年은 기원후 18년으로, 신망시기 남양에 이미 한화상석묘가 출현하였음을 설명한다.[61] 또한 남양 한화상석 제1기 화상석묘인 남양시 조채 전화창 한화상석묘와 당하현 석회요 한화상석묘의 발굴 자료에 근거하여 서한 중만기 남양에 한화상석이 이미 출현한 것이다.[62] 양성현 자구 한화상석묘는 중실 북벽 중부에 『주서朱書』의 제기(영건칠년정월십사일조永建七年正月十四日造)가 있는데 이는 동한 순제順帝(재위 125~144)의 연호 영건7년 3월(132)에 해당된다.

다음에서는 남양 또는 하남성 지역 화상석묘의 분기 구분을 학자에 따라 살펴본다. 장영

---

59 李陳廣, 韓玉祥, 牛天偉, 「南陽漢代畵像石墓分期研究」, 『中原文物』 1998년 4기, p. 36.

60 劉太祥 편저, 『南陽漢文化』, 河南大學出版社, 2003, p. 288. 남양지역 발굴 한화상석묘 수량의 1/4을 점하는 것으로 알려진 재장묘의 출현에 대하여는 황건족의 난과 연관된 지역상황이 반영된 것으로 보인다. 한 영제 시기 황건의 난이 일어나면서, 산동성, 강소성, 하남성 등을 포함한 한화상석의 제1, 2, 5분포구는 전쟁터가 된다. 제2분포구의 남양 일대는 봉기군과 정부군이 쟁탈을 벌인 주요 전쟁터로서 황건족은 이곳의 태수를 살해하고 완성을 점령하여 수개월 동안 완강하게 정부군에 대항하였다. 219년 曹仁이 군대를 이끌고 완성을 도살하여 남양이 폐허가 되고, 군벌이 할거하면서 삼국 혼전으로 새로운 화상석묘를 재건하는 것이 이미 불가능해졌다. 전란이 계속되자 경제가 어려워져 사람들이 자금을 들여 거대한 화상석묘를 건조할 수 없게 되었다. 한화상석묘의 하한을 살펴보면, 제1, 2 분포구에서 모두 위진시대의 분묘가 한대 묘실과 사당화상석을 훼손하고 건조된 것임을 보아 알 수 있고, 그로 인해 묘 내부 화상석의 위치가 교란되어 원래 어떤 배치규율을 가졌는지 알 수 없게 되었다. 이 두 분포구가 위진시대 이전에 한화상석묘, 사당, 석궐의 조영이 정지된 것으로 보인다. 옛날에 묘지에 있던 석사당과 묘지석궐이 이미 황폐해지고 숲 속에 흩어지게 되어 사람들이 흩어진 한화상석을 임의로 가져다 새로운 묘를 만드는데 썼음을 설명해준다. 이 세 분포구에서는 기년 각명이 있는 화상석(기년 화상석묘와 사당, 석궐 포함)은 대략 40종인데, 대다수의 기년이 동한 중만기에 속하고 황건 봉기 이후의 기년 화상석은 단 1종뿐으로 황건 봉기 후에는 화상석의 발전이 정지되었다. 신입상, 『한대화상석의 세계』, 학연문화사, 2005, pp. 36-37.

61 南陽地區文物隊, 南陽博物館, 「唐河漢郁平大尹馮君孺人畵像石墓」, 『考古學報』, 1980年 2期.

62 劉太祥 편저, 『南陽漢文化』, 河南大學出版社, 2003, p. 288.

거는 남양, 악북지역 화상석의 발달을 조, 중, 만기의 3기로 구분한다.[63] 남양 기린강묘가 중기에 속하며, 그 외에 당하 신점 천봉5년天鳳五年(18) 풍유인묘, 당하 전창묘, 남양 초점묘, 남양 석교묘, 방성 성관진묘, 남양 영장묘, 남양 영장 4호묘, 당하 백장묘, 당하 침직창 2호묘, 당하 침직창 1호묘 등이 있다. 만기는 동한 중, 만기의 고분으로 전석혼합 구조가 주를 이룬다. 방성 동관묘, 양성 자구 영건칠년묘(132) 등이다.[64]

류태상은 조기, 중기, 만기 3기로 구분하여 조기는 서한 중기에서 신망시기, 중기는 동한 초기에서 순제 년간, 만기는 순제 이후에서 동한 말년이다.[65] 한옥상은 남양화상석을 보다 세분화하여 4기로 구분하며 기린강한묘는 제3기에 속한다. 즉, 제1기 서한 중기, 제2기 서한 만기, 제3기 동한 조, 중기, 제4기 동한 만기로 나눈다(표 13).[66]

서영빈徐永斌은 기린강한묘를 동한 만기로 편년하고 있어 기존의 설과 차이가 크다. 서영빈은 남양화상석의 발달을 초창기(서한 중만기), 성장기(동한 조기), 발전기(동한 중기), 성숙기(동한 만기)로 구분한다. 초창기는 서한西漢 무제武帝~원제元帝시기(조채묘, 호양진묘)와 원제~신망시기(남양 양관사묘, 당하 침직창묘, 당하 전창묘, 백장묘, 당하 풍유인묘)로 나눈다.[67] 다음으로 성장기는 동한 조기(영장묘, 왕채묘, 석교묘)이며, 발전기는 동한 중기(방성 성관진묘, 방성 동관묘), 성숙기는 동한 만기(기린강묘)이다[68]

양육삼 · 손광청은 하남 한대 화상석의 발달을 서한 중기에서 동한 만기까지 잡고 1기는 서한 중기(조채묘, 석회요묘), 2기는 서한 만기에서 신망시기(풍유인묘, 침직창 1호묘), 3기는 동한 조기(영장묘, 석교묘), 4기는 동한 중기(장총점묘, 동관묘), 5는 동한 만기(자구묘, 당장묘)로 나누었다.[69] 동한 조기와 중기를 구분한 점이 보다 세분화된 분류이다.

---

63 蔣英炬 외,『漢代畵像石與畵像塼』文物出版社, 2003.

64 남양지역을 포함한 하남성 지역의 화상석 발달의 분기는 1기 서한 중기(남양 조채묘), 2기 서한 만기(남양 양관사 화상석묘), 3기 신망시기 (남양 풍유인 화상석묘), 4기 동한 조기(남양 영장 화상석묘), 5기 동한 중기(등주 장총점 한묘), 6기 동한 만기(밀현 타호정 1호묘)로 나눈다. 中國畵像石全集編輯委員會,『中國畵像石全集 (1-7)』山東美術出版社, 2000.

65 劉太祥 편저,『南陽漢文化』河南大學出版社, 2003, p.288.

66 南陽市博物館,「南陽縣趙寨磚瓦廠漢畵像石墓」『中原文物』1982年 1期. 석교 화상석묘는 동향의 고분으로 화상석은 묘문과 각 실의 문에 집중 배치되었다. 무덤 내부의 동서 길이는 4.02m, 남북 너비는 7.02m이다. 각 실의 천장은 모두 아치형이다.

67 周到, 李京華,「唐河針織廠漢畵像石墓的發掘」『文物』1973年 6期.

68 徐永斌,「南陽漢畵像石的發展與分期」『中原文物』2009年 1期.

69 孫廣淸,「河南漢代畵像石的分布與區域類型」『河南考古』中州古籍出版社, 2002.

기린강한묘는 묘장 형제로 보아 한옥상의 구분에 의한 발달 중에서 제3기에 가까우며, 인물도의 발달이나 세련된 천상도의 수준으로 미루어본다면 동한 조기보다는 동한 중기나 만기에 가까운 화상석묘로 볼 수도 있겠다. 그러나 전체 남양 한화상석묘의 구조와 화상석 제재 및 수량의 증감에 따른 발달로 비추어 볼 때 동한 조, 중기의 고분들과 가깝고 동한 만기로 편년되는 양성현 자구 한화상석묘(132)보다는 이를 것으로 보이기 때문에 아마 동한 중기에 세워진 화상석묘로 추정된다. 양육삼·손광청의 분류에서 동한 중기로 편년된 장총점한묘와 문미에 그려진 화상의 배치가 유사하기 때문에 역시 동한 중기로 편년하는 것이 타당해 보인다.

기린강한묘의 묘주에 대하여는 무덤 안에 명문이 없으므로 추정하기 어렵다. 남양지역 한화상석의 묘주에 대한 연구에 의하면 풍유인묘의 묘주는 태수, 초점묘와 전창묘는 태수 혹은 현령, 침직창묘, 동관묘, 영장묘, 성관진묘, 왕채묘, 석회요촌묘, 석교묘, 장총점묘, 양관사묘, 조채묘는 현령 혹은 현장으로 보인다.[70] 기린강한묘의 묘주에 대하여는 구조나 화상석의 내용 등을 비교하면 천상도가 유사한 초점묘나 묘주초상이 나타나는 전창묘와 유사한 태수나 현령급의 신분으로 추정된다.

표 13 | 남양 한화상석묘의 분기[71]

분기	시대	주요 화상석묘
제1기	서한 중기 (소제와 선제시기)	남양 당하 호양진 화상석묘, 남양시 조채 전와창 화상석묘
제2기	서한 만기 (왕망 신 이전)	남양 양관사 한화상석묘
	왕망시기	남양 당하 신점촌 풍유인 화상석묘(왕망 천봉 5년), 당하 침직창 한화상석묘, 당하 전창 한화상석묘, 당하 백장 한화상석묘
제3기	동한 조·중기	남양 당하 침직항 2호 한화상석묘, 방성 동관 한화상석묘, 방성현 성관진 한화상석묘, 남양현 영장 한화상석묘, 남양 중건칠국기계창 한화상석묘, 남양 석교 한화상석묘, 등현 장총점 한화상석묘, 남양시 기린강 한화상석묘, 남양 초점 한화상석묘
제4기	동한 만기	남양 중원기교 한화상석묘, 방성 당장 한화상석묘, 양성현 자구 한화상석묘
재장묘		남양 동관 한화상석묘, 남양시 허아구 화상석묘, 남양현 십리포 한화상석묘, 남양시 왕장 한화상석묘

70 柴中慶,「南陽漢畵像石墓墓主人身分初探」,『漢代考古與漢文化國際學術硏討會論文集』, 齊魯書舍, 2006.
71 韓玉祥,『南陽漢代畵像石墓』, 河南美術出版社, 1998, p.40.

4. 기린강한묘 화상의 의의

이상으로 한대 화상석의 발달과 대표적 제재들을 지역과 시기별로 고찰하는 기초 작업의 일환으로 한대 화상석의 대표적 출토지역인 하남성의 한대 기린강화상석고분을 선택하여 고찰하였다. 기린강한묘는 153폭의 화상조각과 남양지역 천상도 가운데 가장 복합적인 천상세계를 표현한 천상도가 3폭 발견되었으며 전국시대 초나라 지역인 호남성 출토 백화와 칠기화, 서한시대 마왕퇴 백화, 그리고 동진 고개지의 회화를 잇는 높은 수준의 인물화가 그려져 있다.

대표적 남양 한화상석묘인 기린강한묘는 태일太一, 사신四神, 복희·여와로 구성된 천상도天象圖의 완정한 표현, 인물화의 발달, 다양한 선인과 괴수표현에서 초나라 미술와의 연관성을 찾아볼 수 있다. 남양지역의 상장喪葬문화에는 초문화 요소가 풍부하여 그 묘제가 초문화의 영향을 받았음을 분명하게 보여준다.[72] 역사적 배경 및 화상석의 제재題材, 기법과 배치면에서 남양지역과 초나라문화와의 연관관계는 여러 학자들이 지적한 바 있다. 남양한화의 초문화 요소로는 진묘수, 대나축역大儺逐疫, 건고무를 비롯한 악무백잔, 승룡승선乘龍升仙, 기호승선騎虎升仙, 기록승선騎鹿升仙 등 승선 화상, 각종 귀신, 곰과 주작 등 다양하다. 또한 학자들이 초문화의 영향으로 지적한 이들 주제들은 한대 벽화와 화상석의 중심 주제들을 포함하고 있어 한대 고분미술 전반에 미친 초문화의 영향을 가늠하게 한다.

고구려 고분벽화를 포함하여 동아시아 고분미술의 상당수 제재들은 서한시대 호남성 장사 마왕퇴 1호 한묘에서 출토된 백화에서 그 기원을 찾을 수 있다. 기원전 2세기에 제작된 마왕퇴 백화에서 보이는 고분미술의 제재와 표현이 3~4세기 고구려 벽화가 출현하기까지 어떻게 변천 발달했는가를 보여주는 대표적 화상석묘가 기린강한묘라고 하겠다. 기린강화상석묘를 통하여 고구려 벽화의 인물도와 천상도 등 제재의 기원과 표현방식의 연원을 한대 화상석묘의 사례에서 살펴볼 수 있었다.

---

72 黃雅峰, 『南陽麒麟崗漢畵像石墓』 三秦出版社, 2007, p.37.

제4장
위진 벽화묘의 분포와 연원

I. 위진 벽화묘의 개관

중국 위진 시기 고분벽화는 한대 고분벽화와 화상석과 더불어 중국 고대 회화의 발전을 볼 수 있는 중요한 회화자료이다.[1] 동시에 고구려의 초기 고분벽화와 같은 시기에 조성되어 고구려 벽화의 기원과 발전, 양식적 변천에 중요한 비교자료이기도 하다. 고구려 고분벽화의 기원과 전개에 대해서는 중국의 동북지역 요령성 한~위진 벽화고분이 일찍부터 주목받아 고구려 벽화의 비교 연구가 이루어졌다. 지리적으로나 시기적으로 가까운 요령 고분벽화는 고구려 벽화의 형성과 발전에 일정 부분 영향을 미친 것으로 보인다. 요령 벽화에 대해서 직접적인 영향을 인정하는 의견과 요령에서 고구려로의 단선적 영향관계가 아닌 것으로 보는 의견이 제시되었다.[2] 이에 본 장에서는 고구려 벽화의 기원과 발전에 중요한 비교자료인 중국 위진 시기 고분벽화의 연원과 벽화문화의 전파경로를 살펴보고자 한다.

위진시기의 벽화고분은 중국의 동북과 서북지역에 나뉘어 분포해 있다. 요녕성 지역의 벽화고분으로는 요양遼陽 봉대자둔묘棒台子屯墓, 요양 삼도호묘三道壕墓, 요양 북원묘北園墓, 요양 상왕가촌묘上王家村墓, 조양朝陽 원대자진묘袁台子晋墓, 요녕 북표현北票縣 서관영자西官營子 북연北燕 풍소불묘馮素弗墓 등이 있다. 감숙성의 대표적 벽화묘로는 가욕관嘉峪關 신성묘新城墓, 돈황敦煌 불야묘만佛爺廟灣 서진묘西晉墓, 주천酒泉 정가갑丁家閘 5호묘 등이 있다.[3]

---

1 본 장은 朴雅林, 「高句麗 壁畵와 甘肅省 魏晉時期(敦煌 包含) 壁畵 比較研究」, 『고구려발해연구』, 16, 2003, pp.139-177; ___, 「중국 위진 고분벽화의 연원 연구」, 『동양미술사학』 1(동양미술사학회, 2012), pp.75~108; ___, 『고구려 고분벽화 유라시아문화를 품다』, 학연문화사, 2015에 내용을 추가 보완하여 정리한 것임.

2 전호태, 『중국 화상석과 고분벽화 연구』, 솔, 2007; 전호태, 「한당 고분벽화의 지역문화」, 『역사문화연구』 33, 한국외국어대학교 역사문화연구소, 2009; 강현숙, 『고구려와 비교해본 중국 한, 위·진의 벽화분』, 지식산업사, 2005; 東潮, 『高句麗考古學研究』, 吉川弘文館, 1997.

3 요양지역 한위진대 벽화묘의 발굴연구사는 李龍彬, 馬鑫, 鄒寶庫 編著, 『漢魏晉遼陽壁畵墓』, 遼寧人民出版社, 2020, pp.6~53; 黃佩賢, 『漢代墓室壁畵研究』, 文物出版社, 2008, pp.1~28; 하서지역 위진 벽화묘의 발굴연구사는 孫彦, 『河西魏晉十六國壁畵墓研究』, 文物出版社, 2011, pp.7~22; 위진남북조 벽화묘의 연구사는 鄭岩, 『魏晉南北朝壁畵墓研究』, 文物出版社, 2016, pp.1-15; 東潮, 『高句麗考古學研究』, 東京, 1997; 서영대, 『중국 요양지역의 벽화고분』, 백산자료원, 2016; 鄭岩, 「河西魏晉壁畵墓初論」 『漢唐之間文化藝術的互動與交融』, 文物出版社, 2001, pp.387-426; Nancy Shatzman Steinhardt, 「From Koguryo to Gansu and Xinjiang: Funerary and Worship Space in North Asia 4th -7th Centuries」, 『漢唐之間文化藝術的互動與交融』, 文物出版社, 2001, pp.153~203. Nancy Shatzman Steinhardt, "Changchuan Tomb No. 1

II. 동북지역 벽화묘

1. 동한 후기~서진 벽화묘

동한 후기 벽화고분의 분포를 보면 중원과 동북지역에 각각 15기 이상, 북부, 하서, 동방 지역에 각각 5기 이상, 관중지역 1기의 순으로 벽화고분이 분포한다.[4] 이는 동한 후기에 와서 동북, 북방, 하서를 잇는 북부지역이 벽화고분 축조의 중심지로 형성되어가고 있음을 짐작하게 한다. 전체적으로 고분벽화 문화의 분포 및 전파에서 동일한 주제를 공유하면서도 지역적 특징의 형성이 관찰된다.

요양지역 벽화고분의 출현 시기는 동한 후기에서 한위 교체기(2세기 말~3세기)로 영가永嘉 (307~312)의 난으로 인한 대규모의 인구 이동이 일어나기 전이다. 이는 동한대에 중원과 동북을 잇는 인구의 이동과 대외 관계를 배경으로 한다. 잘 알려져 있듯이 요양의 공손씨 정권은 동북지역으로 망명하는 한족 인구들을 적극적으로 받아들였으며 산동 지역까지 영토 확장을 하였다. 최근 위진남북조시대의 인구 이동과 지역적 분포에 관한 연구에서도 지적되었듯이 한족의 변방 지역으로의 이동과 고구려인을 포함한 이민족의 중국 내지로의 이동은 이미 한나라 때부터 꾸준히 이루어졌다. 또한 이들의 이동 범위는 하서지역에서 산서, 하남, 하북, 산서, 산동, 낙랑지역을 아우르는 광범위한 것이었다.[5]

동북지역에는 동한 후기에서 서진시기(265~317)까지 갑작스럽게 많은 수의 벽화고분이 요양遼陽에 출현한다. 요양 영수사묘迎水寺墓, 요양 남림자묘南林子墓, 북원北園1·2·3호묘,[6] 요양 봉대자둔棒臺子屯 1·2호묘, 요양 삼도호요업제4현장묘三道壕窯業第4現場墓(거기묘車騎墓), 요양 삼도호三道壕 1·2·3호묘(3호묘는 서진묘), 요양 남설매촌南雪梅村 1호묘, 요양 아방鵝房 1

---

and Its North Asian Context," *Journal of East Asian Archaeology*, 2002.

4 동한 후기부터는 황패현, 허시린, 양홍의 지역과 시기 구분이 차이가 나므로, 여기에서는 황패현의 구분을 따랐다.

5 신성곤, 「위진남북조시대의 인구 이동과 지역적 분포」, 『동양사학연구』 103, 동양사학회, 2008, pp. 49~84; 김경호, 「漢代 河西地域 豪族의 성격에 관한 연구」, 성균관대학교 사학과 박사학위 논문, 1999, p. 44.

6 강현숙과 전호태의 연구에서는 북원(北園) 2, 3, 6호묘이다. 강현숙, 『고구려와 비교해본 중국 한, 위·진의 벽화분』, 지식산업사, 2005, p. 147; 전호태, 『중국 화상석과 고분벽화 연구』, 솔, 2007, pp. 305~306.

호묘, 요양 동문리묘東門里墓, 요양 남환가묘南環街墓 등이다.[7] 1918년 발견된 요양 영수사묘를 시작으로 2014년의 묘포苗圃 벽화묘(2014M7)까지 발견된 요양성 북교와 동남교에서 발굴된 요양 벽화묘는 33기에 달한다.[8]

1) 요양 영수사묘

요양 영수사묘迎水寺墓는 요양지역에서 처음 알려진 벽화고분으로, 요양시遼陽市 동북교東北郊 태자하구太子河區 동경릉향東京陵鄉 영수사촌迎水寺村 북쪽의 태자하太子河 동쪽 영수사란 사찰이 있던 영수사촌에서 발견되었다. 1918년 일본학자 야기 소자부로八木奘三郞, 츠카모토 야스시塚本靖 등이 발견하여 중국 내에서 처음으로 고고발굴을 한 첫 번째 한대 벽화묘가 되었다. 발굴 후에 묘석墓石이 여순박물관으로 옮겨진 후에는 석벽의 채색 벽면이 전부 탈락하였다.

석판구축실묘石板構築室墓로 묘문墓門, 주관실主棺室, 회랑回廊, 이실耳室로 구성되었다. 묘장 남북길이 4.5m, 좌우 너비 6.0m, 높이 1.9m이다. 4개의 관실과 1개의 후실로 구성되었다. 묘실의 평면은 장방형이고, 북쪽에 입구처럼 보이는 소실이 있다. 묘실의 중심에 관실이 있고, 그 주위에 회랑이 있다. 관실은 남북으로 석판을 세워 4실을 구축하였고 천장은 평천장인데, 요양지역 벽화고분 중 규모가 큰 편에 속한다.

벽화는 회칠한 벽면에 묵선으로 윤곽을 그리고 채색을 하였다. 묘실 벽 전체에 벽화가 그려졌을 것으로 짐작되나 오랜 기간 매몰되어 대부분 박락되었고, 남아있는 벽화도 불분명한 부분이 많다.

묘실 서벽은 마부, 흑마, 적마, 묘주부부 대좌도對坐圖, 묘실 북벽은 포주도庖廚圖, 묘실 남벽은 두 사람의 남자가 공수를 한 채 단정한 자세로 탑상에 마주보고 앉아있다. 묘실 동벽에는 휘장 아래 단정한 자세로 마주보고 있는 두 여성, 우거牛車, 남자, 소 등의 벽화가 있다.

서벽 남측에는 휘장 아래에 묘주 부부가 침상 위에 마주앉아 있는 모습이 그려져 있다.

7 요양지역 벽화고분의 관실 병렬배치 평면은 서한대 중원지역의 나무나 공심전을 이용한 무덤이나 공심전과 소전 혼축무덤과 하남, 강소, 산동성 등지의 동한대 화상석묘에서 연원을 찾는다. 信立祥, 김용성 譯, 『한대 화상석의 세계』, 학연문화사, 2005, p. 28; 강현숙, 「中國 東北地方 石室封土壁畵墳의 地域的 特徵에 對하여」, 『한국고고학보』 43, 2000, p. 171; 강현숙, 「中國 古代墓制에 對하여」, 『한국고고학보』 32, 1995, pp. 87~130.
8 李龍彬, 馬鑫, 鄒寶庫 編著, 『漢魏晉遼陽壁畵墓』, 遼寧人民出版社, 2020, pp. 17-18.

부부 사이에 있는 둥근 상탁 위에 용기가 있으며, 부부의 중간과 뒤에는 시녀들이 있다. 이 그림의 오른쪽에는 상하 4단으로 나누어진 그림이 있는데, 말과 말을 끄는 인물, 수레 그림, 안장을 얹은 말 그림, 수레 그림으로 짐작되는 수레 바퀴가 위에서부터 아래 방향으로 순차적으로 그려져 있다. 이는 묘주의 출행을 위해 시종과 수레가 대기하고 있는 모습을 그린 것으로 보인다. 묘주 부부도와 이어지는 남벽의 서단에는 모자를 쓰고 공수를 한 단정한 자세로 앉아 있는 두 명의 남자 인물상이 그려져 있으며, 그들 앞에는 둥근 그릇이 놓여있다.

　동벽의 남측에는 휘장 아래에 두 명의 여성이 그려져 있는데, 머리에 비녀를 9개씩 꽂고 있으며, 단정한 자세로 마주보고 앉아있다. 그들 사이에는 거울처럼 보이는 둥근 물건이 놓여 있다. 동벽 북측에는 서벽처럼 여러 단으로 나누어진 벽화가 있는데, 상단에는 우거를 끄는 두 사람, 아래에는 수레 두 대가 그려져 있고, 그 아랫부분은 박락되어 어떤 그림이 그려져 있는지 알 수 없다. 북쪽 입구 소실의 북벽 상부에는 머리를 묶은 인물이 있는데, 머리 위에는 가로대에 새와 짐승, 물고기 등 식재료가 걸려있고, 앞에는 생선을 올려놓은 접시와 상자가 있다. 이는 음식창고와 주방을 그린 것으로 짐작되며 하부에 인물 그림이 있으나 자세하지

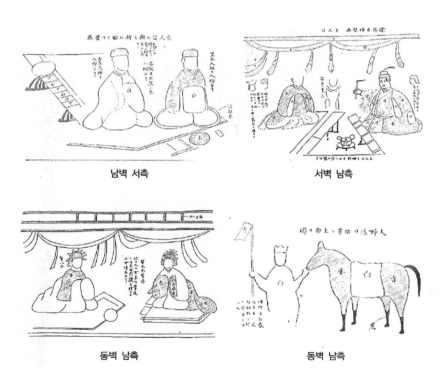

남벽 서측　　　　　　　서벽 남측

동벽 남측　　　　　　　동벽 남측

도 1 | 《묘주도》, 남, 서, 동벽, 영수사묘

않다(도1).

무덤의 조사자인 야기 소자부로八木奬三郎는 무덤의 구조, 출토유물, 그리고 벽화내용이 한대 화상석과 통한다는 점에서 무덤 축조 시기를 한대 이후로 추정하고 있으나, 근래의 연구에 의하면 동한 만기에서 조위 초, 즉 170~230년 사이로 축조시기를 추정하고 있다. 무덤의 피장자에 관해 여러 가지 견해가 있지만, 일반적으로 시기와 규모로 미루어 공손씨 시대 유력자의 무덤으로 보고 있다.[9]

2) 요양 북원 1·3호묘

1943년 발견된 요양 북원北園 1호묘1號墓(동한 만기에서 조위 초, 170-230년)는 요양시遼陽市 서북교西北郊 태자하구太子河區 북원와요자촌北園瓦窯子村 동남東南에 위치한다. 발견 당시 무덤의 개석蓋石은 지표 아래 50㎝ 정도에 있었다고 하는데, 지상에 큰 봉분이 있었던 것으로 추정된다. 무덤의 석실은 큰 석판을 조합하여 축조한 것으로, 묘실의 평면은 사각형에 가깝다. 묘문, 회랑回廊(전랑), 3관실三棺室, 좌전이실左前耳室, 좌중이실左中耳室, 우전이실右前耳室, 우중이실右中耳室, 후이실後耳室로 구성되었다. 묘문은 서쪽을 향하고 있으며, 묘문 안으로 들어가면 좌우 이실을 갖춘 전랑이 있다. 전랑 뒤에는 관실이 있는데, 관실은 격벽이 설치되어 세 부분으로 나뉘어졌고, 관실의 좌우에는 회랑이 있으며, 회랑의 양쪽에도 각각 이실이 있다. 외곽의 이실들을 제외한 무덤 중앙부의 크기는 517×465×188㎝이며, 요양지역 벽화묘 중 대형에 속한다. 천장은 230×75㎝ 크기의 석재 3장으로 축조한 평천장이다.

벽화는 석벽 위에 안료를 사용하여 직접 그린 것으로, 묵선으로 윤곽을 그린 후 내부를 칠하였다. 묘문 남측 전랑前廊 서벽에 문졸門卒이 있고, 관실棺室 남, 북벽에 기리騎吏가 있으며, 후랑後廊 동벽 북부에 누각이, 후랑 동벽 남부에 고루高樓 누궐도가 그려져 있으며, 누궐도 아래에는 악무도와 잡기도, 사조射鳥가 있다. 좌랑左廊 북벽에 거마출행이 있고, 좌이실벽左耳室壁에는 1인상, 후이실벽後耳室壁에는 묘주연음도와 시자 등이 그려져 있다(도2).

---

9 八木奬三郎, 「遼陽發見の壁畵古墳」, 『東洋學報』, 第十一卷 第一號, 1921; 塚本靖, 「遼陽太子河附近の壁畵する古墳」, 『考古學雜誌』, 第11卷 第7號, 1921; 濱田耕作, 「遼陽附近の壁畵古墳」, 『東亞考古學研究』, 岡書院, 1930; 박지영·임찬경, 「요양 영수사벽화묘의 고구려 관련성에 관한 두 편의 논문」, 『선도문화』 23, 2017, pp.457~501; 임찬경, 「자료소개-영수사벽화묘의 고구려 관련성에 대한 하마다 고사쿠의 논문」, 『선도문화』 26, 2016, pp.429~445; 黃佩賢, 『漢代墓室壁畵研究』, 文物出版社, 2008, pp.86-104; 서영대, 『中國 遼陽地域의 壁畵古墳』, 백산자료원, 2017, pp.63~67.

도 2 | 《궐루도》, 후랑 동벽(상), 《묘주연음도》, 후이실 후벽과 좌벽(하), 북원 1호묘

연음도는 가장 뒤쪽의 돌출된 소실의 후벽과 좌벽에 있다. 휘장 아래에 묘주와 두 명의 남자가 서로 마주보고 있으며, 사이에는 향불이 피어오르고 있다. 집안과 밖에 각각 1명의 시자가 서 있으며 집 밖에는 나무 한 그루가 있다.

속리도는 후랑에 있으며, 두 명의 인물이 그려져 있고, 그림 옆에는 "小府史"라는 묵서가 있는데, 이는 앞의 연음도에 이어지는 부분으로 생각된다. 인물의 크기는 약 0.462m이며, 두 명의 인물은 오른쪽을 향해 두 손을 모으고 공손히 서 있다. 관대와 의복을 그린 묵선이 선명하게 남아있다. 속리도 옆에는 누각도가 있는데, 누각은 3층으로 되어 있고 건물의 꼭대기에 봉황이 날아오르려는 자세로 앉아있다. 그 좌우에는 붉은 색 깃발이 휘날리고 있다. 가장 위층의 처마에는 검은 새가 한 마리 그려져 있고, 그 아래 지상에는 한 사람이 무릎을 꿇고 활시위를 당기고 있다. 건물의 가운데에는 한 부인이 정좌한 모습이 있으며, 궐루도 옆에는 "敎以勤以誠"이라는 묵서가 쓰여 있다. 누각도 아래에는 악무도와 잡기도가 있다. 악무도의 중심에는 화려하게 장식된 북을 치고 있는 인물이 한 명 서있다. 그 주변에 악공 9명이 악기를 다루고 있고, 그 옆에 춤추는 인물 두 명이 표현되어 있다. 잡기도에는 공 던지기, 칼 던지기, 수레바퀴 던지기, 물구나무 서기 등 다양한 기예장면이 표현되었다.

관실에는 기행도騎行圖와 거행도車行圖가 있고, "季春之月"이라는 묵서가 발견된다. 전랑에는 투계鬪鷄장면이 묘사되어 있고 오른편에 투계를 관장하는 인물로 보이는 노인 한명이 그려져 있다. 창름도倉廩圖에는 기와집과 그 앞에 흰색 개 한 마리가 그려져 있고, 그 오른쪽에는 창고를 관리하고 있는 인물로 추정되는 관복을 착용한 인물이 무엇인가를 들고 서 있다. 여기에는 "代郡廩(庫?)"이라는 묵서가 있다. 전랑 기둥에는 운기문이 그려져 있다. 묘의 축조 시기는 벽화의 인물의 복식, 유물 등으로 미루어 보아 170~230년, 동위 만기에서 조위 초로 추정한다.[10]

북원 3호묘는 1986년 발굴되었으며 발굴보고서는 나오지 않았다. 석판구축실묘石板構築室墓로 묘문, 전실, 전실의 좌우이실, 3개의 관실, 후실과 후실의 좌, 우, 후벽에 달린 3개의 이실로 구성되었다. 벽화는 묘문 기둥, 전랑, 후랑, 좌우 이실과 후실 내벽에 있으며 묘주연음,

---

10 李文信, 「遼陽北園壁畵古墓記略」, 『國立沈陽博物館籌備委員會彙刊』, 1947年 第1期, pp.122-163; Wilma Fairbank and Masao Kitano, "Han Mural Paintings in the Pei-Yuan Tomb at Liao-Yang, South Manchuria," *Artibus Asiae*, Vol. 17, No. 3/4 (1954), pp.238-264; Wilma Fairbank, *Adventures in Retrieval: Han Murals and Shang Bronze Molds*, Harvard University press, 1972; 서영대, 『中國 遼陽地域의 壁畵古墳』, 백산자료원, 2017, pp.25~30.

속리, 가무기악, 주방과 가옥, 문졸, 운기 등이다. 170~230년 사이의 동한 만기에서 조위 초의 묘로 추정한다(도3).[11]

3) 요양 봉대자 1·2호묘

요양 봉대자棒臺子 1호묘1號墓는 요양시 서북쪽 4㎞ 거리의 태자하구 봉대자촌 북쪽 약 500m 거리(요양시 태자하구太子河區 진흥로振興路 망수대가도望水臺街道)에 위치한다. 1944년 일본 학자 에가미 나미오江上波夫에 의하여 도굴되었다. 석판구축실묘石板構築室墓로서 묘문墓門, 3개의 관실棺室, 회랑回廊, 3개의 이실耳室로 구성된 평면 "T"자형 묘이다. 묘실 좌우 넓이는 8m, 전후 길이는 6.6m이다. 전랑前廊 조정藻井에 일월운기문, 묘문墓門 중부中部 양쪽의 기둥에 2명의 무장문졸, 수문견守門犬, 묘문 안쪽의

도3 |《문졸도》, 북원 3호묘

좌, 우 양벽에 3단의 잡기기악도, 좌, 우 이실에(우이실 우벽과 좌이실 좌벽)에 묘주음식도墓主飮食圖, 오른쪽 회랑의 좌, 우, 후 세 벽 및 왼쪽 회랑의 좌벽에 출행도(인물 173명, 말 127마리, 수레 10대), 왼쪽 회랑의 왼쪽 벽에 출행도, 후랑의 후좌벽에 3층 고루, 우물에 세운 정자井亭, 후이실 좌, 우, 후 3벽에 포주도庖廚圖, 무덤 내의 개석, 벽단壁端, 관두棺頭에 운기문이 있다(도4). 묘의 축조 시기는 동한 만기에서 조위 초로 170~230년 경으로 추정한다.[12]

요양 봉대자 2호묘는 봉대자 1호묘 동남쪽 약 1㎞ 거리에 위치하였다. 1956년 발굴되어

---

11 黃佩賢, 『漢代墓室壁畫研究』, 文物出版社, 2008, pp.86-104; 서영대, 『中國 遼陽地域의 壁畫古墳』, 백산자료원, 2017, pp.31~34.

12 李文信, 「遼陽發現的三座壁畫古墓」, 『文物參考資料』, 1955年 5期; 遼陽市文物管理所, 「遼陽發現三座壁畫墓」, 『考古』, 1980年 1期; 李文信, 「遼陽發見的三座壁畫古墓」, 『文物參考資料』, 1955年 5期; 전호태, 「요양 위진 고분벽화」, 『중국 화상석과 고분벽화 연구』, 솔, 2007, pp.299-326; 강현숙, 『고구려와 비교해본 중국 한, 위·진의 벽화분』, 지식산업사, 2005, pp.307~343; 黃佩賢, 『漢代墓室壁畫研究』, 文物出版社, 2008, pp.86~104; 서영대, 『中國 遼陽地域의 壁畫古墳』, 백산자료원, 2017, pp.20~24.

위진 벽화묘의 분포와 연원 213

도 4 | 《운기문 천상도》, 전랑 천장, 봉대자 1호묘

벽화 석판 및 모본은 현재 요녕성박물관에 있다.[13] 석판구축실묘石板構築室墓이며 묘문墓門, 횡전실橫前室과 좌우이실左右耳室, 4개의 관실棺室, 횡후실橫後室로 구성된 평면 "工"자형 묘이다. 묘문墓門 양측兩側 좌우이실 전벽前壁에는 2명의 무장문졸, 좌이실左耳室 좌左, 후벽後壁에는 거마출행, 향우측의 인물거마, 우이실右耳室 우벽右壁에는 묘주부부대좌도, 시자, 가구, 식기, 월륜, 후실後室 후벽後壁 우반부에는 3층의 고루저택, 우물, 담장院墻이 있다(도5). 축조 시기는 동한 말기에서 위魏 이전으로 추정한다.[14]

13 李龍彬, 馬鑫, 鄒寶庫 編著, 『漢魏晉遼陽壁畵墓』, 遼寧人民出版社, 2020, pp. 25~27.
14 서영대, 『中國 遼陽地域의 壁畵古墳』, 백산자료원, 2017, pp. 72~74.

도 5 | 《거기도》, 좌이실 좌벽(좌), 《묘주도》, 우이실 우벽(우), 봉대자 2호묘

4) 요양 삼도호묘군

요양 삼도호묘군에서는 요양 삼도호요업제4현장묘가 1951년에 발굴되었다. 이어서 1953년에 삼도호三道壕 영지영묘令支令墓, 1955년에 삼도호三道壕 1호묘와 2호묘가, 1974년에 삼도호 3호묘가 발굴되었다. 요양 삼도호묘군三道壕墓群은 북원묘군에서 남쪽으로 1km 정도 거리이며 영지영묘令支令墓, 삼도호 1호묘, 2호묘, 3호묘가 동서방향으로 배열되어있다.

요양 삼도호 1호묘는 1955년에 2호묘와 같이 발견되었다. 남향의 석판구축실묘石板構築室墓로서 대형 석판으로 축조되었으며 백회로 틈새를 메웠다. 묘문, 횡전실, 전실에 달린 좌우이실, 4개의 병렬의 관실로 구성되었다. 벽화는 묘문 좌측 기둥에 수문견守門犬, 기둥과 들보에 적색 운문, 좌이실 전벽에 포주도庖廚圖, 우이실 3면에 각각 부부장방연음도, 후벽에 마거, 우거, 인물 등이다(도6). 1955년 발굴 당시 52일 동안 제작한 벽화 모사도가 있다. 축조 시기는 동한시기로 편년하였는데, 최근에 4세기 초에서 30년대, 동진 시기로 추정된다고 한다.

삼도호 2호묘는 석판구축실묘石板構築室墓이며 1호묘와 구조가 유사한데 횡전실 우측에 하나의 이실만 있고 2개의 관실이 있다. 우관실에 석판으로 만든 관상이 있다. 우이실 천장에 태양을 그린 흔적이 남았는데 일월천상도로 보인다. 우이실 벽면에는 오른쪽에 묘주부부대좌장막도가 있고, 왼쪽에는 우거도가 있다. 발굴보고서에서는 1호묘와 같이 후한 말기에서 서진 초기로 추정하였는데 최근에는 4세기 초에서 30년 사이로 보고 있다.

요양 삼도호요업제4현장묘三道壕窯業第4現場墓(거기묘車騎墓)는 석판구축실묘石板構築室墓이며 묘문, 횡전실과 좌우이실, 2개의 관실로 구성되었다. 벽화는 다음과 같이 그려져 있는데, 묘문에 문졸, 전실 천장에는 일월운기화상, 좌이실左耳室에 묘주부부 대좌, 남녀시종, 우이실右耳室 우벽右壁 뒷부분과 후벽에는 상하 이단의 포주도庖廚圖, 후벽後壁에는 남녀노동장면男女勞動場面, 관실棺室 중앙벽中央壁 상석上石 방두枋頭에는 수면獸面이 그려져 있다(도7). 묘의

도 6 | 《부부대좌도》, 우이실 후벽, 삼도호 1호묘

연대는 위진시기로 추정한다.

　　요양 삼도호요업제2현장묘三道壕窯業第2現場墓(영지영묘令支令墓)는 석판구축실묘石板構築室
墓이며 횡전랑과 좌우이실, 3개의 관실로 구성되었다. "令支令"이라는 묵서제자墨書題字가
있어 이름이 명명되었다. 묘문墓門 내 좌벽 상부에는 포주도庖廚圖, 우이실右耳室 전벽前壁에
는 안장을 얹은 말, 말을 끄는 사람이 그려져 있으며, 우이실右耳室 우右, 후벽後壁에는 세 채
의 가옥, 장막 아래 인물좌상, 시자 등이 그려져 있다. "巍令支令張口口", "口夫人", "公孫夫
人"이라는 예체묵서방제隸體墨書榜題가 남아있어 영지영장씨令支令張氏는 위나라 사람魏人으
로 보이고, 공손씨부인公孫氏夫人은 요동遼東의 공손씨公孫氏 출신으로 추정된다. 묘주는 요
서군 영지현 현령을 역임한 장씨 성의 인물로 추정한다. 묘의 축조시기는 조위(220~265)시기
로 추정한다.

　　요양 삼도호 3호묘는 석판구축실묘石板構築室墓이다. 무덤 천장 석재에서 지표면까지 깊

도 7 | 《묘주부부도》, 좌이실, 삼도호요업제4현장묘

이가 1.8m이다. 묘실은 담청색 석회암 판을 축조하여 네 벽의 큰 석판을 세우고, 상하로 석판을 깔고 석회로 이음새를 메꿨다. 이 무덤의 평면은 "工"자형이고 앞뒤의 길이가 4.5m, 좌우 너비가 1.26m, 높이가 1.8m이고 묘문은 190°이다. 하나의 큰 석판을 가로로 두어 묘문을 막았다. 전, 후실 중간에는 두 개의 시상尸床이 병렬되어 있다. 오른쪽 시상에는 인골 두 개가 나란히 있으며 머리는 북쪽을, 발은 남쪽을 향하고 있다. 왼쪽 시상에는 인골이 보이지 않는다.

벽화는 묵으로 윤곽선을 그려냈고, 백분白粉을 바탕에 바르고, 적朱, 녹綠, 백白, 황黃 등의 색으로 벽면에 그렸다. 고분 내의 습도가 비교적 높고 벽화의 탈락이 심하여 희미하거나 제대로 보존되지 않은 부분도 있다.

벽화의 주제로는 묘주부부 대좌연음도, 견마도牽馬圖, 누각도樓閣圖, 운기장식도雲氣裝飾圖 등이 있다. 묘주부부 대좌연음도는 전실 우이실의 서, 북벽에 있다. 서벽에는 한 명의 큰 남자상이 장막 안에 앉아 북벽의 여자상을 향하고 있다. 앞뒤에는 각각 키가 작은 시동侍童들이 있는데, 앞의 시동은 묘주를 향해 음식을 대령하고 있으며, 뒤편의 시동은 양손에 물건을 받쳐 들고 서 있다(도8). 장막의 왼쪽 아래에는 용수 문양의 장방형 사물이 놓여 있다. 북벽에는 한 명의 큰 여자상이 그려져 있고 얼굴은 서벽의 남자상을 향해 있으며, 여자상은 방탑

도 8 | 《묘주도》, 전실 우이실 서벽, 삼도호 3호묘

方榻에 앉아 있다. 여자상 앞뒤에 시자들이 있는데 앞쪽의 시자는 손에 원판을 들고 묘주를 향해 음식을 대령하고 있으며, 뒤편의 시자는 오른손에 둥근 부채를 들고 왼손에는 십자형 황색 바구니 다발을 받치고 있다. 두 폭의 벽화는 전체 길이가 1.63m이고 높이가 0.8m이다.

견마도는 전실 좌이실 동벽에 있으며, 왼쪽에는 붉은 안장과 말 한 필이 있고, 오른쪽에는 마부 한명이 그려져 있다. 누각도는 후실 북벽에 있으며, 묵선으로 2층의 고루高樓 한 채가 그려져 있고, 높이가 43㎝, 너비가 46㎝이다. 운기장식도는 묘문 양측 벽의 끝부분과 횡방橫枋에 그려져 있다. 이 외에 전실 좌이실 북벽에 가거도家居圖가 있다. 시상의 오른쪽 벽면 윗부분에 주작 등이 그려져 있으나 안타깝게도 이미 박락된 상태이다. 묘의 연대는 한위시기로 추정한다.[15]

---

15   東北博物館,「遼陽三道壕兩座壁畵墓的淸理工作簡報」,『文物參考資料』, 1955年 12期; 遼陽市文物管理所,「遼陽發現三座壁畵墓」,『考古』, 1980年 1期; 遼陽博物館,「遼陽市三道壕西晉墓淸理簡報」,『考古』, 1990年 4期; 黃佩賢,『漢代墓室壁畵硏究』, 文物出版社, 2008, pp.86~104; 서영대,『中國 遼陽地域의 壁畵古墳』, 백산자료원, 2017, pp.35-45; 李龍彬, 馬鑫, 鄒寶庫 編著,『漢魏晉遼陽壁畵墓』, 遼寧人民出版社, 2020, pp.19-21.

5) 요양 남설매촌묘

1956년 요양현遼陽縣 소둔향小屯鄉 남설매촌南雪梅村 북쪽에서 발견된 요양 남설매촌 1호묘는 석판구축실묘石板構築室墓이며 묘문墓門, 횡전실橫前室과 좌우이실左右耳室, 쌍관실雙棺室, 후실後室로 구성되었다. 묘실의 평면도는 "丁"자형이다. 전후 길이 5.25m, 좌우 너비 6.06m, 높이 1.8m이다. 장방형 전실(전랑), 좌우 이실, 중랑, 중랑과 나란히 설치된 관실, 후랑, 후실로 구성되었다.

이 무덤의 벽화는 수량이 많지 않고, 또한 침수로 인해 분명하게 식별할 수 있는 것이 적다. 묘문과 관실 일부에서만 벽화가 확인된다.

문기둥과 문미 바깥 면에 붉은색 운문이 그려져 있으나, 색이 이미 바래진 상태이다. 묘문 좌우 양벽에는 각각 형식이 같은 건축물이 그려져 있는데, 오른쪽 벽의 벽화는 비교적 선명하며 건축 구도가 매우 간단하다. 묵선으로 지붕을 그리고 붉은 색으로 정#자형 난간을 그렸다. 벽의 높이는 1.48m이고 가로 너비는 0.78m이다.

왼쪽 관실 후벽에는 주황색 휘장 아래에 6명이 공수하고 좌우로 각각 3명씩 서로 마주보고 앉아 있는 그림이 있다. 왼쪽 첫 번째 인물은 녹색 포를 입고, 그 앞에 방형의 붉은색 안석이 그려졌다. 그 다음의 두 명의 인물은 붉은색 포를 입고 있고 앞에 황색 안석이 있다. 오른쪽 첫 인물은 붉은색 포를 입고, 두 번째 인물은 자색赭色 포를, 세 번째 인물은 녹색 포를 입고 있다. 가운데 중간 관실의 문틀과 문미의 앞면에는 장식도안이 그려져 있으며, 비교적 선명하다. 문틀에는 주황색, 홍갈색, 백색, 3색으로 운수 도안을 그렸다. 양 문의 문틀에는 오직 주황색 선으로 운문을 그렸다. 관상 안의 흙 속에서 나온 파손된 판석에는 먹으로 그린 동물의 다리 부분이 남아 있는데, 그 형상으로 볼 때 개로 생각된다. 아랫면에는 주황색으로 그린 운문이 남아 있다. 부장품 가운데 도반陶盤에 용과 격투를 벌이는 우인羽人, 사람의 얼굴을 한 새, 창을 든 인물과 활을 든 인물의 전투장면이 묘사되어 있는데, 이는 요양에서 보기 드문 신선상서의 주제가 표현된 것이다. 발굴보고서에서는 한위시대 묘로 보았으나 최근에는 170~230년경 축조된 것으로 본다.[16]

---

16 王增新, 「遼寧遼陽縣南雪梅村壁畫墓及石墓」, 『考古』, 1960年 1期; 서영대, 『中國 遼陽地域의 壁畵古墳』, 백산자료원, 2017, pp.68-70; 李龍彬, 馬鑫, 鄒寶庫 編著, 『漢魏晉遼陽壁畵墓』, 瀋陽: 遼寧人民出版社, 2020, p.111.

6) 요양 상왕가촌묘

상왕가촌묘上王家村墓는 요양시遼陽市 태자하구太子河區 진흥로振興路 망수대가도望水臺街道 상왕가촌上王家村에 위치한다. 1957년에 발견되었고 1958년에 요녕성박물관에서 조사하였으며, 1959년에 약보고서가 나왔다. 석판으로 묘실을 축조하였으며, 평면 'T'자형이다. 묘실 크기는 동서 5m, 남북 4m, 높이 2.5m이다. 전실의 좌우에 각각 이실이 있으며 우이실에 명기 받침이 있다. 관실은 가운데에 판석을 세워 2개로 나누어 조성하였다. 두 관실이 서로 통하게 판석 중앙에 창을 만들었다. 전실 천장은 4개의 석판을 이용해 평행삼각고임식으로 축조하였는데, 요양지역 유일한 평행삼각고임천장이다. 벽화는 관실 앞 기둥 및 좌우 이실의 벽면에 그려졌다. 우이실의 앞 벽에는 붉은색 휘장 아래 묘주가 정좌한 모습으로 오른손에 주미를 들었다(도9). 앞에 네모난 책상이 있고, 뒤에 병풍이 놓였다. 묘주 오른쪽에 흑책黑幘을 쓰고 포를 착용한 인물이 손에 홀을 들고 주인을 향해 서있고, 병풍 뒤에는 여러 명의 시종들이 있다. 좌이실의 앞벽 윗부분에 거기출행도가 있는데, 말에 탄 여덟 명의 인물이 두 줄로 나뉘어 그려졌고 흑책에 긴 포를 착용하고 손에 홀을 들고 있다. 그 뒤로 우거 한 대가 뒤따르는데 묘주가 탄 것으로 추정한다. 이실의 오른쪽 벽 윗부분에는 훼손되었으나 가택이 그려져 있었을 것으로 추정된다. 관실 앞 기둥에는 유운문이 장식되었다. 다른 요양 벽화묘들이 평천장인데 상왕가촌 벽화묘는 평행삼각고임천장이라 연대가 가장 늦어 서진-동진 시기(4세기)의 묘로 본다. 북한의 손수호는 고구려가 요양지역을 점령한 이후인 4세기 말-5세기 초 요양지역을 통치하던 고구려 고위 귀족의 무덤이라고 주장하기도 하였다.[17]

도9 │ 《묘주연음도》(우이실)(좌), 《거기출행도》(좌이실)(우), 상왕가촌묘

17   李慶發, 「遼陽上王家村晋代壁畫墓淸理簡報」, 『文物』, 1959年 7期; 손수호, 「상왕가촌 벽화무덤의 성격에 대하여」, 『조선고고연구』, 1997-2; 서영대, 『中國 遼陽地域의 壁畵古墳』, 백산자료원, 2017, pp. 16~19.

7) 요양 아방 1호묘

　요양시 태자하구 아방촌 남쪽의 아방鵝房 1호묘1號墓는 1975년 발견되었다. 석판구축실묘石板構築室墓이며 묘문墓門, 전실前室과 좌우이실左右耳室, 쌍관실雙棺室, 후실後室로 구성되었다. 묘실 전후 길이 4.8m, 좌우 너비 3.48m, 높이 1.48m 이다. 전실前室 좌이실左耳室 정벽正壁의 위에는 해가 그려져 있고, 아래에는 8명 남성으로 구성된 지경도持經圖가 있다(도10). 전실前室 좌이실左耳室 좌벽左壁에는 남녀 6명의 연음도가 있고, 전실前室 우이실右耳室 정벽正壁에는 2층 누각과 달이 그려져 있으며, 후실後室 정벽正壁에는 누각, 후실後室 좌이실左耳室 정벽正壁에는 해, 짐승 한 마리와 나무 한 그루가 그려진 벽화가 있다. 묘장 연대는 170-230년대, 동한 만기에서 조위 초로 추정한다.[18]

도 10 |《지경도》, 전실 좌이실 정벽, 아방 1호묘

18　遼陽市文物管理所, 「遼陽發現三座壁畵墓」, 『考古』, 1980年 1期; 黃佩賢, 『漢代墓室壁畵硏究』, 文物出版社, 2008, pp.86~104; 서영대, 『中國 遼陽地域의 壁畵古墳』, 백산자료원, 2017, pp.51~53.

8) 요양 동문리묘

1983년 발견한 요양 동문리묘東門里墓는 평면 T자형의 석판구축실묘石板構築室墓이다. 묘문墓門, 관실棺室 묘실 천장에는 일월성신이 그려져 있고, 동관실東棺室 천장에는 해와 까마귀, 서관실西棺室 천장에는 달과 두꺼비, 90여 개의 별이 그려져 있다. 묘실 서벽에는 출행도가 있고, 묘실 동벽에는 양수인신羊首人身의 괴수怪獸, 연거도宴居圖 등이 있다(도11). 요양지역 다른 벽화묘에 비하여 묘실 구조와 벽화 내용이 단순하여 시기적으로 이른 2세기 후반의 동한 만기로 축조 시기를 본다.[19]

9) 요양 남환가묘

1994년 발견한 요양 남환가묘南環街墓는 석판구축실묘石板構築室墓이며 묘문墓門, 횡전실橫前室과 좌우이실左右耳室, 3개의 관실棺室로 구성되었다. 묘실 길이 3.92m, 앞쪽 너비 4.18m, 뒤쪽 너비 2.98m이다. 우이실右耳室 개석蓋石에는 일륜(까마귀), 우이실右耳室 우벽右壁에는 남자좌상, 시자, 좌이실左耳室 우벽右壁에는 남녀대좌상男女對坐像, 시자가 그려져 있으며, 문주門柱에는 운기도안 등이 그려져 있다. 이 묘의 연대는 위魏에서 서진西晋시기로 본다.[20]

10) 요양 남교가 1·2·3호묘

요양시 문성구文聖區 남교가南郊街에서 2003년 발견된 요양 남교가南郊街 1·2·3호묘는 요녕성문물고고연구소에서 2004년 발굴조사하였다. 1호묘는 방형方形의 평면에 묘문이 북벽에 하나, 후실 동벽에 하나 총 2개가 있다.[21] 전랑前廊, 측랑側廊, 두 개의 관실, 남북 이실耳室, 후실後室로 구성되었다. 석청石青, 주사朱砂, 석묵石墨 등 천연 광물질 안료를 사용하여 청석판 위에 벽화를 그렸다. 묘실 내 벽화는 전랑, 측랑, 후실, 이실, 주실의 문주門柱에 분포한다. 1호묘의 벽화는 묘실 정문 중간 입주立柱의 동측면의 문리도門吏圖, 전랑 북벽의 회랑도迴廊圖, 북이실北耳室 북벽北壁의 묘주가 서측에 정좌하여 동쪽을 향해 속리 5인을 마주보는 장면

---

19 遼寧省博物館 馮永謙, 韓寶興, 劉忠誠, 遼陽博物館 鄒寶庫, 柳川, 肖世星,「遼陽舊城東門裏東漢壁畵墓發掘報告」,『文物』, 1985年 6期; 서영대,『中國 遼陽地域의 壁畵古墳』, 백산자료원, 2017, pp.46~50.

20 遼寧省文物考古硏究所,「遼寧遼陽南環街壁畵墓」,『北方文物』, 1998年 3期; 李龍彬, 馬鑫, 鄒寶庫 編著,『漢魏晉遼陽壁畵墓』, 瀋陽: 遼寧人民出版社, 2020, pp.44-45; 서영대,『中國 遼陽地域의 壁畵古墳』, 백산자료원, 2017, pp.54~59.

21 田立坤,「遼寧遼陽南郊街東漢壁畵墓」,『文物』, 2008年 10期.

도 11 | 《문졸도》(상), 《행렬도》(하), 동문리묘

도 12 |《묘주부부연음도》, 북이실 서벽(상),《속리주사도》, 북이실 북벽(하), 남교가묘

이 묘사된 속리주사도屬吏奏事圖, 북이실 서벽 남측의 묘주부부가 장방에 앉아 음식을 즐기고, 시종 5명이 시중을 들고 있는 묘주부부연음도, 석량石梁의 삼각형 모양의 중첩된 문양으로 묘사된 청산도靑山圖, 전랑前廊 동측 천장의 태양도太陽圖, 전랑 동벽에서 측랑 동벽에 걸친 거마출행도, 측랑 북벽의 회랑도로 구성되었다(도12). 전형적인 요양지역 벽화묘의 건축구조와 벽화주제이다. 2호묘는 전실, 전실 동서양측의 이실, 주실, 후실로 구성되며 벽화로는 운기문, 서수도가 있다. 3호묘는 주실, 이실, 후실로 구성되며, 벽화는 심하게 훼손되었다. 남교가 1·2·3호묘는 요양지역 벽화묘 가운데 가장 이른 시기의 것인 동문리벽화묘와 구조, 부장품 등에서 유사하여 축조시기를 대략 동한 만기로 볼 수 있다.[22]

11) 요양 하동신성묘

하동신성묘河東新城墓는 요양시정부遼陽市政府 서남쪽 하동신성河東新城 내에 위치하였다. 2010년 8월 발견되었는데 발견 당시 부분적으로 이미 파괴되었다. 묘장墓葬은 석판石板으로 축조한 사관실묘四棺室墓이며 좌북조남坐北朝南으로 묘향은 160°이다. 묘실 평면은 정장방형으로 남북 길이 약 4.5m, 동서 너비 4m 이다. 묘도, 묘문, 전랑, 묘실과 명기대明器臺로 조성되었다. 벽화는 두 폭이 남아있으며, 전랑 동벽과 동측 남벽 위에 위치한다. 동벽 벽화는 우경도와 견마도이고, 동측 남벽 벽화는 연거도宴居圖와 각저도角觝圖이다. 또한 동자가 비둘기를 끌고 있는 그림도 있는데 그 위쪽에 "公孫□□" 네 글자의 묵서가 있다(도13). 한위시기 공손씨가 통치하던 시기의 귀족 묘장으로 보인다.[23]

12) 요양 묘포 2호묘

요녕성문물고고연구소가 2008년부터 요양시 백탑구白塔區 서광진曙光鎭 소재 요양임업과학연구원遼陽林業科學研究院의 묘포원苗圃院 내에서 200여기의 묘들을 발굴하였다. 그 가운데 벽화묘 2기가 2014년 발견되었다. 요양 묘포苗圃 2호묘2號墓에서는 기년묵서문자, 석각도안과 채회벽화가, 7호묘에서는 인물도와 견마도가 발견되었다.

2호묘는 대형 석판으로 축조한 다실묘로 묘도, 서실西室, 중실, 북실로 구성되었다. 묘도

22 田立坤, 「遼寧遼陽南郊街東漢壁畵墓」, 『文物』 2008年 10期; 서영대, 『中國 遼陽地域의 壁畵古墳』, 백산자료원, 2017, pp. 54~59.

23 李龍彬, 馬鑫, 「新發現的遼陽河東新城東漢壁畵墓」, 『東北史地』 2016年 第1期.

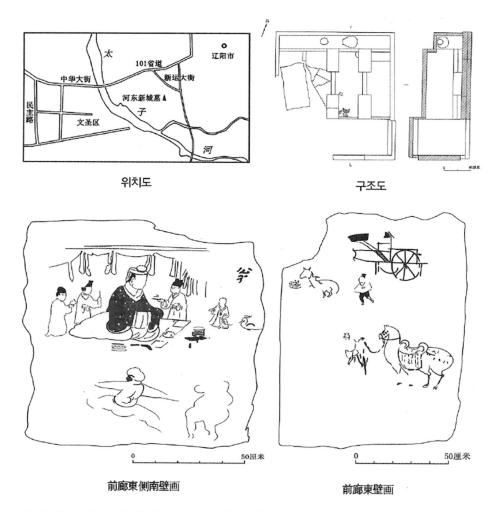

위치도   구조도

前廊東側南壁画   前廊東壁画

도 13 | 《위치도와 구조도》(상), 《연거도와 견마도》(하), 하동신성묘

는 두 곳으로 중실 남측과 서실 서측에 있다. 장방형 서실은 길이 2.56m, 너비 1.44m, 높이 1.34m이다. 장방형 북실은 남은 길이 3.74m, 남은 너비 2.48m이다. 정방형 중실은 길이 2.68m, 너비 2.44m, 남은 높이 1.60m이다. 도굴을 심하게 당하여 묘실 천장과 묘실 뒤쪽의 판석은 이미 사라지고 없다.

   묘실 내 석벽에 문자와 벽화가 있다. 문자는 서실 남, 북 양측, 그리고 중실 동측에 세워진 석판석 위에 새겼다. 서실西室 북측 석벽 위에 "郭師", "以太安三年春三月十八日造訖師王休盛", "聞此" 등이 새겨져 있다. 간단한 만장도안이 있는데, 서실 남측 석벽 위에 문자 및 도안은 얕게 새겨 알아보기 모호하다. "張樂安曾得口", "못口口口口"의 글자 및 두 명의 걷는 인물을 간략하게 새긴 도안이 남아 있다. 중실 동벽 위에는 "吾以建安三年", "茂安"의 글자가 있다.

벽화는 탈락이 심한 편이며, 남측 묘문과 중실 북측에 세운 판석 위에 흑색과 홍색 두 가지 색을 사용하여 인물과 만장幔帳을 그린 것이 남아있다. 남묘문 동쪽에는 한 명의 문리를 그렸는데 왼손에 지팡이 형상의 물건을 들었고 오른손은 분명하지 않으나 손바닥을 가슴 앞에 들고 있다. 중실 북쪽에 세운 판석 위의 벽화는 탈락이 심한데 만장 형상이 보인다(도14).

묘실 석벽 위에 새긴 명확한 기년이 있는 묘로서 서실 북벽 위의 "太安三年"과 중실 동벽 위의 "建安三年"의 두 가지 연호가 있다. 묘도와 묘문이 중실 남측과 서실 서측의 두 곳에 있다는 구조상의 특이점도 있다. 발굴보고서에 의하면 위의 두 기년 각자刻字는 동일인이 새긴 것으로, 전대前代 묘장의 재료를 사용하여 축조한 묘장이다. 묘장을 새로 축조한 장인이 남긴 서진 시기 석각 기년이다. 묘의 구조 형식은 삼도호 1호묘와 2호묘, 상왕가촌묘와 유사하다. 중실 동벽에 남은 벽화는 대개 묘주의 뒤에 그리는 병풍으로 보이며 이는 상왕가촌진묘와 유사하기 때문에 묘주가거도가 그려져 있었을 것으로 추정한다. 석각도안과 벽화 역시 묘장 축조시기가 서진 시기임을 보여준다. 묘실의 석각 문자와 묘실의 구조적 특징을 요양

도 14 | 《기년 묵서 문자와 석각 도안》(좌), 《문리도》(우), 묘포 2호묘

지역의 다른 묘들과 비교한 결과 서진 영안원년永安元年(304)에 조성한 것으로 추정한다.

　한대 다른 지역의 묘장의 구조와 비교하면 산동山東 창산蒼山 원가원년元嘉元年 화상석묘와 강소江蘇 신기와요新沂瓦窯 화상석묘가 유사한데 두 묘는 한대 화상석으로 장식되었으면서 부장품으로 후대의 기물이 있어서 후대인들이 한대에 만든 묘의 재료를 다시 사용하여 축조한 것으로 보인다. 특별히 원가원년묘는 화상석 위에 원가원년의 제기가 있으나 묘내에서 출토된 도격陶鬲이 전형적인 진대晉代 기물이어서 서진인이 동한묘를 개조하여 사용한 전형적인 예가 된다. 후대인이 한묘의 재료를 도용하여 묘를 축조하는 예는 중국 장속葬俗에 보이는 일종의 현상으로 고고학적으로 발견된 사례가 노남魯南, 소북蘇北, 남양南陽 등지에서 확인된다. 요동지역에서는 아직 발견된 예가 없었다. 위진 시기 전란으로 중원의 대량의 산동 인구가 요동으로 천사遷徙되었다. 요동지역의 한진묘는 산동, 하남 등 화상석묘의 영향을 받았다. 묘포 2호묘의 구조와 장속이 이것을 잘 설명한다. 화상석묘 중에서 공장工匠의 이름을 남기는 사례가 산동지역에서 많이 발견된다. 묘포 2호묘는 요동으로 천사한 산동조묘사山東造墓師 혹은 이를 계승한 왕휴성王休盛이라는 인물이 다시 건축한 것으로 위진 시기 요동과 산동지역 간의 밀접한 교류관계를 보여준다.[24]

　요양벽화고분은 하서지역 벽화고분에 비하면 개별 고분에 대하여 상세한 발굴보고서가 부족하여 전체적인 벽화의 배치나 구성에 대하여 파악하기 어렵다. 요양지역 벽화의 주된 제재는 묘주 부부의 연음, 악무백희, 거기출행, 주방, 문졸, 수문건守門犬, 일월천상 등이다. 평평하게 다듬은 돌 위에 직접 그린 것이 대부분이다. 요양 고분벽화의 특징 중 하나는 벽화 문화가 하남에서 하북, 그리고 요녕으로 전파되는 과정에서 승선 관련 제재가 사라지고 주로 생활풍속적 제재들로 구성된 것이다. 하서지역에는 중원과 관중지역에서 서한부터 발달한 천상세계 관련 제재가 그대로 전파되어 묘문 위의 문루나 묘실 천장에 묘사된다.

　요양 고분벽화의 형성에는 중원지역에서는 신망~동한 전기부터, 관중지역에서는 서한 후기부터 나타나는 생활풍속적 제재의 전파가 큰 역할을 한 것으로 보인다. 특히, 하남, 하북, 산서지역의 동한 후기 주요 벽화고분과 많은 공통점을 보여준다. 요양벽화가 피장자의 생전 관위官位와 위의威儀를 강조하는 것은 하북 벽화와 공유하는 지역적 특징이다.

　요양벽화고분의 묘주도는 부부 병좌상과 남묘주 단독상으로 구분된다. 부부병좌상이 남

24　李海波, 劉潼, 徐沂蒙, 「遼陽苗圃漢魏墓地紀年墓葬」『北方民族考古』2015年 2集.

묘주 단독상보다 많이 나타나는데 신망~동한 전기의 낙양 언사 고룡향 신촌 신망묘와 낙양 당궁로 파리창 동한묘에서 선례를 볼 수 있다. 같은 동한 후기 벽화고분들로는 낙양 주촌 동한묘, 밀현 타호정 1·2호묘, 내몽고 화림격이 신점자 1호묘, 섬서 정변 학탄 1호묘 등이 있다. 이러한 병좌상은 위진남북조시대의 가장 보편적인 부부상의 형태가 되면서 고구려에도 전래된다.[25]

동한대의 대규모의 행렬도 형식은 하남과 하북지역에 나타나서 북방지역(내몽고 화림격이 벽화묘)과 동북(요양 한위진 벽화묘)지역으로 전파된다. 동북지역의 연음도나 주방도 등은 밀현 타호정 2호묘, 산동 기남화상석묘와 제재의 구성이나 표현방법이 비슷하다.[26]

요양벽화의 연음宴飮, 포주庖廚, 문리, 문견과 같은 제재들도 고룡향 신촌묘, 밀현 타호정 1·2호묘와 내몽고 악탁극 봉황산 1호묘, 화림격이 신점자 1호묘와 유사하게 표현되었다.

요양벽화고분이 앞에서 언급한 내몽고지역이나 섬서 북부와 같은 북방지역의 벽화고분과도 벽화제재와 표현에서 유사한 특징을 공유하는 것은 당시 고분벽화 문화가 같은 북방 문화권대에도 넓게 퍼져가고 있었음을 그리고 서로 영향을 주고받았을 가능성을 보여준다. 고구려 벽화와 지리적, 시기적으로 가까워 직접적 연관관계를 유추할 수 있는 요양벽화 외에 북방지역 벽화고분들도 고구려 벽화고분의 형성을 고려할 때에 중요하다. 이는 요양벽화에 없는 승선적 내세관의 표현이나 천상도의 묘사가 동한 후기에 하남에서 북방으로 전파되어 발달되었기 때문이다. 또한 신망에서 동한 전기 하남지역 고분벽화에 일어난 변화가 동한 후기의 섬서, 내몽고지역 고분벽화로 전파된다.

2. 오호십육국 벽화묘

중국 동북지역 벽화고분의 발달에서 동한~서진을 지나 오호십육국 시기로 넘어오면 벽화고분의 수가 다소 감소한다. 동한~서진 시기에는 요동의 요양이 벽화고분 축조의 중심지였으나 삼연 시기(4세기 중엽~5세기 초)에는 요서의 조양, 북표가 중심지가 된다.[27] 조양은 전

---

25 한정희, 「중국 분묘 벽화에 보이는 墓主圖의 변천」, 『미술사학연구』, 261, 2009, pp.105~147.

26 河南省文物研究所, 『密縣打虎亭漢墓』, 文物出版社, 1993; 洛陽第二文物工作隊, 『洛陽漢墓壁畵』, 文物出版社, 1996, p.34.

27 강현숙, 『고구려와 비교해본 중국 한, 위·진의 벽화분』, 지식산업사, 2005, pp.307~343.

연(307~370), 후연(384~409), 북연(409~436)의 도성이었다. 요서지역의 대표적 벽화고분으로는 조양朝陽 십이대영자十二臺營子 원대자袁臺子 1호묘(4세기 초~중엽), 조양朝陽 북묘촌北廟村 2호묘, 북표 서관영자 1호묘(415), 조양朝陽 대평방촌大平房村 북연묘北燕墓, 조양朝陽 북묘촌 1호묘北廟村1號墓 등이 있다.[28] 요서지역의 벽화고분은 묘의 구조면에서는 중원지역과 연관성이 보이지 않는다.[29] 삼연시기의 고분은 묘의 구조, 부장품 면에서 대체로 한족과 선비족의 풍습이 혼재되어 나타나는 것으로 여겨진다.

1) 조양 원대자묘

조양朝陽 원대자묘袁台子墓는 석실묘로 묘실의 평면은 장방형이고, 묘도, 묘문, 이실, 벽감으로 구성되었다. 무덤 천장은 지표면에서 1.8m 떨어진 곳에 위치한다. 묘도는 장방형의 사파식이며, 길이는 7m, 너비는 2m이다. 묘문은 묘실의 남벽 중앙에 위치하고 높이는 1.1m, 너비는 1.08m이다. 묘실의 앞부분의 너비는 3m, 뒷부분의 너비는 1.8m이고, 세로 높이는 4m이다. 묘실 내 앞부분 좌측에 이실이 있고, 우측에 감이 있다. 동서 양벽의 중간 부분과 후벽에도 모두 감이 있다. 이실의 길이는 1.6m이고, 너비는 1m이다. 묘실 안쪽 중앙에 기둥을 세워 좌우로 칸을 나누었다. 묘실 내의 석벽 표면에 황초니黃草泥를 한 겹 바르고 그 위에 백회면을 한층 발랐다. 두께는 약 1.5-2㎝이다. 백회 표면에는 홍, 황, 녹, 흑 등의 색으로 벽화를 그렸다.[30]

원대자묘의 벽화의 주제는 묘주墓主, 사신四神, 수렵狩獵, 선식膳食, 거기車騎, 역사力士, 일월류운日月流雲, 문리, 저택, 포주, 봉식, 연음, 우경 등이다. 장방 아래에 주미를 들고 정면으로 앉은 묘주도는 고구려 안악3호분의 묘주도와 유사한 도상으로 잘 알려져 있다(도15). 백회의 탈락으로 인해 일부분이 손상되거나 희미해졌지만, 대부분의 벽화가 선명하게 남아있다.

문리도는 두 명의 문지기가 묘실 문 안쪽의 세워진 기둥의 안쪽 면에 그려져 있으며 서로 마주 서있다. 오른쪽 화면의 문지기(높이 87㎝, 너비 37㎝)는 검은색 깃발을 들고 있고, 네모난 얼굴에 높은 코, 입을 벌리고 이를 드러내고 있으며, 소매가 넓은 긴 옷을 입고 검은 장화를

---

28 黎瑤渤, 「遼寧北票縣西官營子北燕馮素弗墓」, 『文物』, 1973年 3期.

29 강현숙, 『고구려와 비교해본 중국 한, 위·진의 벽화분』, 지식산업사, 2005, pp. 307~343.

30 李慶發, 「朝陽袁台子東晉壁畵墓」, 『文物』 1984年 6期, pp. 29-45; 강현숙, 『고구려와 비교해본 중국 한, 위·진의 벽화분』, 지식산업사, 2005, pp. 159~162.

도 15 | 《묘주도》(좌), 《출렵도》(우), 원대자 1호묘

신고 있다. 왼쪽 화면의 문지기(높이 87㎝, 너비 49㎝)도 오른쪽 화면의 문지기와 동일한 모습
이며, 왼손에는 창을 들고 오른손에는 창대를 들고 있다.

묘주도(높이 85㎝, 너비 69㎝)는 전실 오른쪽 감 안쪽에 그려져 있으며, 화면 위쪽에는 휘장
이 높게 걸려있고, 좌우에는 장벽屛障이 있다. 묘주는 휘장 아래 사각형의 침상榻에 앉아 있
으며, 머리에는 검은 관을 쓰고 얼굴은 긴 원형이며, 눈은 크고 코가 높으며 붉은 입술을 가
지고 있고 귀가 크며 수염이 있다. 검은 옷깃에 넓은 소매가 있는 붉은 색 옷을 입고 있다.
왼손으로 잔을 가슴 높이까지 들고 있고 오른손으로 주미麈尾를 오른쪽 어깨 높이까지 들고
있다. 묘주의 왼쪽에는 시녀들이 서 있는데, 화면의 아랫부분은 분명하지 않다.

사녀도仕女圖(높이 54㎝, 너비 67㎝)는 주인도 앞 남벽에 그려져 있다. 화면의 아랫부분은 희
미하며, 윗부분에는 4명이 그려져 있다. 동쪽의 2명은 백회의 탈락으로 인해 머리 부분만 남
아있다. 얼굴이 둥글고 휘어진 눈썹에 큰 눈, 높은 코와 붉은 입술, 이마, 광대뼈 부위가 모두
붉은 색으로 칠해졌다. 네모난 옷깃의 긴 옷을 입고 있으며, 두 손을 모아 가슴 앞에 두고, 모
두 묘주를 향해 서있다.

봉식도奉食圖(높이 116㎝, 너비 104㎝)는 서벽 앞부분에 상하단으로 나뉘어 있으며 상단에는
봉식도, 하단에는 사신 중 백호와 주작도가 있다. 봉식도에는 7명이 일렬로 서있다. 아랫부
분의 백호, 주작은 모두 묵선으로 그린 것이다. 백호는 입을 벌리고 있으며, 꼬리를 높게 들
어 질주하는 자세를 취하고 있다. 호랑이의 윗부분에는 꼬리가 긴 주작이 그려져 있으며 날
아오르려는 자세를 취하고 있다.

우경도(높이 38㎝, 너비 72㎝)는 서벽의 감 천장에 그려져 있으며 붉은색과 황색으로 칠한 두

마리의 소가 경작하고 있는 장면이 그려져 있다. 소 앞에는 두 명의 인물이 그려져 있으며 경작을 거들고 있는 것처럼 보인다. 장원도(높이 89㎝, 너비 100㎝)는 서벽 뒷부분에 그려져 있고 묵선으로 규모가 큰 벽돌로 축조한 담장을 그렸다. 장원의 안에는 키가 큰 나무와 세 대의 수레가 있으며, 세 명의 인물이 손에 나무 사다리를 들고 있다. 장원 안에 한 사람이 있고, 수레 옆에 또 한 사람이 있는데, 모두 검은 두건을 쓰고 있다. 나머지 화면은 이미 손상되어 분명하지 않다. 현무도(높이 38㎝, 너비 54㎝)는 북벽 감 윗부분에 그려져 있으며, 담록색으로 그려진 거북은 머리를 쳐들고 엎드린 채 긴 뱀에 몸이 휘감겨 있다.

도재도屠宰圖(높이 88㎝, 너비 47㎝)는 북벽 동쪽 부분에 상하 2단으로 나뉘어 그려졌다. 상층에는 묵선으로 그린 가로로 놓인 목재가 있는데 가로대에 달린 7개의 갈고리에는 고기, 생선 등의 식자재가 걸려있다. 하층에는 도살용으로 묶여있는 흑돼지 두 마리가 있고, 왼쪽 면에는 한 마리의 양이, 그 아래에는 남자가 한 마리의 소를 끌어당기고 있다. 오른쪽에는 머리 부분이 희미하게 남은 인물상이 보이고, 아래에는 한 사람이 더 있는데, 머리 부분에 검은 두건만 희미하게 보인다.

선식도膳食圖(높이 51㎝, 너비 82㎝)는 동벽 북부에 세 명의 인물이 그려져 있다. 오른쪽의 한 인물은 오른 손에는 칼을 들고 있고 왼손에는 물건을 들고 있는데, 머리를 숙여 채소를 자르는 자세를 취하고 있다. 중간의 인물의 동작은 앞의 인물과 동일하다. 왼쪽에는 여자 한 명이 있는데, 부엌일을 바쁘게 하고 있다.

수렵도(높이 112㎝, 너비 106㎝)는 동벽 앞부분에 그려져 있으며, 내용은 상, 하 두 부분으로 나뉜다. 상부는 수렵 장면을 묘사하였다. 수렵도에는 묘주가 검은 말을 타고 있다. 묘주는 활시위를 당기고 있으며, 말의 앞에는 사슴, 누런 양이 있다. 화면의 아랫부분에는 군산群山과 수목이 그려져 있다. 이 벽면의 오른쪽 윗부분의 백회가 탈락하여 벽 아래에서 두 명의 기사騎士가 그려져 있는 두 조각의 파편이 발견되었다. 두 명의 말을 타고 있는 인물들은 묘주를 따라 사냥을 나선 것으로 보인다. 아랫부분에는 청룡이 그려져 있는데, 용의 위에는 주작이 그려져 있다.

기마도는 동벽 벽감의 상부에 그려져 있다. 화면의 왼쪽 상방에는 한 대의 우거牛車가 그려져 있다. 옆에는 마부 한명이 소를 끌고 있는 자세를 하고 있다. 우거의 앞 양옆에는 각각 한 명씩 그려져 있는데, 말에 올라타 우거와 나란히 행렬하고 있다. 수렵도와 기마도는 한 폭으로 이어지는 큰 화면의 출렵 장면이었을 것이다.

마도馬圖(높이 21㎝, 너비 22㎝)는 동이실 동벽의 북부에 그려져 있다. 대부분 탈락되었으며,

붉은 말 한 필만 남아있는데, 갈기, 꼬리, 발굽이 모두 검은색으로 그려졌으며, 머리 부분은 남아있지 않다. 우거도牛車圖(높이 32cm, 너비 50cm)는 동이실 동벽의 남부에 우거 한 대와 마부가 한 명 그려져 있다.

부부도는 동이실 남벽에 그려져 있고, 대부분 희미하여 분명하지 않다. 남아있는 화면의 높이는 35cm, 너비는 40cm이다. 남녀 두 명이 그려져 있는데 여자는 왼쪽에 앉아 있고, 남자는 오른쪽에 앉아있다. 그림의 윗부분에는 묵서로 "〔夫〕婦君向□芝□像可檢取□□主"라고 쓰여있다. 모두 세 줄로 열 네 글자가 쓰여 있으며 해서체楷書體로 쓰여 있다. 오른쪽 상방에는 또 다른 남자 한 명이 그려져 있고 뒤에는 벽이 있는 것 같다. 이 그림은 시자가 술을 마시고 있는 묘주 부부의 시중을 드는 장면을 표현한 것으로 보인다.

갑사기마도甲士騎馬圖는 남면 이마돌(액석額石)에 그려져 있다. 전체 액석에 칠해진 백회면은 이미 탈락되었고, 화면에는 한 필의 말이 그려져 있는데, 머리와 꼬리부분이 떨어져 나갔다. 말 등에는 갑사 한 명이 타고 있는데, 얼굴이 분명하지 않다.

무덤 천장과 벽면의 굄돌에는 유운流雲과 일월日月의 도상이 그려져 있다. 유운도는 무덤의 천장에 그려져 있으며 홍, 남색을 사용하여 구름을 그렸다. 안타깝게도 화면이 탈락되어 선명하게 남아 있지 않다.

일월도 가운데 일상은 주홍빛으로 칠해졌으며 직경이 19.5cm이고, 해의 안에는 한 마리의 금오金烏가 그려져 있다. 금오(세로 길이 8.7cm, 가로 길이 12cm이다)는 발이 세 개이고, 꼬리가 길며, 머리를 들고 날개를 펼치고 있다.

월상은 일상의 동측 벽 천장에 그려져 있고, 수렵도의 천장부에 있다. 중간 부분에는 초승달이 그려져 있고 왼쪽에는 옥토끼가 그려져 있다. 오른쪽에는 금두꺼비金蟾가 그려져 있는데, 두꺼비는 사람 머리를 하고 있고 혀를 내두르고 상체를 들어 올리고 있으며 쭈그리고 앉아있다.

흑웅도黑熊圖는 서벽 봉식도 윗부분의 굄돌에 그려져 있다. 화면은 탈락되어 북단에 한 마리의 흑곰만 남아 있을 뿐이다. 흑곰은 귀를 세우고, 입을 벌리고 있으며, 앞발을 위로 들고 두 다리로 서 있다.[31]

---

31 李慶發, 「朝陽袁台子東晉壁畫墓」, 『文物』, 1984年 6期, pp. 29-45.

2) 조양 북묘촌 1호묘와 대평방촌묘

조양 북묘촌北廟村 1호묘1號墓는 조양시 서쪽 40㎞ 거리이며 구문자공사溝門子公社에 속한다. 묘장은 평면 정도형刀形이며 전면에 짧은 용도가 있다. 앞이 크고 뒤가 좁은 형태의 사다리꼴의 평면이다. 부부합장의 석실묘이다. 곽실의 길이는 2.85m이며 남쪽 너비는 1.84m, 북쪽 너비는 1.28m, 높이는 1.50m이다. 묘문은 남벽 서쪽에 치우져있다. 벽화는 곽실 사벽에 백회를 바르고, 남벽을 제외하고, 벽면상에 흑색과 홍색으로 벽화를 그렸다. 벽화의 탈락이 심하나 회화 기법은 대평방 1호묘 벽화와 유사하다. 벽화내용은 묘주부부병좌상, 가거도, 산림도, 경작도 등이다. 서벽 중부는 우경도이며, 북벽에는 묘주부부도이다. 묘실 서북 모서리에는 산림도이다. 동벽에는 남녀묘주가거도이다(도16).[32]

대평방촌大平房村 북연묘北燕墓는 조양시 서남 30㎞ 거리에 위치하며 묘의 구조는 횡구식橫口式으로 묘실은 사다리꼴 평면에 길이 2m, 너비 0.7~0.78m이며 높이 2.1m이다. 서벽에 이실이 있다. 주실과 이실 벽면에 모두 벽화가 있으며 묘주인가거墓主人家居와 포주庖廚 등이다. 후벽에는 묘주인부부대좌로 남자묘주가 우측에 진현관을 쓰고 홍색원령포를 입고 앉아있으며 여자묘주는 좌측에 앉아있으나 얼굴 아래 부분은 벽화가 탈락하였다. 동벽에는 시녀와 포주와 비우도備牛圖이다.[33]

3) 북표 서관영자 1 · 2호묘

북표北票 서관영자西官營子 1호묘1號墓(풍소불묘馮素弗墓, 태평7년太平7年, 415년 졸卒)는 단장單葬의 석곽묘이다. 1호묘에서 나온 인장으로 북연의 풍소불묘로 추정한다. 천장과 관의 네 벽에 그림을 그렸으나 대부분 탈락하였다(도17).[34] 서관영자西官營子 2호묘(풍소불처馮素弗妻)는 목곽 천장부와 네 벽에 벽화가 있다(도18).

1호묘와 2호묘에 모두 벽화가 그려져 있다. 1호묘의 벽화는 곽의 덮개 및 네 벽면의 백회면 위에 채색화로 그려져 있으나, 대부분 박락된 상태이다. 흑색, 주홍색, 등황橙黃색, 녹색

---

32 徐基, 孫國平, 「遼寧朝陽發現北燕, 北魏墓」, 『考古』1985年 10期; 陳大爲, 「朝陽縣溝門子晋壁畵墓」, 『遼海文物學刊』, 1990年 2期.

33 徐基, 孫國平, 「遼寧朝陽發現北燕, 北魏墓」, 『考古』1985年 10期.

34 강현숙, 『고구려와 비교해본 중국 한, 위·진의 벽화분』, 지식산업사, 2005, pp.169~170. 풍소불묘의 묘주에 대해서는 『北史』93, 「北燕馮氏」『晉書』卷125, 「馮跋載記」, p.3127; 지배선, 「북연에 대하여」, 『동양사학연구』29, 동양사학회, 1989, p.147; 지배선, 『中國中世史硏究』, 연세대출판부, 1998, p.320, 334.

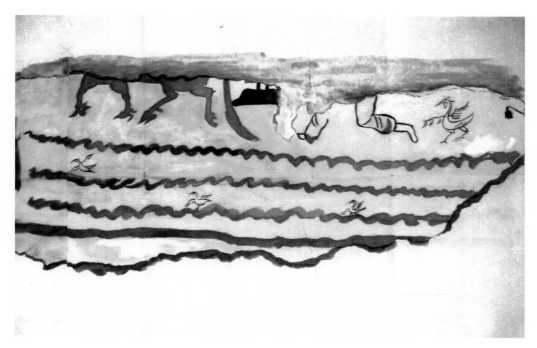

도 16 | 《묘주도》(상), 《우경도》(하), 북묘촌 1호묘

도 17 | 《성상도》, 천장, 서관영자 1호묘

도 18 | 《건축도》, 서벽, 서관영자 2호묘

등 여러 가지 종류의 색을 사용하여 그렸다. 곽의 천장부에는 성상도가 있고, 아홉 개의 덮개돌은 한 폭으로 연결되어 있으며, 내용은 해, 달, 별, 구름 등이다. 동쪽의 네 개의 돌과 서쪽의 다섯 개의 돌은 한 번에 그린 것이 아니기 때문에 화법에 있어서 조금 차이가 있다. 서쪽으로부터 넷째 돌의 남쪽 부분에는 붉은 해가 그려져 있으며, 해의 안쪽에 그려진 검은색 선은 아마도 "금오"로 추정된다. 달은 세 번째 돌의 중간 부분에 담황색으로 그려졌다. 달의 안쪽에는 먹으로 그린 "옥토끼"가 있다. 원형의 별은 화면 전체에 그려졌는데, 동쪽과 서쪽의 덮개돌들에 홍색, 황색, 녹색 등 각기 다른 색으로 표현하였다. 하늘에는 많은 유운이 그려져 있다. 대부분은 비교적 간단한 검은색 곡선으로 그려졌으며, 둥글게 감긴 고리형태의 구름에는 꼬리가 길게 늘어 뜨려져 있다. 새 형상의 문양은 화면 전체에 널리 퍼져있다. 붉은색과 황색으로 새의 몸통을 그렸고, 주위에 검은색 곡선과 한 두 개의 간단한 구름무늬를 그려서 새의 날개와 같은 문양을 넣어 하나의 새 도안을 완성하였다.

이 밖에 동쪽의 네 개의 돌의 중간 부분을 가로지르며, 두 개의 붉은 선으로 칸을 나누어, 황색으로 된 소용돌이 문양의 약간 구부러진 형태의 띠가 그려져 있는데, 이는 은하수로 생각된다. 곽 벽면의 대부분이 탈락되었으며, 남아있는 부분은 검은 개 도상이다. 탈락된 벽화의 남아있는 부분에서 사람의 두상 하나가 발견되는데, 검은 선으로 윤곽선을 그렸으며, 머리에는 이량관=梁冠을 쓰고 있다.

2호묘에는 곽 내의 천장과 벽에 채색 벽화가 그려져 있으며, 대부분 박락된 상태이고, 천장부가 특히 심하게 손상되어 벽화의 약 20% 정도만 남아있다. 천장부에는 성상도가 그려져 있으며, 황색과 적색을 사용하여 별을 표현하고, 황색 별들은 황색 선으로 연결하여 별자리를 표현하였으나, 적색 별들은 서로 연결되지 않았다. 검은 색 선의 소용돌이 띠가 하늘을 가로지르고 있는데, 이는 은하수를 나타내는 것으로 보인다. 네 벽면에는 인물, 출행, 가옥, 건축물 등의 내용이 있다. 서벽에는 인물, 건축물이 그려져 있다. 벽면의 윗부분은 탈락되었으나, 아랫부분에는 규모가 큰 문루식門樓式 건축물이 화면을 가득 채우고 있다. 위에는 담묵색으로 짧은 세로선을 그어 기왓장을 표현하였고, 두 겹의 처마가 그려져 있다. 위층에는 약간의 부분만 남아있다. 아래층의 처마 남쪽에 처마의 귀퉁이가 보인다. 처마 끝에 붉은 색 선과 점이 지붕널과 서까래를 나타낸다. 두 겹의 처마 밑에는 모두 공가拱架가 있다.

처마의 남북 양단에는 각각 두 명의 시녀가 서 있다. 얼굴을 서로를 향하고 있으며 화면이 박락되어 완전하지 않다. 네 명은 모두 청색 깃의 붉은 저고리를 입고 있으며, 홍, 황, 청, 흑색의 색동 치마를 입고 있다. 남단에 두 명의 시녀가 있는데, 잔과 접시를 받쳐 들고 있는 것 같다. 북단 후면의 시녀 한명도 이와 동일하다. 몸 앞에는 기물이 있는데 형상이 완전하지 않으나, 손잡이가 달린 용기容器 같아 보인다. 두 시녀 사이의 문기둥 앞에는 검은 개 4마리가 있으며, 처마 밑에 긴 꼬리를 세운 검은 새도 볼 수 있다.

남벽에는 출행도가 있으며 서쪽(오른쪽)에서부터 시녀들이 나란히 행진하고 있다. 남아있는 벽화에서는 대략 12명의 시녀들이 3줄로 구성되어 있다. 위쪽의 가운데 두 줄에는 시중을 들고 있는 시녀가 있는데, 그 뒤에는 장헌거長軒車 한 대가 있다. 수레 안에는 앉아있는 여자의 이마 부분이 남아있다. 그 뒤에 또 다른 차로 보이는 벽화의 흔적이 남아있다. 이 그림에서 수레의 앞, 옆에는 개가 있고, 식별이 가능한 것은 3마리다.

동벽 남단에는 치마를 입고 있는 한 명의 시녀가 보이는데, 얼굴은 북쪽을 향하고 있다. 북단에는 기둥 옆에 두 명의 인물이 서 있는데, 남쪽을 향하고 있으며, 붉은 색의 치마를 입고 있지만 목 부분의 검은 둥근 옷깃은 무사 복장을 나타낸다. 머리는 상투를 틀고 있다. 앞에 세워진 긴 자루의 의장儀仗은 파손되어 원형을 분간할 수 없다.

북벽의 벽화는 한 폭의 가거도로 추정되나, 화면 중심의 묘주의 위치의 벽화가 탈락되어 남아 있지 않고, 주위의 시녀들만 형상이 남아 있다. 동(오른쪽), 서(왼쪽) 양단과 중부 상단에 여러 명의 시녀들이 서 있다. 동단의 위, 아래에는 9명의 시녀가 보이는데, 눈썹 사이, 귀밑머리, 볼에 모두 붉은 점이 찍혀있으며, 앞의 3명은 건축물의 처마 아래에 서 있는 것 같으며, 가운데 서있는 사람은 쟁반을 받쳐 들고 있다. 화면 서단에는 6명의 시녀가 보이는데, 잔과 주전자 등의 물건을 들고 있다. 중단의 상부에는 3명이 있는데, 이들의 위로 보이는 적색선은 휘장으로 추정된다.

중간 하부, 즉 휘장의 안쪽 부분의 벽화는 대부분 탈락되었고, 오직 탑榻의 한쪽 측면만 남아있다. 침상 아래에는 짐승 발 모양의 다리가 있다. 북벽 가거도에서 식별 가능한 묘주의 시자들은 18여 명이다.[35]

조양과 북표지역의 생활풍속적 제재들은 앞 시기의 요양지역의 벽화고분에서 계승된 것이라고 볼 수 있다. 원대자묘와 상왕가촌묘의 정면 묘주초상은 동한 후기에는 하북 안평 녹가장묘, 산서 하현 왕촌묘에 보이고, 신망~동한 전기에는 비록 고졸한 형태이나 하남 신안 철탑산묘에 보인다.

---

35 黎瑤渤, 「遼寧北票縣西官營子北燕馮素弗墓」, 『文物』 1973年 3期.

한편 조양 원대자묘 벽화에는 요양지역 벽화고분에서 보이지 않던 여러 가지 새로운 제재들이 출현한다. 1세기 앞선 요양지역의 벽화고분과 다른 벽화 제재들이 외부로부터 유입되어 고분의 벽화 구성에 영향을 미쳤음을 말해준다. 사신四神, 역사力士, 수렵狩獵과 같이 요양지역에 등장하지 않은 제재들의 전파경로를 살피면 대체로 서한 후기의 하남, 섬서 지역에서 동한 시기의 북방과 하서지역으로 전파된 양상을 관찰할 수 있다.

사신四神과 같은 천상도 관련 제재들은 서한 시기에는 하남 낙양지역 벽화고분에 주로 많이 등장하며, 관중지역에서는 서안 이공대학 벽화고분에 출현한다. 신망시기에는 하남 낙양지역 신망벽화고분들과 섬서 천양묘에서 찾아볼 수 있다. 동한 후기에는 섬서 순읍현 백자촌 동한 벽화묘, 섬서 정변 학탄 1호묘, 감숙 민락 팔괘영 1·2·3호 동한 벽화묘 등 주로 관중과 하서지역 쪽으로 전파된다.

수렵도는 한대 벽화고분 중에서는 이르게는 서한 후기의 섬서 서안이공대학 벽화고분에 보이고, 신망~동한 전기에는 감숙 무위 오패산묘, 동한 후기로 넘어가면 산서 하현 왕촌 벽화묘, 섬서 정변 학탄 1호묘, 내몽고 악탁극 봉황산 1호묘, 감숙 주천 하하청 1호 벽화묘, 감숙 민락 팔괘영 1·2·3호 동한 벽화묘와 같이 주로 북방지역 벽화고분에서 주로 출현하는 주제이다. 조위~서진 고분으로는 하서지역의 가욕관 신성 1·3·7호묘, 주천 석묘자탄 벽화묘에 나타난다. 수렵도의 전파는 섬서 서안 한대 벽화고분, 내몽고 동한 벽화고분, 감숙 가욕관 조위曹魏 벽화고분 등 주로 북방지역을 잇는 문화권대에 두드러진다.

역사力士는 동한 후기의 산동 동평현 노물자국원 벽화묘에 보였다가, 조위曹魏~서진西晉의 하서지역 채회전 고분(주천 가욕관 신성묘, 돈황 불야묘만묘)에 주로 출현한다. 중국 동북지역 동한 전기의 영성자 한묘, 동한 후기~서진의 요양벽화고분, 삼연의 원대자 벽화묘가 모두 같은 동북지방에 세워진 고분임에도 고분벽화 제재의 전파나 수용 측면에서 시기별로 다양한 차이가 나타난다.

III. 감숙과 신강지역 벽화묘

1. 감숙지역 위진 벽화묘

하서지역 벽화고분 중에서 조위曹魏에서 서진西晉까지 시기의 묘로는 주천酒泉 가욕관묘
군嘉欲關墓群과 돈황敦煌 불야묘만묘군佛爺廟灣墓群, 돈황敦煌 기가만묘군祁家灣墓群이 있다. 가
욕관, 주천, 그리고 돈황敦煌은 하서회랑河西回廊이라고 불리는 실크로드를 따라 위치하였는
데, 가욕관과 주천은 인접해 있다. 가욕관은 만리장성의 서쪽 끝으로, 위진시기 주천군에 속
하였다. 막고굴이 있는 돈황 시내에 불야묘만고분군이 있다.

동북지역 벽화고분이 요양 한 지역에서 집중적으로 조성되어 비교적 동일한 구조 및 벽
화 제재를 보여주는 반면, 하서지역의 동한 후기-서진시기의 벽화묘는 무위, 주천, 돈황 등
에 분포되어 보다 다양한 발전 양상을 보여준다.

손언孫彦의 하서지역 위진십육국 벽화묘에 대한 연구(2011)에서는 45기의 벽화묘를 소개
하고 있다. 조위에서 서진까지의 하서 벽화묘는 주천과 돈황에서 주로 발견되었다.[36] 묘실
은 대다수 전실묘이며 대부분 채회전으로 장식되었다. 묘문 위에 문루식門樓式 조장照墙을
만들고 목조 건축을 본 따 전조磚雕와 채회 화상전으로 장식하였다. 채회 화상전은 백토를

---

36 敦煌地域은 戰國時代와 秦나라 시대에 大月氏, 烏孫人등이 거주한 곳이다. 戰國時代 말기 대월씨가 오
손인을 몰아내고 敦煌을 독점하여 秦末 漢初期까지 거주하였다. 西漢 漢文帝시기 흉노족의 두차례에 걸
친 공격으로 월씨의 왕이 살해된다. 기원전 176년 대월씨 주민들은 흉노족에 쫓겨 중앙아시아로 이주하
였다. 흉노족은 漢高祖 유방을 평성에서 사로잡았다가 놓아주었지만, 한무제가 즉위하고 나서는 한에
의해 패하여 하서지역을 내주게 된다. 한무제는 흉노에 대한 대비책으로 서쪽으로 이주한 월씨와 교류
하기 위해 張騫을 보내지만 대월씨의 무관심으로 성사되지 못하고 돌아온다. 그러나 장건의 서역원정을
통해 서역의 사정을 알게 된 한무제는 기원전 121년 하서지역에 酒泉군과 무위군을 설치하였다. 기원전
111년, 酒泉, 무위 2군을 분별하여 敦煌과 張掖 양군을 설치하였다. 그리하여 武威(양주), 張掖(甘州), 酒
泉(肅州), 그리고 敦惶(沙州) 四郡을 설치하게 된다.
한의 멸망후 魏晉남북조 初期, 永嘉 년간에 西晉왕조가 망하게 되고 진왕조는 남쪽으로 옮겨 東晉을 세
운다. 이 시기 북방지구에는 五胡十六國이 출현하는데, 하서지구를 차지한 정권들은 前凉(313-376), 後
凉(386~403), 南凉(397-414), 西凉(400-421), 北凉(397-439)이다. 前凉, 西凉, 北凉의 세 정권이 하서의 내
치에 노력하여 하서지구 사회의 안정, 경제 발달, 문화 융성을 도왔다. 이 시기 양주는 中國 북부 문화의
중심이 되었고, 敦煌은 양주 문화의 중심이었다. 十六國 시기 군중들이 중원의 전란을 피해 상대적으로
안정된 하서지역으로 오면서 선진 문화와 생산시술을 가지고 왔다.

바탕에 바르고 토홍으로 기본 초안을 잡은 후, 먹선으로 윤곽선을 그린 다음에 채색한다. 드물게는 직접 벽돌 위에 그리거나, 묵선으로 그리고 나서 채색하지 않은 경우도 있다.

주천지역 주요 벽화묘로는 가욕관嘉峪關 신성묘군新城墓群, 주천酒泉 간골애고묘군干骨崖古, 단돈자탄묘군單墩子灘墓群, 과원향서구촌묘군果園鄕西溝村墓群, 여가패묘군餘家壩墓群, 최가남만묘군崔家南灣墓群, 정가갑묘군丁家閘墓群 등이 있다.[37] 신성묘군이 대표적인데 신성 1~7호묘와 12, 13호묘가 벽화고분이다.[38] 주천 정가갑묘군(오량五涼시기) 중에서는 5호묘가 벽화묘(서량西涼, 400~421년 또는 북량北涼, 397~439)이다.[39] 하서지역 벽화고분이 대부분 채회전으로 장식된 것과 달리 정가갑 5호묘는 천장과 벽면을 모두 화면으로 활용하여 서왕모, 동왕공, 천마, 묘주연음, 수목 등이 그려졌다.

돈황지역 묘군을 대표하는 것은 돈황 현성 동남쪽의 불야묘만묘군이며,[40] 불야묘만 37, 39, 91, 118, 133, 167호묘에 벽화가 있다. 주로 신금서수가 그려진 조벽의 채회전으로 잘 알

---

37 2011년의 孫彥의 하서지역 위진십육국 벽화묘에 대한 연구에서는 45기의 벽화묘를 부록의 표로 소개하고 있다. 孫彥, 『河西魏晋十六国壁画墓研究』, 文物出版社, 2011, pp. 304-324. 甘肅省魏晉壁畫墓에 대해서는 鄭巖, 『魏晋南北朝壁畫墓研究』, 文物出版社, 2002; 鄭岩, 「河西魏晉壁畫墓初論」, 『漢唐之間文化藝術的互動與交融』, 文物出版社, 2001, pp. 387-426; Nancy Shatzman Steinhardt, 「From Koguryo to Gansu and Xinjiang: Funerary and Worship Space in North Asia 4th-7th Centuries」, 『漢唐之間文化藝術的互動與交融』, 文物出版社, 2001, pp. 153-203; 張朋川, 「河西出土的漢晉繪畫簡述」, 『文物』, 1978年 6期; 酒泉市博物館 編, 『酒泉文物精萃』, 中國青年出版社, 1998; 甘肅省文物隊 編, 『嘉峪關壁畫墓發掘報告』, 文物出版社, 1985; 甘肅省博物館 編, 『嘉峪關畫像博』, 文物出版社, 1976; 林少雄, 『古塚丹青-河西走廊 魏晉墓葬畫』, 甘肅教育出版社, 1999; 張明川, 張寶璽 編著, 『嘉峪關魏晋墓室壁畫』, 人民美術出版社, 1985; 張軍武, 高風山, 『嘉欲關魏晉墓彩畫磚畫淺識』, 甘肅人民出版社, 1989; 嘉峪關市文物管理所, 「嘉峪關市新城十二, 十三號畫像博墓發掘簡報」, 『文物』, 1982年 8期; 嘉峪關市文物清理小組, 「嘉峪關漢畫像墓」, 『文物』, 1996年 7期; 甘肅省博物館, 「酒泉嘉峪關晉墓的發掘」, 『文物』, 1979年 6期; 甘肅省博物館, 嘉峪關市文物保管所, 「嘉峪關魏晉墓室壁畫題材和藝術價值」, 『文物』, 1974年 9期; 張明川, 「河西出土的漢晋繪畫簡述」, 『文物』, 1978年 6期.

38 신성 1호묘 단청묘는 하서의 대성 단씨 가족에 속하는 것으로 여겨진다. 『晉書』 卷48, 「段灼傳」, p. 1337; 鄭岩, 『魏晋南北朝壁畫墓研究』, 文物出版社, 2002, pp. 145~180; 김경호, 「漢代 河西地域 豪族의 성격에 관한 연구」, 성균관대학교 사학과 박사학위 논문, 1999, p. 99.
   신성 3호묘의 營壘, 塢壁, 屯墾, 소를 이용한 우경과 같은 제재들을 통하여 하서지역 호족이 동한 중·후기 이후에 세력을 강화하면서 망루와 같은 군사시설을 통하여 지역의 사회질서를 유지하고 예속민들로 하여금 농경이나 목축을 경작·경영케 하여 그들의 경제적 부의 근원으로 삼고 있음을 확인할 수 있다. 김경호, 「漢代 河西地域 豪族의 성격에 관한 연구」, 성균관대학교 사학과 박사학위 논문, 1999, p. 99.

39 甘肅省文物考古研究所, 『酒泉十六國墓壁畫』, 文物出版社, 1989.

40 戴春陽, 『敦煌佛爺廟灣西晉畫像博墓』, 文物出版社, 1998.

려져 있다.[41] 돈황 기가만 301, 310, 369호묘(서진에서 16국 묘장)에서는 묘실 정벽正壁 아래에 묘주인상이 그려진 1개의 화상전이 각각 출토되었다.[42]

하서지역 위진시기 벽화고분의 발달은 3기로 구분된다.[43] 제1기는 주천 가욕관묘군이 대표한다. 가욕관 신성 3호묘는 하서지역과 중원지역의 유풍이 명확하고, 가욕관 신성 1호묘에는 감로이년甘露二年(257) 제기가 있어 1기의 연대는 조위시기로 본다. 제2기는 돈황 불야묘만고분군과 돈황 기가만고분군이 속한다. 기가만고분 출토 진묘병의 기년으로 미루어 서진시기로 추정한다. 제3기는 정가갑 5호묘가 속하며 새로운 시대적 특징을 보여주고, 4세기 말에서 5세기 중엽의 후량에서 북량 사이로 편년된다. 주천지구는 이실묘와 삼실묘가 유행한 반면, 돈황지구는 단실묘가 주이다. 주천지역의 벽화는 묘실 내부가 가장 풍부하고 조장의 채회는 비교적 간단한 반면, 돈황지역의 벽화는 조장장식이 가장 복잡하며 묘실 내 벽화는 비교적 적다.

하서 위진묘에서 특수한 장식 형식은 기하학 문양만으로 묘실을 장식한 것이다. 묘실 천장과 벽면에 흑백 두 가지 색만을 이용하여 마름모(능형), 꺾음선(절선)과 띠무늬(조대)도안을 그렸다. 무위 남탄 1호묘, 관가파 3호묘, 가욕관 관포 9호묘가 그 예이다.[44] 기하학 도안은 가장 이르게 무위 뇌대 동한묘[45]에서 보이는 것으로 이러한 특수 장식 형식의 발전 과정을 보여준다.[46]

---

41 불야묘만 37호묘는 후벽인 동벽에 제대를 만들고 장막을 그렸다. 묘의 네 모서리의 등잔대 위에 괴수상이 있으며 네 벽 상부 중앙에 앉아 있는 양, 서벽 문에 창고와 수확물을 표현했다. 강현숙,『고구려와 비교해본 중국 한, 위·진의 벽화분』, 지식산업사, 2005, p.129.

42 甘肅省文物局,『甘肅文物菁華』, 文物出版社, 2006, 도 225, p.209.

43 가욕관 신성 1호묘에는 甘露二年(257) 제기가 있어 제1기의 연대는 曹魏 시기로 본다. 제2기는 돈황 불야묘만 고분군과 돈황 기가만 고분군이다. 기가만 고분 출토 斗瓶의 기년으로 서진 시기로 추정한다.

44 무위 남탄 1호분과 관가파 3호분도 색을 칠한 벽돌을 마름모나 방형 도안이 되도록 연속 배치함으로써 묘실 내부를 장식하였다는 점에서 감숙성의 다른 벽화묘들과 구별되는 특징을 가졌다. 주천 정가갑 5호분이나 무위 남탄 1호분, 관가파 3호분은 방대형 분구와 전, 현실이 종렬배치된 구조가 서로 유사하다. 남탄 1호분은 전, 현실 사이 통로 중간에 기둥을 세웠는데, 이는 고구려 팔청리 벽화분과 매우 유사하다. 장식도안으로 묘실 내부를 장식한 것은 현재 고구려와 감숙성 무위 일원의 벽화분에서만 관찰된다. 감숙성의 주천 정가갑 5호분이나 무위 남탄 1호분과 관가파 3호분이 감숙성의 신성 벽화분과 달리 고구려와 유사성을 보이는 것은 고구려와 전진의 교류의 결과로 판단된다. 강현숙,『고구려와 비교해본 중국 한, 위·진의 벽화분』, 지식산업사, 2005, pp.345~377.

45 무위 뇌대 동한묘는 후한 영제 중평 3년에서 헌제 사이인 186~219년 사이에 축조되었다. 강현숙,『고구려와 비교해본 중국 한, 위·진의 벽화분』, 지식산업사, 2005, p.117.

46 鄭岩,『魏晋南北朝壁畵墓研究』, 文物出版社, 2002, p.56.

다음으로 신강성 지역의 벽화묘는 투루판 분지의 고창 고성 부근의 아스타나와 카라호자, 그리고 누란의 누란고성 부근에 위치한다. 먼저 A. 스타인이 신강 투루판지구 아스타나에서 4기의 5호16국시기 벽화묘를 발견하였으며 1975년에는 카라호자에서 5기의 북량시기 벽화묘(94~98호묘, 75TKM94~98)가 추가로 발견되었다. 벽화의 내용은 하서지역 벽화묘와 밀접한 관계가 있다.[47] 신강 아스타나와 카라호자묘의 벽화는 묘실 후벽에 점토를 바른 뒤 백회를 입히고 묵선으로 윤곽을 만들었으며, 화면을 여러 개의 작은 칸으로 나누어 각기 다른 제재를 배치하였다. 묘주의 생활을 묘사한 벽화의 제재는 감숙 지역의 벽화들과 유사하나, 일부 제재만 선택되어 하나의 벽면에 산만하게 조합하여 그렸다. 이는 감숙에서 신강으로 생활풍속 계통의 화본들이 전해지면서 맥락 없이 한 화면에 모두 배치하여 그림으로써 생긴 결과로 보인다.

1) 가욕관 신성 위진묘

가욕관의 위진 벽화묘는 가욕관嘉欲關에서 동북쪽으로 20㎞ 떨어진 신성향新城鄉에 있다.[48] 가욕관 신성新城 위진묘魏晉墓는 1972년 농부에 의해 벽화묘가 처음 발견되었으며, 해당 지역에 분포되어 있던 1000여 개의 고묘 가운데, 1972년에서 1979년까지 13기의 묘墓를 발굴하였다. 그 가운데 8기의 묘에 채회전이 장식되었다. 1972년 4월부터 5월까지 1호묘와 2호묘를 발굴하였고, 6월에는 3·4호묘를 발굴하였다. 10월부터 다음해 1월까지는 5·6·7호묘, 1973년 9월에는 8호묘를 발굴하였다. 신성 1, 3~7호묘와 12·13호묘가 벽화묘이다. 가욕관 벽화묘는 3~4세기로 편년된다.

가욕관 위진묘는 소형의 벽돌로 만들어진 전축묘로서, 이실묘二室墓와 삼실묘三室墓의 두 종류가 있다. 이실묘는 전실과 후실로 구성되고 전실 양쪽에 이실이 달려 있다. 삼실묘는 전, 중, 후실로 나뉘어 전실 양쪽에 이실이 있다. 묘실의 천장은 전실은 궁륭형이고 후실은

47 Sir A. Stein, "The Ancient Cemeteries of Astana", *Innermost Asia*, vol. Ⅱ, ch. ⅩⅨ, Oxford, 1928; 新疆博物館考古隊, 「吐魯番哈喇和卓古墓群發掘簡報」, 『文物』, 1978年 6期; 新疆維吾爾自治區博物館, 「吐魯番縣阿斯塔那-哈拉和卓古墳墓群清理簡報(1963~1965)」, 『文物』, 1973年 10期.

48 甘肅省博物館 甘肅省文物隊, 『嘉欲關壁畵墓發掘報告』, 文物出版社, 1985; 張軍武, 高風山, 『嘉欲關魏晉墓彩畵磚畵淺識』, 甘肅人民出版社, 1989; 林少雄, 『古塚丹青-河西走廊魏晉墓葬畵』, 甘肅教育出版社, 1999; Jan Fontein and Wu Tung, *Han and T'ang Murals*, Museum of Fine Arts Boston, 1976; 嘉峪關市文物清理小組, 「嘉欲關畵像磚墓」, 『文物』, 1972年 12期; 張朋川, 「嘉峪關魏晉墓室壁畵的題材和藝術價值」, 『文物』, 1974年 9期.

평정인 경우가 많다. 묘의 크기는 가욕관 1호묘와 같은 이실묘의 경우, 묘실 길이가 약 7m 이고, 3호묘와 같은 삼실묘의 길이는 약 12m이다.

발굴된 10여 기의 위진묘에서 출토된 채회전과 소폭 벽화는 660폭이다. 채회전들은 주제에 따라 묘의 벽면에 배치되어있다. 채회전화의 배치는 일반적으로 이실묘의 전실에서는 3층으로 배열되고, 후실은 3층 또는 4층으로 배열된다. 삼실묘의 전실과 중실에서는 많으면 5층, 적으면 4층으로 배열되고 후실은 일반적으로 3-4층으로 배열된다. 채회전화의 주요 부분은 대개 전실에 있다. 채회전의 크기는 34.5×17㎜이다. 각각의 벽돌은 붉은 색으로 테두리가 처져 있다. 이 테두리 안에 그림을 그렸는데, 대개 검은 묵선으로 윤곽선을 그리고 내부를 밝은 색으로 음영 없이 칠했다. 화필은 자유롭고 즉흥적이다.

가욕관묘의 지하로 내려가는 묘도 끝의 묘문 위에는 벽돌이 높게 쌓여있다. 조벽照壁이라고 하는데 높이는 5~9.11m이고 너비는 2m이다. 역사力士, 새, 사신, 기린 형상이 그려진 채회전으로 장식되었다. 가욕관 신성 1호묘에는 화상석이 아닌 조각으로 동물 얼굴이 장식되어있다. 가욕관 신성 6호묘에는 부조로 역사와 용의 머리가 나타난다. 묘문에 복잡하고 높은 층층의 벽돌탑을 만든 것은 중원지방에서는 보이지 않는 것이다. 동왕공, 서왕모 또는 복희와 여와의 형상을 그린 것 또한 같은 시기에 중원지역에서는 드문 편이다. 이러한 특징들은 가욕관묘군이 위진묘군이라는 것을 보여준다.

가욕관 1·4·5·12·13호묘는 전축의 쌍실묘이다. 묘실의 채회전은 주로 전실의 네 벽에 집중 분포한다. 후실에는 후벽 상부에 소수의 사속絲束, 견백絹帛, 시녀 화상이 있다.

가욕관 신성 1호묘는 전실과 후실로 구성되었다. 전실에 동서로 양쪽에 이실이 달렸다. 묘문 위의 조벽照壁, 전실의 네 벽 및 후실의 벽 상부에 묘주인, 포주, 시녀, 농경, 수렵, 목축, 상림桑林 생산활동, 식생활, 출행도 등이다. 벽화는 주로 전실에 분포한다. 남벽 동측 벽돌에 요선도搖扇圖 화전畵磚이 있다. 묘주인상은 이실묘에서 일반적으로 전실 후벽 용도문의 우측에 위치한다. 연락도의 아래에 연음도와 출행도가 있는데, 연음도와 출행도는 좌벽을 향한다. 묘주상에는 "단청段淸"과 "유혈幼絜"이라는 제기가 있다(도19). 후실은 남녀의 관 덮개 안에 적색으로 인수사신人首蛇身의 복희·여와와 운기문이 그려졌다. 화상전 가운데 신금이수나 역사고사의 주제는 보이지 않는다. '조위감로이년曹魏甘露二年'(257)의 주서朱書 진묘문이 있는 진묘병이 나왔다.

가욕관 신성 4호묘의 채회전의 주제는 연음, 묘주부부, 주악奏樂, 목축 등이며, 가욕관 신성 5호묘는 운기雲氣, 역사, 연음, 묘주부부, 주악, 목축 등이다. 가욕관 신성 12호묘는 적, 흑, 백

도 19 | 《묘주연음도》, 전실 남벽, 신성 1호묘

색으로 두공과 들보를 표현하였고, 양, 주작, 신록神鹿, 수렵, 기마, 역사, 청룡, 백호, 독각수, 우거牛車, 봉조鳳鳥, 경작 등을 그렸다. 가욕관 신성 13호묘는 독각수, 가옥, 출행, 우거, 나무, 도살, 농경, 목우, 목마, 목양, 주방 등의 채회전이 있다. 부부합장묘로 남자 관 덮개에는 동왕공東王公과 서왕모西王母, 그리고 운기문을 그렸다. 여자 관의 덮개 안쪽에는 복희와 여와를 그렸다.

가욕관 신성 3·6·7호묘는 전축의 삼실묘로 묘실의 화상은 주로 전실과 중실의 네 벽에 분포하며, 후실 후벽에는 소량의 사속絲束, 견백絹帛, 생활용구, 시녀상 등이 있다.

가욕관 신성 3호묘의 전실의 화상 주제는 묘주부부도, 둔영도屯營圖, 오벽도塢壁圖, 둔간도屯墾圖, 출행도, 수렵도, 경작도, 원림도, 식기도, 포주도, 수문견도, 시녀도, 목우도牧牛圖, 악사연주도, 우수인신도牛首人身圖 등이다(도20). 중실의 화상 주제는 견백도, 시녀도, 여주인상, 소, 양, 돼지의 도축도 등이다. 묘주인도가 두 곳에 있는데 하나는 둔영도의 대장大帳 가운데에 묘사되었다. 둔영도는 전실 후벽 용도문의 공권拱券의 좌측 상방에 있다. 여주인상은 중실 우벽 우측의 중부에 위치한다. 가욕관 신성 6호묘는 남묘주연음, 견타牽駝, 채상采桑 등의 채회전이 있다. 가욕관 신성 7호묘(왕점묘王霑墓)는 장원생활莊園生活, 수렵狩獵, 우거 등이며, 인장문印章文 중에 "왕점인신王霑印信"이 있어 묘주의 사인私印으로 보인다.

가욕관 신성묘의 묘실에 주로 배치된 화상전의 내용을 정리하면 잠농, 목축, 우물, 수렵, 개간, 연회, 음악연주, 거마 등이 있다. 묘의 전실의 화상전들은 대개 사냥, 농경, 목축, 군사활동 그리고 그 외 남자들의 활동을 그리고 있는 반면, 후실의 그림은 가정에서의 활동과 농

도 20 | 《출행도》, 전실 동벽, 신성 3호묘

잠업과 같은 전형적인 여자의 일이 주제로 그려졌다.

　손언孫彦에 의하면 가욕관 신성묘의 쌍실묘 전실 벽화의 배치와 조합의 특징은 먼저 묘주인 화상은 후벽에 위치하여 가장 중요한 내용을 표시한다. 가욕관 신성 5호묘의 두 폭의 묘주인 연음도는 벽돌에 원래 그려졌던 수렵도와 독거도犢車圖 위에 백악토白堊土를 바르고 묘주인 연음도와 포주도로 고쳐 그렸다. 따라서 벽화의 배치에 일정한 규칙이 있었음을 알 수 있다.

　가욕관 신성 1호묘의 묘주인상 채회전의 우측에 그려진 세 가지의 기본적인 제재의 순서는 포주도-진식도進食圖-도재도屠宰圖이다. 가욕관 신성 1호묘의 묘주인의 좌측으로 그려지는 제재의 순서는 연락도-출행도-수렵도-장원생산도 등이다. 1호묘와 5호묘, 3호묘의 채회전의 제재의 도상 내용은 기본적으로 유사하다.

　묘주인상의 위치가 전실 후벽의 좌측, 또는 우측이거나 상관없이 묘주인상을 중심으로 좌우로 나뉘어 제재가 전개되며 전실의 전벽에 위치한 묘문을 향하여 배치된다. 따라서 후벽 화상 내용도 묘실의 중축선을 중심으로 나뉜다. 전실 좌벽과 우벽 윗부분에는 2-3개의 가문假門을 설치하고 문비門扉에는 대문 고리를 물고 있는 주작朱雀衔鋪首도안이 있다.

손언은 가욕관 신성묘의 벽화 제재 배치를 주천 정가갑 5호묘와 비교하여 전실 후벽의 묘주 인화상을 중심으로 좌측과 우측으로 전벽 중심까지의 화상 배열 순서가 가욕관 신성 1·3·5호 묘의 배열순서와 유사하여 도상 내용과 공간 배치가 기본적으로 일치한다고 보았다.[49]

가욕관 위진묘 채회전화의 특징은 현실생활 풍속도가 주라는 것이다. 역사나 신화 속의 영웅을 다루는 역사고사 인물화는 눈에 띄게 부족한 편이다. 이를 그린 이들은 민간 화공이 었을 가능성이 높다고 여겨진다. 6호묘의 천장은 연화문 벽돌로 장식되었다. 6호묘의 용과 주작의 화상전은 고구려 삼실총과 유사하여 모본의 공유를 고려할 수 있다. 5호묘의 후실의 그림을 보면 생활용구인 견絹, 면綿, 사속絲束 등의 그림이 있다.

가욕관 신성 벽화묘는 생활풍속의 묘사가 주된 주제이나, 채회 목관에 복희·여와, 서왕 모·동왕공을 장식하고 조장照墻에 사신四神을 장식하여 승선적 내세관을 보이기도 한다. 시 기적으로 가욕관 위진 1호묘는 대략 이른 조위시기의 묘로 채회전의 그림 수법이 고졸하다. 5호묘는 비교적 늦어, 서진시기의 묘장으로 본다. 돈황 북위시기 석굴벽화에 나타나는 호랑 이의 그림과 가욕관 신성 5·6호묘의 채회전화의 그림이 유사한 것으로 보아 가욕관 신성 벽화묘의 채회전화는 돈황 석굴벽화의 몇몇 제재의 연원으로 보인다. 서진 시기의 채회전 은 정밀하고, 연화, 사신, 신수神獸 등의 제재가 많아진다. 13호묘의 남자 관의 덮개에 보이 는 동왕공, 서왕모, 그리고 여자의 관에 보이는 복희, 여와 등의 그림이 보여주는 전통적인 신선사상과 신화주제는 돈황석굴 제249굴의 동왕공과 서왕모도, 제285굴의 복희·여와도 와 내용과 표현수법상에서 비슷하다. 따라서 돈황석굴의 신화제재는 가욕관 위진묘 채회전 을 계승, 발전한 것이라고 볼 수 있다.

가욕관과 유사한 화상전이 나온 묘들로 주천과 장액 사이에 위치한 고대현 낙타성묘駱駝 城墓와 주천酒泉 부근의 고갑구묘高閘溝墓와 서구촌묘西溝村墓 등이 있다. 낙타성묘는 1994년 발굴된 것으로 농경, 목축, 복희와 여와, 그리고 서왕모, 동왕공을 그린 화상전으로 장식되 어 있다.[50]

고갑구묘高閘溝墓는 1993년에 발굴된 삼실묘三室墓로서 48개의 화상전 가운데, 22개의 화상

49 孫彦, 『河西魏晉十六國壁畫墓硏究』, 文物出版社, 2011, pp. 101-115.

50 張掖地區文物管理辦公室·高臺縣博物館, 「甘肅高臺駱駝城畫像磚墓調査」, 『文物』 1997年 12期; 馬建華, 趙吳成, 「甘肅酒泉西溝村魏晉墓發掘報告」, 『文物』 1996年 7期.

전의 사진이 『주천문물정수酒泉文物精粹』에 발간되었다.[51] 가욕관묘의 화상전과 달리, 각각의 벽돌의 가장자리를 두르는 적색 테두리가 없고, 벽돌은 묘주의 공직활동, 말 탄 사람의 행렬, 목축, 농경, 연회의 장면을 담고 있다. 같은 1993년에 주천의 서구촌西溝村에서 발굴된 위진 시기 벽화묘(93JXM5와 93JXM7)는 가욕관 신성묘군의 채회전과 유사한 제재를 보여주며, 묘실 천장과 바닥에 화염문 방형전이 있다. 고갑구묘高閘溝墓의 채회전에 비해 두껍고 흐르는 듯한 필선과 단순한 구성을 가지고 있어 가욕관의 무덤 화상전과 보다 유사성을 보인다.[52]

2) 돈황 불야묘만 서진묘

돈황지역 위진묘군을 대표하는 것은 돈황시의 동쪽에 위치한 동서 길이 22㎞, 남북 너비 5㎞의 불야묘만묘군佛爺廟灣墓群이다. 1995년 불야묘만묘군의 600여기 묘장 가운데 서진 화상전묘가 5기 발굴되었다.[53] 91·167호묘는 이미 무너졌고 묵선으로 그린 전화磚畫만 일부 출토되었다. 37·39·118호묘는 전축묘로 보존 상태가 좋으며 연대는 서진 전기에서 중기

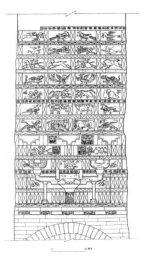

도 21 | 《장막도》(좌), 《방목두공전조와 화상전》(우), 불야묘만 37호묘

---

51   酒泉市博物館 編, 『酒泉文物精萃』, 中國靑年出版社, 1998.

52   馬建華, 趙吳成, 「甘肅酒泉西溝村魏晉墓發掘報告」, 『文物』, 1996年 7期.

53   발굴된 6기의 전축묘(서진 시기, A.D.265~317)에 대해서 1998년 『敦煌佛爺廟灣西晉畫像磚墓』라는 발굴보고서가 나왔으며 여섯 기의 묘 외에 1987년에 발견된 묘 한 기가 포함되었다. 戴春陽, 『敦煌佛爺廟灣西晉畫像博墓』, 文物出版社, 1998.

까지이다. 묘장 구조는 묘도, 용도, 묘실로 구성되었다. 37·39호묘는 동일 가족의 묘이며 전자는 290년보다 이르고 후자는 비교적 늦다.

불야묘만 37호묘의 묘실은 정방형 평면이며 길이 3.5m, 너비 3.58m, 높이 3.46m이다. 묘실 좌벽 서측에 이실이 있다. 이실의 높이는 지면에서 0.22m이다. 묘실 우벽 서측에 방형 소감을 설치하였다. 묘실 동벽 정중앙에 채회로 장막帷幔과 수장垂幛을 그렸다. 묘실로 들어가는 입구의 조장의 채회전에는 비조飛鳥, 역사力士, 신작神雀, 주작, 현무, 이광사호李廣射虎, 백아伯牙와 종자기鍾子期 고사, 운기雲氣 등의 제재가 있다(도 21).

불야묘만 39호묘의 묘실은 근방형 평면이며 길이 3.3m, 너비 3.2m, 높이 3.1m이다. 전실 앞부분 남북 양측 벽에 양이실이 있고, 북측 이실은 방형, 남측 이실은 장방형이다. 기린, 수복受福, 청룡, 현무, 백상白象, 이광사호李廣射虎, 백아伯牙와 종자기鍾子期의 고사 등의 제재가 있다.

불야묘만 118호묘는 쌍실토동묘이다. 전실은 평면 장방형이며 길이 3.25m, 너비 2.36m, 높이 2.4m이다. 남벽 양측에 벽감을 설치하였다. 후실 평면은 근방형이며 길이 1.19m, 너비 1.22m, 높이 1.3m이다. 두공, 수면獸面, 웅면熊面 역사, 신록, 백상白象, 물고기魚, 주작朱雀, 호랑이虎 등이 그려졌다. 불야묘만 133호묘에는 신마神馬, 역사力士, 주작朱雀, 현조玄鳥, 기린麒麟 등이 그려져 있다. 불야묘만묘에서는 회색의 작은 벽돌(길이 34-36㎝, 너비 16-18㎝ 그리고 두께 5-6㎝)을 사용한 채회전으로 조벽照壁, 묘실의 전벽前壁, 묘실 네 모서리와 조정을 장식하였다. 신금영수神禽靈獸로 대표되는 상서祥瑞와 신화전설은 주로 조벽에 위치한다. 역사고사 인물도 조벽에 묘사되어 있다. 불교 문화요소를 보여주는 백상白象과 연화 가운데 연화는 묘실 천장, 백상은 조벽에 그려져 있다. 세속 생활 장면은 묘실 내 묘문 양측에 위치한다.[54]

3) 돈황 기가만묘

돈황敦煌 기가만祁家灣 301·310·369호묘도 벽화묘壁畵墓이다. 묘실 정벽正壁에서 묘주인상이 그려진 1점의 화상전畵像磚이 각각 출토되었다. 310호묘 출토 화상전은 묘주접객, 포주도, 369호묘의 화상전은 묘주부부, 시녀, 우거牛車의 그림이 그려졌다. 기년이 있는 진묘병들이 출토되었는데 310호묘의 진묘병은 북량北涼 단업段業 신새神璽 2년(398), 369호묘는 서

---

54   강현숙, 『고구려와 비교해본 중국 한, 위·진의 벽화분』, 지식산업사, 2005, p.129.

도 22 | 《묘주부부도》, 기가만 369호묘

량西涼 이고李暠 건초建初 11년(415)이다.[55] 310호묘는 화면이 상하로 양분되어 상단 왼쪽에 묘주가 앉아 있고 마주 앉은 두 명의 손님을 접대하는 연음포주도宴飮庖廚圖이다. 기가만 369호묘(서량) 화상전(길이 35㎝, 너비 17㎝, 두께 5㎝, 감숙문물연구소 소장)도 상하 양분되어 상단은 묘주부부가 유장 안에 있고 그 옆에 한 명의 인물이 앉아 있다. 하단은 시녀와 우거牛車가 있다. 묘주의 연음과 출행 장면의 주제이다(도22).[56]

4) 주천 정가갑 5호묘

하서지역에서 오호십육국 시기의 고분으로는 주천 정가갑묘군丁家閘墓群(오량五凉)이 있는데 그 중에서 5호묘가 벽화고분이다.[57] 1977년 감숙성 주천시의 북서쪽 8㎞ 거리의 정가갑촌丁家閘村 근처에서 십육국 시기의 전축묘를 발견하여 정가갑 5호분이라고 명명하였다. 묘의 바닥은 지표면에서 12m 지하에 놓여 있다. 묘문은 높이 1.07m, 너비 0.9m이다. 묘는 전실과 후실로 나뉜다. 전실(길이 3.22m, 너비 2.32m, 높이 3.36m)은 용도에 의해 후실(길이 3.32m, 너비 2.76m, 높이 2.52m)로 연결된다. 묘실 천장과 벽은 백회를 바르고 그 위에 그림을 그렸다. 묘는 도굴 당하였지만, 도기, 청동기, 화폐 등 83개의 부장품이 발견되었다. 정가갑 5호묘는 후량後凉(386~403) 또는 서량西凉(400~421)에서 북량北凉(397~439) 사이, 주천이 후량(386~399)의 여광呂光이거나 북량(401~433)의 저거몽손沮渠蒙遜의 지배하에 있던 시기, 대략 386년에서 441년 사이에 속하는 것으로 여겨진다.

---

55 戴春陽, 張瓏,『敦煌祁家灣-西晉十六國墓葬發掘報告』, 文物出版社, 1994, p.149; 돈황 기가만 310호분의 화상전은 도41 참조

56 甘肅省文物局,『甘肅文物菁華』, 文物出版社, 2006, 도 225, p.209.

57 酒泉은 河西回廊의 중심부에 있으며 서쪽은 嘉欲關市와 인접하고 있다. 전설에 의하면 漢武帝 2년(기원전 121년)에 곽거병이 하서에 출정하여 여기에 주둔하고 있던 때 고사에서 酒泉이라는 지명이 유래되었다. 甘肅省文物考古研究所,『酒泉十六國墓壁畵』, 文物出版社, 1989.

전실 천장 중앙에는 연화를 그렸고, 천장 사면과 벽면은 상하 여러 단으로 구분하였다(도 23). 천장에 그려진 제재는 용수龍首, 신선神仙, 산악과 그 안의 각종 동물, 해와 달, 동왕공, 서왕모, 구미호九尾狐, 삼족오三足烏, 신록神鹿, 옥녀玉女, 신마神馬 등이다(도24). 산봉우리 정상에 하나의 동굴이 있는데 동굴 안에 한 명이 노인이 그물을 펼치고 새를 잡고 있다.

서벽에는 묘주가 악무를 감상하는 장면이 있다(도25). 나머지 세 벽에는 수목, 보루塢, 우경牛耕, 탈곡, 양과 닭 등이다. 그 아래 단에는 작은 나무들이 있고, 서벽 북측에는 우거출행牛車出行, 남측에는 수레 4대와 사람 4명, 남벽 중앙에는 커다란 나무 한 그루 위에 원숭이와 새가 있고, 나무 아래에는 평대平台 위에 나체의 여자가 있다. 동측 끝에는 보루塢, 탈곡 등이

도 23 │《조정도》, 전실 천장, 정가갑 5호묘

도 24 │《서왕모도》, 전실 서벽, 정가갑 5호묘

도 25 │《묘주도》, 전실 서벽, 정가갑 5호묘

다. 기타 다른 부분에는 수림을 그렸다. 북측에는 보루塢, 정원, 숲, 닭 떼, 뽕나무 따기, 도살屠宰 등이다. 동벽 남측에는 소떼, 북측은 부엌이다. 문 입구 양측에는 수문견守門犬이 각각 한 마리씩 있다.

후실 후벽은 3층으로 나뉘는데 제1층 운기문, 제2층 화장상자, 통, 활, 주미, 원형의 물체 등이다. 제3층은 사속絲束과 견백絹帛이다. 후실에는 세 구의 유골이 있는데 가운데는 남성, 좌우는 여성이다. 머리가 묘문을 향했다. 부장품隨葬品은 금엽편金葉片, 칠함漆盒, 동마銅馬 잔편, 반량전半兩錢, 오수전五銖錢, 소오수전小五銖錢, 철경鐵鏡, 도호陶壺 등이다.[58]

5) 감숙지역 채회관화

가욕관 위진 벽화묘 중 1·6·13호묘에서 채회관화가 나왔다. 목관의 크기는 길이 2.15-2.26m, 너비 0.55-0.56m, 뚜껑의 길이가 2.5-2.75m, 그리고 두께가 0.10-0.15m이다.

1호묘는 합장묘로, 남자와 여자묘주의 관 덮개의 안쪽에 홍, 흑, 백, 청색으로 복희와 여와, 그리고 운기문을 그렸다. 13호묘도 합장묘로 남자 관 덮개에는 동왕공東王公과 서왕모西王母, 그리고 운기문을 그렸다. 여자 관의 덮개 안쪽에는 복희와 여와를 그렸다.

6호묘는 관판의 위아래가 잘려져 그림이 명확하지 않은데 탑상 위에 앉은 두 명의 인물이 마주 보고 있고 각 인물의 뒤로 신수神獸의 상체와 다리 부분이 보인다. 묘주인의 도상으로 보거나 서왕모와 동왕공으로 본다. 후자의 경우 6호묘 목관의 서왕모·동왕공도상은 영하 고원 북위묘 출토 칠관화의 도상의 연원으로 여겨진다. 신성묘군의 1·6·13호묘의 관판화는 모두 인물상을 가로 화면에 그려 넣었다.

가욕관嘉欲關 신성남묘구新城南墓區 진묘晉墓의 남자관 덮개와 여자관 덮개에도 복희·여와도가 있는데 세로 화면에 위아래로 길게 그려 넣어서 차이가 있다. 감숙 고대 10호묘(2003GNM10)의 후실 서측 목관의 덮개 안에도 세로 화면으로 그린 복희·여와도상이 있다.

가욕관 모장자毛莊子 위진묘魏晉墓의 관판에는 《복희여와일월성하도伏羲女媧日月星河圖》가 그려졌다. 모장자 위진묘의 복희·여와도는 길이 1.7m, 너비 0.4m이다. 옥문관장玉門官莊1호묘(2003GYGM1)의 우측 관판에 붙인 지화에도 《복희여와일월성하도》가 있다.

하서지역 관판화는 주로 위진시기 주천군의 범위 내에 분포한다. 하서지역 위진십육국시

58　鄭岩,『魏晋南北朝壁畵墓硏究』, 文物出版社, 2002, pp.46-47.

기에 묘장 가운데 관판화를 사용하는 장속은 주천군 경내와 그 부근에서 유행하였고, 하서의 기타 다른 지역에서는 이러한 장속이 유행하지 않은 것을 알 수 있다.

목관에 지화紙畵를 붙이는 것은 신강 투루판지역 출토 목관 장식에서도 발견된다. 1964년 출토된 묘주생활도가 가장 잘 알려져 있으며, 길이 106.5㎝, 너비 47㎝이다. 서진시기로 편년된다. 투루판지역의 목관의 지화는 생활연음도를 그렸는데 하서지역 위진십육국묘 벽화와 기본적으로 일치한다.[59]

감숙성 지역 위진시기 채회관화는 영하성 고원과 산서성 대동에서 출토된 북위 평성시기 채회관화와 연관하여 주목된다. 동왕공, 서왕모 또는 복희와 여와의 형상을 그린 것 또한 당시 중원지역에서 드문 것으로 동왕공과 서왕모의 주제는 영하성 고원 북위묘 출토 칠관화에도 나타나는 주제이다. 13호묘의 남자 관개에 보이는 동왕공, 서왕모, 그리고 여자의 관에 보이는 복희·여와 등의 그림이 보여주는 신선사상과 신화주제는 돈황석굴의 제249굴의 동왕공과 서왕모도, 제285굴의 복희·여와도와 내용과 표현 기법상에서 유사하다. 감숙지역의 채회 목관은 북위의 수도 평성의 벽화묘로 전파되어 대동의 사령묘, 호동 1호묘, 지가보묘 등에서 여러 채회 목관을 볼 수 있다. 가욕관묘의 목관 관 덮개와 조장 장식 중에 출현하는 복희·여와는 5세기 후반의 산서 대동 사령묘의 천장 장식에 나타나 도상의 전파가 확인된다.[60]

2. 신강지역 벽화묘

1) 신강 아스타나묘군과 카라호자묘군

신강성지역의 오호십육국시기 벽화묘로는 신강성 투루판분지 고창 고성 부근의 아스타나阿斯塔那묘군과 카라호자哈喇和卓묘군이 있다. 이들 신강성 벽화묘들은 조위~서진시기 주천과 돈황 지역의 고분벽화의 제재와 배치가 보다 간략화된 형식으로 전파된 것을 보여준다. 마크 오렐 스타인Mark Aurel Stein(1862~1943)에 의해 신강 투루판지역 아스타나에서 4기의 오호십육국시기 벽화묘가 발견된 이래 1975년에 카라호자에서 다섯 기의 북량시기 벽화묘(카라호자 94~98호묘, 75Tkm 94~98)가 추가로 발견되었다.

---

59   孫彦, 『河西魏晉十六國壁畵墓硏究』, 文物出版社, 2011, pp.85-88.
60   鄭岩, 『魏晋南北朝壁畵墓硏究』, 文物出版社, 2002, p.173.

아스타나지역의 고분 벽화는 주로 묘실 후벽에 그렸으며 묘주 생활 장면이 주요 내용이다. 제2구 2호묘(Ast. ii. 2), 제6구 1호묘(Ast. vi. 1), 제6구 4호묘(Ast. vi. 4)에 묘주도가 있다. 전량前涼 승평8년升平八年(364)의 제기題記가 있는 제2구 2호묘는 묘실 후벽의 화면을 4칸으로 나누고 묘주부부, 안마鞍馬, 우거牛車, 식물을 그렸다. 제6구 1호묘는 후벽에 남자묘주 1명과 여자묘주 2명, 그리고 우거와 낙타가 있다. 제6구 4호묘(Ast. vi. 4)는 후벽에 묘주 부부와 3명의 시녀, 좌벽에 포주庖廚, 우, 마, 양, 낙타 등 가축, 우벽에 수목, 우거牛車, 낙타, 묘문 양측에 각각 한 마리씩 사자 형상의 진묘수를 그렸다.

그 외에 아스타나묘지 제2구 1호묘(Ast. ii. 1)와 제6구 3호묘(Ast. vi. 3)에서 각각 한 장의 지화紙畵가 나왔는데, 묘주, 포주庖廚, 경작지, 우거牛車 등의 제재를 담고 있다. 제2구 1호묘는 칸을 나누지 않고 가로로 긴 화면에 흑색으로 윤곽선을 그리고 홍, 백, 녹 등의 채색을 더하였다. 화면의 왼쪽에는 한 명의 시녀가 손에 이배耳杯를 들고 앞에 앉은 주인을 시중들고 있으며, 주인 뒤에는 옷과 옷걸이가 있다. 화면의 우측에는 두 명의 시녀가 주방 용기들을 사이에 두고 묘주를 향하여 서 있다.

제6구 3호묘의 지화는 화면의 상하로 두 장의 종이를 연결하였으며 칸을 나누지 않았다. 흑색으로 윤곽선을 그리고 홍색, 갈색, 녹색으로 채색을 하였다. 화면 상단은 장방 아래에 우측에는 둥근 부채를 들고 탑상榻床에 앉은 남자주인이 있고 그 앞에 시녀가 무릎 꿇은 자세로 시중을 들고 있다. 묘주의 앞에는 두 명의 무릎 꿇은 속리屬吏가 있다. 남주인의 뒤에는 한 명의 시녀와 궁전弓箭과 의물衣物을 건 목가木架가 있다. 화면 하단에는 한 명의 무녀舞女와 두 명의 악사가 있다. 그 아래에는 한 명의 시종이 음식을 준비하고 있다. 무녀의 앞에는 경작지, 수목, 우거를 축소하여 그렸다.

1964년 발굴한 투루판 아스타나 13호묘에서도 유사한 묘주도 지화가 발견되었다. 지화는 길이 106㎝, 너비 47㎝로 6장의 종이를 연결하여 만들었는데, 화면 상부의 좌우 모서리에 해와 달을 그렸다. 좌측의 달 안에 두꺼비, 우측의 해 안에 삼족오를 그렸다. 장방 아래에 남자묘주가 단선團扇을 들고 탑榻 위에 앉아 있다. 화면 왼쪽에 두 그루의 과수가 서 있으며 나무 사이에 안마와 마부를 그렸다. 우측 상단에는 밭과 농기구, 하단에는 주방에서 일을 하는 여자시종이 있다(도26). 지화들의 연대는 서진에서 16국 시기로 여겨지며 벽화의 밑그림이거

도 26 |《묘주도》, 아스타나 13호묘

나 또는 일종의 부장품으로 여기기도 한다.[61]

　2004년 6~7월 투루판시 아스타나묘군 서구西區에서 발견된 408호묘는 사파묘도斜波墓道 동실묘洞室墓로 묘 전체 길이는 12.2m, 묘실 지표 깊이 3.34m이다. 묘실 평면은 길이 3.34m, 너비 3.06m로 정방형이며 복두형 천장이다. 후벽 벽화는 길이 2.09m, 너비 0.68m로 벽화 네 모서리에 흑색의 사각형을 그려 천에 그려진 그림을 벽에 건 것을 묘사하였다. 화면은 세 부분으로 구성되어 오른쪽에서 왼쪽으로 장원경작지莊園田地, 묘주가족, 장원 일상생활과 남자묘주의 융마戎馬 활동을 그렸다. 기존에 발견된 벽화나 지화에 비하여 화면이 보다 복잡하게 구성되었으나 필치가 거칠고 투박하다. "북두北斗", "삼태三台", "일상日像", "월상月像" 등이 천상도 부분에 쓰여 있다.

　2006년 투루판 아스타나묘군 서구 605호묘 묘실 후벽에도 408호묘와 유사한 묘주의《장원생활도》가 발견되었다. 화면의 구성은 408호묘와 거의 같으며 묘주 가족과 경작지가 주제이다. 화면 좌우 상부에 원형의 인면人面 형태로 일상과 월상을 그렸다(도27).

　카라호자 벽화묘는 사파식 묘도와 정방형 묘실(복두정)로 구성된다.[62] 카라호자의 고분벽화는 묘주의 장원생활을 묘사한 것이다. 모두 북량 시기의 것이다. 95호묘는 우경 정면이 있

61　Sir A. Stein, "The Ancient Cemeteries of Astana," *Innermost Asia*, vol. II, ch. XIX, Oxford, 1928.

62　新疆博物館考古隊,「吐魯番哈喇和卓古墓群發掘簡報」,『文物』, 1978年 6期; 新疆維吾爾自治區博物館,「吐魯番縣阿斯塔那-哈拉和卓墳墓群清理簡報(1963~1965)」,『文物』, 1973年 10期.

도 27 │《장원생활도》, 아스타나묘군 서구 605호묘

도 28 │《장원생활도》, 카라호자 97호묘

다. 96호분은 화면이 다섯 칸으로 나누어져, 정좌한 채 손에 부채를 든 남묘주와 좌우의 여
자 시종, 경작지, 화수花樹, 주방도 등이 각각 그려졌다. 97호묘는 6칸의 화면으로 구성된다.
남녀주인, 시녀, 낙타, 말, 우거, 과수果樹, 경작지田地, 화덕이 있는 주방, 화살과 화살통, 일월
상으로 구성되었다(도28). 98호묘 벽화는 다섯 칸의 화면으로 구성되었으며 제재가 97호묘

도 29 | 《장원생활도》, 카라호자 98호묘

와 유사하며 그 외에 포도와 비슷한 넝쿨식물을 묘사하였다(도29).[63]

아스타나와 카라호자의 고분벽화는 백회를 바르고 벽면에 묵선墨線으로 화면을 그리고, 다시 여러 칸으로 화면을 나눈다. 이러한 방식은 가욕관 신성묘군, 돈황 불야묘만 묘군의 채회전이나 돈황 기가만 310·369호묘의 화상전 구도와 유사하여 조위~서진시기 주천과 돈황 벽화고분에서 오호십육국시기 신강지역 벽화고분으로 전파된 형식임을 알 수 있다.

아스타나와 카라호자 벽화묘에는 대개 묘실 후벽 중앙에 묘주도가 그려져 있다. 일부는 좌우벽과 묘문이 있는 전벽前壁 양측에 그리기도 한다. 벽화를 그리는 법은 비교적 간단하여 묘실 벽면 위에 세니細泥를 먼저 한 층 바르고, 백회를 바른다. 백회면은 벽화 화면보다 약간 크며 가장자리는 불규칙하다. 벽화는 백회면 위에 그리는데 주된 제재는 부부병좌도이고, 포주, 농전農田, 과원果園, 출행, 궁弓과 궁낭弓囊 등이 추가된다. 벽화 테두리 상부에 일월상을 그리기도 한다.

투루판 아스타나 위진묘의 묘실 벽화와 묘실 내에서 발견된 지화의 제재는 기본적으로 같다. 벽화는 백묘만으로 그리는 경우가 많아 채색이 드물며 설색設色이 단순하다. 인물의 머리나 얼굴, 복식, 과수의 열매와 잎, 일日·월月 등에 홍색과 녹색을 간단하게 칠하기도 한다.

투루판 아스타나 지역의 묘주도는 하서 지역의 3-5세기 화상전묘의 묘주도와 제재, 구도,

---

63   新疆博物館考古隊, 「吐魯番哈喇和卓古墓群發掘簡報」, 『文物』, 1978年 6期; 新疆維吾爾自治區博物館, 「吐魯番縣阿斯塔那-哈拉和卓古墳墓群清理簡報(1963~1965)」, 『文物』, 1973年 10期.

화법, 인물 표현(붉은 입술, 눈썹과 뺨의 홍색 화장 등)에서 유사점이 많다. 홍색의 복식의 색, 수목의 표현, 삼족오와 두꺼비가 담긴 일월상은 주천 정가갑 5호묘와 비슷하다. 그러나 아스타나 묘주도의 호인형상이라든가 당시 투루판의 실제 생활과 관계된 궁전弓箭, 과수, 포도, 낙타 등 도상은 지역적 특색을 보인다.

또한 제재의 배치에서도 묘주도를 중심으로 좌우에 다양한 제재를 비례를 무시하고 자유롭게 배치하여, 중원지역의 동시기 벽화묘의 제재를 한 벽면에 축약하여 표현하여 다소 무질서해 보인다. 벽화의 기물, 우거, 안마 등은 묘의 부장품 가운데 유사한 예가 있어서 당시 묘장 벽화와 지화의 내용이 사실을 반영한 것을 알 수 있다. 지화들은 벽화의 밑그림粉本으로 여겨지기도 한다. 그러나 벽화와 지화의 구도와 기법에서 차이가 있고 지화의 수준이 벽화보다 높기 때문에 독립된 예술작품으로 부장된 것으로 보는 것이 적절하다.

앞에서 서술한 벽화와 지화가 출토된 묘들은 전량 승평8년(364) 제기가 있는 제2구 2호묘를 제외하고 묘주의 신분에 대한 문자자료가 드물다. 그러나 묘의 구조와 부장품, 그리고 출토회화를 종합 분석하여 대개 4세기 후반에서 5세기 중기로 추정한다.

3. 중앙아시아계 벽화묘의 출현

1) 감숙 장액 고대현 나성향 하서촌 지경파묘

다음으로 감숙 고대와 신강 누란과 미란에 북방서역계 문화의 직접적인 출현을 보여주는 위진시기 벽화들을 소개한다. 감숙성 문물고고연구소와 고대현박물관이 2007년 9월에서 11월 감숙 장액지구 고대현 나성향 하서촌 지경파묘지地埂坡墓地에서 약 30기의 묘장을 발굴하였다.[64] 그 가운데 5기의 위진 묘의 묘장 구조는 대체로 비슷하여 묘도墓道, 조벽照壁, 묘문, 전용도前甬道, 전실前室, 후용도后甬道, 후실後室 등으로 구성되었다. 묘실 안에는 황토黃土로 들보, 기둥, 두공 등 목조 가옥을 모방하여 조각하였다. 벽화는 1·2·4호묘의 3기의 묘에서 발견되었다.

가장 중요한 4호묘는 전·후실로 구성되었으며 묘의 총 길이는 7m이다. 전실은 방형에

---

64 甘肅省文物考古研究所, 高臺縣博物館, 「甘肅高臺地埂坡晉墓發掘簡報」, 『文物』 2008年 9期; 徐光冀 主編, 『中國出土壁畵全集』, 科學出版社, 2011; 鄭怡楠, 「河西高臺縣墓葬壁畵祥瑞圖硏究─河西高臺縣地埂坡M4墓葬壁畵硏究之一」, 『敦煌學輯刊』 2010年 1期.

가깝고 후실은 장방형이다. 벽화는 토홍색 선으로 초고를 그리고 묵선墨線 구륵鉤勒으로 윤곽선을 그렸다. 전실 천장부에는 묵선 채회로 목조가옥 구조를 모방하였고, 벽에는 묵선 구륵의 입주를 그렸다. 묘문 양측은 방목放牧과 수렵狩獵의 그림이 있다.

후실로 가는 통로가 있는 전실 서벽 양측에는 문리가 각각 한 명씩 있고, 통로의 위쪽에는 세 마리의 신수神獸가 있다. 희화화된 신수들의 형태가 섬서 정변 학탄의 한대 벽화고분의 동물들을 연상시킨다.

전실 동벽에 그린 악무도는 격고도擊鼓圖와 각저도角抵圖로 구성되었다(도30). 인물이 심목고비深目高鼻에 곤발髡髮이며, 좁은 소매의 상의에, 장신에 짧은 치마를 입고 있다. 오락도를 소그드계의 기악으로 해석하는 연구에 의하면 격고는 강국과 안국에서 유행한 화고和鼓로서 응고應鼓, 가고加鼓라고도 한다. 각저도는 신체를 접촉하지 않는 특징으로 보아 강국악과 안국악 중의 이인무일 가능성이 있다고 본다. 소그드계통의 악무로 볼 경우 지경파 4호묘 벽화는 십육국시기 주천군 표씨현表氏縣(현재의 고대현高臺縣)에 소그드인의 취락이 이미 존재하였다는 것을 증명한다.[65]

전실 북벽의 묵선으로 그린 가옥 내부는 두 부분으로 나뉘는데, 서측은 2명의 호인대좌胡人對坐, 동측은 2명의 한인대좌漢人對飮이다(도31). 좌측의 인물들은 삼각형의 백색 모자를 쓰고 있으며 큰 눈에 곱슬머리, 팔자수염과 턱수염이 있으며 단령의 흰 복식을 입고 있다. 우측의 두 인물은 색을 사용하지 않고 묘사하였는데 복식이나 얼굴의 형태, 들고 있는 칠기 등이 한족으로 보인다. 묘주의 연회도 자리에 서역인과 한족이 같이 나란히 앉아 묘사된 것이 독특하며, 묘실 입구 벽의 상단에 묘사된 북방·서역계통의 인물들의 가무와 주악의 장면과 함께 해당 지역에 거주하던 중앙아시아계 묘주, 또는 중앙아시아인들과 활발한 교류를 한 한족 묘주의 생애를 반영한 것으로 보인다. 하서지역에서는 이미 3세기경부터 소그드인의 식민지가 있었다는 점과 소그드지역과 소통한 편지들을 통해 소그드 상인들의 활동이 확인되는 점을 고려하면 고대 지경파 벽화고분의 묘주는 한족일 가능성도 있지만, 고대 지역에 거주하던 소그드인 상인 또는 북방·서역계 거주집단의 우두머리로서 벽화고분이라는 형식을 사용하여 출신 문화를 표현한 인물로 볼 수 있다. 유물로는 복희·여와를 그린 화상관畵像棺, 금화식金花飾, 금귀고리, 금기金器, 칠기漆器, 견직물絲織品 등이 출토되었다.

65　鄭怡楠,「河西高臺縣墓葬壁畫祥瑞圖研究—河西高臺縣地埂坡M4墓葬壁畫研究之一」,『敦煌學輯刊』, 2010年 1期.

도 30 | 《악무도》, 전실 동벽, 지경파 4호묘

도 31 | 《연음도》, 전실 북벽, 지경파 4호묘

지경파 1·2·3호묘에서 생토生土로 목조 가옥 구조를 모방한 것은 위진시기 건축 형식을 알려주는 중요한 자료이다. 돈황 출신으로 평성으로 이주한 귀족으로 추정되는 북위 대동의 송소조묘에서 볼 수 있는 석곽을 예기하는 듯 전실에 목조가옥의 천장 가구 형태를 재현하고 있다. 고대 지경파 위진묘의 독특한 건축 형식과 돈황 출신 송소조의 배경을 고려하면 선비 또는 서역 출신의 묘주의 북조 고분 내에 출현하는 석조 가옥의 기원이 서역문화와 연관된 상징적 건축물은 아닌지 고려해 볼 필요가 있다.

고대 지경파 벽화묘에서는 서역인의 형상이 출현하는데 고대 지역이 하서주랑과 실크로드의 중심으로서 중요한 역할을 하였음을 보여준다. 고대 벽화고분은 북방·서역계 인물의 가무도, 흰색 단령 복식의 서역계 묘주도와 함께 돈황 불야묘만 위진 벽화묘와 고구려 무용총, 삼실총과 유사한 화본을 이용한 듯한 주작도로 미루어 감숙 고대 지역에 정착하여 활동한 중앙아시아계 인물이 중원지역에서 온 벽화문화와 중앙아시아문화를 혼합하여 새롭게 고분벽화의 전체 도상을 구성하여 표현한 것으로 생각된다. 고대 벽화고분을 통하여 3~4세기의 이른 시기의 동서 교류상을 관찰할 수 있다는 점에서 중앙아시아계 문화의 동전과 동서 융합의 중요한 사례라고 하겠다.

2) 신강 누란고성 벽화묘

다음으로 신강위구르자치구에서 위진시대의 북방·서역계 문화의 표출로 중요한 벽화고분은 누란고성樓蘭古城에 위치한다.[66] 누란은 지금의 로프 노르 서북쪽 일대에 위치했던 오아시스 도시국가로서 동서 교통로상에 위치하고 있어서 크게 번성하였다. 누란의 왕은 우니성扞泥城(지금의 차르크리크현婼羌縣)에 거주하였으며 흉노의 복속을 받다가 중국이 이 지역으로 들어오면서 한나라와 흉노와 모두 관계를 유지했다. 한의 지배 하에서는 선선국鄯善國이라고 불렸다. 1세기 말부터 서쪽의 쿠샨 왕조가 진출하여 2세기 말에는 쿠샨의 지배를 받았다. 이후 중국의 분열 시기에 동서 교역로를 차지하여 크게 발달하였다. 선선왕국의 남부에 있었던 니야 유적에서 대량으로 출토된 카로슈티 문서 덕분에 많은 연구가 이루어졌다. 4, 5세기에는 하서지방과 중원의 여러 왕조에 계속 입공사入貢使를 보내어 책봉관계를 유지

---

66 누란에 대해서 Marylin Martin Rhie, *Early Buddhist Art of China and Central Asia*, Volume 1, *Later Han, Three Kingdoms and Western Chin in China and Bactria to Shan-shan in Central Asia*, Brill, 2007, pp.392~425. 『漢書』卷96上「鄯善國傳」 동북아역사재단 편, 『한서 외국전 역주 하 - 역주 중국 정사 외국전2』, 동북아역사재단, 2009.

하였다. 그러나 439년 북위가 하서지방의 양주에 있던 북량을 토벌하자 북량의 남은 세력이 누란을 공격하였고 3년 뒤에 북위의 군대가 누란을 점령한 이후 세력이 약화되었고 6세기경에는 자연환경의 변화와 함께 쇠락하여 사라졌다.

누란고성에서 발견된 위진 벽화묘는 남향의 전후 이실묘이며 사파묘도를 갖고 있다. 전실 크기는 4×3.5m, 높이 1.7m이고 평정平頂이며 전실 중앙에 중심주가 설치되었다. 후실 길이는 2.3m이며 평정이다. 전실 사면 벽에 벽화가 있고 5구의 목관이 발견되었다. 전실의 중앙의 중심주는 사각형 기단 위에 원형의 중심주를 올리고 연화문을 그렸다(도32). 적색 또는 회색으로 바깥에 원을 돌리고 가운데에 바퀴살을 돌린 듯한 연화문이 여러 개 그려져 있다. 내부의 방사선은 불교의 법륜의 표현과도 유사하나 바퀴살처럼 연화문 안을 장식한 것은 신강 투루판 출토 복희여와도의 일월상과도 흡사하다. 투루판 출토 복희여와도의 원형의 내부에 방사선을 채운 일월상과 상하 수직 구도의 배치의 출현 배경은 소그드계 상인들과 그들이 도입한 조로아스터교로 추정된다.[67] 고창국 시기 투루판지역은 한족, 토착민인 차사인車師人, 서역에서 상업활동을 하던 소그드인들이 거주하였고, 불교, 조로아스터교가 수용되었다.[68] 『위서魏書』와 『북사北史』에 의하면 고창국은 "俗事天神, 兼信沸法"이라 하는데 천신이 조로아스터교의 신이라는 주장이 있다.[69]

또한 누란 벽화묘의 전실 중심주와 연화문은 쿠샨 왕조가 세운 우즈베키스탄 테르메즈의 파야즈 테페와 카라 테페의 원형 스투파와 바퀴살 모양의 연화문 장식과 유사하다. 테르메즈의 초기의 불교 건축물 가운데 가장 중요한 것은 불탑으로, 우즈베키스탄 남부를 포함하여 박트리아 지역에도 널리 확산되었다. 카라 테페에서는 1세기 후반~2세기 초에 조영된 초기 불탑의 사례를 볼 수 있는데 기단에는 석고와 진흙의 혼합물로 만들어진 연꽃잎을 붙여

---

67 임영애 외, 『동양미술사』 하권, 미진사, 2007, pp.339-342; 승재희, 「투루판 아스타나, 카라호자 고분 출토 〈복희여와도〉 도상연구 - 日月像을 중심으로-」 『中央아시아硏究』 8, 2003, pp.131~149.

68 차사인에 대해서는 杜佑의 通典의 「車師傳」에 차사국 사람들의 얼굴 모습이 고구려인과 같다는 기록이 있어 만약 車師部가 고구려인이라면 王莽 요청으로 흉노토벌을 위해 출정한 고구려 군사들이 車師에 정착했을 가능성이 있다고 본 최근의 연구가 있어 주목된다. 지배선, 「사마르칸트(康國)와 고구려 관계에 대하여」 『백산학보』, 제89호, 2011, pp.95-137.

69 『北史』「西域傳」 第85 高昌. 고창은 天神을 섬기는 풍속이 있지만 아울러 불법도 믿는다고 하였다. 북쪽에 赤石山이 있고, 그 산 북쪽 70리 되는 곳에 貪汗山이 있다. 이 산의 북쪽이 鐵勒과의 경계라는 기록이 있는데 철륵 부족이 7세기경 세운 것으로 추정되는 몽골 중부의 복고을돌묘와 울란 헤렘 벽화묘에서 나온 俑들이 투루판 아스타나 고묘군에서 나온 것들과 유사한 것은 지역적 근접성과 문화적 교류에서 기반한 것으로 보인다.

도 32 │《연음도와 연화도》, 전실, 누란고성 벽화묘

서 장엄하였다. 파야즈 테페에 남아 있는 불탑은 기원전 1세기경의 것으로 추정된다. 직경 2.62m의 탑신 표면은 진흙 칠 위에 석고 혼합물로 덧칠을 하였으며, 황토로 만든 연꽃과 법

륜法輪으로 장식되어 있다.[70] 파야즈 테페, 카라 테페, 달베르진 타페의 불교 사원지의 석굴 사원들은 중앙아시아와 중국에서 발달한 중심주 굴의 원형으로 보인다. 테르메즈의 불탑 형식이 중국의 신강성의 미란과 누란 벽화고분에 나타난다는 것은 양 지역간 교류상을 짐작하게 한다. 박트리아, 쿠샨으로부터 시작된 동서 간 종교와 문화 교류의 과정에서 테르메즈 지역 불교 건축과 장식이 중국 지역까지 전파된 것은 이후에 소그드가 박트리아와 쿠샨의 뒤를 이어서 동서 교류의 중심 역할을 하게 되기 이전에 이미 해당 지역 간에 경제, 종교, 문화적 교류대가 형성되고 있었다는 것을 확인케 한다.

누란 벽화묘 전실 서벽은 시자투타도侍者鬪駝圖이다. 검은색 윤곽선에 적색과 회색으로 각각 색을 칠한 낙타 두 마리가 격렬하게 싸우는 모습을 그려 스키타이, 흉노, 그리고 아케메네스 페르시아의 동물투쟁상을 연상시킨다. 이러한 동물투쟁상은 6세기의 섬서 서안 안가묘와 산서 태원 우홍묘의 소그드계 석각에 다시 출현한다. 낙타의 뒤에 서서 긴 막대기를 들고 낙타의 싸움을 조종하고 있는 두 명의 인물은 상반신이 지워졌는데 적색의 단이 있는 무릎까지 내려오는 튜닉과 같은 옷에 흑색 장화를 입고 있다.

전실 동벽에는 6명의 인물의 연음도가 있는데 쿠샨, 박트리아, 소그드 미술문화에 보이는 연회도 묘사와 흡사하다.[71] 풍성하게 표현된 복식, 잔을 든 형태, 하반신이 잘린 묘사 등은 시기적으로는 후대이지만 에프탈의 활동 시기에 그려진 우즈베키스탄 발라릭 테페의 벽화와 유사하다.[72]

후실 사면 벽에는 전실의 중심주에 그려진 것과 같은 연화문이 벽면에 불규칙하게 그려졌다(도33). 전실의 스투파 형태의 기둥과 후실의 사면 벽에 그려진 바퀴살 형태의 연화문은

---

70 S. 피다에프, 「우즈베키스탄의 불교와 불교미술, 근래의 테르메즈 지역 발굴 성과를 중심으로」, 『동서문명의 십자로-우즈베키스탄의 고대문화』, 국립중앙박물관, 2009, pp.84-85, p.221; Marylin M. Rhie, *Early Buddhist Art of China and Central Asia*, vol. 1, Brill, 1999, p.238.

71 陳曉露, 「樓蘭壁畫墓所見貴霜文化因素」, 『考古與文物』, 2012년 2기; Prudence Oliver Harper, *The Royal Hunter: Art of the Sasanian Empire*, New York: Asia Society, 1978; Benjamin Rowland, *The Art of Central Asia*, New York: Crown Publishers, 1970; Tamara Talbot Rice, *Ancient Arts of Central Asia*. London: Thames and Hudson. 1965.

72 최근의 연구에서는 누란 벽화묘에 보이는 쿠샨 문화 요소에 대해 주목하여 연음도에 보이는 그리스와 쿠샨 문화의 특징을 분별하였다. 이러한 쿠샨의 주신 제재를 장식한 묘주는 선선에 이주 정착한 쿠샨 이민일 가능성이 있다. 기원후 2세기 중엽, 쿠샨 제국에 내란이 발생하여 대월씨들이 동쪽으로 유망하여 선선에 정착한다. 누란 벽화묘는 이러한 쿠샨의 동천 과정의 높은 신분의 인물이 피장자로 추정된다. 陳曉露, 「樓蘭壁畫墓所見貴霜文化因素」, 『考古與文物』, 2012年 2期.

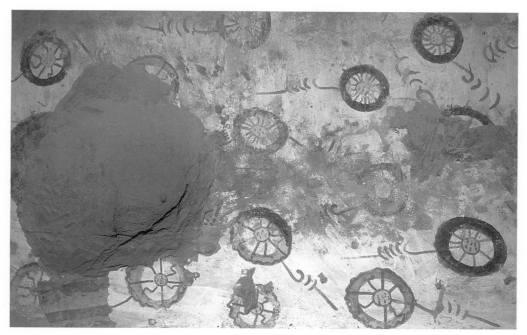

도 33 | 《연화도》, 후실, 누란고성 벽화묘

서역계통의 벽화 구성에서 연화가 가지는 상징성이 한층 강조된 것을 보여준다. 불교의 법륜이면서 동시에 조로아스터교의 일상 숭배가 결합된 것인데, 테르메즈에 집중적으로 남아 있는 쿠샨 왕조의 미술이 기존의 박트리아 장인 외에 페르시아, 인도의 미술가들이 유입되어 각각 영향을 미친 것을 미루어 보면 이해 가능하다. 쿠샨 미술의 전파에는 쿠산 왕조가 본래 가진 유목민적 성격도 공헌을 하였을 것으로 생각된다.[73] 인도 미술과 이란 미술의 중국으로의 전파 경로에 있는 아프가니스탄 지역 고대 석굴에도 천장이 연화문으로 가득 장식된 사례가 관찰된 바 있다.[74] 고구려 벽화고분에도 연화문만으로 묘실 사면 벽이 장식된 사례가 있는데 비록 연화의 형태는 같지 않지만 장천 1호분의 간다라 양식의 불상이 출현하는 5세기경에 이러한 순수 장식문양 고분이 출현하는 것을 보면 그 배경에 서아시아와 중앙 아시아의 연화문 배치 형태가 일정 자극을 주지 않았을까 생각된다. 각저총의 각저도와 무용총의 수렵도에 보이는 독특한 문양은 기존에는 야외활동을 나타내거나 새의 모양을 간략

---

73 Franze Grenet, "The Nomadic Element in the Kushan Empire(1st-3rd Century AD)," *Journal of Central Eurasian Studies*, Volume 3(October 2012), pp. 1~22.

74 이주형, 「인도, 중앙아시아의 원형당(圓形堂)과 석굴암」, 『中央아시아硏究』11, 2006, pp. 141~171.

화시킨 것으로 추정하였는데 누란벽화의 연화문과 함께 출현하는 것으로 보아 그 의미를 재고할 필요가 있다.

벽화에 출현하는 인물들의 복식과 연음도, 동물투쟁도, 스투파 형태의 중심주, 연화문 등이 묘주가 발라릭 테페, 파야즈 테페, 카라 테페와 같은 쿠샨 박트리아 지역의 문화권에서 온 서역인임을 확인시킨다. 후에 출현하게 될 북조 서역계 석각의 출현을 예시하면서 6-7세기 이전에 이미 중국 신강지역에 쿠샨과 박트리아와 같은 외래계 미술과 문화가 깊숙이 전해졌음을 알려준다.

IV. 기타지역 위진 벽화묘

기타지역에서 발견된 중요한 위진 벽화묘로 중원中原에서 발견된 예는 1955년 하남河南 영보靈寶 파두촌坡頭村 전체대형다실진묘磚砌大型多室晉墓, 강남江南에서는 항일전쟁시기 절강浙江 상처현上處縣 차관車關에서 발견된 동진東晉 태녕太寧(323~326)벽화묘, 서남부에서는 1963년 운남雲南 소통昭通 후해자后海子에서 발굴된 동진東晉 태원십○년太元十○年(386~394) 곽승사묘霍承嗣墓이다. 북경지구에서는 1997년에 석경산구石景山區 팔각촌八角村에서 발견된 서진시기 전실묘가 있다.

1. 운남 소통 후해자 곽승사묘

곽승사묘霍承嗣墓는 석판으로 축조된 묘로서 용도와 묘실 두 부분으로 구성되었다. 묘실은 정방형이며 남벽 중앙에 석문을 설치하였다. 복두형 천장이다. 방형 묘실의 한변의 길이는 3m, 높이 2.2m이다.

벽화는 네 벽에 운문대로 상하층을 분할하고 상층에는 사신을 그렸다. 동쪽 천장은 운기문, 백호, 쌍층의 궐이 있다. 서쪽 천장은 운기문, 청룡, 이층 누각, 옥녀라는 묵서 제기가 달린 여자상이다. 남쪽 천장은 운기문과 주작이 있다.

하층에는 동벽에 무장기종武裝騎從, 지번의장持幡儀仗과 갑기구장甲騎具裝이 배치되었다.

서벽에는 네 줄의 부곡部曲이며 지환수장도持環首長刀의 보병步兵, 맨발에 망토 형식 옷을 입은 소수민족부곡少數民族部曲과 기마시종騎馬侍從이 포함되었다. 남벽에는 가옥과 "중문졸中門卒"이 있다.

북쪽은 운기, 연화, 현무, 인물의 기사와 동물을 쫓는 장면이다. 북벽 중앙에는 묘주인이 손에 주미를 들고 탑상에 앉은 정면 묘주상이다. 서측 상방에 문자로 묘주의 성姓이 곽霍이며 자字가 승사承嗣라고 기록하였다. 태원太元1○(十○)년 2월 5일에 개장改葬했다고 쓰여 있다. 태원 11년에서 19년은 386년에서 394년이므로 386~394년에 해당하는 묘이다.

묘주상의 동측에는 시종 한 명과 의장가儀仗架가 있고 의장가 위에 화개, 깃발幡 등이 걸려있다. 의장가 아래에 있는 7명의 형체가 작은 시종들이다. 묘주상 서측에는 4명의 시종이 있고, 시종 하부에는 6명의 형체가 작은 시종들이 있다. 묘주화상 상방에 묵서 제기가 있다(도34).

동벽 상방에 13인이 번을 든 의장대열이 남쪽을 향하고 있다. 아래에는 갑기구장 대열이다. 서벽 상방은 3줄로 나누는데, 손에 칼을 든 한족부곡部曲 13인이 첫 번째 줄에 있고, 두 번째 줄은 이족彝族의 "천보살天菩薩" 발식發式의 소수민족부곡13인이 있으며, 아랫줄에는 부곡14인으로 형상은 두 번째 줄과 같다. 아래에는 기마騎馬의 한족부곡 4인이다. 남벽 석문 상방에는 한 채의 가옥을 그리고, 서측에는 환도대두를 손에 든 무사이다. 묘실 천장 조정에 부조浮雕연화문이 있고 천장 사면에는 운기문이다.[75]

2. 북경 석경산구 팔각촌묘

북경北京 석경산구石景山區 팔각촌묘八角村墓는 1997년 발견된 전실묘이다. 벽돌로 축조한 묘실은 전실과 후실로 구성되었다. 묘향은 동향이다. 전실은 동서 길이 2.19m, 남북 너비가 2.15m이다. 후실은 동서 길이가 2.9m, 남북 너비가 1.93m이다. 전실 북벽 쪽에 석곽을 놓았는데 앞면이 트여있고 다른 세 벽은 판석을 세워 만들었다.

석곽石槨 내벽內壁의 벽화의 보존이 비교적 양호하다. 화면을 몇 개로 나누어 우경牛耕, 우거출행牛車出行, 가거연음家居宴飲 등을 그렸다. 석곽 정벽에는 주미를 들고 빙궤憑几에 기대

---

75 雲南省文物工作隊,「雲南省昭通后海子東晉壁畵墓淸理簡報」,『文物』, 1963年 12期; 鄭岩,『魏晋南北朝壁畵墓硏究』, 文物出版社, 2002, pp. 79~82.

도 34 |《묘주도》, 북벽, 곽승사묘

앉은 묘주인상, 서벽에는 상단에 우경, 하단에 우거출행이 있다. 동벽의 상단에 곡족안曲足案과 시녀가 있고, 천장에는 일상과 월상이 있다(도35).[76] 진묘晉墓는 구조가 동한 만기와 유사하나 벽화에서 새로운 제재가 출현하는데 묘주가 주미를 든 형상이 이 시기의 특징이다. 주미는 위진曹魏 정시正始 이래 청담清談의 기풍과 현학사상玄學思想이 발전하던 시기의 상징이다. 운남 소통 곽승사묘, 요녕 요양 상왕가촌묘, 고구려 안악 3호묘(357)와 덕흥리 벽화묘(408)에도 주미를 든 묘주 형상이 있다.

도 35 |《묘주도》, 석곽 북벽, 팔각촌묘

---

76 鄭岩, 『魏晋南北朝壁画墓研究』, 文物出版社, 2016, pp. 83-84.

V. 위진 벽화묘의 형성과 전개

1. 요녕지역 위진 벽화묘의 기원과 전파

다음에서는 중국 위진 시기 동북과 하서지역 고분벽화의 연원과 벽화문화의 전파경로를 살펴본다. 중국의 3~4세기 동북과 하서지역의 벽화고분의 연원과 전파경로를 살피는 작업은 고구려 벽화고분 출현의 대외적 배경을 밝히는데 중요하다. 고구려 초기 벽화의 연원 연구에는 내재적 문화요소의 자생적 발전과 국내 지역 간 전파와 함께 고구려 벽화를 형성하는데 영향을 미친 다양한 외래요소를 살펴볼 필요가 있다. 이를 통하여 고구려가 벽화고분을 조성하게 된 3~4세기의 대외적 배경을 보다 구체적으로 이해할 수 있을 것이다.[77]

요녕성 벽화고분의 주된 분포지역은 두 곳으로 나뉜다(표 1). 요동지역 벽화고분은 요양에 위치하며 시기적으로는 동한 말~서진(265~317)(2세기 말~3세기)이다. 요서지역 벽화고분은 주로 조양, 북표에서 발견되며, 시기는 삼연(4세기 중엽~5세기 초)이다. 요양지역은 고구려보다 1세기 정도 앞서며, 요서지역은 고구려 초기 벽화고분과 동시대이다. 조양은 삼연(전연[307~370], 후연[384~409], 북연[409~436])의 도성으로 조양지역 석실봉토분 피장자는 선비와 관련된다. 요녕 벽화고분의 발달은 1기(공손씨의 지배), 2기(공손씨의 중원 진출), 3기(5호16국시기, 대형의 석곽묘에 벽화 장식, 북방족의 특색이 강함)로 나누기도 한다.[78]

동북지구에서 발견된 가장 이른 벽화고분은 신망에서 동한 전기로 편년되는 요녕 대련 영성자한묘이다. 영성자한묘는 중원의 전축분(종렬배치) 형식을 가지고 있어 낙양이나 낙랑지역 고분과 유사하다. 동한 후기 요양의 벽화고분들은 관실 병렬배치 평면이 우세를 이룬다. 요양지역 벽화고분의 관실 병렬배치 평면의 연원은 중원 서한대 나무나 공심전을 이용한 무덤이나 공심전과 소전 혼축무덤과 하남, 강소, 산동성 등지의 동한대 화상석묘이다.[79]

---

77 선행연구에서도 고구려벽화분과 중국과의 관련에 있어서 중국의 영향에 대하여 중국 내 중원의 漢文化와 地域色에 대한 검토를 통해 구체적으로 밝혀야 한다는 점이 지적되었다. 강현숙, 「고구려 석실봉토벽화분의 淵源에 대하여」, 『한국고고학보』 40, 한국고고학회, 1999, p.89.

78 강현숙, 『고구려와 비교해본 중국 한, 위·진의 벽화분』, 지식산업사, 2005, pp.307~343.

79 信立祥, 김용성 譯, 『한대 화상석의 세계』, 학연문화사, 2005, p.28; 강현숙, 「中國 東北地方 石室封土壁畵墳의 地域的 特徵에 對하여」, 『한국고고학보』 43, 2000, p.171; 강현숙, 「中國 古代墓制에 對하여」, 『한국

요양벽화고분의 벽화 주제면에서 연원으로 많이 언급되는 것은 동한 후기 하북성의 고분벽화(안평 녹가장고분과 망도 소약촌고분)와 산동성의 화상석(기남화상석묘)이다. 요양과 하북 고분벽화의 공통된 특징은 묘주인의 생전 생활풍속장면이 강조되고, 천상도가 약화된다는 점이다. 요양지역 벽화고분에서 보이는 천장 벽화는 대개 단순한 운기문 만으로 구성되어 중원지구 하남성지역 벽화고분의 다양한 천상주제가 보이지 않는다.

산동 화상석묘는 구조나 주제면에서 요양벽화고분과 유사함이 많이 지적되었다. 한편, 대표적 산동 화상석묘인 기남화상석묘의 화상 주제나 표현은 하남성 밀현 타호정 한묘와도 공통되는 특징이 많으며, 실제 동한 후기 생활풍속 주제의 연원은 신망~동한 전기의 하남성 낙양과 정주지역 벽화고분에서 찾아볼 수 있다. 따라서 구조나 벽화 주제에서 요양 고분벽화의 연원으로 하남성의 벽화고분들 역시 중요하다. 낙양은 동한·서진의 수도로서 한대 내내 벽화고분 축조의 중심지였다. 남양은 동한 광무제의 고향으로 경제 발달을 기반으로 많은 화상석묘가 서한부터 동한말까지 활발하게 축조되었다. 이러한 하남지역이 여타 지역의 벽화 및 화상석고분의 발달에 원천을 제공한 점을 고려해야 할 것이다.

동북지구 벽화고분의 시기별 고찰에서 신망~동한 전기에 한 기의 벽화고분만이 발견되다가 동한 후기에 갑작스럽게 많은 수의 벽화고분이 요양에 출현한다. 요양지역 벽화고분의 출현은 동한 만기에서 한위 교체기(2세기 말~3세기)이므로 이는 영가永嘉(307~312)의 난 이전이다. 이는 동한대에 중원과 동북을 잇는 인구의 이동과 대외 관계를 배경으로 한다. 요양의 공손씨 정권이 동북지역으로 망명하는 한족 인구들을 적극적으로 받아들였으며 산동지역까지 포함한 영토 확장을 하였다는 점은 산동반도 지역의 화상석묘와 유사점을 설명해준다.

위진남북조시대의 인구 이동과 지역적 분포에 관한 연구에서도 지적되었듯이 한족의 변방지역으로의 이동과 고구려인을 포함한 이민족의 중국 내지로의 이동은 이미 한나라 때부터 꾸준히 이루어졌다. 또한 이들의 이동 범위는 하서지역에서 산서, 하남, 하북, 산서, 산동, 낙랑지역까지 아우르는 광범위한 것이었다.[80]

고고학보』32, 1995, pp.87~130.

80 위진시기 벽화고분이 주로 출현하는 하서와 요녕 지역을 포함하여 산동, 낙랑 등 각 지역의 인구의 이동은 서한대부터 꾸준히 이루어졌다. 신성곤, 「위진남북조시대의 인구 이동과 지역적 분포」, 『동양사학연구』103, 동양사학회, 2008, pp.49~84; 김경호, 「漢代 河西地域 豪族의 성격에 관한 연구」, 성균관대학교 사학과 박사학위 논문, 1999, p.44.
1세기 초의 낙랑은 전성기의 상태로 王莽의 地皇年間(20~23)과 같이 왕조교체의 혼란기에 번영을 누린

요서지역의 벽화고분은 고분 구조면에서는 중원지역과의 관계가 상정되지 않으나 벽화의 주제는 생활풍속도가 중심으로 요양지역과 연결된다. 요서지역의 대표적 벽화고분으로는 조양 십이대영자 원대자 1호묘(4세기 초~중엽), 조양 북묘촌 2호묘, 북표 북연 풍소불묘(415) 등이 있다. 원대자 벽화묘는 묘주의 초상과 생활풍속(수렵, 우경과 정원, 푸주간과 도살장면, 조리 장면, 문리) 및 사신이 함께 그려져 있다.[81] 조양 원대자묘 벽화는 요양지역 벽화고분에서 보이지 않던 여러 가지 새로운 제재들이 출현하는 점에서 주목된다. 위진시기 요양 상왕가촌 고분과 안악 3호분과 유사한 정면 묘주초상은 한대에는 하남 신안 철탑산 고분(신망), 하북 안평 녹가장 고분에서 나타나며 중원지역으로부터의 전파경로를 살필 수 있다. 요양에서 보이지 않는 사신과 같은 천상도 관련 제재들은 서한시기에는 하남 낙양지역 벽화고분에 주로 많이 등장하며, 관중지역에서는 서안 이공대학 벽화고분에 출현한다. 신망시기에는 하남 낙양지역 신망벽화고분들과 섬서 천양묘에서 찾아볼 수 있다. 동한대는 섬서 순읍현 백자촌 동한 벽화묘, 섬서 정변 학탄 1호묘, 감숙 민락 팔괘영 1·2·3호 동한 벽화묘 등 주로 관중과 하서지역쪽으로 전파된다. 원대자묘에 보이는 역사상은 한대의 산동 동평현 물자국 1호묘에 보였다가, 위진시기의 하서지역 채회전 고분(주천 가욕관 신성묘군, 돈황 불야묘 만묘군)에 자주 출현한다.

것은 산동지역으로부터 낙랑으로 이주해 온 새로운 移民들로 인해 가능했다. 산동지역과 낙랑지방의 민간 교류는 군 설치이전으로 소급하며, 기원전 1세기 말에서 기원후 1세기 초 사이 산동에서 발생한 기근이나 하층민의 봉기는 많은 피난민을 발생케 하였다. 산동인의 망명은 낙랑지역에 인구의 증가와 아울러 여러 漢式 문물이 반입되는 결과를 가져왔다. 1세기 초반에 제작된 낙랑의 한묘가 漢式器物로 채워질 수 있었던 데에는 새로운 이주민의 영향이 적지 않았을 것이다. 山東省 臨沂市 金雀山 14호묘와 평양 정백동37호묘는 목곽묘라는 사실 외에 무덤의 크기와 구도 그리고 관의 배치 방식 등 여러 면에 있어 공통적이다. 부장품에 있어서도 공통성이 많지만 특히 銅鏡과 漆器는 두 지역의 관계를 상정하는 대표적 유물이다. 서기 41~69년, 祭彤이 遼東太守로 29년 동안이나 재임하던 시기로서 제동의 威聲은 북방에 暢達하였는데 西의 武威로부터 東의 玄菟 및 樂浪에 이르기까지 胡夷가 모두 와서 內附하였다.『後漢書』卷20,「祭彤傳」, p.745. 제동의 역할이 요동군에 한정된 것이 아니라 서쪽 무위군부터 동쪽 현도·낙랑군에 이르기까지 광범한 영역에 미치고 있었다. 권오중,「樂浪史時代區分試論」『한국고대사연구』53, 한국고대사학회, 2009, pp.125~157. 산동은 낙랑지역과 긴밀한 관계를 가져 일찍부터 산동지역 출신 인구가 유입되었으며, 낙랑에서 발견되는 외래계 물산의 중간 거점으로 주목되었다. 낙랑과 요양의 공손씨 정권이 산동지역과 가진 긴밀한 관계는 안악 3호분의 구조의 연원을 잘 설명해준다. 이송란,「낙랑 정백동 3호분과 37호분이 남방계 사자형 수식과 상인의 활동」『미술사학연구』245, 한국미술사연구, 2005, pp.28~33; 오영찬,「한국 고대 금속공예와 실크로드」『제2회 신라학 국제학술대회-실크로드와 신라문화』, pp.257~267.

81 강현숙,『고구려와 비교해본 중국 한, 위·진의 벽화분』지식산업사, 2005, pp.159~162.

원대자묘의 수렵도는 한대 벽화고분 중에서는 이르게는 서한 후기의 섬서 서안이공대학 벽화고분에 보이고, 신망~동한 전기에는 감숙 무위 오패산묘, 동한 후기로 넘어가면 산서 하현 왕촌 벽화묘, 섬서 정변 학탄 1호묘, 내몽고 악탁극 봉황산 1호묘, 감숙 주천 하하청 1호 벽화묘, 감숙 민락 팔괘영 1·2·3호 동한 벽화묘와 같이 북방지역 벽화고분에서 주로 출현하는 주제이다. 같은 위진시기 고분으로는 하서지역의 가욕관 신성 1·3·7호묘, 가욕관 위진묘, 주천 석묘자탄 벽화묘에 나타난다.

우경도는 하북성 평륙 조원촌 동한 고분에서 처음 나타나, 위진시기 하서지역과 요녕지역으로 퍼져, 조양 원대자고분, 북묘촌, 구문자 고분, 주천 정가갑고분 등에 묘사되어있다. 요녕지역의 우경도는 한의 유민들을 적극적으로 받아들여 농경을 권장한 모용황의 한화 정책을 반영한 것이다.[82]

요양벽화에서 보이지 않는 원대자 고분벽화의 주요 제재들이 동한과 위진시기에는 관중지구, 북방지구, 하서지구에서 목격된다는 점이 흥미롭다. 이는 원대자묘 벽화에 보이는 고구려 벽화와의 친연성이 오호십육국시기를 거치면서 본격적으로 형성된 것으로 보이는 소위 '북방기류'의 결과로 나타난 것일 수도 있다.

요녕성 조양시 북표현 서관영자 풍소불묘馮素弗墓[북표 서관영자 1호분, 북연北燕(415)] 묘주인 풍소불은 북연 풍발의 형제로 415년에 사망한 인물이다.[83] 풍소불묘의 석곽 안에 채회 목관이 출토되었다. 천장과 관의 네 벽에 그림을 그렸으나 대부분 탈락되었다. 벽화는 흑색, 주황색, 등황색, 녹색으로 채색하였다. 벽면에는 검은 개를 그린 흔적이 있으며 벽화편에서 인물 두상이 발견되었다. 천장은 금오와 월옥토, 원점으로 묘사된 별과 유운문이 전체를 덮고 있으며 새도 그려 넣었다. 1호묘의 석곽 곽정에 그린 유운문은 고구려 초 중기 벽화(각저총) 등의 조문과 흡사하다. 벽화가 많이 남지 않아 비교가 어려우나 묘주의 형제들이 고구려와 가진 긴밀한 관계가 주목된다.[84] 부인의 무덤으로 추정되는 2호묘도 목곽 천장부와 네 벽

82 강현숙, 『고구려와 비교해본 중국 한, 위·진의 벽화분』, 지식산업사, 2005, pp. 308~343.

83 黎瑤渤, 「遼寧北票縣西官營子北燕馮素弗墓」, 『文物』, 1973年 3期.

84 풍발이 즉위하기 이전에 풍발의 둘째 아우인 馮丕가 반란을 피하여 고구려로 도망하였다는 기록은 풍발 즉위 이전부터 풍발 일가가 고구려와 친선관계를 형성하였다는 단서로 보았다. 『北史』93「北燕馮氏」, 『晉書』卷125, 「馮跋載記」 p.3127; 지배선, 「북연에 대하여」 『동양사학연구』 29, 2008, p.147; 지배선, 『中國中世史研究』, 연세대출판부, 1998, p. 320, 334.

에 벽화가 있다.[85] 서관영자 2호분은 선비족일 가능성이 있는 풍소불 부인의 무덤으로 목곽 천장부와 네 벽에 성상星象, 출행出行, 가옥家居, 건물이 그려졌고 개의 뼈가 출토되었다. 돈황 진묘에서 개의 머리뼈가 출토된 일례가 있는데 사서에 오환인이 개가 영혼을 적산으로 데려간다는 기록이 있어 오환 선비와 같은 풍습임을 볼 수 있다. 당시의 청동기와 마구, 금제 장신구, 유리기 등 5세기 전반의 공예품들과 아무 문양이 없는 동제 반과 완, 다리미 등이 출토되었다. 이러한 형식의 무문 동기들은 고신라시대의 청동제, 혹은 금은제 그릇들과 형식 및 제작 기법이 상통하여 주목되었다.

요녕지역은 아니지만 북경시 석경산구 팔각촌 위진 벽화분도 주목을 요한다. 1997년 발견된 벽화고분으로 묘실은 벽돌로 지어졌고 전실(동서 길이 2.19m, 남북 폭 2.15m)과 후실(동서 길이 2.9m, 남북 폭 1.93m)로 이루어졌다. 전실 안에 있는 석곽은 바닥과 뚜껑, 세 벽을 판석으로 축조한 것인데 구조 특징상 송소조묘 등에서 볼 수 있는 가옥형 석곽의 하나의 전례가 아닌가 생각된다. 전실 석곽 후벽과 동서 양벽 및 천장에 벽화가 있다. 하북성 안평 동한 벽화고분, 고구려의 안악 3호분과 같은 계통의 삼족빙궤를 가슴에 대고 손에 주미를 든 정면상의 묘주초상이 후벽에 그려졌다. 묘주 양쪽에 선 여자시종들, 서벽의 우경도와 출행도, 동벽의 곡족안曲足案, 천장의 삼족오와 해, 두꺼비와 달의 벽화가 있다. 묘주도와 함께 동서벽을 여러 칸으로 나누어 구분하여 그림을 그린 것은 감숙과 신강의 위진시대 벽화고분과 유사하다. 주목되는 것은 석곽 입구 상단에 그려진 귀면문인데 이것을 조로아스터교의 상징으로 여기고 조로아스터교의 영향을 보여주는 사례로 지목한 연구가 있다. 이러한 괴수문이 후에는 몽골 볼간 바얀노르 벽화고분의 통로의 문미 장식 중 하나로 출현하며, 북조 벽화고분에서 출토된 고르곤 문양의 도자기들과도 유사하여, 하나의 북방·서역적 모티프로 애용된 것으로 짐작된다. 위진시대 벽화고분으로 후조와 같이 천교를 믿는 북방 유목민에 의해 받아들여진 외래요소일 가능성이 있다.

2. 하서지역 위진 벽화묘의 기원과 전파

하서지역은 한위漢魏와 서진西晉 영가永嘉의 난 이후 중원과 관중의 유민이 대거 이주하였

---

85 강현숙, 『고구려와 비교해본 중국 한, 위·진의 벽화분』, 지식산업사, 2005, pp.169~170.

다. 북량의 멸망 이후 일부 인구가 반대로 평성으로 이주한다. 하서지역 고분벽화는 하남, 섬서 지역 벽화고분과 화상석의 영향을 받았으며 인구의 재이동에 따라 벽화 풍속과 특징이 다시 중원과 서역에 영향을 미친다. 북량의 멸망 후 하서지역의 유민이 다시 평성으로 이주함으로써 벽화문화가 동천하면서 북방지역을 따라서 영향을 주고받는 과정을 볼 수 있다.[86]

주천지역은 이실묘와 삼실묘가 유행한 반면, 돈황지역은 단실묘가 주이다. 주천지역의 벽화는 묘실 내가 가장 풍부하고 조장의 채회는 비교적 간단한 반면, 돈황지역은 조장장식이 가장 복잡하며 묘실 내 벽화는 비교적 적다.[87]

하서지역 위진 벽화고분의 연원은 해당 지역 한대 고분 또는 중원과 관중지역 한대 벽화고분과 화상전고분·사당과 비교하여 연원을 찾는다.[88] 전자의 경우 무위 오패산묘, 주천 하하청묘, 석묘자탄묘 등 한대 묘장에서 모두 화상전이 발견되며 이들이 하서 위진 벽화고분의 직접적 연원이라고 본다. 후자는 하서지역의 벽화고분이 한대부터 위진 시기까지 강한 지속성을 보이는 특징이 있으며 건축구조나 벽화 장식에서 중원지역, 관중지역 한대고분과 유사한 특징이 나타나므로 하서 위진 고분의 연원은 반드시 범위를 넓혀 중원지역까지 살펴야 한다고 본다.

먼저 묘실 구조면에서는 관중과 섬북 지역의 한대의 전실묘와 석실묘의 구조가 하서지역에 영향을 미쳤을 것으로 여겨진다. 주천신성묘의 전실 궁륭정, 후실 권정의 구조는 섬서 동한 고분 중에서 이미 형성된 것이 된다. 하서지역 위진 벽화고분의 특이한 구조 형식인 조장은 감숙 무위 뇌대 한묘에서 보인다. 뇌대 한묘에서는 3.6m 높이의 조벽에 흑묵黑墨과 백분白粉으로 장식하고, 중간에 문, 기둥, 양방梁枋, 두공 등 건축 구조 형상을 그렸다. 조장은 주천지역에서 조위曹魏 이후 유행하기 시작하여, 불야묘만 서진묘의 조장에서 더욱 복잡해진다. 정가갑 고분의 천상도도 문루 화상의 확대 발전으로 본다. 이러한 종류의 형식이 관중지

---

86 鄭岩, 『魏晋南北朝壁畵墓硏究』, 文物出版社, 2002, pp.145~180.

87 백토를 바탕에 바르고 土紅으로 기본 초안을 잡고 먹선으로 윤곽선을 그린 다음에 채색한다. 드물게는 직접 벽돌 위에 그리거나, 묵선으로 그리고 나서 채색하지 않은 경우도 있다. 鄭岩, 『魏晋南北朝壁畵墓硏究』, 文物出版社, 2002, pp.44~60, 145~180.

88 후자의 견해에서 하서지역은 3세기 초에서 5세기 초까지 많은 정권이 교체되었으나 문화전통은 큰 변화 없이 지속되어 벽화고분에서도 발전 과정에서 강한 지속성을 드러낸다고 본다. 가욕관 신성 조위묘, 불야묘만 서진묘, 주천 정가갑 16국묘는 모두 다른 시기와 지역의 고분임에도 불구하고 지속적 특징을 보인다. 鄭岩, 『魏晋南北朝壁畵墓硏究』, 文物出版社, 2002, pp.145~180.

구에서 서북으로 전파된 사실을 확인할 수 있다. 주천과 돈황 일대 묘문의 조장은 낙양에서는 보이지 않으나 유사 형식의 문루를 섬서 동관교潼關橋 한대漢代 양씨楊氏 묘군墓群에서 볼 수 있다.[89]

하서지역의 조장의 출현에는 관중지구 외에 섬북 동한 화상석묘의 역할도 주목된다. 섬북 동한 화상석묘에서는 특히 묘문의 장식을 중시하여 문미 중앙에 쌍궐과 문루를 장식하고 누각 옆에 각종 상서 그림을 그렸는데 하서지역 조장에 보이는 표현 관념과 가깝다. 신성과 불야묘만 고분의 조장의 우수인신牛首人身, 계수인신鷄首人身은 섬북 및 산서 이석離石 일대의 한화상석 중 유행한 제재이다. 결국 이러한 조장의 형식은 관중지역에서 서북으로 전파된 것으로 보인다. 그 외에 돈황 불야묘만 133호묘 묘실 북측 벽감에 주황색으로 그린 유장帷帳은 관중지역의 동한 후기 벽화묘인 섬서陝西 순읍현旬邑縣 백자촌묘百子村墓의 묘실 후벽의 천문天門을 떠올리게 한다.[90] 신성과 불야묘만고분의 조장의 우수인신, 계수인신의 괴물은 섬북 및 진서 이석 일대의 한화상석 중 유행한 제재이다. 시대가 이른 우수인신상과 계수인신상은 노남소북魯南蘇北 지구에 이미 출현하여 동한시기에 지속된다. 따라서 서북지구 벽화고분의 문화연원은 해당지역 한대고분을 넘어서 지역과 시대를 넓혀서 찾을 수 있다.

조위~서진 하서河西 벽화묘의 문루식門樓式 조장照墻은 후에 영하 고원과 섬서 함양 북주北周 묘의 문루도, 서안과 고원의 당대 벽화묘와 몽골의 바얀노르 벽화고분으로 계승된다.[91] 벽화묘의 묘도와 천정에 문루도가 출현하는 이른 예로 영하 고원의 북주 이현묘李賢墓(569)와 수隋 사사물묘史射勿墓(610)가 있다. 이현묘는 3개 과동과 용도甬道에 모두 문루를 그렸다. 탁발선비 출신인 이현(503~569)은 돌궐 및 고구려와의 전쟁에서 활약한 인물이다. 소그드인

---

89 보존이 비교적 잘된 6호묘 문루 높이는 4m에 달한다. 문 위쪽에 벽돌 조각으로 두공, 쌍궐의 형상을 만들고 홍색으로 채색하였다. 鄭岩, 『魏晋南北朝壁畵墓硏究』, 文物出版社, 2002, 도 124.

90 양홍, 「中國 古墳壁畵 연구의 회고와 전망」, 『미술사논단』 23, 한국미술연구소, 2006, pp. 12~13; 이러한 문미 중앙의 누각형식과 양주지역 조장 위의 "천문"은 "天宮"의 표현이다. 섬서 미지현 묘장 문미 중앙 쌍층 누각 내에 날개가 있는 두 명의 인물이 앉아 있고, 누각 양측에 구미호, 옥토끼가 묘사되었는데 누각 내의 인물이 동왕공과 서왕모임을 표현한다. 이러한 형식은 섬서 신목 대보당 20호묘의 문미 도상 중에도 있다. 문미에 중앙에 가옥이 있고, 안에 부부와 작은 어린아이가 있으며, 주위에 仙人騎鹿, 천마 등이 있다. 묘주 가족이 승선 후 천계에서 안락한 생활을 누리는 풍경이다. 鄭岩, 『魏晋南北朝壁畵墓硏究』, 文物出版社, 2002, pp. 145~180.

91 박아림, 「중국 위진 고분벽화의 연원 연구」, 『동양미술사학』 1, 2012, pp. 75~112; 李星明, 『唐代墓室壁畵硏究』, 陝西人民美術出版社, 2005, 도1~44, 45; 寧夏回族自治區固原博物館 편, 『原州古墓集成』, 文物出版社, 1999, p. 20, 도1~27, 26, 41, 42.

선조가 대대로 살보薩寶로 활동한 사사물史射勿(543~609)의 묘는 제1·2과동 남구南口에 문루와 연화를 각각 그려 몽골 바얀노르 고분과 배치가 같다. 문루도와 인물도가 벽화의 주 제재인 북주 이현묘를 계승한 사사물묘는 초당 벽화고분의 선례가 된다.

하서 위진묘 중에서 기하학 문양만으로 묘실을 장식한 형식이 있는데 묘실 천장과 사벽에 흑백 두 가지 색만을 이용하여 마름모, 꺾음선, 띠무늬 도안을 그리는 것이다. 무위 남탄 1호묘, 관가파管家坡 3호묘, 가욕관 관포觀蒲 9호묘가 그 예이다. 기하학 도안은 가장 이르게 무위 뇌대 동한묘에서 보이는 것으로 이러한 특수 장식의 발전 과정을 보여준다.[92] 고구려의 장식문양 고분과 유사하여 하서지역과 고구려 벽화고분이 공유하는 특징이기도 하다.

하서 위진 벽화묘의 연원은 해당 지역 한대묘에서 찾는 경우, 또는 중원과 관중지역 한대 벽화묘와 화상전 묘·사당과 비교하여 연원을 찾는 견해가 있다.[93] 전자의 경우 무위 오패산묘, 주천 하하청묘, 석묘자탄묘 등 한대 묘장에서 모두 화상전이 발견되며 하서 위진 벽화묘의 직접적 연원이라고 본다. 후자는 하서지역의 벽화묘가 한 대부터 위진시기까지 강한 지속성을 보이는 특징이 있으며 건축구조나 벽화 장식에서 중원지역, 관중지역 한대고분과 유사한 특징이 나타나므로 하서 위진묘의 연원은 반드시 범위를 넓혀 중원지구까지 살펴야 한다고 본다. 묘장 구조에서 하서 위진묘와 중원지구가 비교적 강한 일치성을 보이므로 하서지구 묘장은 중원 한대 전통을 계승한 것으로 여겨진다. 묘실 구조면에서 관중과 섬북지구의 한대 사파묘도의 전실묘와 석실묘의 구조도 하서지구에 영향을 미쳤을 것으로 보았다. 정가갑고분의 천상도도 문루 화상의 확대 발전으로 여겨진다. 신성묘의 전실 궁륭정, 후실 권정의 구조 역시 섬서 동한묘 중에서 이미 형성된 것이다.

---

92 鄭岩, 『魏晋南北朝壁畵墓硏究』, 文物出版社, 2002, p. 56; 강현숙, 『고구려와 비교해본 중국 한, 위·진의 벽화분』, 지식산업사, 2005, p. 117.

93 전자는 임소웅, 후자는 정암이다. 후자의 견해에서는 하서지역은 3세기 초에서 5세기 초까지 많은 정권이 교체되었으나 문화전통은 큰 변화 없이 지속되어 벽화고분에서도 발전 과정에서 강한 지속성을 드러낸다고 본다. 가욕관 신성 조위묘, 불야만 서진묘, 주천 정가갑16국묘는 모두 다른 시기와 지역의 고분임에도 불구하고 지속적 특징을 보인다. 중원지구는 박장의 시기였으나 하서지구는 상장풍속이 이전과 같아 묘장 규모에서도 축소되는 바 없이 부장품도 금, 은, 옥, 칠 등 귀중물품이 적지 않게 나온다. 서한 초부터 중원에서 대량으로 하서지구를 향해 移民이 들어와 屯墾을 하여 그 수가 십만 이상이었다. 서진 말년에는 중원지역, 관중지역의 진옹지구 주민들이 하서주랑으로 도피하면서 유민 설치의 군현이 출현한다. 한대에 중국 관동에서 하서로 인구의 이동 기록도 있는데 서한 무제 이래 관동 빈민, 죄인과 그 가족들이 지속적으로 하서지역으로 사민되었다. 鄭岩, 『魏晋南北朝壁畵墓硏究』, 文物出版社, 2002, pp. 145~180.

하서지구 위진 벽화묘의 습속이 서쪽으로도 전파되었을 가능성이 있으며 서역 불교도 이 지역 문화에 상당한 영향을 주었을 가능성이 있다. 신강 투루판 아스타나와 카라호자 16국 묘 벽화는 백회를 바르고 벽면에 먹선으로 화면을 그리고, 다시 여러 칸으로 분할하여 화면을 나눈다. 이러한 방식은 가욕관 신성묘군, 돈황 불야묘만의 채회전이나 돈황 기가만 310, 369호분의 화상전 구도와 유사하여 감숙지역에서 신강지역으로 전파된 형식임을 알 수 있다.

하서지역은 한위와 서진 영가의 난 이후에는 중원의 유민이 유입되었고 북량의 멸망 후 하서지역의 유민이 다시 평성으로 이주됨으로써 중원의 문화가 서천했다가 다시 동천하여 섞이고 북서와 북동지방에 서로 영향을 미치는 과정을 잘 보여준다. 하서지역과 마찬가지로 동북지역 위진 벽화도 초기에는 중원의 한대 벽화의 영향을 받았다가 중원의 이후에 나타나는 묘실벽화에 영향을 미치게 된다.[94]

하서지역 벽화고분이 대부분 채회전으로 장식된 것과 달리 정가갑 5호묘는 천장과 벽면을 모두 화면으로 활용하여 벽화로 장식되어있다. 천장 정상에는 연꽃이 그려져 있다. 천장은 일월日月, 동왕공과 서왕모, 천마, 까마귀, 옥녀, 구름 등이 그려져 있다. 벽에는 묘주의 생활도가 그려져 있다. 전실의 후벽은 묘주의 연회도 장면이 있다. 아래 부분은 행렬도이다. 다른 세 벽은 경작, 농잠, 목축, 주방 등의 그림이 있다. 후실에는 벽화가 후벽에만 그려져 있다.

정가갑 5호묘의 전실 조정藻井에 그린 연화나 천장에 그린 승선제재의 연원은 같은 하서지역의 서진시기 불야묘만 고분 조장의 조각과 회화에서 찾을 수 있다. 또한 불야묘만묘, 특히 133호묘의 상서의 주제와 화상의 배열방식은 동한 후기의 산동지역 화상석(산동 가상 동한 무량사 화상석)과 하북 망도1호 한묘 및 내몽고 화림격이 신점자 벽화묘에 이미 출현한다. 이러한 조장에 묘사된 내용은 사자의 영혼이 묘문을 들어서는 순간 승선의 여행을 시작하는 것으로 사신 중 청룡과 백호가 정확한 방향을 정해주며 서왕모가 인도하고 기사騎士가 호위하면서 상천上天에서 각종 상서祥瑞가 내려와 영접하는 것으로 해석된다. 가장 상단에 있는 가문假門은 한대 화상석에 보이는 "천문天門"이다. 조장의 기능은 호화로운 문루門樓로서 사자가 지하에 거주하는 "가옥"을 상징하는 동시에 사자死者가 승선하는 통도通道이다. 단순한 형식의 조장을 가진 정가갑 5호묘에서는 승선도상이 이미 전실의 천장으로 이동한 것으로

94 鄭岩,『魏晋南北朝壁畵墓研究』, 文物出版社, 2002, pp.145~180.

정가갑 5호묘의 천장의 옥녀玉女, 천마天馬, 신록神鹿 등의 상서祥瑞는 사자영혼을 영접하는 역할을 한다고 본다.[95]

또한 정가갑 5호묘의 벽화의 제재와 구성 배치는 신망~동한 전기 하남지역에서 궁릉형 천장이 발달한 전축분의 특징과 상당히 유사하다. 천장 전체에 퍼진 운기문의 배치라든가 운기과 신수神獸의 조합, 묘실 안에 목조가옥 구조를 재현한 점 등이다. 여기에 동한 이후 발달한 생활풍속적 제재가 추가로 벽면을 장식하고 있다. 고구려 덕흥리 벽화고분과의 유사성이 지적되는 것도 이와 같은 특징들 때문이다. 이는 신망~동한 전기의 하남 벽화고분의 특징이 동한 후기의 하남, 섬서, 내몽고지역 벽화고분으로 전파된 이후 오호십육국시기 하서지역으로 전파된 인상을 준다.[96] 한편 고구려와 인접한 동한 후기~위진 동북지역 벽화고분에는 이러한 특징이 나타나지 않는다. 지리적으로 멀리 떨어진 하서의 정가갑 5호묘와 고구려의 덕흥리 벽화고분의 벽화 구성과 제재의 친연성은 의외로 받아들여진다. 그러나 서한 이후 벽화문화의 전파과정을 고려한다면 지리적으로 먼 지역 간의 공통적 특징은 반드시 우연의 결과가 아닐 수 있다. 즉, 하서와 고구려 사이에 위치한 섬서, 산서, 내몽고 지역의 동한 후기의 고분벽화의 연원과 형성 과정을 살펴본다면 이러한 북방지역을 따라 형성된 벽화문화의 상호 교류가 배경으로 작용하고 있음을 알 수 있다.[97]

표 1 | 중국 위진 벽화고분

年代	地區	名稱	墓主	埋葬年代	材質	壁畵內容
東漢 만기~曹魏 초	遼寧省 遼陽市	迎水寺壁畵墓		170-230년	壁畵	묘실 서벽: 마부, 흑마, 적마, 묘주부부 對坐 묘실 북벽: 庖廚 묘실 남벽: 두 명의 남성 대좌 묘실 동벽: 두 명의 여성 대좌, 牛車

---

95 鄭岩,『魏晋南北朝壁畵墓研究』, 文物出版社, 2002, pp.156~158.

96 천상세계의 묘사가 강조된 한대의 벽화고분은 서한 후기에서 동한까지 중원지역의 하남성 그리고 관중지역과 북방지역에서 발견된다. 서한 후기의 하남 낙양과 섬서 서안의 발달된 천상도가 신망~동한 전기의 낙양지역 벽화로 이어지고, 동한 후기에는 중원의 낙양, 정주(하남성 밀현 타호정 한대 벽화묘)와 북방지역의 내몽고 화림격이와 섬서 정변(내몽고 화림격이 신점자 벽화분, 섬서 정변 학탄 1호묘, 섬서 정변 양교반 1호묘)에 나타난다.

97 정가갑 5호분과 덕흥리 벽화분과 유사한 것은 중국 북방에 황하 河套 지역을 거쳐, 동북지역까지 16국 시기에서 북조 시기까지 하나의 문화 통로가 형성되어 있었던 것을 배경으로 보기도 한다. 鄭岩,『魏晋南北朝壁畵墓研究』, 文物出版社, 2002, pp.158~175.

年代	地區	名稱	墓主	埋葬年代	材質	壁畫內容
東漢 만기~曹魏 초	遼寧省 遼陽市	北園1號墓		170-230년	壁畫	前廊 서벽: 門卒 棺室 남, 북벽: 騎吏 後廊 동벽 북부: 누각 후랑 동벽 남부: 高樓 누궐도, 악무도와 잡기도, 射鳥 左廊 북벽: 거마출행 左耳室: 1인 인물 後耳室: 묘주연음도, 시자 등
東漢 만기~曹魏 초	遼寧省 遼陽市	北園3號墓		170-230년	壁畫	묘주연음, 속리, 가무기악, 주방과 가옥, 문졸, 운기
東漢 만기~曹魏 초	遼寧省 遼陽市	棒臺子1號墓		170-230년	壁畫	前廊 藻井: 일월 운기문 墓門 中部 기둥: 2명의 무장문졸, 守門犬 묘문 내 좌, 우벽: 3단의 잡기기악 좌우 소실: 墓主飮食 좌우 회랑: 출행도(인물 173명, 말 127마리, 수레 10대) 후랑 후좌벽: 3층 고루, 井亭 後小室: 庖廚圖 무덤 개석, 壁端, 棺頭: 운기문 묘문: 문졸과 개 회랑: 악무백희, 거마출행, 저택 前廊 천장: 천상도 耳室: 남녀묘주와 시종 후실: 주방도 등
東漢 말기~魏 이전	遼寧省 遼陽市	棒臺子2號墓			壁畫	墓主宴飮, 門衛, 車騎, 樓閣, 獸面, 雲氣
東晉	遼寧省 遼陽市	三道壕1號墓		4세기 초에서 30년대	壁畫	묘문 좌측 기둥: 守門犬 기둥과 들보: 적색 운문 좌이실 전벽: 푸주도 우이실 3면: 부부장방연음 후벽: 마거, 우거, 인물
東晉	遼寧省 遼陽市	三道壕2號墓		4세기 초에서 30년대	壁畫	우이실 천장: 태양을 그린 흔적(일월천상도) 우이실 벽면 우측: 묘주부부대좌 우이실 벽면 좌측: 우거
魏晉	遼寧省 遼陽市	三道壕窯業第4現場墓			壁畫	묘문: 문졸 전실 천장: 일월운기 左耳室: 묘주부부대좌, 남녀시종 右耳室 右壁, 後壁: 庖廚 後壁: 男女勞動 棺室 中央壁 上石 枋頭: 獸面
三國·魏~西晉	遼寧省 遼陽市	令支令張君墓	「魏」令支令張		壁畫	墓主夫婦, 宴飮, 人馬, 廚炊
漢魏	遼寧省 遼陽市	三道壕3號墓			壁畫	묘주부부대좌, 飮食, 牽馬, 樓閣, 雲氣裝飾 등
東漢 만기~曹魏 초	遼寧省 遼陽市	南雪梅村壁畫墓		170-230년 경	壁畫	문기둥과 문미 바깥 면: 적색 운문 묘문 좌우 양벽: 건물 왼쪽 관실 후벽: 6명의 인물 대좌

年代	地區	名稱	墓主	埋葬 年代	材質	壁畵内容
西晉-東晉	遼寧省 遼陽市	上王家村墓		4세기	壁畵	우소실 전벽: 묘주 좌소실 전벽 상단: 거기출행 소실 우벽: 저택 관실 앞 기둥: 유운문
東漢 만기~ 曹魏 초	遼寧省 遼陽市	鵝房1號墓		170-230년 대	壁畵	持經, 宴飮, 樓閣, 拴馬
東漢 만기	遼寧省 遼陽市	東門里壁畵墓		2세기 후반	壁畵	墓門, 棺室 묘실 천장: 일월성신 東棺室 천장: 해와 까마귀 西棺室 천장: 달과 두꺼비, 90여 개의 별 墓室 西壁: 출행 墓室 東壁: 羊首人身 怪獸, 宴居
魏~西晉	遼寧省 遼陽市	南環街墓			壁畵	右耳室 蓋石: 일륜(까마귀) 右耳室 右壁: 남자좌상, 시자 左耳室 右壁: 男女對坐像, 시자 門柱: 운기도안
東漢 만기	遼寧省 遼陽市	南郊街壁畵墓			壁畵	묘실 정문 立柱: 門吏 전랑 북벽: 迴廊 北耳室 北壁: 屬吏奏事 북이실 서벽: 묘주부부연음 石梁: 靑山 前廊 동측 천장: 太陽 전랑 동벽-측랑 동벽: 거마출행 측랑 북벽: 회랑
漢魏	遼寧省 遼陽市	河東新城墓			壁畵	동벽 벽화: 우경, 견마 동측 남벽 벽화: 宴居, 角觝
西晉	遼寧省 遼陽市	苗圃2號墓		永安元年 (304)	壁畵	남측 묘문, 중실 북측 판석: 인물, 幔帳 남묘문 동쪽: 한 명의 문리 중실 북쪽 판석: 만장 형상
十六國	遼寧省 朝陽市	袁台子墓			壁畵	墓主夫婦, 庖廚, 四神, 狩獵, 膳食, 車騎, 日 月流雲
十六國	遼寧省 朝陽市	北廟村1號墓			壁畵	墓主夫婦, 家居, 牛耕, 山林
十六國北燕	遼寧省 朝陽市	大平房村墓			壁畵	家居, 庖廚, 墓主夫婦對坐
北燕	遼寧省 北票市	西官營子1號墓	馮素弗	太平7年 (415)	壁畵 石槨彩 繪	日月, 雲氣, 人物, 犬, 建物
北燕	遼寧省 北票市	西官營子2號墓	馮素弗 妻		壁畵	家居, 侍女, 出行, 星, 雲氣
曹魏	甘肅省 酒泉市	嘉峪關新城1號 墓	段清	曹魏 甘露二年 (257)	彩繪塼	벽화는 주로 전실 분포 남벽 동측 벽돌 搖扇圖畵磚: 묘주상 "段淸 "과 "유혈(幼絜)" 제기 묘문 照壁과 전실 중실의 네 벽 및 후실: 농경, 수렵, 목축, 桑林생산활동, 식생활, 출행도 후실: 남녀의 관 덮개 내부 인수사신 복희 여와와 운기문
曹魏	甘肅省 酒泉市	嘉峪關新城3號 墓			彩繪塼	전실: 營壘, 塢壁, 屯墾, 우경, 牛首人身, 묘 주부부, 경작, 목축, 수렵 중실: 絹帛, 시녀, 여묘주, 소, 양, 돼지의 도축

年代	地區	名稱	墓主	埋葬 年代	材質	壁畵內容
西晉	甘肅省 酒泉市	嘉峪關新城4號墓			彩繪塼	宴飮, 墓主夫婦, 奏樂, 牧畜
西晉	甘肅省 酒泉市	嘉峪關新城5號墓			彩繪塼	雲氣, 力士, 宴飮, 墓主夫婦, 奏樂, 牧畜
西晉	甘肅省 酒泉市	嘉峪關新城6號墓			彩繪塼	남묘주연음, 牽駝, 采桑, 목축
西晉	甘肅省 酒泉市	嘉峪關新城7號墓	王霑		彩繪塼	莊園生活, 狩獵, 우거
西晉	甘肅省 酒泉市	嘉峪關新城12號墓			彩繪塼	羊, 朱雀, 神鹿, 수렵, 기마, 力士, 靑龍, 白虎, 독각수, 牛車, 鳳鳥, 耕作
西晉	甘肅省 酒泉市	嘉峪關新城13號墓			彩繪塼	독각수, 가옥, 출행, 우거, 도살, 농경, 목우, 목마, 목양 목관: 동왕공, 서왕모
西晉 (早期)	甘肅省 敦煌市	佛爺廟灣37號墓			彩繪塼	飛鳥, 力士, 神鹿, 朱雀, 玄武, 李廣射虎, 伯牙와 鍾子期, 雲氣, 帷幔
西晉	甘肅省 敦煌市	佛爺廟灣39號墓			彩繪塼	麒麟, 受福, 靑龍, 玄武, 白象
西晉	甘肅省 敦煌市	佛爺廟灣118號墓			彩繪塼	魚, 白象, 朱雀, 獸面, 虎
西晉	甘肅省 敦煌市	佛爺廟灣133號墓			彩繪塼	神馬, 力士, 朱雀, 玄鳥, 麒麟
北涼	甘肅省 敦煌市	祁家灣M310墓		神璽二年 (398)	彩繪塼	墓主宴飮
西涼	甘肅省 敦煌市	祁家灣M369墓		建初11年 (415)	彩繪塼	墓主夫婦, 侍女, 牛車
十六國北涼	甘肅省 酒泉市	丁家閘5號墓			壁畵	西王母, 白鹿, 羽人, 燕居, 采桑, 九尾狐, 三足鳥, 神鹿, 玉女, 神馬
前涼	新疆 위구르自治區 투루판縣	아스타나 제2구 2호묘		升平八年 (364)	壁畵	묘주부부, 鞍馬, 牛車, 植物
十六國	新疆 위구르自治區 투루판縣	아스타나 제6구 1호묘			壁畵	남묘주, 여자묘주 2명, 牛車, 낙타
十六國	新疆 위구르自治區 투루판縣	아스타나 제6구 4호묘			壁畵	후벽: 묘주부부, 持物侍女 좌벽: 庖廚, 牛, 羊, 馬, 낙타 우벽: 樹木, 牛車, 낙타 묘문 양측: 獅子형상 진묘수
西晉-十六國	新疆 위구르自治區 투루판縣	아스타나 제2구 1호묘			紙畵	좌: 남자묘주와 시녀, 옷걸이 우: 2명의 여시종과 주방
西晉-十六國	新疆 위구르自治區 투루판縣	아스타나 제6구 3호묘			紙畵	상단: 남자묘주, 여시종, 屬吏 2인 하단: 舞女, 기악, 경작지, 樹木, 牛車, 주방, 食具
西晉-十六國	新疆 위구르自治區 투루판縣	아스타나 13호묘			紙畵	일상과 삼족오, 월상과 두꺼비, 묘주, 果樹, 鞍馬, 마부, 경작지, 農具, 시녀, 주방
十六國	新疆 위구르自治區 투루판縣	아스타나묘군 西區 408호묘			壁畵	莊園田地, 榻上에 앉은 3명의 인물, 戎馬, 日像, 月像
前涼	新疆 위구르自治區 투루판縣	아스타나묘군 서구 605호묘			壁畵	장원생활, 묘주가족, 경작지, 일상, 월상
北涼	新疆 위구르自治區 투루판縣	카라호자 94호묘			壁畵	3명의 인물, 우경
北涼	新疆 위구르自治區 투루판縣	카라호자 95호묘			壁畵	인물, 우경

年代	地區	名稱	墓主	埋葬年代	材質	壁畵內容
北凉	新疆 위구르自治區 투루판縣	카라호자 96호묘			壁畵	경작지, 남묘주, 여시종, 曲長足案
北凉	新疆 위구르自治區 투루판縣	카라호자 97호묘			壁畵	墓主夫婦, 시녀, 낙타, 말, 우거, 과수, 경작지, 주방, 일월상 말, 낙타, 나무, 牛車
北凉	新疆 위구르自治區 투루판縣	카라호자 98호묘			壁畵	묘주부부, 시녀, 수목, 수레, 활과 화살통
魏晉	甘肅 張掖	地埂坡墓4號墓			壁畵	전실 천장과 벽: 방목구조 묘문: 放牧, 狩獵 전실 서벽: 문리 통로: 神獸 전실 동벽: 악무 전실 북벽: 호인대좌, 한인대좌
魏晉	新疆 위구르自治區 樓蘭	樓蘭古城壁畵墓			壁畵	전실 서벽: 侍者鬪駝 전실 동벽: 연음 후실: 연화문
東晉	雲南省 昭通市	霍承嗣墓	霍承嗣	386-394	壁畵	묘실 벽 상단: 사신 동쪽 천장: 운기문, 백호, 쌍층 궐 서쪽 천장: 운기문, 청룡, 이층 누각 남쪽 천장: 운기문과 주작 묘실 벽 하단 동벽: 武裝騎從, 持幡儀仗, 甲騎具裝 서벽: 部曲 남벽: 가옥 "中門卒" 묘실 천장 조정: 연화문浮雕
西晉	北京	石景山區八角村壁畵墓			壁畵	牛耕, 牛車出行, 家居宴飮, 일상, 월상

제5장
남북조 벽화묘의 분포와 특징

Ⅰ. 남북조 벽화묘의 개관

고구려는 기원전 1세기부터 668년까지 지속된 반면, 동시기의 중국은 한대부터 위진남북조, 그리고 수당에 이르기까지 여러 나라가 흥망을 거듭하였다. 고구려 벽화고분은 요녕성 환인, 길림성 집안, 북한 평양의 세 곳의 수도를 중심으로 벽화고분이 산재하며 북한지역에는 평양 외에 안악, 남포 지역에도 중요한 벽화고분이 분포하지만 비교적 넓지 않은 지역 내에 집중 분포하면서 평양과 집안지역이 유사한 발전과정을 겪었기 때문에 두 지역에서 발견된 고구려 벽화고분의 구조나 주제는 그렇게 크게 차이가 나지 않는다.[1]

그러나 중국의 한위진북조수당의 벽화고분은 서북에서 동북까지 넓은 지역에 걸쳐 있으며, 고구려보다 짧은 왕조 교체, 정치와 문화 중심지의 변화를 거치면서 지역적, 시기적으로 적지 않은 편차를 보인다. 북위가 수도를 가졌던 성락, 평성, 낙양 가운데, 성락에서는 벽화묘가 드물게 축조되었으며, 평성의 벽화묘는 4세기 말에 이뤄진 천도 이후에 대개 축조되었다고 볼 수 있으므로 고구려의 초기 벽화고분인 안악 3호분의 357년보다 그 시작이 늦거나 비슷하다. 따라서 중국학계에서도 북위 벽화고분의 정면 묘주부부 초상이나 수렵도의 연원을 한위진 벽화묘와 고구려 벽화고분에서 찾고 있다.[2]

한편 북조가 북위의 평성과 낙양을 거쳐, 동위, 서위, 북제, 북주로 나뉘어 발전하는 과정에서 정치, 군사, 문화 중심지가 변화하면서 앞 시기의 전통을 잇는 한편, 새로운 문화상이라든가 화풍상의 현격한 발전을 보여주는 벽화묘가 출현한다. 북조의 벽화묘가 고구려 벽화묘보다 시작이 늦은 만큼 고구려에서는 그 영향력을 소실한 생활풍속도의 표현이 북제와 수당에 걸쳐 존속되며 이러한 특징은 송, 원대에 이르기까지 가장 중요한 장의미술의 주제로 건재하게 된다.

고구려 벽화묘와 직접적으로 연계하여 주제라든가 화풍상의 특징을 비교할 수 있는 북조

---

1 본 장의 내용은 朴雅林, 「北魏 平城시기 古墳 美術 연구 - 고분 출토 회화 유물을 중심으로」, 『歷史敎育論集』, 제36집, 2006, pp.305~331; _____, 「高句麗 古墳壁畵와 同時代 中國 北方民族 古墳美術과의 比較硏究」, 『고구려발해연구』, 28, 2007, pp.167~206; ___, 「최신 발굴 자료들을 중심으로 본 중국 위진북조 벽화」, 동북아역사재단 학술회의, 한성백제박물관, 2017; _____, 『고구려 고분벽화 유라시아문화를 품다』, 학연문화사, 2015의 내용을 추가 보완하여 정리한 것임.

2 呂朋珍, 『北魏壁畵墓研究』, 內蒙古師範大學 碩士學位論文, 2013.

의 시기는 북위라고 할 수 있으며, 고구려 벽화의 주제의 연원이나 화풍 또는 모본의 유사성을 고려할 수 있는 시기는 위진십육국시기이다.

다행히 위진과 북조 벽화묘가 최근에 여러 기 발견되면서 기존에 인식하던 위진과 북조 벽화의 특징을 재고하고, 특히 중앙아시아계통의 문화의 전파를 고려할 수 있는 사례들이 추가되면서 고구려 벽화의 외래요소 가운데 중앙아시아계 또는 불교계 문화요소의 전파, 유통 경로를 추정하는데 도움이 되고 있다.

고구려와 북조-수당 벽화고분의 비교에 대하여는 이미 여러 연구가 이루어진 가운데, 새롭게 발굴된 북조-수당 벽화고분들이 기존의 연구 시각에 새로운 관점을 더하고 있다. 선행 연구들로는 고구려와 동시기의 중국벽화고분을 전체적으로 개괄하거나[3] 한漢, 위진魏晉, 남북조南北朝로 나누어 각 시기별 중국 벽화고분을 개관하거나, 해당 시기 벽화고분의 건축구조상建築構造上의 특징과 유사벽화類似壁畵 주제를 비교하는 것에 중점을 두고 있다.[4]

3　東潮의 「魏晉・北朝隋・唐과 高句麗壁畵」(2003)에서는 漢・魏晉과 고구려벽화의 묘주도상을 비교하고, 고구려벽화의 四神圖像과 神獸圖像의 변용을 논하고, 三燕・北朝・隋唐과 고구려벽화의 四神・畏獸圖像을 비교하였다. 졸고 「高句麗 古墳壁畵와 中國 古墳壁畵의 比較研究」(2003)과 양홍의 「中國의 古墳壁畵와 中國 美術史 研究」(2004)는 1950년대 이후 발견된 중국 한진남북조시기의 중요 고분벽화를 개관하고, 한대 묘실벽화와 한대 미술사 연구, 남북조 묘실벽화와 남북조시기 회화사 연구로 나누어 중국 고분벽화의 발달을 논하였다. 박아림, 「高句麗 集安 地域 中期 壁畵古墳의 西域的 要素 研究 -中國 北朝 古墳美術과의 비교를 중심으로」, 『중국사학회』50, 2007, pp. 25~61; _____, 「중국 위진 고분벽화의 연원 연구」, 『동양미술사학회』, 2012, pp. 75~113; 김진순, 「高句麗 後期 四神圖 고분벽화와 古代 韓・中 문화 교류」, 『선사와 고대』, 30, 2009, pp. 31~63; 서윤경, 「북위 平城期 沙嶺벽화고분의 연구」, 『美術史學研究』267, 2010, pp. 175-208; 이성제, 「高句麗와 北齊의 관계」, 『한국고대사연구』, No. 2, 2001, pp. 229~258; 전호태, 「고분벽화로 본 고구려와 중앙아시아의 교류」, 『韓國古代史研究』68, 2012, pp. 137-196; 정병모, 「중국 북조(北朝) 고분벽화를 통해 본 진파리 1・4호분과 강서중・대묘의 양식적 특징」, 『강좌미술사』, 41, 2013, pp. 313~334; 한정희, 「高句麗壁畵와 中國 六朝時代 壁畵의 비교연구 : 6, 7세기의 예를 중심으로」, 『미술자료』68, 2002, pp. 5~31; _____, 「중국분묘 벽화에 보이는 墓主圖의 변천」, 『미술사학연구』261, 2009, pp. 105~147.

4　漢代 중국 고분에 대하여는 주로 화상석에 대한 논문들로서 전호태의 「山西 離石 漢墓 畫像의 昇仙圖」(1995), 「漢 畫像石의 西王母」(1997) 등이 있다. 다음 위진시대의 중국 古墳에 대한 연구들은 壁畵가 주로 출현한 遼寧省과 甘肅省 지역의 벽화고분에 치중되어 있다. 유원당의 「中國 集安 高句麗 壁畵古墳과 遼東, 遼西 壁畵古墳 비교 연구」(1995)는 集安 및 遼東・遼西 벽화고분의 개요와 두 지역 벽화고분 유형, 시기구분 및 연대에 대하여 각각 논하고 나서, 두 지역 벽화의 주제와 내용변화에 대한 비교, 遼東, 遼西지역 漢魏晉시기 고분벽화가 集安 고구려벽화에 미친 영향, 집안 고분벽화 장식문양 변화와 다른 지역에 미친 영향에 대하여 논하였다. 전호태의 「遼陽 魏晉 古墳壁畵 研究」(1999)는 요녕성 지역 고분벽화 중에서 특히 요양지역에 집중하여 요양 魏晉 고분벽화를 개관하고 魏晉 벽화고분의 구조와 벽화구성상의 특징을 고찰하여, 고분벽화 제재의 선택, 구성과 배치에 대한 차이점을 지적하였다. 벽화고분 평면구조 및 벽화구성상 다양한 유형의 원인이 魏晉 시기 요양지역에 존재하던 내세관 및 내세 인식의 편차의 폭이 넓었던 데 있다고 보았다. 강현숙의 「中國 東北地方 石室封土壁畵墳의 地域的 特徵에 대하여」(2000)와 「고구려와

선비족이 세운 북위, 동위, 서위, 북제, 북주 등의 특징은 중국에서의 불교석굴 미술의 발달과 소그드인 등 중앙아시아계통과의 인적, 문화적 교류가 고분미술 등에 반영되어있다는 점이다. 북방민족 지배하의 북조왕조에서 만들어진 벽화고분이나 화상석각 고분에는 진인 각인陳寅恪이 북제의 특징으로 지적한 선비화鮮卑化와 서호화西胡化가 두드러진다.

알버트 딘Albert Dien은 1991년 발표한 탁발선비족의 묘장에 대한 연구에서 이민족인 선비족이 중국 미술 발달에 미친 영향에 대해 서술한 바 있다.[5] 요遼, 금金, 원元으로 이어지는 시대의 고분미술은 낸시 스타인하트Nancy Steinhardt에 의해 연구가 이루어졌는데, 요나라의 고분과 건축의 기원 중의 하나로 고구려 고분과 건축에 주목하고 있다. 『요대의 건축Liao Architecture』에서 요나라의 고분 벽화를 포함한 고분미술을 정리하고 나서, 한에서 당까지의 중국 고분발달사를 살펴보고, 요나라 건축의 기원으로서 고구려 고분 건축과 석굴암, 그리고 5~6세기 감숙성과 영하성의 벽화고분을 연관 지어서 설명한다. 중국의 영하성, 감숙성, 섬서성과 한국 등 북동과 북서 아시아의 고분, 벽화 간의 주제와 구조상의 유사점에 주목하였다.[6]

북위를 세운 선비족은 운강석굴과 용문석굴 등 대규모로 조성된 불교석굴의 후원자로서 중국의 불교미술사의 발달에 중요한 역할을 한다. 한편 불교미술과 함께 중국미술의 발달

中國 遼寧地方 魏·晉代 石室封土壁畫墳 比較考察」(2002)에서는 中國 중원과 달리 돌로 무덤을 축조하고, 묘실 내부에 그림을 그려 장식하였다는 점에서 요녕지방의 위·진대 벽화분과 고구려 벽화분은 공통되기 때문에, 고구려 석실봉토벽화분은 중국 요녕지방의 영향을 받아 등장된 것으로 이해하였던데 반론을 들고, 고구려와 중국 요녕지방의 遼西와 遼東지역 벽화분의 매장 구조와 묘실벽화에서 상이점이 더 많이 관찰된다고 하였다. 또한 같은 저자의 저서인 『고구려와 비교해본 중국 한위진벽화분』(2005)은 중국의 한대부터 위진시기까지 특히 위진시기 동북과 하서지역의 벽화묘를 정리하고 고구려와 비교하여 지역별 특징을 설명하였다. 魏晉시기의 甘肅省 벽화고분에 대한 연구로는 졸고 「高句麗 壁畵와 甘肅省 魏晉시기 (돈황 포함) 壁畵 비교 연구」(2003)와 강현숙의 「中國 甘肅省의 4·5세기 壁畵墳과 高句麗 壁畵墳의 比較 考察」(2004)이 있다. 두 논문은 위진시기 감숙성의 대표적 벽화고분인 嘉峪關, 佛爺廟灣, 酒泉 丁家閘 古 墳의 벽화를 개관하고 고구려의 고분벽화과 비교하여 魏晉시기 벽화고분의 특징을 고찰하였다. 한정희 의 「高句麗壁畵와 中國 육조시대 壁畵의 비교연구」(2002)는 기존의 연구가 주로 한대나 위진시대 그리고 초기 남북조시대에 한정되어 있었던 반면, 후기 남북조시대 벽화에 중점을 두었다. 후기 남북조시대에 河 北, 山西, 山東, 河北지역의 6세기 북조 벽화고분을 비교대상으로 삼아 무덤의 구조, 벽화의 배치와 주제 로 나누어 비교적인 시각에서 고찰하였다.

5 Albert Dien, "A New Look at the Xianbei and Their Impact on Chinese Culture", George Kuwayama ed, *Ancient Mortuary Traditions of China*, Los Angeles County Museum, 1991, pp.40~59; Mary H Fong, "Antecedents of Sui-Tang Burial Practices in Shaanxi", *Artibus Asiae* Vol. 51, No. 3/4, 1991, pp.147~198.

6 Nancy Shatzman Steinhardt, *Liao Architecture*, University of Hawaii Press, 1997.

에 중요한 위치를 점하는 고분미술은 한나라 시기에 높은 발달을 보게 되나, 한의 멸망 후 위진시기에는 중원지역에서 중요한 벽화고분이 출현하지 않는다. 한나라에 의해 시작된 벽화고분이라는 형식은 북위 왕조 아래에서는 2000년대 이전까지는 적은 수의 벽화고분만이 보고되다가 2000년대 이후부터 새로운 벽화고분들이 발굴 소개되면서 연구의 신자료들이 추가되고 있다.[7] 고구려 벽화 후기에 해당되는 선비족의 북제 왕조에서는 상당히 높은 수준의 벽화고분이 축조되었다. 북조시기의 벽화고분은 인물의 복식이나 도용 등에서 선비족의 풍습이 반영되어 있는 것이 특징이다.

고구려 벽화고분이 발달한 4~7세기의 중국의 북방지역 벽화고분들을 보면 북위의 수도 평성이 있던 산서성 대동 지역과 동위, 서위, 북제, 북주의 중심지이던 산서성 태원, 섬서성 서안, 영하성 고원에 집중적으로 분포되어 있다. 이들 지역은 한위진시대에 흉노를 포함한 북방 유목민들이 한나라와 경계를 이루고 있으면서 문화 접변을 이루던 지역이다. 고구려 벽화문화의 형성과 벽화고분의 조성에 있어서 중요한 배경이 된 북방기류가 흐르면서 한문화와 북방문화, 서역문화가 혼재되던 문화대이다. 아래에 고구려 고분벽화가 발달한 4세기에서 6세기까지의 중국 북방의 벽화고분을 표로 정리하였다(표 1).

표 1 | 중국 남북조 벽화고분

年代	地區	名稱	墓主	埋葬年代	材質	壁畵內容
北魏	內蒙古 呼和浩特市	榆樹梁村壁畵墓		태화연간	壁畵	狩獵騎馬, 馬車, 魚, 水鳥, 山, 樹木, 宴飮, 四神, 出行, 昇仙, 蓮花, 採桑, 虎牛咬鬪, 牧羊, 鹿
北魏	山西省 大同市	沙嶺壁畵墓		435년	壁畵	甲騎具裝, 輕騎兵, 馬上軍樂, 車馬出行, 宴飮, 伏羲女媧, 神獸, 庖厨, 打場, 宰羊, 釀酒
北魏	山西省 大同市	仝家灣9號墓	梁拔胡	461년	壁畵	狩獵, 墓主宴飮, 樂舞, 牛耕, 車馬氈帳, 현무
北魏	山西省 大同市	雲波里路壁畵墓		태화연간	壁畵	묘주연음, 수렵, 호인악사, 수문시종
北魏	山西省 大同市	文瀛北路壁畵墓		태화연간	壁畵	역사, 호인견타, 시종
北魏	山西省 朔州市	懷仁壁畵墓	丹揚王	437년경	壁畵	문신, 화상전, 花紋磚

---

7 중국 위진남북조 벽화묘의 목록은 菊竹淳一, 吉田宏志 編, 『世界美術大全集 東洋編 3 三國·南北朝』, 小學館, 1998 참조. 최근의 북위에 대한 고고 성과에 대해서는 王銀田, 『北魏平城考古研究;公元五世紀中國都城的演變』 科學出版社, 2017. 산서성 지역의 북조 벽화묘에 대한 최근의 전시 도록은 上海博物館 編, 『壁上觀—細讀山西古代壁畵』, 北京大學出版社, 2017 참고.

年代	地區	名稱	墓主	埋葬年代	材質	壁畵內容
北魏	山西省 大同縣	陳莊墓			壁畵	전실: 아치형 문의 테두리, 蓮柱, 용, 蓮花, 四葉花, 圈紋, 柱础, 기둥, 두공 후실: 柱础, 기둥, 두공 묘실 천장: 星象, 연화
北魏	山西省 大同市	迎賓大道M16墓		태화연간	壁畵	宴飮, 車馬, 山林, 狩獵, 무사
北魏	山西省 大同市	宋紹祖墓	宋紹祖	太和元年 (477)	石槨壁畵	기악, 가무
北魏	山西省 大同市	智家堡村石槨墓			石槨壁畵	묘주부부, 남녀시종, 마차와 마부, 말, 天人
北魏	山西省 大同市	張智朗墓	張智朗	和平元年 (460)	石槨壁畵	묘주상, 무사, 시녀, 羽人, 봉황, 수목, 鋪首 석관상: 포도넝쿨문, 새, 물결문, 獸面, 화훼 도안
北魏	山西省 大同市	解興石堂	解興		石堂	묘주부부, 문지기, 방목, 서수, 수목
北魏	山西省 榆社縣	畵像石棺	方興	518-520	畵像石棺	묘주부부연회, 청룡 승선, 가무기악, 출행, 수렵, 잡기
北魏	河南省 洛陽市	寧懋夫婦墓	寧懋	孝昌3年 (527)	石槨	석곽 정면 문 양측: 무사 좌벽 외면: 董永, 董晏 고사 좌벽 내면: 시녀, 우거 우벽 외면: 丁蘭, 舜 고사 우벽 내면: 시녀, 鞍馬 후벽 정면: 푸주도 배면: 세 폭의 묘주 초상
北魏	寧夏回族自治區 固原縣	固原北魏墓		486	漆繪木棺	同王公, 西王母, 四神, 唐草文, 墓主, 孝子 故事, 수렵
北魏	山西省 大同市	智家堡墓		태화연간	彩繪木棺	산수, 수목, 행렬, 수렵, 가옥, 시종, 牛車
北魏	山西省 大同市	湖東1號墓		태화연간	漆繪木棺	聯珠紋, 가옥
北魏	山西省 大同市	司馬金龍墓	司馬金龍	太和8年 (484)	漆絵屏風	帝王, 將相, 孝子, 列女, 高士
北魏	河南省 洛陽市	元懌墓	元懌	正光元年 (525)	壁畵	무사
北魏	河南省 洛陽市	元乂墓	元乂	孝昌2年 (526)	壁畵	四神(殘), 星宿
北魏	河南省 洛陽市	王温墓	王温	太昌1年 (532)	壁畵	墓主夫婦, 侍女
東魏	河北省 磁縣	茹茹公主墓	閭叱地連	武定8年 (550)	壁畵	묘주, 四神, 方相, 儀仗行列, 羽人, 鳳凰
東魏	河北省 磁縣	元祜墓	元祜	天平4年 (537)	壁畵	동벽: 청룡 서벽: 백호 북벽: 三足坐塌 묘주정좌상
東魏	甘肅省 酒泉市	佛爺廟翟宗盈墓	翟宗盈		壁畵	家居宴飮圖, 日月星象圖, 三足鳥, 蟾, 東王公, 西王母, 天馬, 神獸
東魏	河北省 景縣	高長命墓	高長命	武定5年 (547)	壁畵	門衛, 神獸
西魏	陝西省 咸陽市	侯義墓	侯義	大統10年 (544)	壁畵	樹木, 人馬, 星宿, 紅色寬帶
北齊	河北省 磁縣	灣漳墓			壁畵	靑龍, 白虎, 儀仗隊列, 祥禽瑞獸, 流雲, 蓮花, 忍冬蓮花裝飾, 神獸, 羽兔, 侍衛, 帳幔, 羽扇, 怪獸, 天象圖, 建築, 朱雀
北齊	河北省 磁縣	高潤墓	高潤	武平7年 (576)	壁畵	墓主, 華蓋 侍者, 우거, 연화, 인동, 유운

年代	地區	名稱	墓主	埋葬 年代	材質	壁畫內容
北齊	山西省 太原市	婁叡墓	婁叡	武平1年 (570)	壁畫	儀仗出行, 군악의장, 청룡 백호, 수면, 보주, 주작, 묘주, 가무악기, 우거출행, 안마시종, 문리, 사신, 雷公, 12辰, 胡角橫吹, 樹下侍從, 牛馬神獸
北齊	山西省 太原市	徐顯秀墓	徐顯秀	武平2年 (571)	壁畫	騎馬人物, 墓主, 蓮花文, 出行
北齊	山東省 臨朐縣	崔芬墓	崔芬	天保2年 (551)	壁畫	용도: 문리도, 무사도 묘실: 묘주부부출행, 병풍, 고사, 가무, 산수괴석, 무사, 견마, 수하안마 천장: 괴수, 수목, 산석, 유운, 청룡선인, 백호선인,, 주작, 현무
北齊	山東省 濟南市	□道貴墓	□道貴	武平2年 (571)	壁畫	車馬人物, 儀仗2人, 胡人과 마부
北周	寧夏回族自治區 固原縣	李賢墓	李賢	天和4年 (569)	壁畫	문루, 武士, 악사
北周	寧夏回族自治區 固原縣	田弘墓	田弘	建德4年 (575)	壁畫	주실 북벽: 문리 동벽: 두 명의 문관 서벽: 검을 든 무사
北周	寧夏回族自治區 固原縣	宇文猛墓	宇文猛	保定5年 (565)	壁畫	무사, 인물입상, 건축
北齊	山西省 朔州市	水泉梁墓			壁畫	용도: 文吏, 侍位, 騎馬隊 묘실 천장: 天象圖, 水波紋, 해와 까마귀, 달과 약을 찧는 토끼, 두꺼비, 사신도, 神獸, 流雲, 十二生肖 묘실 북벽: 묘주부부, 남녀기악시종 동벽: 鞍馬儀仗 서벽: 牛車出行 남벽: 鼓吹
北朝	山西省 忻州市	九原崗墓			壁畫	인물, 신수, 건축, 운기문, 수렵, 의장출행
北朝	陝西省 靖邊縣	統萬城壁畫墓 (八大梁墓地1號墓)				호인불탑예배, 승려, 문지기, 비천
北周	陝西省 統萬城	翟曹明墓	翟曹明	大成元年 (579)	채회첩금 부조석문	동물과 인물 장식, 문지기, 사자와 獸形 석좌
北周	陝西省 西安市	李誕墓	李誕	保定四年 (564)	石棺	각종 圖案과 紋飾, 복희, 여와, 문신, 배화제단, 수호신상, 현무
北周	陝西省 西安市	史君墓	史君	579	石堂石刻	四臂神, 鳥首人身神, 기악천, 祆神, 수렵, 연음, 출행, 商隊, 제사, 승천, 童子, 神獸
隋	山西省 太原市	虞弘墓	虞弘		壁畫	연음, 악무, 수렵, 출행
北朝	北京	중국국가박물관 소장 북조석당			石堂	畏獸, 玄武, 騎獸人物, 群胡首領謁見, 女性侍立, 群胡出行, 牛車出行, 出行儀仗, 備馬, 胡人樂舞, 祆敎大會場面
北周	陝西省 西安市	安伽墓	安伽	579	石屛風型 畫像石	야외연회, 회맹, 우거출행, 무사, 낙타, 기악비천
北朝	甘肅省 天水市	屛風石棺床墓			石屛風型 畫像石	묘주 수렵, 연음, 출행, 泛舟, 亭台樓閣, 水榭花園, 기악, 神兽
北朝	河南省 安陽市	雙闕型 畫像石			石屛風型 畫像石	연회도, 행렬도, 신장상, 연화보주, 보살상, 飛天
北齊	山西省	일본미호박물관 화상석			石屛風型 畫像石	묘주부부기마출행, 우거출행, 나나여신, 에프탈인 기상출행, 돌궐인 기마출행, 묘주부부 연회, 장례제의, 隊商, 수렵

年代	地區	名稱	墓主	埋葬 年代	材質	壁畫內容
北齊	山東省 益都縣	青州傅家莊畫像石 (益都縣線刻畫墓)		武平4年 (573)	石屏風型 畫像石	商旅駝運, 商談, 出行, 象戲
南朝	河南省 鄧州市	鄧縣彩色畫像塼墓			壁畫 畫像塼	四神, 飛天, 麒麟, 牛車, 侍女, 歌舞, 萬歲千秋

Ⅱ. 북위의 벽화묘

대형의 행렬도가 특징인 북조 후기 벽화묘들에 비하여 북조 초기는 발굴된 벽화고분의 수가 많지 않아 그다지 주목을 받지 못하였다. 북조 전반기인 북위의 평성平城(대동大同)시기 (398~494)와 낙양시기(494~534) 중에 대동시기 미술에 대한 연구는 운강석굴을 포함한 불교미술을 중심으로 이루어져 왔다. 근래 발굴된 북위 고분 출토 회화유물이 소개되기 이전 5세기 북위 평성시기의 묘장 회화를 보여주는 예로 잘 알려진 유물은 산서山西 대동大同 사마금룡묘司馬金龍墓 출토 칠병漆屛(484년경)과 영하寧夏 고원固原 북위묘北魏墓의 칠관화漆棺畫(486년경) 등이다.

1980년대 이후 산서성山西省 대동시와 인근 등에서 한漢·당唐대 고분의 발굴과 조사가 진행되면서 새로 발굴된 북위묘들에서 당시 묘장 회화를 조명해주는 묘실 벽화, 석곽벽화石槨壁畫, 관판화棺板畫 등이 발견되었다.[8] 이들 신출자료를 통해 북위 묘장 회화의 특징을 살펴볼 수 있게 되었다. 북위 벽화묘는 20기 이상이 발견되었으며 당시 정치 중심 지역인 운대雲代지역과 낙양지역과 경제가 발전한 청제靑齊지역에 주로 분포한다. 산서 대동지역이 10기 이상으로 가장 많고 다음으로 하남 낙양, 내몽고 호화호특, 섬북 정변, 산서 회인, 영하 고원 등에도 분포한다. 북위 벽화묘는 전실묘와 토동묘의 두 종류로 나누며 호벽弧壁 전실묘가 주를 이룬다. 북위조기에 이러한 호방형弧方形 전실묘를 채용하기 시작하였고 후에는 북위 중후기의

8　王銀田, 劉俊喜,「大同智家堡北魏墓石槨壁畫」『文物』2001年 7期; 劉俊喜, 高峰,「大同智家堡北魏墓棺板畫」『文物』2004年 12期; 高峰, 劉俊喜, 左雁, 李伯軍, 李曄, 江偉偉,「大同湖東北魏一號墓」『文物』, 2004년 12기, pp.26-34; 張海嘯,「北魏宋紹祖石室研究」『文物世界』, 2005년 1期; 李梅田,「關中地區魏晋北朝墓葬文化因素分析」『考古與文物』, 2004年 2期; Yang Hong, "An Archaeological View of Touba Xianbei Art in the Pingcheng Period and Earlier," *Orientations*, 33, 2002, pp.27-33.

주된 묘장 형식이 되었다. 묘장은 일반적으로 경사진 묘도, 용도와 묘실로 구성되었다.

중국 산서성 대동은 313년 탁발선비가 평성을 남도南都로 삼은 이후로 선비의 묘장이 출현하기 시작하여 494년 낙양으로 천도하기 전까지 1세기 동안 주요 묘장들이 조성되었다. 집중 분포된 곳은 평성의 남교南郊와 동교東郊이다. 동교의 묘장으로는 북쪽부터 살피면 안북사원묘군雁北師院墓群, 영빈대도묘군迎賓大道墓群, 사령묘군沙嶺墓群, 호동묘군湖東墓群, 사마금룡묘 등이 있다. 남교에는 전한기재창묘군電焊器材廠墓群, 칠리촌묘군七里村墓群, 지가보智家堡 석곽石槨 벽화묘壁畫墓, 지가보智家堡 관판화묘棺板畫墓 등이 있다.[9]

북위 묘의 회화의 형식은 묘실 벽화와 석장구(석곽, 석관, 석상) 및 목관의 채화 또는 조각, 병풍 등 부장기물의 채화 등으로 나눌 수 있다. 묘실 벽화의 예로는 사령沙嶺 북위北魏 벽화묘壁畫墓(태연太延원년, 435), 양발호묘梁拔胡墓(화평和平2년, 461), 회인현懷仁縣 칠리채촌七里寨村 단양왕묘丹揚王墓 등이 있다. 묘실 조각은 태황태후太皇太后 풍씨馮氏 영고릉永固陵(태화太和14년, 490), 효문제孝文帝 허궁虛宮 만년당萬年堂(태화15년, 491) 등이다. 석장구石葬具의 벽화 혹은 조각은 지가보 석곽 벽화묘, 안북사원雁北師院 5호묘5號墓(송소조묘宋邵祖墓, 太和元年, 477), 석가채石家寨 사마금룡부부묘司馬金龍夫婦墓(태화8년, 484) 등이다. 칠관화 혹은 관판 채회는 지가보 관판화묘, 사령 북위 벽화묘, 호동湖東 1호묘一號墓 등이다. 마지막으로 부장기물로서의 칠화는 사마금룡묘 출토 칠병풍이다.[10] 다음에서는 북위의 벽화묘, 석곽 벽화묘, 채회목관의 순으로 중요 벽화묘를 살펴본다.

1. 북위 평성의 묘실 벽화

1) 내몽고 호화호특시 화림격이현 유수량촌 벽화묘

북위가 성락과 평성, 낙양의 순으로 수도를 옮기는 동안 고분미술에 지역과 시기별로 변천하였는데 평성지역의 최근 발견된 벽화묘와 연관된 성락지역의 벽화묘의 특징을 잘 보여주는 예가 내몽고 호화호특시 화림격이 현유수량촌 벽화묘이다. 1993년 북위北魏 조기早期 황릉皇陵이 있는 성락盛樂 북쪽 약 20㎞ 지점의 화림격이和林格爾 삼도영향三道營鄕 유수량촌楡樹梁村 부근에 위치한 선비시대에서 북위시기 묘장 가운데 북위 시대 대형 벽화묘가 발

9   韋正,『魏晉南北朝考古』, 北京大學出版社, 2013, pp. 213-214.
10   呂朋珍,『北魏壁畫墓研究』, 內蒙古師範大學 碩士學位論文, 2013.

굴되었다. 쌍실전묘雙室磚墓로서 묘도墓道, 용도甬道, 전실前室, 후실後室로 구성되었다.[11] 북위 초기 묘장으로 규모는 전체 길이가 22.6m이며 전실과 후실로 구성되었다. 용도甬道 양벽兩壁은 파손破損되었다. 전실은 비교적 큰데 평면 방형方形이고 한 변의 길이는 4.6m, 면적은 약 20㎡이다.

전실과 용도 양벽에 벽화를 그렸는데 주제는 수렵, 연거행락燕居行樂 및 사신四神 등이다. 전실前室 벽화 제재는 수렵기마狩獵騎馬, 마차馬車, 물고기魚, 물새水鳥, 산山, 수목樹木, 성城, 연음宴飮, 사신四神(청룡靑龍, 백호白虎, 주작朱雀, 현무玄武), 출행出行, 승선昇仙이다. 그 외에 연화蓮花, 채상採桑, 호우교투虎牛咬鬪, 목양牧羊, 사슴鹿의 도상도 있다. 수렵도는 길이 163cm, 너비 113cm이다. 수렵도의 화면은 비교적 크며 인물, 산천山川, 하류河流, 동물 등 다양한 소재로 중국 조기早期 산수화를 보여준다. 연거행락도의 잡기 장면에도 많은 인물이 그려졌는데 북과 피리를 연주하는 악사 등이 보인다. 벽화 중 인물 복장은 당시 북위가 이미 한화漢化의 영향을 받은 것이 보이나, 선비족의 풍격도 담고 있다. 북위가 낙양으로 가기 전에 지어진 것으로 보인다.[12]

벽화에 사용된 색은 홍紅, 흑黑, 귤황橘黃과 석청石靑 등이다. 화법은 먼저 홍색 선을 사용하여 초고를 그린 이후 묵선 구륵을 사용하였고 마지막으로 색을 칠했다. 용필이 간략하고 고졸하다. 주로 현실생활 주제에 승선의 도교적 요소, 연화蓮花 같은 불교적 요소도 있으며 호한胡漢이 섞인 것이 특징이다. 인물은 모두 앞의 옷깃이 열린 넓은 소매의 장삼과 단삼을 입고 있으며 성년남자는 모두 이량관二梁冠을 썼다. 선비 색채와 한족 복장의 특징이 공존한다. 묘 연대는 486년 북위 효문제가 복제 개혁을 시작한 이후와 낙양 천도 이전으로 본다. 인물의 얼굴이 작고 어깨는 좁으며 바지나 포의 하단이 날카롭게 각이 진 형태는 북위시대 불교조각이나 벽화의 공양자상들을 연상케 하며, 화면에 홍색을 위주로 사용한 것이나 신수神獸 표현 등에 사용된 선의 형태는 사령벽화분과 동가만벽화분과 같은 대동지역 북위 벽화묘와 유사하다. 호랑이와 소가 서로 싸우는 제재는 위진시대 누란고성 벽화묘나 북방초원미술의 동물투쟁도와 유사하다. 낙타의 입체감을 살리지 못한 몸체 묘사나 인물의 비례가 어색하여 성락의 지역화공의 솜씨로 보인다(도1).

---

11 王大方, 「內蒙古首次發現北魏大型磚室壁畵墓」, 『中國文物報』 1993年 11月 28日 第3版; 蘇俊等, 「內蒙古和林格爾北魏壁畵墓發掘的意義」, 『中國文物報』 1993年 11月 28日 第3版.

12 羅宗眞, 『魏晉南北朝考古』, 文物出版社, 2001.

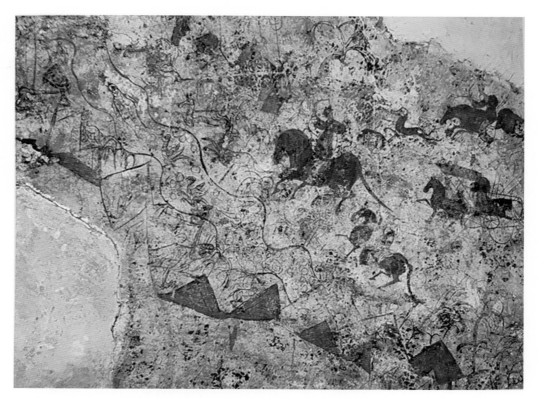

도 1 | 《수렵도》, 전실, 유수량촌 벽화묘

2) 산서 대동 사령 벽화묘

2005년 7월 산서 대동 사령촌沙嶺村 묘군에서 산서성고고연구소와 대동시고고연구소가 연합으로 발굴을 진행하여 벽화와 문자기년文字紀年이 있는 전실묘塼室墓를 발견하였다. 사령촌 7호묘(북위 태무제太武帝 태연太延원년元年, 435)는 긴 사파묘도를 가진 단실 전축묘塼築墓로 묘도墓道, 용도甬道, 묘실墓室로 구성되었다. 묘실의 동서 길이는 3.4m, 남북 너비는 2.8m이다. 묘향은 서향이다.

벽화는 묘실 사벽과 용도의 천장과 측면에 분포하며 총면적 약 24㎡이다. 묘실 벽화의 주제는 갑기구장甲騎具裝, 경기병輕騎兵, 마상군악馬上軍樂, 거마출행車馬出行, 연음宴飮, 복희여와伏羲女媧, 신수神獸, 포주庖廚, 타장打場, 재양宰羊, 양주釀酒 등이다. 용도 양측에 무사를 그리고 천장에 복희, 여와를 그렸다. 묘실 서벽과 용도에 대칭으로 각각 무사를 그렸다. 북벽은 출행도, 동벽은 부부 유장 정좌도이며, 남성은 주미를 들고 있다. 남벽은 건축, 포주庖廚, 연음, 전장氈帳 등이다. 북벽과 동벽에는 천상도天象圖와 시녀도 등이 있다.

북벽 상단에는 6개의 천상 성수를 상징하는 기금이수奇禽異獸를 그리고 하단에는 19명의 여성의 행렬을 한 줄로 그렸다. 가는 홍색 선으로 화면을 구분하여 아래의 화면에는 성대한 거마출행도가 그려졌다.

묘실 후벽인 동벽은 중간부터 8명의 여성이 북쪽을 향하고 있는데 북벽과 같다. 10명의 남성이 남쪽을 향하고 있는 것은 남벽과 같다. 동벽 가운데에는 높은 건축물이 있고 안에 정좌한 묘주 부부 2인이 있다. 건물 주위에는 차량, 말, 인물 등이 있다.

묘내에는 칠화漆畵, 벽화 그리고 묵서의 문자기년이 있다. 북위 태화연간의 사회생활을 잘 보여준다. 문자자료로 미루어 묘주는 태연원년太延元年(435)에 죽은 선비인鮮卑人으로 시중상서주객평서대장군파다라씨侍中尚書主客平西大將軍破多羅氏의 모친이다.

사령 벽화묘는 산서 대동의 북위 벽화묘 가운데 중요한 기년紀年이 있는 칠피문자漆皮文字와 회화 및 묘실벽화가 있는 전실묘磚室墓이다. 칠피에는 묵서명이 기재되어 있다. 북위가 평성에 수도를 정한 시기의 연대 중 가장 이른 문자자료이다.

칠화漆畵와 벽화에 묘주도가 중복 표현되었는데 남자 무덤주인공이 손에 주미塵尾를 들고 있으며 탑상榻上에 앉은 부부병좌상이 있다(도2).[13] 화평和平2년(461)의 제기題記가 있는 대동大同 부교랍급분소발전창富喬垃圾焚燒發電廠 9호묘와 묘실 형제와 벽화 배치 내용이 유사하다.

대동 사령 벽화고분에는 동북지역과 하서지역, 그리고 고구려의 초기 벽화고분의 영향이 명료하게 보인다. 사령 벽화묘의 전장氈帳은 실크로드 호상이 낙타에 싣고 다니며 사용하던 것으로 실크로드 상의 교류를 반영하며, 안가묘, 사군묘, 누예묘의 부조, 벽화, 도용에도 출현한다.

435년의 사령 벽화묘는 비교적 이른 시기의 북위 묘장으로 도무제道武帝와 태무제太武帝가 동서 정벌을 하던 시기이다. 397년 북위 도무제는 후연後燕을 멸하고, 관동을 평정한다. 424년 태무제 탁발도가 즉위 후에는 여러 차례 대외 정벌을 하게 된다. 431년 대하大夏를 멸하고, 관롱關隴지역을 점령하였고, 436년에 북연을 멸하고 요서지역을 점령하였으며, 439년에는 북량北涼을 멸하고 하서지역을 점령하였다. 이러한 정복지역의 많은 수의 인구가 평성 부근으로 이주하여 거주하게 된다. 이 시기 평성지역은 긴 사파묘도를 가진 전실묘를 짓게 되는데 하서지역의 천정이 달린 장사파묘도의 영향이 보인다.

13　大同市考古研究所,「山西大同沙嶺北魏壁畵墓發掘简报」,『文物』, 2006年 10期.

도 2 |《묘주병좌도》, 동벽, 사령 벽화묘

특히 평성지역 전실묘의 출현과 하서 이민의 도래는 직접적 관계가 있다. 관중지역에 이미 30기 이상의 십육국十六國묘장이 사파묘도를 가진 토동묘土洞墓이며, 영하고원 일대의 십육국묘도 이와 같다. 하서 위진십육국묘장은 전실묘가 전통으로, 위진 혹 십육국시기의 주천 정가갑 5호묘는 긴 사파묘도를 가진 전후 쌍전실의 대형 벽화묘이다. 사령 북위 벽화묘의 묘주는 파다라태부인破多羅太夫人인데 영하 고원지역을 기반으로 하던 선비족 파다란부破多蘭部 출신으로 묘주 일가는 혁련발발의 하夏에서 출자했으나, 평성으로 이주해 온 후에, 하서지역에서 전래한 전실묘 문화요소를 모본으로 삼았다. 『위서魏書』에 의하면 천흥天興4년(401) 북위는 상산왕준常山王遵을 보내 고평高平(현재의 영하 고원)을 정벌하고, 파다란부의 대부분의 인구를 평성으로 이주시킨다. 북위 태무제太武帝 시광始光4년(427) 북위가 통만성을 공격한 후에도 목역우木易于가 파다란부족 일부를 평성으로 이주시킨다. 사령 벽화묘의 묘주는 이러한 이주 과정 중에 평성에 온 것으로 여겨진다.[14] 또한 사령 벽화묘의 채회칠관의 사용과 복희여와도는 위진시대 감숙지역의 채회관과 채회전의 전통과 연결되어있다.

3) 산서 대동 남교 동가만 9호묘(양발호묘, 대동 부교남급분소발전창 9호묘)

비교적 최근에 산서 대동에서 발견된 평성시기의 북위 벽화묘들은 기존에 알려진 북위 벽화묘의 이해를 크게 변환시켜주는 중요한 사례들이다. 2008년 발굴된 대동 남교南郊 동가만소家灣 북위 벽화묘, 2009년 발굴된 대동 운파리로雲波裏路 북위 벽화묘, 대동 어동신구禦東新區 문영북로文瀛北路 북위 벽화묘이다.

2008년 5월 산서성고고연구소山西省考古研究所와 대동시고고연구소大同市考古研究所가 연합으로 대동시 남교 동가만촌 남쪽의 10기의 북위 묘장에 구제성 발굴을 진행하였다. 그 가운데 M9호묘가 기년문자紀年文字와 벽화가 보존된 벽화묘였다.[15] 양발호묘梁拔胡墓로 잘 알려진 동가만소家灣 9호묘9號墓는 대동시에서 두 번째로 완전한 형태로 발견된 북위 벽화묘로서 중요하며 2015년에 발굴보고 논문이 나왔다.

좌북조남坐北朝南의 묘로서 사파묘도가 달린 전축단실묘磚築單室墓이며 묘도墓道, 과동過洞, 천정天井, 묘문墓門, 용도甬道(길이 1.7m, 너비 1.2m, 높이 1.6m)와 방형의 묘실墓室(길이 3.4m, 너비 3m)로 구성되었다. 전체 길이 19.9m이다. 묘실 천장頂部에 도동盜洞이 잔존殘存한다. 벽화는 묘문 상방 문미, 용도 양벽, 묘실 사벽에 분포한다. 주채朱彩로 윤곽선을 그렸으며 총면적이 30㎡이다. 제작 방법은 먼저 벽돌로 축조한 벽면 위에 두께 약 1㎝의 황니黃泥를 바르고, 황니 위에 직접 채회를 하였다. 벽화는 주로 홍, 흑, 백 삼색을 사용하였는데, 먼저 홍색을 사용하여 기초를 잡고, 묵선구륵화로 전반적인 윤곽을 그리고 그 위에 채색을 하였다.

용도甬道(길이 1.7m, 너비 1.2m, 높이 1.6m)는 묘실墓室 남단南端에 위치한다. 용도 서벽 벽화는 손상이 심하고, 동벽은 홍흑채구륵紅黑彩鉤勒의 괴수형상과 주서제기朱書題記 및 묵서墨書가 있다. 묘실은 용도 북부에 있으며 평면은 거의 방형이다. 묘실의 저부底部는 길이 3.4m, 너비 3m이고 지표로부터 거리는 8.6m이다. 묘실 네 벽면에는 채회벽화를 그렸는데 벽화의 높

---

14 曹麗娟, 『大同沙嶺北魏壁畵墓硏究』, 中央美術學院 석사학위논문, 2009. 선비의 別種인 破多蘭部에 대해서는 『魏書』권2 「太祖紀」와 『北史』蠕蠕・匈奴宇文莫槐・徒何段就六眷・高車傳 第86 高車.

15 山西省考古研究所, 大同市考古研究所, 「山西大同南郊全家灣北魏墓(M7, M9)發掘簡報」, 『文物』, 2015年 12期.

도 3 | 《연음도》, 북벽, 동가만 9호묘

이는 약 1.2m이다. 용도 동벽에 있는 주필제기는 모두 30여 자로 "大代和平二年歲在辛□/三(五)月丁巳朔十五日辛未/□□(散)騎常侍選部□□/安樂子梁拔胡之墓"라고 기록하였다. 좌측 상방에는 묵서로 "화평2년和平二年"의 네 글자가 쓰여 있으며, 화평2년은 461년이다. 제기 북측에는 용형龍形 도상이 있다. 용도 서벽 위의 화상은 호형虎形 도상이다. 문미 위에도 화상이 있는데 모호해서 분명하지 않다.[16]

묘실 사벽에는 수렵도, 연음도, 악무도, 우경도와 거마전장도車馬氈帳圖 등을 그렸다. 북벽 벽화(높이 약 120, 너비 약 330㎝)는 홍색으로 그림의 틀을 그리고 그 안에 묘주와 여러 명의 인물들을 그렸다. 묘실 천장과 벽이 만나는 지점의 중앙에 현무도가 남아있다. 북벽 중앙은 묘주연음도로 묘주墓主는 기타인물보다 크게 그렸으며 유장 아래에 장방형 위병 좌탑 위에 단

16 張慶捷, 「大同電廠北魏墓題記壁畵初探」, 『中國社會科學報』, 2009-11-05; 徐光冀 主編, 湯池, 秦大樹, 鄭岩 編, 『中國出土壁畵全集』, 2권 산서 편, 科學出版社, 2011, 도 27.

정하게 앉아있다. 묘주는 검은색黑色 선비모鮮卑帽를 쓰고 흰색白色 교령交領 포삼袍衫을 입었다. 여자 시종 두 명이 병풍 뒤에 상반신을 보이며 서 있다. 병풍 양측에는 3명의 시자가 서 있다(도3).

묘주의 앞에는 서너 명의 시종들이 서 있고 여자 시종이 곡안曲案과 국자가 담긴 칠기에 음식을 대접하고 있다. 묘주 앞에 여러 개의 호壺, 배杯 등이 진열되어 있는데, 호의 색을 적색과 흰색 등 다양하게 채색하였다. 중국식 용기도 보이지만 서역계 용기로 보이는 것들도 포함되었다. 한대 벽화묘의 묘주도 앞에 진설된 용기들과 다른, 손잡이가 없는 호들이 여러 개 있어 북위 감숙 장가천張家川 회족 자치현에서 1972년 발굴된 왕진보묘王眞保墓(약 529)와 이희종묘에서 보이던 서역계 금은기들을 연상케 한다.

묘주의 오른쪽에는 배알拜謁하는 두 줄의 속리들과 견마도가 상하로 배치되었다. 상단의 가장자리의 인물이 심목고비深目高鼻의 호인胡人으로 오른손을 높이 들고 왼손에 쟁반을 들었다. 묘주의 왼쪽으로는 3단으로 구성된 복잡한 백희기악 악무도이다. 하단에 흰색白色 교령交領 포복袍服과 홍색紅色 바지를 입은 인물은 머리를 어깨 위로 구부리고 왼쪽 어깨에 십자형 기둥을 세우고 왼손으로 기둥을 잡고 있다. 기둥 위에는 6명의 작은 인물들이 곡예를 부리고 있다. 기둥을 든 인물 앞에는 비파를 연주하는 인물로 흰색白色 작은 모자를 쓰고 홍색포紅色袍를 입었는데 옷의 아래 단이 파도 모양으로 구불구불하며 아래에는 백색 바지와 모전신발을 신었다. 악무도 상부에는 끝이 뾰족한 모자를 쓴 네 명의 인물이 양손을 넓게 벌리고 외발로 서서 춤을 추고 있다.

묘실의 동벽은 대형의 수렵도로 흑채黑彩와 홍채紅彩 구륵으로 구불구불하게 이어진 산악을 그려 화면을 남북으로 양분했다. 산의 중간에 홍채 구륵으로 수목과 가지를 그렸다.

묘실 서벽은 굵은 적색의 선을 화면 중앙에 지그재그식으로 그어 화면을 남북으로 양분하였다. 북부는 우경牛耕과 방아를 찧는 생활장면이다. 남부는 거마전장도이다. 북부는 홍색의 선으로 화면을 네 등분하였다. 상부에는 세 마리의 소가 병렬로 우경하는 장면이다. 그 아래에는 세 마리의 말이 마구간에 있으며 말의 뒤로는 부엌 건물이 보인다. 묘실 서벽의 남부 벽화는 많이 탈락이 되었는데 상부에 홍채 구륵으로 그린 방형 전장이 있고 옆에는 마차가 서 있다.

대동에서 발견된 보존이 비교적 잘된 명확한 기년을 가진 북위묘로서 벽화의 특징으로 보아 북위 사령 벽화묘보다 늦다. 묘주연음도는 위진시기 벽화에서 유행한 제재로 북위시기의 사령 벽화묘, 고원 칠관화묘, 지가보 석곽 벽화묘로 계승되었다. 동가만벽화의 묘주도에는 병풍으로 둘러싸인 채 탑 위에 앉은 남자묘주만 보인다. 그러나 발굴된 목관과 시신이 두 구이기 때문에 부부합장묘나 남자 묘주가 먼저 묻히고 나서 여자 묘주가 죽은 이후에 합장한 것으로 묘실 벽화 중에 아직 생존한 여자 묘주를 그리지 않았을 것으로 보인다. 용도 동벽 제기에서 "화평2년和平二年"(461)은 남성 묘주의 하장 연대로 추정한다. 묘장벽화 중의 인물복식은 선비 특징이 분명하다. 벽화 중 출현한 잡기 악무도, 호인견마도, 우경생활도, 전장도 및 수렵도 등은 북위가 평성에 수도를 정한 후 선비인의 생활방식과 당시의 동서문화 교류 등에 진귀한 자료이다.

4) 산서 대동 운파리로 북위 벽화묘

산서 대동 운파리로雲波里路 북위 벽화묘(09SDYM1)는 2009년 4월 산서 대동시 성구城區 남단南端 운파리로雲波裏路의 도로건설 중에 발견된 북위 벽화묘이다. 대동시고고연구소大同市考古研究所가 발굴을 하고 섬서성고고연구원과기보호센터陝西省考古研究院科技保護中心가 벽화에 대해 현장보호와 보존처리를 하였다. 묘장의 구조는 서향의 장파묘도長斜墓道 단실전묘單室磚墓이며 묘도墓道, 봉문封門, 용도甬道와 묘실墓室로 구성되었다. 묘장의 동서 길이는

도 4 | 《묘주도》, 동벽, 운파리로묘

21.6n, 남북 너비는 4.56m이다. 묘장은 일찍이 도굴당해 묘실과 용도의 천장이 전부 붕괴되었다. 묘실은 호변정방형弧邊正方形이며 길이 2.5m이다. 묘실의 잔존 높이는 2.75m이다. 묘실 네 벽의 상부 대부분이 존재하지 않는다.

장구葬具는 묘실 중앙의 뒤쪽에 놓은 목관으로 관의 네 모서리에 각각 하나의 석주초를 놓았다. 북면과 남면의 석주초 옆에는 관棺의 상부를 덮은 유장帷帳의 목조木造 구조構造 흔적이 있다. 묘실 네 벽에 원래 벽화가 가득하였으나 현재는 동벽, 남벽과 용도 양측에만 벽화가 잔존한다. 연음도, 수렵도, 수문시종도 등이다. 약 10㎡의 벽화가 묘실 사벽과 용도 양벽에 남아있다. 점토의 백회층을 벽돌에 직접 접합하였는데 두께가 균일하지 않다. 묘정은 벽돌이 노출되어 백회층과 벽화가 이미 사라졌다. 사용된 안료는 홍紅, 흑黑, 남藍의 삼색三色이다.

동벽(정벽)은 묘주연락도로서 주변 인물들보다 크게 그려진 묘주부부가 목조가옥 가운데 앉아있다(도4). 좌측에 이배耳杯와 호壺를 든 두 명의 시자가 있다. 시자 좌측에는 상하 삼단으로 인물을 그렸는데 상단의 두 줄은 손님으로 보인다. 묘주부부와 시자, 손님 모두 머리에는 선비모鮮卑帽를 쓰고 몸에는 선비 복장을 입었다. 가장 아랫줄에는 5명의 호인악사로 모두 심목고비이며 원령장포를 입고 짧은 검정색 장화를 신어 전형적인 서역복장을 하고 있다. 비파琵琶, 횡적橫笛, 배소排簫와 고鼓 등을 연주하는 모습이다. 목조가옥 안에 앉은 선비묘주가 손님을 접객하는 장면은 사령 벽화묘, 동가만 벽화묘와 같다. 묘실, 동, 남, 북 삼벽의 상하에 인동문대로 경계를 삼고 하단에 삼각형 문양대를 둘렀는데 내몽고 유수량촌 북위 벽화묘와 유사하다. 남자묘주가 입은 복식의 하트모양의 문양은 돈황석굴에서 발견된 직물의 선비 공양인상과 발라릭 테페의 에프탈인 연회도의 인물 복식과 유사하다.

동가만 벽화묘의 묘주연음도의 좌측 하단에도 서역인 복장의 악사를 그렸는데 악사의 수는 운파리 벽화묘보다 소략하다. 북위 평성유지와 송소조묘 등을 포함한 북위묘장에서 나온 호인악기용들은 평성시대에 유행한 서역악무의 존재를 알려준다. 운파리묘와 제재, 구도, 양식이 유사한 동가만묘의 연대가 북위北魏 화평2년和平二年(461)으로 운파리 벽화묘의 연대도 태화연간으로 추정된다.[17]

---

17   張慶捷, 劉俊喜, 「大同新發現兩座北魏壁畫墓年代初探」, 『文物』, 2011年 12期.

5) 산서 대동 어동신구 문영북로 벽화묘

2009년 대동 어동신구御東新區 문영북로文瀛北路에서 발견된 남향의 단실單室 벽화묘壁畫墓로서 묘의 천장부분과 벽화의 파손이 심하다. 용도甬道, 묘실墓室 벽면과 관상棺床 주위에 화초花草, 인물人物 등을 그린 것을 볼 수 있다. 묘실 내의 북벽北壁과 서벽西壁에 관상棺床 두 개가 붙어 있으며 관상 사이에 낮은 단을 설치하였다. 북벽 관상 동단과 서벽 관상 남단에 각각 한 명의 신체가 건장하고 상반신과 다리 부분이 나신인 인물이 그려져 있다. 오른손을 위로 굽혀 들고 손으로는 관상의 가장자리를 받들었다. 서벽 관상 남단의 인물은 이미 사라지고, 북벽 관상 동단의 인물은 아직 알아볼 수 있는데 왼손에 곤봉 같은 물건을 들고 있는 것을 볼 수 있다. 북측 관상 입면에는 앞에는 낙타를 끌고 가는 서역계 인물이 있고, 그 뒤로 곤봉을 왼손에, 관상의 테두리에 그려진 적색 들보를 오른손으로 받쳐드는 역사상이 있다(도5). 용도에는 한 폭의 신장형 문신상이 잔존하는데 전형적인 서역 풍격이다(도6). 용도 동벽 벽화의 인물상은 홍색 선을 사용하여 얼굴과 옷 주름의 음영을 표현하였는데 영하 고원의 북주 이현묘에 보이는 얼굴 음영표현이다.

문영로 벽화묘는 기년문자자료紀年文字資料가 나오지 않았고 심각한 도굴과 훼손을 당하였다. 묘장의 구조, 출토 기물, 축조에 사용한 벽돌, 부장 기물 등이 이전에 발굴 정리된 북위 묘들과 기본적으로 같아 북위 시기의 특징이 분명하다. 묘에서 출토된 도용은 대동 하심정下深井 북위묘北魏墓와 대동 송소조묘宋紹祖墓 출토의 도용陶俑과 조형적 특징이나 복식이 기

도5 |《낙타와 타부도》, 북측 관상, 문영로묘

도 6 | 《문신도》, 용도 동벽, 문영로묘

본적으로 일치한다. 이러한 선비鮮卑 복장의 도용陶俑은 모두 북위北魏 효문제孝文帝 태화18년太和十八年(494)의 복식 개혁 이전의 형식으로 북위北魏가 낙양으로 천도하기 이전의 평성시기에 속한다. 문영로북위묘 벽화 중의 낙타도상과 출토 기물은 사마금룡묘(484)와 대동 안북사원 2호묘(송소조묘, 477)에 보이는 낙타도용과 부장기물과 유사하여 연대가 가까울 것으로 생각된다. 문영로 벽화묘는 태화연간의 묘로서 북위가 천도하기 이전에 지어진 것으로 추정한다.[18] 묘실의 벽화내용도 모두 북위 평성시기의 풍격이나 대동 사령 북위 벽화묘와 대동 지가보 석곽

벽화묘와는 회화 풍격이 다르며 외래적인 요소가 보여 북위 평성시기 중서문화 교류의 발달을 반영한다.

6) 산서 회인 벽화묘(단양왕묘)

1992년에 발굴된 산서山西 회인懷仁 벽화묘壁畫墓는 산서성山西省 삭주시朔州市 회인현성懷仁縣城 북쪽 4km 지점에 위치하며 묘장은 남향이고 사파묘도斜坡墓道, 전실前室, 후실后室과 전실 양측의 좌우측실로 구성되었다. 전실과 후실은 모두 정미한 화상전과 화문전花紋磚으로 장식되었다. 주로 전실의 지면地面과 전용도前甬道가 장식되었는데, 문양은 문자文字, 인물人物, 조수문鳥獸紋, 화초문花草紋의 4가지 종류이다. 그 중 출토 묘전에 모제模制 양문陽文의 "단양왕묘전丹揚王墓磚"이 있다. 화문전은 인동문忍冬紋이 주를 이룬다. 묘주 단양왕丹揚王에 대해서는 여러 의견이 있는데 최근의 연구에서는 숙손건叔孫建으로 제시하여 태연3년太延三年

---

18 張慶捷, 劉俊喜, 「大同新發現兩座北魏壁畫墓年代初探」, 『文物』, 2011年 12期; 大同市考古研究所, 「山西大同文瀛路北魏壁畫墓發掘簡報」, 『文物』, 2011年 12期.

(437)경의 묘로 추정한다.[19]

묘도 입구 양측에 벽화가 있는데 수호신의 형상으로 문신도(높이 약 150㎝, 너비 약 90㎝)이다. 용도 동벽 남단에 위치한 문신은 산발한 머리에 짧은 바지를 입고 붉은 색 몸으로 상반신은 나신이다. 삼곡 자세로 오른손에 긴 장대와 다른 손에 금강저를 들고, 왼손 하나에 지물, 다른 왼손은 가슴 앞에 두었다. 한 다리는 땅에, 다른 다리는 산양 위에 짚고 서 있다. 문신의 주변은 바퀴살이 그려진 붉은 적색 원형의 연화문이 둘러싸고 있다. 다른 문신은 용도 서벽 남단에 위치하였고 양 어깨 위에 괴수문이 장식된 갑옷을 입고 있다. 전체적인 모양이 사군묘 입구에 새겨진 신장상과 유사하다. 문신의 발 아래에

도 7 | 《문신도》, 용도 동벽, 회인묘

는 여신이 있다. 신강성 라왁의 신장상과 나신의 여인상을 연상하게 하는 두 명의 문신과 여신은 모두 천의를 어깨에 걸치고 있으며 강렬한 적색의 나신에 삼곡자세가 모두 인도, 중앙아시아 계통 불교 도상과 연관 있어 보인다(도7).

7) 산서 대동현 진장 1호묘

대동 진장陳莊 1호묘는 남향의 사파묘도쌍실전묘로서 묘도, 봉문封門, 전후용도, 전후묘실로 구성되었다. 전실은 전, 후용도 사이에 위치하며 동서 길이 4.86m, 남북 너비 4.4m이다. 후실은 동서 길이 4.28m, 남북 너비 4.18m, 높이 4.87m이다.

전실 내의 벽화는 단순하다. 대부분 홍색 안료로 벽돌 위에 직접 그렸다. 후용도 입구에

---

19   安孝文, 李麗娟, 「山西懷仁北魏丹揚王墓及花紋磚」, 『文物』, 2010年 5期; 「懷仁縣發現北魏丹陽王墓」, 『北朝研究』, 1999 第1輯; 徐光冀 主編, 湯池, 秦大樹, 鄭岩 編, 『中國出土壁畵全集』, 2권 산서 편, 科學出版社, 2011, 도 28, 29, 30.; 李梅田, 「丹揚王墓考辨」, 『文物』, 2011년 12기.

백회를 발라 바탕층을 만들고 아치형 문의 테두리를 홍색으로 그린 것이다. 문의 테두리의 동서 양 가장자리에 홍색 안료로 연주蓮柱를 그리고 주두柱頭 위에 홍, 흑색 안료로 구부러진 목과 긴 꼬리를 가진 용을 그렸다. 두 개의 발이 앞으로 뻗어 있고 꼬리는 꼬여있다. 용의 꼬리 아래에는 세 송이의 원형圓形 중판重瓣의 연화蓮花를 그리고 화면의 빈 곳에 사엽화四葉花 또는 권문圈紋을 그렸다.

후실은 묘실 전체에 백회를 바탕층으로 발랐으나 과반이 탈락하였다. 묘실 네 모서리에 홍색으로 주초柱礎, 기둥, 두공을 그렸다. 두공에는 홍색으로 중판연화重瓣蓮花를 그렸다. 전체적으로 생활하는 가옥 내의 목조구조를 표현하였다.

묘실 천장에는 구비지어 흐르는 은하수가 담긴 성상도星象圖를 가득 그렸다. 은하수를 경계로 동쪽에는 해, 서쪽에는 달이 있다. 홍색의 해 안에는 검은 색으로 금오金烏를 그리고, 달 안에는 두꺼비를 그렸다. 천장 정상 중심부에는 연화문이 장식되었다. [20]

8) 산서 대동 영빈대도 16호묘

산서 대동 영빈대도 북위묘군에서 2002년 8월 대동시 고고연구소에 의하여 채회 벽화가 발견되었다. 영빈대도 16호묘는 묘도, 용도, 묘실로 구성된 전실塼室 벽화묘이다. 용도의 평면은 장방형이며, 묘실의 평면은 호변방형弧邊方形이다. 16호묘는 대동 영빈대도 북위묘군에서 유일하게 벽화가 있는 고분이고, 도굴, 침수 등으로 인해 무덤 천장 및 묘벽의 대부분이 이미 떨어져나간 상태이다. 용도 안쪽과 네 벽면의 아랫 부분만이 약간 남아있을 뿐이다. 벽화는 벽돌로 쌓은 벽 위에 약 0.5cm의 백회를 칠하고, 그 위에 채색 벽화를 그렸다. 인물, 동물 모두 묵선으로 윤곽선을 그린 후 홍색과 흑색으로 채색하였다. 벽화의 내용은 연음宴飮, 거마車馬, 산림山林, 수렵狩獵, 수문장 등이다. [21]

---

20 高峰, 高松, 李曄, 楊春茂, 「山西大同縣陳莊北魏墓發掘簡報」, 『文物』, 2011年 12期.
21 劉俊喜, 「山西大同迎賓大道北魏墓群」, 『文物』 2006年 10期, p.54; 羅宗眞, 『魏晋南北朝考古』, 文物出版社, 2001.

2. 북위 평성의 석곽 벽화

1) 산서 대동 송소조묘

2000년 4월 산서성 대동시 고고연구소는 북위 묘장 11기를 발굴하였다. 전실묘塼室墓가 5기이고 토동묘土洞墓가 6기였다.[22] 제5호 고분인 송소조묘宋紹祖墓(유주자사돈황공幽州刺史敦煌公, 태화원년太和元年, 477)는 장사파묘도단실전축묘長斜坡墓道單室磚築墓로서 묘의 전체 길이는 37.57m이며 묘도와 묘실로 구성되었다.[23] 묘실은 동서 길이 4.24m, 남북 길이 4.13m이다. 묘 앞에 긴 사파斜坡묘도가 있으며 2개의 천정天井이 있다. 평성 지구에서 이른 시기의 천정이 있는 묘도墓道로서, 이러한 종류의 묘도는 16국시기의 돈황 일대에 비교적 많은데 돈황 지역의 묘장 구조가 전해진 것으로 보인다. 사령 벽화묘와 함께 하서지역의 미술이 평성으로 전해져 합해지는 양상을 볼 수 있는 묘이다.

묘실은 길이 3.48m, 너비 3.35m, 높이 2.34-2.40m이다. 묘실 중앙에는 화려하고 정교한 전랑후실식 맞배지붕 전당식殿堂式 석곽石槨이 있으며 곽실 내에 석관상石棺床이 있다(도8). 석곽의 크기는 길이 2.52m, 너비 2.65m, 높이 2.28m이다. 석곽 앞쪽 용도에 연결된 통로에 진묘수와 진묘무사상이 있다. 석곽 앞에는 전랑前廊이 있다. 전랑에는 석제 제사상이 있다. 송소조묘 석곽은 외벽에 두 개의 문을 새기고 양측에 호두문침虎頭門枕을 설치하였다. 문미門楣에는 연화문잠蓮花門簪을 달았다. 외벽 네 면에는 포수鋪首 16개와 포정泡釘 백여개를 조각하였다. 통로 양측과 석곽 양측에는 도용, 우거牛車, 모형동물模型動物, 일용도기日用陶器 등이 놓여 있다.

송소조묘 석곽 안쪽 3면에 그림이 있었으나 많이 손상되어 오직 검은 윤곽선과 옷을 칠한 붉은 색 안료만 식별된다. 석곽 왼쪽 안벽에는 긴 옷에 넓은 소매가 달린 중국복식을 입은 5인의 가무장면이 있다. 후벽에는 중년의 한족 남성 두 명이 앉아서 월금月琴 등의 악기를 연

---

22 山西省考古硏究所, 大同市考古硏究所, 「大同市北魏宋紹祖墓發掘簡報」, 『文物』, 2001年 7期, pp.19~39; Liu Junxi and Li Li, "The Recent Discovery of a Group of Northern Wei Tombs in Datong", *Orientations* 34-5, 2002, pp.542~547; Wu Hung, "A Case of Cultural Interaction: House-shaped Sarcophagi of the Northern Dynasties", *Orientations* 34-5, 2002, pp.34~41; 王銀田, 劉俊喜, 「大同智家堡北魏墓石槨壁畵」, 『文物』, 2001年 7期, pp.40~51; Zhang Qingjie, "New archaeologist and Art discoveries from the Han to the Tang Period in Shanxi Province", *Orientations* 5, 2002, pp.54~60.

23 劉俊喜 主編, 『大同雁北師院北魏墓群』, 文物出版社, 2001.

도 8 | 가옥형 석곽, 송소조묘

주하고 있다. 우벽의 벽화는 알아보기 어려우나 나이든 남성이 앉아 있고 그 아래에 무릎 꿇은 인물이 보인다. 중국 남조의 고개지 화풍을 연상시키는 악기를 연주하는 인물도이다.

4개의 열주가 전면에 세워진 가옥형 석곽은 안가묘, 사군묘, 우홍묘 등의 가옥형 석곽과 석상의 선례가 된다. 가옥형 석곽은 사면에 사각형 수면獸面이 두드러지게 부조로 장식되어 독특한 인상을 준다. 감숙 고대 지경파 위진묘에서 전실에 목조가옥을 모방한 구조가 세워져있는데 돈황 지역 출신인 송소조의 묘의 가옥형 석곽의 연원으로 추정된다.

이러한 가옥형 석곽이 북조 후기의 소그드계 묘주의 고분에서 출토되는 현상으로 인해 조로아스터교 장례 풍습이 영향을 미친 것으로 보는 견해가 있다.[24] 소그드의 종교인 조로아스터교에서는 사람이 죽은 후에 유골만을 추려서 오스아리라는 유골함에 넣어서 나우스라는 공동 장례공간에 안치하는 풍습이 있다. 조로아스터교의 발생지인 이란에서는 실제로는 산 정상에 조장을 하는 공간을 남녀를 구분하여 만들어 놓고 장례를 지내고 오스아리와

---

24 李永平, 周銀霞,「圍屛石榻的源流和北魏墓葬中的祆敎習俗」,『考古與文物』, 2005年, 5期; 施安昌,「北齊粟特貴族墓石刻考-故宮博物院藏建築型盛骨甕初探」,『故宮博物院院刊』, 1999年 2期.

같은 납골기는 사용하지 않는다. 오스아리를 사용한 장의법은 소그드 지역에서 변용되어 출현한 것이다. 소그드의 오스아리는 대개 타원형의 몸체에 원추형의 덮개의 형태를 갖고 있으며 크기가 작지만 건축물의 형태와 그 장식을 본뜬 것이 많다. 따라서 이러한 나우스와 오스아리를 이용하는 장례방식이 중국에 들어오면서 변화된 것이 송소조묘에 보이는 가옥형 석곽으로 생각된다.

안가묘, 사군묘 등의 가옥형 석곽이나 석상에 수렵도, 연회도, 가무도로 구성되는 주제를 배치한 것은 북방문화권대에서 선호하던 주제들을 반영한 것이다. 송소조묘 석곽의 수면 장식은 신강 호탄, 아프가니스칸 바미얀 등에서 많이 볼 수 있는 문양으로 동위 여여공주묘, 북제 서현수묘, 북제 누예묘 출토 준尊 장식에도 출현하며 수대의 섬서 삼원현 출토 수면獸面 석관에도 관의 측면에 크게 장식되어있다. 삼원현 출토 석관은 관개棺蓋에 연주문으로 둘러싸인 멧돼지상과 같이 서역계 모티프가 다수 장식되어있어 서역계 석각의 전통 안에서 제작된 것임을 알 수 있다. 보다 이르게는 북경 석경산 팔각촌 위진시대 벽화묘에서도 석곽의 사용과 석곽의 외면 상단의 수면 장식을 볼 수 있다. 묘실 안에 장방형 석곽을 만들고 그 내부의 삼면에 벽화를 그렸다. 후벽의 정면 묘주초상은 요양 상왕가촌 벽화묘와 조양 원대자 벽화묘와 같이 주미를 들고 앉아있다. 팔각촌 위진묘의 수면 장식은 조로아스터교의 상징으로 해석되어 중국 동북지역에 이른 시기에 출현한 서역적 문화의 모티프라고 할 수 있다.

송소조묘 도용의 구성에서는 북방 유목민의 유목 경제와 군대의 특색도 볼 수 있는데 선비족 군대의 주요 병종兵種의 특색을 가진 기갑 도용들과 선비족 복식을 입은 많은 도용들이 나왔다. 4명의 심목고비를 가진 호용胡俑은 북위 궁정 내에서 행해지던 사이가무四夷歌舞에서 서역 음악이 중요한 위치를 차지했음을 알 수 있게 한다. 송소조묘의 호인기악도용은 이란 케르만사의 터키 부스탄 대석굴의 기마인물상 부조에서 보는 보요 장식이 옷의 전면에 달려 있다. 송소조묘와 같이 발굴된 2호묘에서도 곡예를 하는 심목고비의 호인胡人 도용陶俑이 발견되었다. 같은 묘에서 나온 유목민족 고유의 천막과 유르트yurt 모형은 태화太和 시기에 이르러 한화漢化되어 갔지만 여전히 유목민족의 풍습을 가지고 있던 탁발 선비족의 생활방식을 말해준다.[25]

---

25 Liu Junxi and Li Li, "The Recent Discovery of a Group of Northern Wei Tombs in Datong," *Orientations*, 34-5, Pacific Communications, 2002, pp. 542~547.

2) 산서 대동 남교 지가보 석곽 벽화묘

1997년 7월 대동大同 남교南郊 지가보智家堡에서 발견된 석곽石槨 벽화묘壁畵墓는 토동묘 내부에서 벽화가 그려진 맞배지붕 형식의 석곽이 나왔다.[26] 지가보묘 석곽은 길이 2.43m, 너비 1.54m, 높이 1.64m이다. 석곽石槨 사면四面에 그림이 그려졌다.

같은 해 9월 관판화棺板畵가 발견된 지가보智家堡 북위묘北魏墓에서 남서쪽 20m 거리에 있다. 석곽의 벽화는 부드럽게 다듬은 돌 위에 안료로 직접 그렸다. 석곽 내부의 후벽에는 묘주와 부인을 포함한 9명의 선비족 복장을 입은 인물도가 나타난다(도9). 화면의 중앙에는 묘주와 부인이 장방 아래에 탑榻 위에 앉아 무덤 출입구를 향하고 있다.

3명의 시종이 묘주 부부 뒤의 병풍에 부분적으로 가려져 보인다. 묘주부부의 좌우에는 4명의 시종이 더 있는데, 두 명의 남자시종은 묘주의 옆에, 두 명의 여자시종은 묘주부인의 옆에서 시중들고 있다. 석곽의 좌우벽에는 마차와 마부, 말, 정원庭園, 천인天人, 인동덩굴 무늬 등이 묘사되었다. 지가보 석곽묘의 묘주 부부 정좌상은 사령 벽화묘의 벽화와 칠관화에 보

도9 《묘주부부도》, 후벽, 지가보 석곽묘, 산서성박물관

---

26   王銀田, 劉俊喜, 「大同智家堡北魏墓石槨壁畵」, 『文物』 2001年 7期; Liu Junxi and Li Li, "The Recent Discovery of a Group of Northern Wei Tombs in Datong," *Orientations*, 34-5, 2002, pp. 542-547; Wu Hung, "A Case of Cultural Interaction: House-shaped Sarcophagi of the Northern Dynasties, *Orientations*, 34-5, 2002, pp. 34-41.

이는 묘주부부도와 형식이 같아 평성지역의 전형적인 묘주부부상임을 알 수 있다. 이러한 묘주부부 정좌상의 형태는 북제 서현수묘와 누예묘의 묘주부부 병좌상으로 계승된다.

이 묘의 벽화에는 우인羽人을 제외하고 총 12인이 그려졌는데, 묘주 뒤편의 3명은 머리만을 그렸고, 남벽의 두 명의 마차를 부리는 사람은 복식이 분명하지 않다. 나머지 16명은 모두 선비복식을 입고 있다. 대부분의 인물이 선비복장을 입은 사실은 이 묘의 연대가 효문제가 복식을 태화18년(494)에 개혁하기 이전, 즉 낙양 천도 이전이라는 것을 설명해준다. 북벽의 묘주가 유장 아래에서 병풍을 뒤에 두르고 주미를 들고 탑상榻上 위에 앉아있는 모습은 위진 이래 전형적인 묘주도의 특징이다. 유사한 묘주도는 고구려 안악 3호분(357), 요양 상왕가촌진묘, 고원칠관화묘가 있다.[27]

3) 산서 대동 장지랑 석곽 벽화묘

지가보 석곽 벽화묘와 유사한 석곽 벽화묘가 2011년 사령 벽화묘 인근인 대동시大同市 어하동御河東 시공안국공지市公安局工地에서 발견되었다. 모덕조毛德祖의 처妻 장지랑張智朗의 묘로서 장지랑은 문성제文成帝 화평원년和平元年(460)에 장사를 지냈다. 토광묘土壙墓로 석곽과 석상石床으로 구성되었다. 석곽의 크기는 약 2.59m×2.41m×1.75m이다. 석곽의 형태는 지가보 석곽묘와 유사하다. 석곽에는 무사, 시녀, 우인羽人, 봉황, 수목, 포수鋪首, 석관상에는 포도넝쿨문, 물결문, 수면獸面, 화훼 도안이 있다.

대동에서 초기 북위묘는 많은 경우 묘명墓銘이 없고, 석각石刻, 전각磚刻과 묵서명지墨書銘志는 북량, 삼연, 남조에서 북위로 유입된 이들의 묘장 가운데 나온다.[28] 북위 평성 시기의 묘명, 묘전墓磚, 묘비墓碑(비형묘명碑形墓銘)는 많은 경우 광내壙內 혹 묘도 가운데 위치하였으며, 파다라태부인破多羅太夫人 벽화묘 칠화제기漆畵題記와 양발호묘梁拔胡墓 제기題記와 같이 묘벽 혹은 광壙 가운데 위치한 기물 위에 적은 것도 있다. 묘문석 혹은 석곽 외벽에 새긴 것도 있

---

27 王銀田, 劉俊喜, 「大同智家堡北魏墓石槨壁畵」,『文物』, 2001年 7期.

28 동쪽에서 온 사례로는 正平元年(451)의 孫恪墓銘, 興安三年(454)의 韓賌眞妻王亿变碑, 延興二年(472)의 申洪之墓銘, 太和十四年(490)의 屈突隆業墓磚銘, 太和十六年(492)의 蓋天保墓磚銘이다. 서쪽에서 온 묘지명으로는 太延元年(435)의 破多羅太夫人壁畵墓漆畵題記, 太安三年(457)의 尉遲定州墓門石刻銘, 和平二年(461)의 梁拔胡壁畵墓題記, 天安元年(466)의 叱干渴侯墓磚銘, 延興六年(476)의 陳永夫婦墓磚銘, 太和元年(477)의 宋紹祖墓磚銘 및 墓頂刻石, 太和八年(484)의 楊衆度磚銘이다. 남조에서 온 것은 延興四年(474)의 欽文姬辰墓銘, 太和八年(484)의 司馬金龍墓表와 墓銘, 和平元年(460)의 毛德祖妻張智朗石槨銘이다.

는데 위지정주묘문석각명尉遲定州墓門石刻銘은 묘문석 외측 중상방에 있고, 모덕조 처 장지랑 석곽명石槨銘은 석곽문 외우벽外右壁 상방上方에 있다.

　모덕조는 남조의 송에서 활동하다가 북위로 옮겨와 활동한 장군으로『진서陳書』,『송서宋書』 등에 그 이름이 기록되어있다. 석곽의 조각이 화려한데 석곽 문의 좌우 양벽에 고부조로 복련의 연화포수를 조각하였고, 문미 위에는 연화좌를 장식하였다. 석곽의 내부의 관상의 상층에는 포도덩쿨문, 하층에는 요동치는 물결문이 있고, 가운데에는 수면문이 있다. 북위 사마금룡묘의 석상의 조각과 유사한 석각 장식 석상이다. 석곽 내벽에는 인물과 말, 석곽 좌우벽에 무사, 석문 안쪽에 시녀, 석문 외측에 두 명의 우인, 한 쌍의 봉황, 수목 등이 새겨져 있다. 홍, 백색을 위주로 채색하고 석곽 외벽의 포수와 원형의 연화 장식에는 도금 흔적이 있다.

4) 산서 대동 서경박물관 소장 해흥석당

　해흥석당解興石堂(길이 2.16m, 너비 1.05m, 높이 1.18m, 458년)은 30매의 석판으로 구성되었으며 천장은 평천장이다. 석당의 네 벽은 12매의 석판으로 구성되었으며 후벽(너비 110cm, 높이 93cm, 두께 10cm), 좌우벽(각 너비 89cm, 높이 98cm), 전벽(좌우측판 너비 80cm, 높이 93cm, 문 한짝 너비 50cm, 높이 90cm)이다. 석당의 벽면에 백회를 한층 바르고 채회를 하였다. 네 벽면에 모두 벽화가 있다. 전벽前壁에 문지기상(진묘무사)과 방목도, 주방도, 서수도, 수목도, 후벽에 묘주부부연음도, 좌우벽에 야외주악도가 그려져 있다(도10).[29] 묘주부부가 나란히 앉은 후벽의 벽화는 지가보 석곽벽화의 묘주부부도와 형식이 거의 같다. 전벽의 방목도와 서수도는 전벽의 중요 제재인 문지기상에 비하여 상당히 작게 묘사되었는데 제재의 크기와 형식으로 미루어 신성채회전묘나 서구채회전묘의 각각의 벽돌에 그려졌던 제재들의 화고를 사용하여 한 화면에 다소 무질서하게 배치한 결과로 보인다. 이렇게 문지기상과 생활풍속도, 서수도, 수목도 등의 특정 제재를 한 화면에 결합하는 방식은 섬북지역 동한대 화상석의 묘문 화상석에 보이는 특징이기도 하다.

　석당의 좌우벽은 야외주악도이다. 배경이 되는 나무들의 낮고 고졸한 형태는 고구려 덕흥리 벽화분과 장천1호분, 그리고 감숙 가욕관 신성묘군과 주천 정가갑 5호분과 유사하다. 악기와 악사들은 감숙 주천 정가갑 5호분의 전실 후벽의 묘주 앞에서 행해지는 주악도와 배

29　大同北朝藝術研究院 編,『北朝藝術研究院藏品圖錄, 青銅器, 陶瓷器, 墓葬壁畫』, 文物出版社, 2016, pp. 50-53.

도 10 |《묘주부부도》, 후벽, 해홍석당, 서경박물관

도 11 |《문지기도》, 전벽, 해홍석당, 서경박물관

치 및 형식이 유사하다.

　해홍석당과 유사하면서 보다 정제된 벽화 구성을 가진 사령묘는 안악 3호분과 덕흥리 벽화분의 영향이 많이 보인다. 평성시기의 고분회화는 사령벽화묘에서 구성과 배치 형식이 완성되었다고 볼 수 있다. 사령묘의 묘주도, 행렬도, 주방도 등의 벽화 주제와 구성은 이후에 평성의 다른 묘에서 벽면의 벽화, 목관의 관판화, 석곽의 벽화로 반복적으로 그려지게 된다. 해홍석당과 같이 『북조예술연구원장품도록北朝藝術硏究院藏品圖錄』에 소개가 된 서경박물관 석관 벽화가 있는데 좌우 석관의 제재의 배치와 구도가 사령묘와 흡사하다. 유사한 화고를 사령묘, 지가보 석곽 벽화, 지가보 관판화, 해홍석당 등 묘실과 석관 벽화 및 목관화

에 반복적으로 사용한 것을 볼 수 있다(도11).[30]

5) 산서 유사현 화상석관

대동시와 그 인근에서 발견된 묘장 외에 1976년 발견된 산서山西 유사현楡社縣 북위北魏 화상석관畵像石棺은 앞이 넓고 뒤가 좁은 선비족 특유의 관 형태이다. 석관에는 묘주 부부가 앉아 연회 음식을 즐기고 있는 장면, 무용수와 악사가 비파, 피리, 요고를 연주하는 장면, 사후死後 청룡을 타고 승천하는 장면, 묘주인 생전 출행도, 수렵도, 잡기도 등이 묘사되었다.

석관은 방판幇板 2개, 비석碣 1개가 있다. 방판의 길이는 220㎝, 너비는 80㎝, 두께는 10㎝이다. 오른쪽 방판에는 화면 중앙에 청룡을 타고 승천하는 선인(또는 묘주)가 있고, 청룡의 앞에는 말을 타고 행렬하는 묘주, 청룡의 뒤에는 나무 아래 연회를 즐기는 묘주가 묘사되었다. 왼쪽 방판은 백호가 화면 중앙에 배치되었고 백호의 앞에는 잡기공연도, 뒤에는 수렵도가 조각되었다. 비석의 높이는 90㎝, 너비는 66㎝, 두께는 8㎝이다. 반원형인 윗부분이 넓고 아랫부분이 좁은 형태이다. 비석의 상단에는 비문이 새겨져 있다. 비문 아래에는 묘주인 부부가 평대에 앉아 연회를 즐기는 장면이 있으며, 양측에는 시중을 들고 있는 시자와 주작朱雀이 그려져 있다. 묘주 부부 아래에는 악사와 무희가 있는데, 악사는 비파를 치거나, 피리를 불고 있으며, 손으로 요고腰鼓를 치고 있다. 비석의 윗부분에 새겨진 묘주의 이름은 "방흥方興"으로, 태화太和 연간(477)에 응천태수應川太守를, 희평熙平 연간(516)에는 추원장군군태수逐遠將軍郡太守를 역임하고 북위 신구神龜 연간(518~520)에 향년 60세로 사망하였다.[31]

6) 하남 낙양 영무부부묘 석곽

하남河南 낙양洛陽 영무부부묘寧懋夫婦墓 석곽石槨(북위 효창3년孝昌三年, 527)은 낙양천도 후에 만들어진 것으로 맞배지붕 형태의 석곽이며 외벽外壁 가운데에 방형문을 만들었으나 문광門框, 문미門楣와 문비門扉는 없다(도12). 내외벽에 음선구륵陰線勾勒와 천감지선각기법淺減地線刻技法으로 화상을 조각하였다. 석곽의 크기는 길이 2m, 너비 0.78m, 높이 1.38m이다. 석곽 정면 문 양측에 각각 한 명의 무사를 새겼다. 좌벽 외면에는 동영董永과 동안董晏의 고

30　大同北朝藝術研究院 編,『北朝藝術研究院藏品圖錄, 靑銅器, 陶瓷器, 墓葬壁畵』, 文物出版社, 2016, pp.55-57.

31　王太明,「山西楡社縣 發現北魏畵像石棺」,『考古』, 1993年 8期.

도 12 | 석곽, 영무부부묘, 보스턴미술관

사를 새기고, 내면에는 시녀, 우거를 새겼다. 우벽 외면에는 정란丁蘭과 순舜의 고사이다. 내
면에는 시녀와 안마鞍馬를 새겼다. 후벽 정면은 세 부분으로 나누어 중앙은 공백이고 양측에
포주도를 새겼다. 배면에는 세 폭의 묘주 초상이다. 내벽의 하부에는 아무런 장식이 없는데
원래 관상棺床 혹은 탑榻이 설치되었을 가능성이 있다.[32]

3. 북위 평성의 채회목관과 칠병풍

북위 묘장 출토 채회목관은 영하 고원 칠관화묘, 산서 대동 지가보묘, 대동 호동 1호묘, 대동 남교 북위묘군 185·229·238·253호묘, 대동 사령 7호묘, 내몽고 화림격이 북위묘, 내몽고 찰우기察右旗 칠랑산七郞山 10호묘10號墓 등에서 출토되었다.[33] 북방지역의 위진묘인 감숙의 가욕관 채회전묘군과 고대 지경파묘군, 요녕의 풍소불묘에서도 채회목관이 나온 바 있다. 칠관화의 출토 지점은 북방문화권대를 따라 주로 분포되었으며, 하서지역에서 먼저 만들어지고 평성지역으로 이어지는 전파 흐름을 읽을 수 있다.

1) 영하 고원 북위묘

비록 대동大同에서 멀리 떨어져 있으나 평성시기인 486년경의 연대를 가진 영하寧夏 고원固原 칠관화묘는 1973년 여름 고원성固原城으로부터 서쪽으로 약 2.5㎞ 거리의 뇌조묘촌雷祖廟村 부근에서 1981년 발굴되었다.[34] 묘도, 용도, 묘실로 구성되었으며 묘도의 길이는 16m, 용도의 길이는 2.9m이다. 묘실은 정방형으로 3.8×3.8m이고 높이는 3.9m이다. 묘에서 출토된 관관은 관 덮개, 관 앞면, 관의 좌우 면이 남아있다. 앞이 넓고 뒤가 좁은 모양의 관 덮개의 상부에는 동왕공東王公과 서왕모西王母가 있고, 관 덮개의 중앙을 흐르는 은하수 좌우로 마름모꼴 문양이 장식되어있다.[35]

고원 칠관의 앞면에는 선비족 복장을 입은 묘주 연음도가 있다. 관의 측면은 삼단으로 구성되어 있다. 상단은 효자도, 중단은 동물이 들어간 귀갑문, 하단은 수렵도가 그려져 있다 (도13, 14). 고원 칠관화묘는 산서 대동의 북위 벽화묘들이 발굴되기 전에는 북위 고분 회화

---

33 북방지역의 칠화목관에 대하여는 韋正, 『魏晉南北朝考古』, 北京大學出版社, 2013, p.328.

34 『原州古墓集成』에서는 477-499년으로 연대가 되어있다. 寧夏回族自治區固原博物館, 『原州古墓集成』, 文物出版社, 1999.

35 寧夏固原博物館, 『固園北魏墓漆棺畵』, 寧夏人民出版社, 1988; 孫機, 「固園北魏漆棺畵研究」, 『文物』, 1984年 2期; ___, 「固園北魏漆棺畵」 『中國聖火』, 遼寧教育出版社, 1996; 韓恭禮, 「固園漆棺彩畵」, 『美術研究』, 1984년 2기, pp.3~11; Patricia Eichenbaum Karetzky and Alexander C Soper, "A Northern Wei Painted Coffin," *Artibus Asiae* 51 (1991), pp.5~28; Elizabeth M Owen, "Case Study in Xianbei Funerary Painting : Examination of the Guyan Sarcophagus in Light of the Chinese Funerary Painting Tradition," University of Pennsylvania MA Thesis, 1993; Luo Feng, "Lacquer Painting on a Northern Wei Coffin," *Orientations* 21-7 (1990), pp.18~29.

도 13 |《묘주도》, 칠관 앞면, 고원묘

도 14 |《효자고사도와 장식문》, 칠관 옆면, 고원묘

를 대표하는 예로서 잘 알려져 있었다. 동한대 이래 전형적인 묘장미술의 주제인 효자고사도에 선비족 복식을 입은 인물형의 묘사, 삼각화염문과 수렵도에 보이는 고구려 벽화와의 유사성, 잔과 주미를 들고 앉은 묘주도와 귀갑 연주문 내부의 불교의 보살형 인물상, 사산조 페르시아 주화의 부장, 중앙아시아계 인물이 묘사된 포수함환 장식 등 다양한 문화요소가 혼합되어 북위시기의 묘장미술에 담겨진 문화적 포용성을 잘 보여준다.

2) 산서 대동 지가보묘

고원 칠관화에 비하여 대동 지가보묘智家堡墓와 호동湖東 1호묘에서 출토된 관판화棺板畵는 많이 손상된 상태로 발견되어서 관판화棺板畵의 전체적인 구성을 알아보기 쉽지 않다. 산서성 대동시 고고연구소는 1997년 9월 대동시 남쪽 1.5㎞ 거리의 지가보촌智家堡村 북쪽에서 도굴당한 북위묘장을 발견하였다.[36] 같은 해 7월에 발견된 북위 지가보 석곽벽화묘가 가깝게 위치하여 있다.

지가보 관관화묘는 사파묘도토동묘로서 묘도, 봉문, 묘실로 구성되었다. 묘실에서 나온 3개의 선명한 송목松木 채회관판彩繪棺板(두께 약 0.12m)은 부분 손상된 채로 보고되었다. 관판 A는 행렬도와 수렵도로 좌우 구분되어있으며, 관판 B는 흰 장막이 쳐진 가옥이 화면의 중앙에 있으며 그 왼편에는 시종들이 열을 지어 서있고 오른편에는 음식을 하는 시종들이 보인다. 관판 C에는 수레들이 한 방향으로 세워져 있다(도15).

지가보智家堡 관판棺板 잔편殘片 A는 남은 길이가 1.53m, 너비가 0.08~0.33m이다. 황색으로 바탕을 칠하고, 주선朱線과 묵선墨線으로 인물, 동물, 산수, 수목, 화훼 등의 그림을 그렸다. 그리고 홍, 백, 묵, 청, 녹 등의 색을 더했다. 산수를 경계로 좌측에는 대형 거마 행렬 대열이, 우측에는 수렵장면이 그려졌다. 행렬도과 수렵도에는 35명의 인물, 세 대의 우거牛車, 9필의 말, 동물 및 산수, 수목 등이 있다. 묘주는 우거에 타고 앞뒤로 시종을 거느리고 나아가고 있다.

지가보 관판화棺板畵 A의 우측 수렵도는 유목민족인 탁발선비족의 수렵 생활을 보여준다. 지그재그형의 산악과 유운문이 행렬도와 경계를 짓는다. 달리는 멧돼지를 활과 화살로 잡는 인물, 말을 타고 뒤로 활을 쏘는 인물 등이 그려졌다. 사냥도의 지그재그식 움직임이나

---

36 劉俊喜, 高峰, 「大同智家堡北魏墓棺板畵」, 『文物』, 2004年 12期.

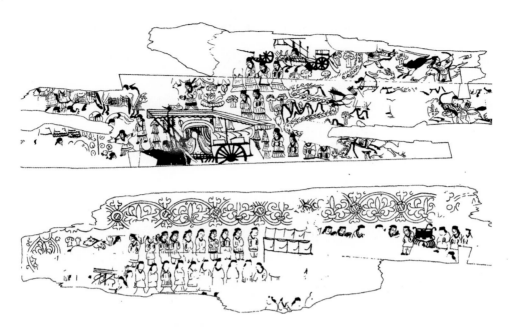

도 15 │《거마행렬과 수렵도》, 관판 A(상),《주방도》, 관판 B(하), 지가보묘

파르티안 샷 등이 고구려 장천 1호분의 수렵도와 유사하다.

지가보 관판화 B는 인물 37인, 우거 한 량, 말 두 필 등이 있다. 화면 좌측에는 시종들이 열을 지어 중앙의 장막을 향해 서있다. 우측의 주방도의 주준酒樽과 곡족曲足 칠안漆案은 감숙 주천 정가갑 십육국 벽화묘 묘실 서벽에 그려진 것과 기본적으로 일치한다.

지가보 관판화 C에는 우거牛車들이 그려졌다. 우거는 대동 안북사원雁北師院 출토 북위 태화원년太和元年 송소조묘宋紹租墓(477)의 도거陶車와 일치한다.

관판 B와 C의 가장자리에는 당초문양이 둘러져 있어 원래 관판의 둘레에 장식무늬가 그려져 있었을 것으로 여겨진다. 관판 A에는 출행, 잡기, 수렵, 산림, 수목, 유운 등이 하나의 공간에 집중 배치된 반면, B와 C는 인물과 차량을 수평으로 배치, 상중하 3단 배치법을 사용하였다. 관판채화棺板彩畵에 그려진 인물들은 남녀 모두 선비 복식을 입고 있다. 회화 제재와 기법은 한족 복장의 열녀고사를 그린 사마금룡묘의 목판 칠화와 다르며 주로 북방 선비족의 생활풍속을 그려서 북위 평성시기의 회화에 중요한 자료를 제공한다. 묘의 위치나 관판화 내용으로 보아 5세기 북위 평성시기 고분으로 여겨진다. 우거출행도, 수렵활동, 연음宴飮, 장식 문양 등의 내용은 탁발선비족 생활풍속의 자료를 제공한다. 관판화에는 세 가지 종류의 수레가 등장하는데 사마금룡묘 목판칠화와 지가보 석곽벽화와 유사하다.

지가포 관판채화는 평성시기 제작된 채회관 중에서 고구려 생활풍속도 벽화와 가장 유사한 표현과 주제를 보여준다. 수렵도와 행렬도를 구분하는 경계에 지그재그로 소용돌이형 문양을 연이어서 그렸는데 고구려 감신총 전실 서쪽 천장의 서왕모가 앉은 곤륜산을 표시하는 문양과 유사하다.

3) 산서 대동 호동 1호묘

1986년 8월 산서성 대동시 고고연구소는 대동시 동남쪽 약 16㎞ 거리의 대동현大同縣 두장향杜莊鄉에서 북위시대 묘군을 발견하고 9월에 무덤들을 청리하였다.[37] 그 중에서 최대 규모의 고분 중 하나인 호동湖東 1호묘一號墓에서 관판화棺板畵가 출토되었다. 이 무덤은 사마금룡묘司馬金龍墓의 북쪽 약 7㎞ 지점에 위치하였다. 11월까지 진행된 이 무덤의 발굴에서는 화문花紋, 연주문聯珠紋 등이 그려진 관목칠棺木漆 잔편殘片이 후실에서 발견되었다. 일찍 도난당한 고분으로 묘도, 용도, 전실과 후실로 구성되어있다. 전실前室은 너비와 길이가 3.82m, 남은 높이는 0.82m이다. 후실의 너비와 길이는 4.2m이고 남은 높이는 1.12m이다. 도난을 당하여 곽판槨板, 관 덮개棺蓋가 묘실 사방에 흩어져 있었다. 곽槨과 관棺은 앞이 넓고 뒤가 좁은 선비족鮮卑族의 특유의 형식을 갖고 있다. 목곽은 길이 2.8m, 높이 1.12~1.73m, 앞 너비 1.73~1.8m이다. 목관 내에 남자유골 일부가 발견되었다. 관판棺板에는 중앙아시아계 장식문인 연주문聯珠紋과 가옥도 등이 그려져 있다.

4) 산서 대동 사마금룡묘

산서 대동지역 회화유물 출토 묘 가운데 마지막으로 이부상서吏部尙書 사마금룡司馬金龍과 부인 희진姬辰의 묘(474~484)는 대동시 동남쪽 석가채촌石家寨村에 위치한다.[38] 1965~1966년에 산서성고고연구소와 대동시박물관이 연합으로 발굴하였다. 벽돌로 축조한 다실묘多室墓로서 묘도墓道(길이 28.1m), 묘문墓門, 전실용도前室甬道, 전실前室(길이 4.56m, 너비 4.43m, 높이 4.31m), 후실용도后室甬道, 후실后室(길이 6.12m, 너비 6.01m, 높이 5.2m), 이실용도耳室甬道, 이실耳室로 구성되었다. 북위北魏 조기早期의 묘 중에서 최대 규모의 묘 가운데 하나이다. 사마금

---

37 高峰,「大同湖東北魏一號墓」,『文物』 2004年 12期.

38 大同市博物館,「山西大同石家寨北魏司馬金龍墓」,『文物』 1972年 3期; Lucy Lim, Northern Wei Tomb of Ssu-ma Chin-lung and Early Chinese Figure Painting. Ph. D. dissertation. New York Unversity, 1989.

도 16 | 《열녀도》, 칠병, 사마금룡묘

룡은 북위 효문제孝文帝 태화太和8년인 484년에, 그리고 그의 아내는 연흥延興4년인 474년에 장사를 지냈다. 모두 454건의 진귀한 문물이 출토되었으며 도용이 가장 많다. 석관상石棺床, 석조주초石雕柱礎 및 목판칠화木板漆畫가 특히 중요하다. 석관상 조각 및 석조 주초의 조형이 아름다우며 조각이 정세하며 조각 내용은 운강석굴 조각과 유사하다. 석조주초는 병풍의 지좌支座일 가능성이 높다.

채화칠병풍彩畫漆屏風은 후실 용도 서측에서 발견되었다(도16). 이미 많이 파손되었으나 5점이 남아 내용을 살펴볼 수 있다. 비교적 보존이 양호한 다섯 개의 큰 잔편들은 크기(길이 약 80㎝, 너비 약 20㎝, 두께 약 2.5㎝)가 서로 비슷하다. 사마금룡묘의 채색 칠병은 한나라 학자 유향劉向이 기원전 1세기에 쓴 104편의『열녀전烈女傳』에 기반하고 있다. 고원 칠관화의 효자도과 같이 역사고사에 기반한 교훈적인 소재이다.

묘실 축조에 사용된 청회색의 벽돌(길이 33cm, 너비 16cm, 두께 6.5cm)은 약 5만 개에 달하는데 횡단면에 "낭야왕사마금룡묘수전琅琊王司馬金龍墓壽磚"의 열 개의 글자가 담긴 벽돌을 특별하게 제작한 것을 알 수 있다. 석묘지石墓誌 3건이 나왔는데 묘문 상부에서 출토된 사마금룡 묘표墓表(높이 64.2cm, 너비 45.7cm, 두께 10.5cm), 후실 용도 남단의 동측에서 나온 사마금룡 묘지명墓誌銘(높이 71cm, 너비 56cm, 두께 14.5cm)과 희진 묘지명(길이 30, 너비 28, 두께 6cm)이다. 사마금룡 묘지명의 명문은 묘표와 기본적으로 같다. 사마금룡묘지와 묘표는 이후의 북위에서 유행한 묘지와 크게 차이가 있고 묘문 상부에서 출토된 점이 독특하다.

사마금룡묘 칠병풍의 인물들은 동진의 고개지의 〈여사잠도〉와 유사한 인물화 기법으로 묘사되어 위진남북조시대 인물화의 특징을 잘 보여준다. 한편 병풍화에 그려진 인물들의 복식과 출토 도용의 유목민계 복식이 대조되는데 도용들의 복식은 기마에 용이하게 되어있다. 사마금룡이 선조의 계통상 남조의 진왕조와 연관되어 있으면서 북위의 수도 평성에 묻힌 탓에 당시의 북조와 남조의 문화가 융합되는 양상을 살펴볼 수 있다. [39]

4. 북위 낙양의 벽화묘와 석관 선각화

북위가 493년 낙양으로 천도한 이후 낙양지역에 조성된 벽화묘로는 1974년 낙양시洛陽市 전해자촌前海資村 서남쪽에서 발견 조사된 낙양 북향양촌北向陽村 효창2년孝昌二年(526) 강양왕江陽王 원예묘元乂墓, 1989년 청리한 낙양洛陽 맹진북진촌孟津北陳村 태창원년太昌元年(532) 안동장군安東將軍 왕온묘王溫墓, 1965년과 1992년 조사한 낙양 낙맹공로洛孟公路 정광원년正光元年(525) 청하군왕淸河郡王 원괴묘元怪墓이다. [40]

낙양 출토 석관으로는 미국 캔자스시티 넬슨 앳킨스 갤러리 소장 효자도석관과 미네아폴

---

39 陳戉國, 『魏晋南北朝禮制硏究』, 湖南教育出版社, 1995; Bonnie Cheng, "Attending the Dead: Shifting Needs of the Dead and Modes of Presentation of Figurines in Sixth Century Northern Dynasty Tombs," Wu Hung ed., *Between Han and Tang III: Art and Material Culture in a Transformative Period*. Wenwu Press, 2003, pp. 425~469; 大同市博物館, 「山西大同石家寨北魏司馬金龍墓」, 『文物』1972年 3期; Lucy Lim, "Northern Wei Tomb of Ssu-ma Chin-lung and Early Chinese Figure Painting," Ph.D. dissertation. New York University, 1989.

40 洛陽博物館, 「河南洛陽北魏元乂墓調查」, 『文物』, 1974年 12期; 洛陽博物館, 「河南洛陽北魏元乂墓調查」, 『文物』, 1995年 8期; 徐蟬菲, 「洛陽北魏元怪墓壁畵」, 『文物』 2002年 2期.

리스미술관 소장 원밀석관(524), 낙양박물관 소장의 낙양 상요촌석관上窯村石棺, 하남성 낙양 고대예술관 소장 석관, 하남성 개봉시박물관 소장 용호석관 등이 있다.

1) 원예묘

북위 황릉皇陵 구역 내 배장묘 중의 원예묘元乂墓는 장사파묘도가 달린 남향의 방형의 전실묘磚室墓이다. 원예(486~526)는 도무제道武帝 탁발규拓拔珪의 현손玄孫이다. 묘실은 길이 7.5m, 동서 너비 7m, 높이 약 9.5m이다. 용도甬道 동서 양벽에 수문무사守門武士를 그렸다. 묘실 벽면과 천장에 채회를 하였다. 네 벽 벽화는 이미 파괴되어 상단의 사신도상 흔적만 남아있다. 묘실 천장의 "성상도星象圖"는 보존이 완정하다. 은하가 남북으로 관통하여 흐르는데 300여 개의 별자리의 대다수가 선으로 연결되어 많은 부분의 별자리가 분별 가능하다. 성상도의 천상은 당시의 실제 천상을 반영하는 것으로 고증된다. 중국에서 발견된 비교적 이른 시기의 크기가 큰 한 폭의 "천상도天象圖"이다.

2) 왕온묘

하남성 낙양 맹률북진촌孟津北陳村에 소재한 북위 왕온묘王溫墓는 1989년 낙양시洛陽市 문물공작대文物工作隊에 의해 발견되었다. 단실토동묘單室土洞墓이며 장사파묘도와 근정방형 평면의 묘실(남북 길이 2.8m, 동서 너비 3m)로 구성되었다. 묘실 동벽의 벽화(길이 2.8m, 높이 1.6m)가 잘 보존되었다. 화면 중부에 원림園林 풍경 가운데 가옥을 그리고 가옥 안에 병풍이 있으며, 남녀 2인이 병풍 앞에 단정하게 앉아있다. 우측에 남자가 앉고 좌측 여자는 남자를 향해 앉았다. 유옥帷屋 좌측과 우측에 각각 세 명의 여자시종들이 있다. 가옥의 앞에는 한 명의 동자가 공손하게 서있다.[41] 묘지墓志에 의하면 묘주의 이름은 왕온王溫이며, 자字는 평인平仁, 연나라燕國 낙랑樂浪 낙도樂都 사람이다. 보태普泰2년에 죽었으며 사지절무군장군使持節撫軍將軍 영주자사瀛州刺史의 관직을 지낸 것으로 되어있다. 무덤의 유형과 부장품 종류는 낙양 북위 원소묘元邵墓(527)와 유사하다. 묘주가 태창1년太昌一年(532)에 묻힌 것으로 되어있으므로 북위 말기 묘장이다.[42]

---

41   鄭岩, 『魏晉南北朝壁畵墓硏究』, 文物出版社, 2016, pp.87-88

42   朱亮, 李德方, 「洛陽孟津北陳村北魏壁畵墓」 『文物』, 1995年 8期; 羅宗眞, 『魏晉南北朝考古』, 文物出版社, 2001.

3) 원역묘

낙양 낙맹공로 동쪽의 청하군淸河郡에 소재한 원역묘元懌墓(정광원년正光元年, 525)는 1948년 도굴을 당하여 묘지가 나왔으며 1965년과 1992년에 발굴 조사하였다. 원역(487~520)의 자字는 선인宣仁으로 하남河南 낙양 사람洛陽人이며 북위北魏 종실宗室 대신大臣이고 효문제孝文帝 원광元宏의 네 번째 아들이다. 태화太和21년(497) 청하문헌왕淸河文獻王으로 봉해졌다. 선무제 초에 시중侍中이 되었다. 신귀3년神龜三年(520)에 영군장군領軍將軍 원차元叉와 엄관閹官 유등발劉騰發이 정변을 일으켜 34세의 원역을 살해하였다. 정광사년 복원되어 사지절使持節, 가황월假黃鉞, 태사太師, 승상丞相, 대장군大將軍, 도독중외제군사都督中外諸軍事, 녹상서사錄尚書事, 태위공太尉公, 청하왕淸河王에 봉해졌다. 원역묘는 용도, 묘문과 방형의 묘실(길이와 너비 각 9m)로 구성되었으며 묘문은 남향이다. 묘실과 용도에 벽화가 그려졌다. 용도 양벽에 각 두 명의 무사상이 있으며 무사상의 몸은 정면이고 얼굴은 측면상으로 묘사되었다.

4) 낙양의 화상석관

북위 낙양지역에서는 효문제의 한화정책 이후 석관이 대표적 장구로 유행하였다. 현재 발견된 북위 화상석관은 30여 구가 있으며 도교의 사신과 승선昇仙 도상, 유교의 효자도, 수목과 산석의 산수도, 건축도 등 내용이 풍부하다.

낙양 출토 석관으로는 미국 캔자스시티 넬슨 앳킨스 갤러리 소장 효자도 석관과 미네아폴리스미술관 소장 석관이 있다. 미네아폴리스미술관 석관은 효문제의 손자인 원밀(523년 졸)의 것으로 추정한다. 두 석관 모두 남북조시대에 와서 보다 발달한 산수도 배경에 효자의 고사를 묘사하고 상단에는 운기문 가운데 사신과 괴수가 묘사되어있다.

그 외 낙양지역 박물관에 소장된 북위 석관들은 낙양박물관 소장의 낙양 상요촌석관上窯村石棺, 하남성 낙양고대예술관 소장 석관, 하남성 개봉시박물관 소장 용호석관, 하남 낙양 출토 낙양문물공작일대장 소장 석관 등이 있다.

낙양박물관 소장의 낙양 상요촌석관은 앞면에는 문리, 마니보주, 주작도가, 뒷면에는 효자고사와 산석수림도, 양측판에는 청룡, 백호와 묘주부부, 그리고 승선을 인도하는 선인을 산수도 가운데 그렸다. 관 덮개 내면에는 일월을 새기고, 관의 바닥면에는 청룡, 백호, 수두獸頭, 연화, 신수神獸를 새겼다.

1997년 하남 낙양 망산 상요촌 출토 하남성 낙양고대예술관 소장 석관은 석관 좌우판에 남녀의 승선도를 새겼는데, 산수를 배경으로 두 명의 선인이 승선을 인도하고 용과 호랑이가 독특하게 고개를 뒤로 돌려 타고 있는 인물과 마주 본 형태이다. 석관의 앞면과 좌우 측면에 이중으로 그린 육각형 귀갑문이 배경문양으로 새겨졌다.

하남 낙양 출토 하남성 개봉시박물관 소장 용호석관 승선도는 낙양고대예술관 소장 석관과 유사한데 용호의 승선에서 선인이나 승선자가 출현하지 않으며 용호만 화면 전면에 확대되어 유려한 S자형태로 묘사되었다. 용호의 머리가 앞을 향하고 있는 점이 낙양고대예술관 소장 석관과 차이가 있다. 육각형 귀갑문과 그 내부에 서수상이 배치되었다. 낙양문물공작일대장 소장의 북위 석관 관개에는 까마귀, 계수나무, 절구를 찧는 토기가 든 타원형의 일월을 머리 위로 올린 복희와 여와가 묘사되었는데 관의 중간 부분이 깨어져 없어 전체 도상을 확인하기 어렵다.

III. 동위·서위의 벽화묘

1. 하북 자현 동위 여여공주묘

하북성河北省 자현磁縣 대가영大家營 동위東魏 여여공주묘茹茹公主墓는 자현에 소재한 북조 벽화묘 가운데 남아있는 벽화가 비교적 완전하고 연대가 명확한 묘이다. 출토된 묘지墓志에 고담高湛의 처妻 여질지련閭叱地連 여여린화공주茹茹邻和公主가 동위東魏 무정8년武定八年(550)에 묻힌 것으로 기재되었다. 단실묘로 묘도墓道, 용도甬道, 묘실墓室로 구성되었다. 남북 길이는 34.89m, 동서 너비는 5.58m이다. 총 길이는 약 35m이다. 사파묘도斜坡墓道의 길이 23m, 용도의 길이 5.76m, 묘실의 남북 길이 5.23m, 동서 너비 5.58m이다.

묘도의 양측벽과 묘도 지면地面, 용도 양측과 용도 문장門墻 위에, 그리고 묘실 사벽과 천장에 벽화가 그려졌다. 묘실 내에 150㎡의 채색벽화가 있다. 묘도 앞쪽 동벽에는 청룡, 서벽에는 백호를 그렸다. 청룡은 훼손이 심해 꼬리 부분만 남았다. 백호는 비교적 잘 남아 있는데 4m에 가까운 길이이다. 청룡과 백호 주위에는 연화와 운기문을 그렸다.

묘도 동서 양벽에 청룡과 백호가 입구에 위치하고, 그 뒤로 양벽에 14인으로 구성된 의장대열이 있는데 서벽은 인물이 중간에 일부 지워졌다. 모두 정면상으로 그려져 북주 이현묘

도 17 | 《묘주도(모사도)》, 북벽, 여여공주묘, 하북성박물관

벽화의 시종과 여악사들과 흡사하다. 의장대열의 위에는 신수神獸, 우인羽人, 인동, 연화, 유운 등이다. 사파묘도의 지면地面 위에는 지화地畵를 그렸다. 용도 입구 위에는 연화보주蓮花寶珠 위에 앉은 주작朱雀을 그렸다. 용도의 서벽은 4명의 시위인물, 동벽은 2명의 인물 그림이 남아 있다.

묘실 벽화는 상하 두 칸으로 나누어 위에는 사신도四神圖와 천상도天象圖 등을 그리고, 아래에는 묘주인墓主人의 생활 장면을 그렸다. 묘실 서벽 상단은 백호, 하단은 여자입상 10인, 북벽 상단은 현무, 하단은 여자입상 7인인데 그 중 한 명이 다른 6명보다 크게 그려져 묘주로 추정된다. 동벽 상단은 벽화가 분명하지 않으며, 하단은 남자입상 10인인데 현재는 7명의 두상이 남아있다. 남벽 벽화는 분명하지 않으며 천장에는 별자리를 그렸다(도17).

동위 시기의 여여공주묘의 벽화에서 연화문과 함께 S자로 길게 늘어진 청룡과 백호를 경사진 묘도의 양벽에 배치하고 그 뒤로 일렬로 늘어선 호위무사를 배치하고, 묘실에는 무리지어 서있는 여자 시종들을 그린 것은 북제 고분 벽화와 당의 고분 벽화에서 볼 수 있는 벽화 배치의 특징을 예시하고 있다. 묘실은 상하 양단으로 나눠지고 묘정에는 천상도를 그렸다. 네 벽의 상단에는 사신을 그렸다. 현재는 북벽의 현무와 서벽의 백호가 부분적으로 남아있다. 묘실 하단 벽면에는 인물도 위주이다. 북벽의 중앙에 서있는 인물이 542년에 결혼하여 550년에 죽은 여여공주로 보인다. 공주의 좌우로 각각 세 명의 여인들이 시중들고 있다. 서벽에는 10인의 여인상이 그려져 있다. 동벽은 소수인물의 두상만 남아 있는데 그 용모와 복식으로 보아 중년이나 노년의 남자로 보인다. 남벽의 벽화 내용은 벽화의 탈락으로 불분명하다.

하북성 자현 지역의 대표적인 벽화묘인 동위의 여여공주묘(550)는 위진, 북위대에서 북제, 북주와 수·당대로 넘어가는 교체기에 있는 고분으로 중국 고분벽화 발달에서 중요한 위치를 차지한다.

2. 하북 자현 동위 원호묘

동위 이후의 중국 벽화묘들에서는 사신도가 묘도와 묘실로 분리 배치되면서 고구려 고분벽화와 구조와 주제 배치면에서 큰 차이가 나타나는 것으로 여겨졌다. 그러나 2006년 하북 자현 북조묘군에서 발견된 동위東魏 황족皇族 원호묘元祜墓는 기존에 알려진 동위시기 벽화 제재의 배치와 다른 새로운 벽화 자료를 제시하였다.[43]

중국사회과학원 고고연구소 하북공작대는 2006년 9월부터 2007년 7월까지 하북성 자현 북조묘군에서 조사를 진행하여 자현磁縣 북조묘군北朝墓群 3호묘3號墓(원호묘元祜墓)를 발굴하였다. 자현북조묘군은 전국중점문물보호단위로서 업성고고대鄴城考古隊와 자현문물보관소 磁縣文物保管所가 1986년부터 해당 묘군에 대하여 조사, 편호를 진행하였는데 125기의 북조 묘가 보존된 것을 확인하였다. 3호묘는 사파묘도, 과동, 천정, 용도, 묘실로 구성되었다. 묘의 전체 길이는 25.5m이다.

묘실의 천장부분이 무너져 현재는 묘실의 벽화가 부분적으로 남아 있다. 벽화를 명확하게 알아보기 어렵지만 묘실 동벽의 남부에 청룡 도안이 서벽에 백호 도안이 있었을 것으로 추정한다(도18). 청룡과 백호의 뒤에는 한 명의 관리 형상이 있으나 가슴 윗 부분의 그림은 탈락하였다. 묘실 북벽에는 삼족좌탑三足坐塌을 그렸으며 중앙에 정좌한 묘주인 형상이 있고 묘주의 뒤로 7폭 병풍이 있다. 동서로 나뉜 남벽에는 각각 한 명의 인물이 그려져 있었을 것으로 추측한다. 묘실 동, 서, 북벽에 각각 세 개의 기둥을 가진 건물이 그려졌고 두 기둥 사

---

43 中國社會科學院考古研究所河北工作隊,「河北磁縣北朝墓群發現東魏皇族元枯墓」,『考古』, 2007年 11期.

도 18 | 《청룡도》, 동벽, 원호묘

이에는 횡량橫梁이 있으며 횡량 위에는 인자공人字拱이 있다. 인자공 위에는 지붕이 있었을 것으로 추정한다. 묘실 가운데에 청룡, 백호를 그린 배치는 북조 벽화묘에서 드문 것이다. 원호묘 벽화는 동위 회화의 드문 사례이다. 출토된 묘지墓志에 의하면 동위의 황족이자 서주자사徐州刺史였던 원호元祜(천평4년天平四年, 537)의 묘이다. 원호는 북위 황제 탁발도拓跋燾의 증손자로 동위의 개국공신이며 관직은 서주자사徐州刺史를 지냈으며 537년에 56세로 사망하였다. 북조묘군 가운데 드물게 도굴되지 않은 묘로 풍부한 부장품이 190여 건 나왔으며 현재까지 발견된 동위묘 가운데 가장 이른 벽화묘로서 북위에서 동위로 넘어가는 단계의 벽화의 변천을 고찰할 수 있는 중요한 사례이다.

그 외에 동위의 벽화묘로는 하북성河北省 경현景縣 동위東魏 고장명묘高長命墓(무정武定5년, 547)에 문위門衛, 신수神獸가 그려졌다. 감숙성甘肅省 돈황敦煌 불야묘佛爺廟에 위치한 적종영묘翟宗盈墓는 가거연음도家居宴飲圖, 일월성상도日月星象圖, 삼족오三足鳥, 두꺼비蟾, 동왕공東王公, 서왕모西王母, 천마天馬, 신수神獸 등의 벽화가 있다.

서위西魏 벽화묘로는 섬서성陝西省 함양시咸陽市 후의묘侯義墓(대통大統10년, 544)가 있는데 수목樹木, 인마人馬, 성수星宿와 홍색紅色의 넓은 띠가 그려졌다. 서위시기 벽화묘는 많지 않으나 서위시기의 돈황 막고굴 제249굴과 제285굴의 천장 벽화에는 중국 장의미술의 불교미술로의 습합을 보여주는 동왕공과 서왕모, 복희와 여와 등의 도상, 그리고 세속적 주제의 수렵도 등이 그려져서 한대부터 발달한 장의미술의 대표적인 도상들이 불교석굴의 천상세계에 재현되었음을 알 수 있다.

IV. 북제·북주의 벽화묘

1. 하북 자현 만장묘

하북성 자현磁縣 만장灣漳에 위치한 벽화묘는 현재 발견된 북조 벽화묘 가운데 최대 규모의 묘이다. 묘의 남쪽으로 신도神道의 한쪽에 석인상石人像 한 기가 있다. 사파묘도斜坡墓道, 용도甬道, 묘실墓室로 구성되었다. 남북 총 길이는 약 52m이다. 묘실은 남북 길이 7.56m, 동서 7.4m, 복원 후 높이는 12.6m이다. 석관상石棺床은 수미좌식須彌座式이며 팔판앙련八瓣仰蓮, 인동문, 연환문 등의 도안을 그렸다.[44]

만장묘의 묘도墓道, 용도甬道, 묘실墓室에는 모두 벽화가 그려졌는데 묘도의 벽화가 보존이 잘 되었다(도19). 37m의 긴 묘도의 양벽 앞부분에는 청룡과 백호도이다. 그 아래로 동서 양벽에는 53인으로 구성된 의장대열儀仗隊列이 있다. 벽화의 인물상은 현실과 핍진하게 그려졌다. 의장대열의 위쪽에는 41마리의 각종 상금서수祥禽瑞獸와 유운流雲, 연화蓮花 등의 도상이 있다. 동서 양벽의 화면 구도는 대칭된다. 묘도의 지면에는 대연화大蓮花와 인동연화장식忍冬蓮花裝飾이다. 조장照墻에는 정면에 주작朱雀(높이 약 5m)과 신수神獸, 우토羽兎, 연화蓮花가 그려졌다. 용도에는 시위 형상을 그렸다. 묘실 벽화는 검게 그을려 잘 안 보이는데 북벽에는 장만帳幔, 우선羽扇, 남벽에는 주작, 동벽에는 괴수 형상이 남아있다. 묘실 벽 위쪽에는 36마리의 동물과 건축도의 흔적이 있다. 묘실 천장에는 은하수, 별자리 등으로 구성된 천상도天

---

44 북주 묘장의 특징에 대하여는 張小舟,「論北周時期的墓葬」, 『漢唐之間的視覺文化與物質文化』, 文物出版社, 2003, pp. 295~312

도 19 |《청룡과 의장대열도》, 묘도 동벽, 만장묘, 하북성박물관

象圖가 그려져 있다.[45]

　　묘지와 같은 문자자료가 발견되지 않아 묘장 연대와 묘주인의 신분을 확인하기 어려우나 묘장의 형식이나 규모, 벽화내용, 부장품의 조합 등으로 미루어 만장 벽화묘는 북제北齊 문선제文宣帝 고양高洋의 의평릉義平陵으로 추정한다.

2. 하북 자현 고윤묘

　　하북성河北省 자현磁縣에 위치한 고윤묘高潤墓(무평武平7년, 576)는 전축단실묘磚築單室墓로서 묘도, 용도, 묘실로 구성되었다. 사파식묘도는 길이 50m, 너비 2.96m이다. 묘는 남북 길이 6.4m, 동서 너비 6.45m이다. 묘도 벽화는 동벽 상부에 연화, 인동, 유운 등이다. 묘실 북벽의 벽화가 비교적 잘 남아있는데 유장 가운데 묘주가 정면으로 앉아있다(도20). 유장의 좌우에

45　鄭岩,『魏晋南北朝壁畵墓硏究』, 文物出版社, 2016, pp.97-98.

도 20 | 《묘주도(모사도)》, 북벽, 고윤묘, 하북성박물관

는 각각 시종 6인이 화개華蓋 등의 지물을 들고 서있다. 동벽 벽화는 소, 수레, 산개, 부채 등이, 서벽 벽화는 시자 2명이 남아 있고 나머지 부분은 알아보기 어렵다. 『북제서北齊書』, 『북사北史』에 기록된 묘주 고윤은 북제北齊 신무제神武帝(고환高歡)의 14번째 아들이다. 고윤묘는 묘장의 규모가 크고 부장품이 풍부하여 동위와 북제 시기 황족의 묘로서 주목할만 하다.[46]

3. 산서 태원 북제 누예묘

산서성山西省 태원시太原市 남교南郊 진사진晋祠鎮 왕곽촌王郭村에서 1979~1981년에 발굴된 북제 동안왕東安王 누예묘婁叡墓(무평武平1년, 570)는 전축단실묘로 남북향의 장사파묘도와 용도, 묘실로 구성되었다. 묘주 누예는 고환의 부인 누소군婁昭君의 조카이다. 묘실 서쪽에 관상棺床이 있다. 장구葬具는 이미 훼손되었다. 일곽이관一椁二棺이다. 출토부장품은 870여건

46　鄭岩, 『魏晋南北朝壁畵墓研究』, 文物出版社, 2016, pp. 104-105.

도 21 | 《청룡과 백호도》, 묘문, 누예묘

이며, 무사용, 문리용, 여용, 기마무사용 등의 인물용, 말, 낙타, 소, 양 등의 동물용, 도자기 및 각종 장식품 등이다. 또한 석주石柱, 석사자石獅와 묘지墓志 등이 있다. 지하묘도(길이 21.3m), 용도(길이 8.25m), 하나의 천정天井, 묘실(남북 길이 5.65m, 동서 너비 5.7m, 높이 6.58m)로 구성되었다.

묘장 내부에 면적이 약 200㎡에 달하는 71폭의 벽화가 있다. 벽화의 주제는 크게 두 가지로 나눌 수 있는데, 묘주의 생전 생활 주제가 묘도 전체와 천정의 중하층, 용도, 묘실의 하부에 배치되고, 묘주인 사후 승선 주제가 묘문, 용도와 천정의 상부, 묘실 천장 상, 중부에 그려졌다.

묘도 양벽은 삼단으로 분할하였다. 서벽과 동벽의 상단, 중단은 출행과 회귀回歸의 말과 낙타의 대열 등이다. 하단과 천정 중하층에는 군악의장도이다. 묘문의 문비에는 하늘에서 내려오는 형상의 청룡과 백호, 문액 중앙에는 보주와 주작에 둘러싸인 귀면문을 그렸다(도 21). 묘실 북벽에는 묘주가 유장 내에 앉은 형상을 그리고 양측에 가무악기歌舞樂伎, 서벽에는 묘주부부가 탈 우거출행, 동벽에는 안마시종鞍馬侍從, 남벽에는 문리를 그렸다. 묘실 사벽 상부에는 사신과 뇌공雷公 등이 있다. 묘실 천장에는 12진辰과 기타 동물 형상이 있고 천장 정상에는 별자리를 그렸다.[47]

누예묘 벽화는 북제시기에 와서 눈에 띄게 높아진 수준의 인물도를 보여주는 대표적인 예로 대규모의 행렬도에 나타난 인물들은 선비족의 복장을 하고 긴 나팔을 부는 등 선비족 문화의 부활을 잘 표현하고 있다.[48]

---

47 鄭岩, 『魏晋南北朝壁畵墓硏究』, 文物出版社, 2016, p.101

48 太原市文物考古硏究所, 『北齊婁叡墓』, 文物出版社, 2004; 「北齊婁叡墓壁畵簡述」, 『北朝硏究』, 1993년 3기; 「北齊鮮卑貴族婁叡墓的硏究」, 『內蒙古文物考古』, 1993년 1기.

4. 산서 태원 북제 서현수묘

산서성 태원시 영택구迎澤區 학장향郝莊鄕 왕가봉촌王家峰村에 위치한 서현수묘徐顯秀墓 (571)는 2000-2002년 산서성고고연구소와 태원시고고연구소가 연합으로 발굴하였다. 남향 의 전축묘로서 묘도(길이 15.2m), 과동過洞, 천정天井, 용도(길이 2.75m, 너비 1.66m, 높이 2.55m), 묘실(동서 길이 6.65m, 남북길이 6.3m)로 구성되었다. 묘장이 도굴로 대다수 파손되었으나 출토 기물이 약 320건의 도용을 포함하여 550여 건이 출토되었다.[49]

묘도와 묘실에서 326㎡의 채회벽화가 발견되었다. 묘도, 과동, 천정은 동서 양벽 벽화가 대칭을 이루는데 86명의 인물, 4마리의 벽사신수辟邪神獸, 6필의 안마鞍馬가 그려졌다. 묘도 양측 벽화는 의장대도로서 묘도 동벽에는 3조로 대열을 나눌 수 있는 26명의 인물과 2마리 의 신수가 있다. 묘도 서벽은 동벽과 벽화 내용이 대칭되는데 26명의 인물, 신수 2마리가 있 다. 과동과 천정 양벽에는 모두 34명의 인물과 6필의 안마가 있다. 묘도 북벽에는 문루를 그 렸다. 과동, 천정 동벽에는 15명의 인물, 3필의 안마가 있다. 서벽에는 19명의 인물과 3필의 안마가 있다. 용도 양벽에는 이위儀衛 4명이 있다.

묘실의 천장에는 천상도天象圖가 있고, 묘실 벽면에는 91명의 인물, 우거, 안마, 산개 등이 그려졌다. 북벽은 유장 아래 남녀묘주가 손에 칠배를 들고 상탑床榻 위에 앉아있으며, 양쪽 에 시녀, 시자들이 우선羽扇, 화개華蓋, 반배盤杯 등을 들고 시중들거나, 횡적, 견공후, 비파 등 을 들고 악기를 연주한다. 서벽은 남묘주의 출행시 말을 준비하는 장면이다. 동벽은 서벽과 대칭되는데 여자묘주의 출행을 위해 우거牛車를 준비하는 장면이다(도22).

묘지에 의하면 묘주의 이름은 서영徐穎이며 자字는 현수顯秀이다. 묘주 서현수(501~571)는 『북제서北齊書』, 『북사北史』, 『수서隋書』, 『자치통감資治通鑑』에 영성하게 기재되어있는 북제의 고위관리로 564년 북주와의 전쟁에서 승리한 공로로 무안왕武安王으로 봉해졌다. 무평武平2 년(571) 정월에 향년 70세로 진양晉陽에서 사망하였다. 서현수는 한족으로 북부 변경에서 성 장하였고 선비족의 습속의 영향을 농후하게 받았을 가능성을 보여주며 서역문화 요소 역시 강하게 보인다. 북벽의 묘주 부부에게 쟁반에 담긴 그릇에 음식을 올리는 두 명의 여시종의 치마와 동벽의 우거 뒤에 선 여시종의 치마, 그리고 서벽의 말안장에 중앙아시아계통의 연

---

49   山西省考古硏究所, 太原市文物考古硏究所, 「太原北齊徐顯秀墓發掘簡報」, 『文物』, 2003年 10期.

도 22 |《묘주도》, 북벽, 서현수묘

주문 장식이 발견된다. 변발을 한 기마인물용이 한 점 출토되었는데 산서 태원 북제 하발창묘에서 나온 변발 도용과 유사하여 당시 유행한 돌궐인 기마인물의 표현을 볼 수 있다.

벽화 장식문양이나 부장품에서 외래 문화 요소가 풍부하여 태원지역과 서역지역 간의 왕래가 빈번하였음을 보여준다. 북조시기 태원지역은 서역 호인들의 주요 취락지 중 하나로 우홍묘와 같은 중앙아시아계 묘주의 묘장이 발견된 바 있다.

5. 산동 임구 최분묘

산동성山東省 임구현臨朐縣 야원진冶源鎭에 위치한 최분묘崔芬墓(천보天保2년, 551)는 석판으로 축조된 묘로서 사파묘도(남은 길이 9.4m), 용도(길이 0.64m), 정방형 평면의 묘실(길이 3.58m, 높이 3.32m)로 구성되었다. 묘실의 북벽과 서벽에 소감이 하나씩 있다. 용도 양벽에는 산수 배경의 천왕형 무사도가 있다. 묘실 사면과 천장에 벽화가 있다(도23). 묘실 북벽 감의 양측에는 두 폭의 병풍을 그렸다. 서측 병풍에는 고사인물, 동측 병풍에는 고사와 무용수가 그려

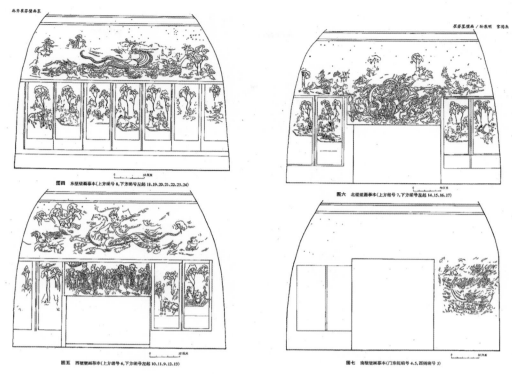

도 23 |《묘실 벽화 배치도(모본)》, 최분묘

져 있다. 감의 위쪽에는 산수 배경에 현무와 검을 든 무사도가 있다. 현무도의 위쪽 천장에는 괴수, 수목, 산석, 유운, 별자리 등이 있다. 동벽에는 견마, 산수괴석, 고사인물 등의 7폭 병풍화가 그려졌다. 동쪽 천장에는 수목산수와 유운, 해, 별자리 등을 배경으로 신인이 청룡을 탄 그림이 있다. 서벽의 소감 양측에는 2폭의 병풍을 각각 그렸다. 남측 병풍은 수목 괴석, 북측 병풍은 수하안마도와 고사인물도이다. 소감의 상부에는 묘주부부가 시녀들과 출행하는 장면이다. 서쪽 천장은 선인이 백호를 타고 있다. 주위에 괴수, 수목, 달, 유운, 별자리 등이다. 동, 서, 북벽에 모두 8폭의 고사인물도가 있는데 수하인물도의 형식이며 중심 인물의 주변에 1-2명의 시녀가 시중을 들고 있고 수목과 괴석을 배경으로 하고 있다. 남벽의 동쪽 벽에는 두 폭의 병풍을 그렸는데 병풍 안에는 아무런 그림이 없다. 남벽의 서쪽에는 주작을 그렸다. 최분묘 벽화는 남조화상전묘에서 유행한 죽림칠현의 도상을 병풍화의 형식과 결합하였고, 묘주부부 행렬도는 북위 용문석굴과 공현석굴 등 불교석굴의 공양자 행렬도의 형식을 가져와서 표현하였으며, 선인과 함께 등장하는 청룡, 백호, 현무도는 북위 낙양

의 화상석관의 형식을 계승한 것이다. [50]

6. 산동 제남 □도귀묘

산동성山東省 제남시濟南市 마가장馬家莊에 위치한 북제의 □도귀묘□道貴墓(무평武平2년, 571)는 묘도, 용도, 묘실로 구성되었다. 묘실 남북길이는 3.4m, 북벽 너비는 2.8m, 남벽 너비는 3.3m이다. 천장 높이는 3.2m이다. 용도 남쪽 입구의 상부에는 괴수의 얼굴을 그렸다. 묘실 북벽은 9폭 병풍 앞에 앉은 묘주 정면 좌상이다. 좌우에 각각 한 명의 시자가 있고 병풍에 산악과 유운을 그렸다. 서벽에는 하나의 수레와 시녀 3인이, 동벽에는 안마산개鞍馬傘蓋와 4인의 시자가 있다. 남벽 묘문 양측에는 검을 든 문리가 한 명씩 있다. 천장에는 일월성신을 그리고, 북쪽에는 북두칠성, 서쪽에는 태양, 동쪽에는 달을 그렸다.[51]

7. 영하 고원 이현묘

영하 고원의 북주 시기 묘장은 고원현固原縣 남교향南郊鄕 이현묘李賢墓(천화天和15년, 569), 고원현固原縣 서교향西郊鄕 대보촌大堡村 전홍묘田弘墓(건덕建德4년, 575), 고원현 남교향 우문맹묘宇文猛墓(보정保定5년, 565)가 있다.[52] 이현묘에서 우문맹묘까지는 1.72㎞, 우문맹묘에서 전홍묘까지는 0.67㎞이다. 조영 기간은 565년의 우문맹묘, 575년의 전홍묘까지 약 10년간이다.

북주 고관의 대형 묘장인 이현묘는 1983년 발굴된 부부합장묘이다. 남향의 장사파묘도, 3개 천정天井, 3개 과동過洞, 용도甬道, 묘실로 구성되었다. 묘도 길이는 42m, 묘실 평면은 근방형이며 동서 너비 4m, 남북 길이 3.85m이다.

묘도, 천정, 과동, 용도, 묘실에 모두 벽화가 있다. 제1과동과 용도 입구 상부에 이층의 문루도가 있다. 제3, 4과동 입구 상부에는 단층 문루가 있다. 묘도와 천정 양벽 상부에는 홍색

50 鄭岩, 『魏晋南北朝壁畵墓硏究』, 文物出版社, 2016, pp.110-111.
51 鄭岩, 『魏晋南北朝壁畵墓硏究』, 文物出版社, 2016, pp.111-112
52 북주묘장의 특징에 대하여는 張小舟, 「論北周時期的墓葬」『漢唐之間的視覺文化與物質文化』, 文物出版社, 2003, pp.295~312.

테두리를 그리고, 묘도와 과동, 천정 동서 양벽에 각각 한 명의 무사를 그렸다. 각 천정 동서 양벽에 무사 한 명씩, 각 과동 양벽에도 무사 한 명씩 해서 모두 합하여 18인이다(도24). 묘실 벽면에는 시종 기악이 그려져 있다. 북벽에 6명, 동서 양벽에 각각 5인, 남벽 묘문 양측에 각 1인으로 총 20폭의 벽화 가운데 현재는 3폭의 형상만 완전하게 남았다.[53]

묘주에 대하여는 『주서周書』와 『북사北史』 이현 전李賢傳에 기록이 되어 있다. 이현의 자字는 현화 賢和이며, 원주原州 평고平高 출신(지금의 영하 고원) 이다. 북주의 주국대장군柱國大將軍, 원주자사原州刺 史, 하서환공河西桓公을 지냈다.

정면 입상으로 그려진 여자 악사와 남자 시종 등 의 인물들은 여여공주묘와 달리 각각 독립되어 선

도 24 | 《무사도》, 이현묘, 고원시박물관

모습으로 그려져 발해의 정효공주묘의 인물도를 연상시킨다. 도굴의 피해를 입었으나 발견 된 부장품의 수가 300여 건이며, 청리된 도용은 255건이며 호용胡俑이 37건이 출토되었다. 이현묘 출토 도용의 조형은 하북 자현의 동위 여여공주묘, 북제 고윤묘, 북제 누예묘 출토 도용과 유사하다. 호용들은 체형, 면모, 의상에서 소수민족 특징이 현저하여 주목된다.

8. 영하 고원 전홍묘

전홍묘田弘墓(건덕建德4년, 575)는 장사파묘도(길이 45.3m), 5개 천정, 4개 과동, 용도(길 이 2.16m), 주실(남북 길이 3.26m, 동서 너비 3.27m), 후실(길이 3.78m, 너비 0.99~1.46m), 측실(길이 2.32m, 너비 0.93~1.34m)로 구성되었다. 묘도와 천정에는 벽화가 없고 용도에서 시작하여 주실 네 벽과 후실, 측실에 모두 벽화가 있다(도25). 주실 북·동·서벽과 후실 동·서벽, 측실 북· 남벽, 용도 동·서벽에 벽화가 있다. 전체적으로 벽화의 파괴가 심하여 알아보기 어려우나

---

53 鄭岩, 『魏晉南北朝壁畵墓硏究』, 文物出版社, 2016, pp.119-120.

도 25 | 《시위도》, 서벽, 전홍묘

후실 문으로 향하는 주실 북벽 양측에 문리를 그렸다. 동벽에는 두 명의 문관의 형상이 남았다. 서벽에는 검을 든 무사 여러 명이 있다. 후실 동서 양벽에는 홍색의 띠를 그린 흔적이 남아있다. 용도 양측의 도상은 분명하지 않다.[54] 100여 건의 문물이 출토되었다. 채회도용이 80여 건으로 진묘수, 무사용, 기갑용, 기마용, 주악용, 호용 등이 있다. 중앙아시아와 서아시아에서 들어온 금은용기, 비잔틴 금화 등이 출토되었다.[55]

---

54 鄭岩, 『魏晉南北朝壁畵墓硏究』, 文物出版社, 2016, pp. 120-122.

55 原州聯合考古隊 編著, 『北周田弘墓』, 文物出版社, 2009. 묘주 전홍은 北周柱國大將軍, 原州刺史를 지냈으며 『北史』, 『周書』에 기록된 북조 만기의 중요 인물이다. 『周書』『週書』卷27 田弘傳, 『北史』卷65 田弘傳.

9. 영하 고원 우문맹묘

우문맹묘宇文猛墓(보정保定5년, 565)는 1993년에 발굴되었으며 묘도, 과동, 천정, 벽감, 용도, 묘실 등으로 구성되었다. 남아있는 봉토의 남북 길이는 16m, 동서 너비는 12m, 높이는 4.6m이다. 묘도는 장사파형식이며, 전체 길이는 47m이다. 묘도에는 5개의 천정이 규칙적으로 분포되어 있으며, 각 천정의 평면은 장방형이고 보존이 잘 된 편이다. 과동은 묘도에 있는 천정 사이에 위치한다. 벽감(길이 1.7m, 너비 1.4m, 높이 0.9m)은 제5천정의 서벽 하부의 정중앙에 위치하며 평면은 장방형이고 천장은 아치형이다. 용도는 제5천정의 북단과 묘문 사이에 위치한다. 평면은 장방형이고, 길이는 2.55m, 너비는 1.5m, 높이는 1.6m이다. 용도 안쪽에는 소량의 도용陶俑과 묘지墓志가 있다.

용도와 이어진 묘실은 토동 형식이고 평면은 방형에 가깝다. 동서 길이는 3.6m, 남북 너비는 3.5m이다. 천장부는 이전에 이미 무너져 형상과 높이가 불분명한데 남아있는 상부 벽의 흔적으로 미루어 보아 궁륭형 천장으로 덮였던 것으로 보인다.

발굴 당시 우문맹묘는 묘도, 과동, 과동 상방, 천정, 용도, 묘실 등 각 부분에 벽화가 그려져 있었다. 1970-80년대에 농경지 관개 구역이었기에 무덤 내 벽화는 침식되어 심하게 훼손되었다. 장기적인 침수로 인해 벽화를 복원하기 어려우나, 용도 상방에 홍, 백, 흑색의 벽화 흔적이 남아있다. 묘실의 네 벽면에는 벽화의 잔존 흔적이 발견된다. 묘장 내에는 최소한 40폭의 벽화가 있었던 것으로 추정된다. 천정과 과동에는 동서 양쪽 벽에 각각 1폭의 인물이 그려져 있고, 과동문 안쪽의 양쪽 벽면에는 인물입상이 그려져 있다. 천정 및 과동마다 적어도 5폭의 인물화가 그려져 있고, 묘실 안쪽의 북벽과 남벽에는 최소 2폭의 인물도를 볼 수 있다. 제5천정 동벽 부근의 남과동 입구에 남아 있는 한 폭의 무사도를 보면 인물의 크기는 90cm이고, 얼굴의 방향은 묘실을 향하고 있다(북측). 머리에는 두건을 쓰고 있으며, 붉은 색의 높은 깃의 장포長袍를 입고 있으며, 통이 넓은 바지를 입고 있는데, 발 부분은 명확하지 않다. 둥근 얼굴에 근엄한 표정을 하고 있으며, 입술을 굳게 다물고 있다. 입술은 붉은 색으로 칠해져 있다. 두 손으로 가슴에 칼을 꽉 쥐고 있으며, 칼집은 검은색이다.[56]

우문맹묘의 벽화는 인물과 건축이 주로서 묘주의 생전 생활도를 그리고 있다. 벽화는 특

---

56 耿誌強, 『寧夏固原北周宇文猛墓發掘報告與研究』, 陽光出版社, 2014, pp. 40~47.

히 묘실 안쪽의 네 벽면에 가장 많이 분포되어 있어서 묘실 곳곳에 벽화의 흔적들이 남아있다. 묘실 천장이 무너졌기 때문에 천장의 벽화를 확인하기 어려우나 묘실 내의 진흙을 치우는 과정에서 산발적인 벽화 파편이 발견되어 묘실 천장에도 벽화가 그려져 있었음을 보여준다.[57]

10. 산서 삭주 수천량 북제묘

산서山西 삭주朔州 수천량水泉梁 북제北齊 벽화묘壁畫墓는 산서성山西省 삭주시朔州市 삭성구朔城區 요자두향窯子頭鄉 수천량촌水泉梁村에 위치한 북제 벽화묘로 산서성고고연구소山西省考古研究所, 산서박물원山西博物院, 삭주시문물국朔州市文物局, 숭복사문물관리소崇福寺文物管理所에 의해 2008년에 발굴되었다. 묘도, 용도, 묘실로 구성된 전축묘이다. 묘의 용도와 묘실 벽면에 0.3-0.5cm의 백회를 바르고 그림을 그렸다. 용도의 양벽에 문리文吏, 시위侍位와 기마대騎馬隊를 그렸다. 묘실 천장을 삼단으로 나누어 가운데에 천상도天象圖를 그렸는데 진회색을 발라 하늘을 표시하고 서남에서 동북으로 은하수가 가로질러 흐르며 은하수 내에는 세밀한 비늘 같은 수파문水波紋이 있다. 은하수 양쪽에 백색 원으로 별을 드문드문 표시하였다. 천장의 동쪽에 해와 까마귀, 서쪽에 달과 약을 찧는 토끼와 두꺼비 형상이 있다. 천상도 바깥의 원에는 사신도가 동서남북 방향으로 있고 사신의 사이에는 신수神獸를 그리고, 사신과 신수 사이의 하늘에 묵선구름으로 유운流雲을 그렸다. 사신도 다음의 바깥원에는 십이생초十二生肖 형상을 구름선으로 그렸다. 북벽 중앙부터 시계방향으로 십이지를 그렸다.

묘실 북벽 중앙에 묘주부부가 유장帷帳 안에 황색 모포毛毯와 같은 직물을 덮은 상탑床榻에 앉아있다. 서현수묘의 묘주도와 거의 같은 구도와 배치이다. 유장의 양측에는 남녀 기악시종이 서있다(도26). 동벽에는 안마의장대鞍馬儀仗圖, 서벽에는 우거출행도牛車出行圖, 남벽에는 고취도鼓吹圖가 있다.

수천량묘의 사파묘도斜坡墓道, 용도甬道, 호변방형전실弧邊方形磚室은 북제 전실묘의 특징이나 양층으로 구성된 궁륭정은 북조묘에서 보이지 않는 것이다. 묘실벽화의 배치, 제재, 내용 등이 누예묘와 서현수묘와 유사하여 진양지역의 영향을 받은 것이 분명하나 표현형식이

---

57 耿誌強, 『寧夏固原北周宇文猛墓發掘報告與研究』, 陽光出版社, 2014, pp.69-70; 鄭岩, 『魏晋南北朝壁畫墓研究』, 文物出版社, 2016, p.118.

도 26 | 《묘주도》, 북벽, 수천량묘

상대적으로 간단하여 북제시기 삭주朔州지역의 특징도 드러난다. 묘주, 문리 등 주요 인물의 그림은 비교적 정세하나 시종, 고취악사 등의 얼굴 부분이나 옷의 문양 처리가 딱딱하여 한 사람의 솜씨가 아닌 것으로 보인다. 인물 윤곽과 얼굴 세부, 채색이 각각 다른 솜씨의 화공들이 분업하여 제작한 것으로 추정한다.

11. 산서 흔주시 구원강 북조묘

2013년 봄에 발견된 구원강九原崗 북조北朝 벽화묘壁畵墓는 기존에 알려진 북위와 북제 벽화묘가 벽화 제재와 배치, 화풍면에서 현격한 차이를 보이던 시기적 격차를 해소하고 두 시기의 벽화묘의 연관관계를 제시해주는 동시에 북제 벽화묘와 수당 벽화묘 간의 계승 관계를 보여준다는 점에서 중요한 벽화묘이다.

구원강 벽화묘는 산서성고고연구소山西省考古硏究所와 흔주시문물관리처忻州市文物管理處에 의해 2013-2014년에 발굴이 진행되었다. 산서성山西省 흔주시忻州市 흔부구忻府區 난촌향

도 27 | 《문루도》, 묘도 북벽, 구원강묘

蘭村鄕 하사촌下社村에 위치하였다. 구원강묘군九原崗墓群 가운데 도굴을 심하게 당한 고분이나 발견된 벽화의 내용이 지극히 풍부하다. 북제, 북주시기에 발굴된 벽화 가운데 최대 규모의 수렵도가 있고 정교한 목조건축도를 생동감 있게 재현하여 중요한 연구가치가 있다.

2013년 산서대학山西大學 고고학考古學 연구생研究生이 현장 조사를 하다가 구원강 벽화묘를 발견하게 되었다. 벽화의 존재가 알려지게 된 이후 산서성고고연구소와 혼주시문물관리처가 보호성 발굴을 진행하였다. 현존벽화가 200㎡이며 이 지역에서 발견된 최초의 북조 묘장이다. 전문가들은 묘장 규모에 근거하여 묘주가 북제를 세운 고씨 일족 가운데 핵심인물로 추정한다.

구원강 벽화묘는 남향의 단실묘로서 묘도, 용도, 묘실의 세 부분으로 구성되었다. 묘실 평면은 방형이며 길이와 너비는 약 5.8m이고 천장은 궁륭정으로 높이는 8.8m이다. 묘도 북벽에 목조건축물이 화려하게 그려져 있다(도27). 건물의 지붕 위에는 거대한 연화좌가 있고 연화좌의 위에는 박산로 형상의 물체가 있다. 묘도 북벽에 그려진 건축도는 회화형식을 사용하여 정확하게 북조건축을 재현한 첫 번째 사례이다. 이는 진양시기 북조 건축양식을 보여줌과 동시에 회화식 문루의 출현 시기를 크게 앞당긴 중국미술사에서 상당히 이른 시기의 "계화界畵"이다. 벽화 중에 표현된 건축에 사공斜栱과 쌍주식雙柱式 두공斗栱을 사용하여 중국건축사 연구에 중요한 의의가 있다. 해당 벽화는 현재까지 발견된 가장 이른 두공 구조의 고건축 자료일 뿐만이 아니라 건축가 양사성梁思成이 오대산에서 발견한 당대 불광사 동대전의 사공斜栱구조건축보다 100년 이상 이른 것으로 여겨진다.

묘도 양벽 벽화는 각 4층으로 상하 구분하여 각 층마다 제재와 내용을 달리했다. 제1층은 선계의 인물과 신수가 그려져 있으며 배경을 운기문으로 채웠다. 기존에 알려진 북제 벽화묘와의 큰 차이점은 묘도에 거대한 수렵도가 나타난다는 점이다. 제2층은 중국 내에서 발견된 최대의 묘장 수렵도로서 면적이 70m²에 달한다. 인물 가운데 심목고비의 호인형상이 보이며 수렵을 하는 인물들의 표현이 자유롭고 호방하다. 제3, 4층은 대규모의 의장출행도이다.[58]

구원강 벽화묘는 벽화 내용이 풍부하며 전에 자주 보이지 않던 제재와 표현으로 북조 만기의 역사문화와 사회생활의 중요한 자료가 된다. 세련된 화풍의 특징상 북제 고분에 속하는 것으로 생각되며 동시에 북위 벽화고분의 특징이 북제에 전달되고 북제가 다시 수당으로 연결되는 양상을 잘 보여주는 고분으로 생각된다. 묘도 북벽의 문루도는 북조와 수당 벽화고분에서 종종 보이는 주제이나 대개 기와지붕과 목조 골조가 단순하게 그려지는 다른 고분들에 비하여 복잡한 형태의 공포가 두드러지게 입체적으로 표현되었고 문을 지나다니는 인물들이 다양하게 묘사되어 현재까지 발견된 문루도 가운데 가장 뛰어난 수준으로 제작되었다. 한편 묘도 양측에 삼단으로 나누어져 그려진 행렬도와 괴수도의 형식은 북제 벽화고분의 공통적인 특징을 잘 보여주는 한편, 함께 그려진 수렵도는 북제 벽화고분에서 잘 보이지 않던 주제로서 북위 벽화고분의 수렵도의 전통을 잘 잇고 있다.

인물들이 수렵하는 장면에서 고구려 감신총, 장천1호분 등을 연상시키는 복장과 수렵 형태를 볼 수 있다. 북위의 수도 대동지역의 벽화고분의 수렵도의 구성과 유사하면서도 공간

58　上海博物館 編,『壁上觀─細讀山西古代壁畵』, 北京大學出版社. 2017; 霍寶强,「忻州九原崗北朝壁畵巨制」,『文物世界』, 2015年 6期.

표현 능력이 뛰어나 북제시기에 와서 한 단계 성숙한 수렵도의 형태를 확인할 수 있다. 이러한 북조의 발달된 수렵도는 당대의 장회태자묘의 묘도 벽화에 다시 출현한다.

12. 섬서 정변현 통만성 북조묘

2011년 9월 정변현 홍돈계진紅墩界鎭 백성칙촌白城則村 팔대량묘지八大梁墓地에서 도굴된 묘장에 대한 조사를 하던 중 팔대량묘지 1호묘의 묘실 내에서 목조건축을 모방한 구조와 벽화가 발견되었다.[59] 통만성統萬城 북조北朝 벽화묘壁畵墓는 섬북지역에서 처음으로 발견된 북조시기 벽화묘의 사례이다. 이후 팔대량묘지八大梁墓地에서 두 기의 도굴된 묘장(2011YJBM2, 2011YJBM3)에 대한 구제발굴을 하였다. 이들 묘장은 십육국시기의 대하국大夏國(407~431)의 도성 통만성에서 4㎞ 거리이다. 10월에는 석계탄촌席季灘村 류량조劉梁組 곡지량묘지谷地梁墓地의 두 기의 도굴된 묘장(2011YJGM1, 2011YJGM2)에 대해서도 구제발굴을 하였다.

팔대량묘지八大梁墓地 1호묘1號墓 벽화는 승려와 불탑 등 불교적 색채가 강하고 중앙아시아계 묘주가 등장하여 주목된다. 묘실 북벽 서측에는 불탑에 예배하는 호인이 있는데 원령에 좁은 소매의 포를 착용하여 소그드인으로 보이며 묘주일 것으로 추정된다. 서벽에는 호상胡床에 앉은 비교적 젊은 승려가 있으며, 남벽에는 호상에 앉은 노년의 승려가 있다. 벽화 내용은 묘주인이 생전 불교를 믿는 모습을 표현하였을 것으로 보인다(도28). 북조시기에 통만성과 주변지역은 중앙아시아의 신강, 감숙을 거쳐 산서 대동까지 이어지는 중서교통의 요지로서 북위시기에는 북량의 수도 고장姑臧의 소그드인이 통만성을 경유하여 평성에 이르렀다.

북벽 벽화의 비천상은 운강석굴 제2기 말에서 제3기(5세기 말~6세기 초), 특히 제3기에 한화된 후의 비천양식과 유사하다. 동벽 양측의 역사상은 고원 북위칠관화묘의 칠관 앞판 양측의 역사상과 유사하다.

곡지량묘지谷地梁墓地 1호묘1號墓는 잔존 벽화가 홍색 채색이 주이고 삼각형 문양 장식대와 구불구불한 굵은 선의 문양 등이 산서 대동의 운파리로묘와 유사하다.

통만성지역의 벽화묘는 5세기 말~6세기 초보다 이르지 않은 북위 만기로 추정되며, 하한

59 陝西省考古研究院, 楡林市文物保護研究所, 楡林市考古勘探工作隊, 靖邊縣文物管理辦公室, 靖邊縣統萬城文物管理所,「陝西靖邊縣統萬城周邊北朝仿木結構壁畵墓發掘簡報」『考古與文物』 2013年 第3期.

도 28 | 《호인묘주도》, 북벽, 통만성묘

은 서위로 본다. 통만성 북조 벽화묘는 북조시기 통만성과 주변 지역의 중서교통로 상에서의 교류에 새로운 자료를 제공한다. 정변은 한대에 흉노와 접하여 호한의 문화접변이 일어나 두 문화가 공존하던 지역이다. 북조시기에 와서도 이 지역이 북방기류가 흐르는 중요 지점으로서 소그드인이 이 지역까지 들어와 상업활동을 하면서 불교를 전파하였던 상황을 잘 대변하고 있다. 묘실 안에 목조건축을 모방한 구조를 만든 것은 돈황에서 대동으로 이주한 산서 대동 송소조묘의 가옥형 석곽이나 감숙 고대 지경과 위진묘, 북조의 소그드계 가옥형 석곽 또는 석당, 석탑과 같이 중앙아시아계 석조 건축의 상징에 중국의 전통 목조건축을 결합한 장의 건축 형식으로 생각된다.

13. 섬서 정변 통만성 적조명묘

적조명묘翟曹明墓(북주 대성원년大成元年, 579)는 남향의 장사파묘도가 달린 토동묘이다. 출토묘지에 의하면 묘주는 하주천주夏州天主 의동儀同 적조명翟曹明이며 북주 대성원년大成元年(579)에 장사지냈다. 적조명묘의 용도 입구에 설치하였던 채회첩금부조석문이 1994년 통만성유지統萬城遺址 동쪽에서 발견되었다. 문미, 문주, 문배, 문감과 사자형 문첩으로 구성된 묘문 일체가 2001년 섬서역사박물관陝西歷史博物館에서 전시되었다. 문주와 문미에 다양한 동물과 인물상이 새겨졌으며, 북주 안가묘의 석문과 유사한 채회첩금의 기법을 사용하였다.

문에 조각된 심목고비의 수문장 도상은 통만성지역의 중앙아시아계 미술 요소를 보여주는 중요한 사례이다.[60]

14. 섬서 서안 이탄묘

도 29 | 《문신과 배화제단》, 석관 앞면, 이탄묘

이탄묘李誕墓(보정사년保定四年, 564)는 서안시西安市 북교北郊의 남강촌南康村에 위치하였다. 남쪽의 강업묘康業墓와 약 0.5㎞ 거리, 안가묘安伽墓와 약 0.65㎞ 거리, 동쪽의 사군묘史君墓와는 약 2㎞ 거리이다. 남향의 묘로서 장사파묘도長斜坡墓道 궁륭정穹隆頂 단실전묘單室磚墓이며 평면平面은 "甲"자형이다.

묘도墓道, 양도전봉문兩道磚封門, 용도甬道와 단실묘單墓室로 구성되었다. 용도 천장과 묘실 사벽에 홍색의 채회가 잔존하나 대부분 탈락되었다. 묘실 가운데에 석관이 동서방향으로 놓여있었다. 앞은 넓고 뒤는 좁은 형태의 석관石棺이다. 석관의 머리는 서쪽을 향하였다. 개판蓋板, 저판底板, 전당판前擋板, 후당판後擋板, 좌측당판左側擋板, 우측당판右側擋板의 6개 부분으로 만들어졌다.

석관石棺 표면表面에 각종 도상과 장식문양을 새겼다. 덮개에는 복희와 여와 도상이 있으며, 좌측이 여와이고 우측이 복희로 인수사신人首蛇身형이다. 석관 앞면에는 가운데에 하나의 문을 새겼고 문의 테두리에 홍색으로 채색하였다. 문 위에는 3개의 유정乳釘이 있고, 각 문비에는 상하에 2줄로 각 6개의 유정이 있고, 중간에는 1줄로 각 4개의 유정이 있다. 안쪽에는 천부조로 문고리를 새겼다. 유정의 첩금은 아래의 2줄이 보존이 잘되어있다. 문주 양측에는 복련좌 위에 수호신상(지극역사持戟力士)이 서있다. 문 아래에는 배화 화단을 배치하

60 尹夏淸, 「陝西靖邊出土彩繪貼金浮雕石墓門及其相關問題探討」, 『考古與文物』, 2005年 1期.

였다. 석관 뒷면에는 현무와 역사(또는 천신天神) 도상이 있다. 천신은 오른손에 손잡이가 긴 둥근 고리가 달린 칼을 들고 있다. 석관의 좌우면에는 좌측에 용, 우측에 백호가 새겨져 있다. 국부에 첩금한 흔적이 남아있다(도29).

석관 내에는 2인의 인골이 놓여 있는데 앙신직지장仰身直肢葬이다. 남측 인골이 남성, 북측 인골이 여성이었다. 북측의 인골의 입 안에 1개의 동로마 비잔틴 금화(Justinian 1세, 527~565)가 발견되었다. 묘주인 이탄은 계빈국 출신으로 석관의 화단의 제재와 동로마 금화의 부장으로 중앙아시아계통의 문화요소가 표현되었다.[61]

V. 북조의 소그드계 석각

북조 고분미술 중 소그드 등 서역계 인물들이 등장하는 고분미술은 6세기 후반의 섬서성 서안과 태원 근교 고분들에서 주로 발견된다.[62] 다양한 형태의 석조 장구를 사용하여 소그드계 화상을 장식하였다. 형태에 따라 쌍궐형雙闕型 석관상石棺床 화상석, 석곽형石槨型 석관상石棺床 화상석, 석병풍형石屛風型 석관상 화상석 등으로 분류한다. 석상石床, 석병풍石屛風, 석곽石槨은 모두 『서경잡기西京雜記』에 보이는 용어로 위진남북조시기 도교와 승선사상의 유행으로 석상 장례의식이 발전하였다. 또한 선비족과 같은 고대 북방민족이 남천하면서 전통제의의 석실石室 등을 이용한 장례의식이 발전하였다. 그리고 시체가 니토에 닿는 것을 금지하는 천교 장례의식의 관습을 지닌 상층 페르시아인과 소그드인들이 중국의 석상 장식을

---

61 程林泉,「西安北周李誕墓的考古發現與研究」,『西部考古』, 三秦出版社, 2006; 王維坤,「論西安北周粟特人墓和罽賓人墓的葬制和葬俗」,『考古』, 2008年 10期.

62 姜伯勤,「中國藝術史上的波斯風」, 許虹,『最新中國考古大發現』, 山東畵報出版社, 2002, pp. 139~144; 서윤경,「中國 喪葬美術의 東西交流: 北朝시기 西域民族의 石葬具를 중심으로」,『미술사논단』, 2007; 정완서,「중국에서 발견된 소그드인 무덤 미술 재고찰 -소그드인 석장구 도상을 중심으로-」,『중앙아시아연구』, 2010. 姜伯勤은 이들 천교화상석을 3대 유형으로 구분하였다. 제1유형은 雙闕型 石棺床 화상석, 제2유형은 石槨型 石棺床 화상석, 제3유형은 石屛風型 석관상 화상석이다. 제1유형에는 하남 안양 발견 석관상 화상석, 일본 滋賀縣 미호박물관 소장 화상석각이 해당된다. 제2유형에는 山東 靑州 傅家莊 北齊 線刻 畵像石(익도 북제 석실 발견 화상석)과 우홍묘 발견 석곽이 있다. 제3유형은 서안 발견 북주 살보 안가묘 화상석과 1992년 천수시 박물관에서 발표한 수대 병풍 석관상묘가 있다.

채용한 것으로 보인다.[63]

탁발선비 계통의 북위, 북제 고분미술이 중원의 한계와 북방 선비계 문화의 결합을 보여
준다면, 소그드계 석각은 북조의 일반 고분미술과 일정 형식을 공유하면서도 외래계 묘주
또는 외래문화의 영향을 받거나 교류를 한 묘주의 취향을 반영하여 구성되었다. 병풍형식
을 적극적으로 채용하면서도 조로아스터교와 연관된 석당 형식도 반영하면서 연음, 수렵,
조로아스터교 의식 등을 제재로 구성하였다. 이란계인 소그드족의 중국으로의 이주는 영하
성 고원의 소그드계 사씨 가족묘군에서도 입증된 바 있다.[64]

스카글리아Gustina Scaglia는 1958년 미국과 유럽에 흩어져 소장되어 있는 하남성 안양에
서 출토된 것으로 전해지는 서역풍의 북제 쌍궐형雙闕型 화상석에 대한 연구를 *Artibus Asiae*
에 발표하였다.[65] 그로부터 약 40년 뒤인 1997년 줄리아노Annette L. Juliano와 러너Judith A.
Lerner는 일본 미호박물관 소장의 서역계 인물과 그들의 문화가 묘사된 대리석 석관에 대한
연구를 "Cultural Crossroads: Central Asian and Chines Entertainers on the Miho Funerary
Couch"라는 제목으로 *Orientations*에 실었다.[66] 전 안양 출토 쌍궐형 화상석과 미호박물관
화상석은 완전한 형태를 갖추지 않은 채로 알려진 것으로 미호박물관 소장품의 경우 진품
여부가 논쟁을 불러일으켰다. 그러나 출토지가 확실한 유사한 서역계 장식 석곽과 석탑石榻
이 1992년 발굴이 보고된 감숙성 천수에 소재한 고분과 1999-2000년 산서성 태원 우홍묘와
섬서성 서안 안가묘에서 발견되면서 자료가 추가되었다. 2003년에는 섬서성 서안 사군묘에
서 소그드어와 중국어 명문이 새겨진 석곽이 새로이 발견되었다. 이들 신출자료들로 인해
북조시기 고분미술의 중요한 특징인 소그드문화의 유입을 통한 다양성을 살펴볼 수 있게
되었다.

63　姜伯勤, 「中國藝術史上的波斯風」, 許虹, 『最新中國考古大發現』, 山東畵報出版社, 2002, pp. 139~144.

64　羅豊, 『固原南郊隋唐墓地』, 文物出版社, 1996.

65　Gustina Scaglia, "Central Asians on a Northern Ch'i Gate Shrine," *Artibus Asiae* Vol. 21, No. 1 (1958),
　　pp. 9-28.

66　Annette L. Juliano and Judith A. Lerner, "Cultural Crossroads: Central Asian and Chinese Entertainers on
　　the Miho Funerary Couch," *Orientations*, 28, no. 9(1997), 72-78.

1. 섬서 서안 사군묘

서안시西安市 미앙구未央區 대명궁향大明宮鄕 정상촌井上村에서 2003년 발견된 북주 사군묘史君墓는 사파묘도가 달린 토동묘로서 묘의 전체 길이가 47.26m이며 긴 묘도와 5개의 천정, 전실과 후실로 구성되었다. 후실 크기는 3.7×3.5m이다. 용도, 전실과 후실 모두 백회가 발라져 있어 벽화가 그려졌을 가능성이 있으나 현재는 남아있지 않다. 묘실 안에 놓인 맞배지붕의 석곽石槨 또는 석당石堂의 크기는 길이 2.46m, 너비 1.55m, 높이 1.58m이다(도30).[67]

석당은 남향이며 앞면 5칸, 옆면 3칸의 구조이다. 석당 기대는 두 매의 석판을 조합하여 구성하였다. 동서 길이 2.5m, 남쪽의 석판의 남북 너비 0.88m, 북쪽의 석판의 남북 너비 0.68m이다. 기대 사면에 부조장식을 하였다.

묘문은 용도 가운데 위치하였는데 문미門楣, 문광門框, 문비門扉, 문지방門檻 등 6개의 석재로 구성되었다. 높이 1.52m, 너비 1.35m 이다. 문미 위 정면에 감지부조기법減地浮雕技法으로 도상을 새겼다. 문미 중앙에는 정면상으로 묘사된 사비신四臂神이 있다. 사비신의 좌측에

도30 | 석당 정면, 사군묘, 서안시박물원

67　西安市文物保護考古研究院 編,『北周史君墓』, 文物出版社, 2014.

는 손에 각배를 든 신이 상반신만 묘사되었다. 우측에는 괴수와 조수인신鳥首人身의 신이다. 사이사이에는 인동문과 연주문을 장식하였다.

문광門框은 동서로 나뉘는데 정면에 채회부조로 포도 덩굴 사이사이에 기악천, 호병과 잔을 든 인물, 신장상을 위에서 아래로 조각하였다. 양쪽 문비門扉에는 채회첩금으로 백, 흑, 홍색을 사용하여 비천과 연화 등 도상을 새겼는데, 각 문비에 3조의 비천이 있다.

석당 네 벽은 12매의 석판(문비 2개, 문미 1개, 문지방 1개를 포함)으로 구성되었다. 석당 외벽과 받침대에 부조를 새기고 안료와 금박으로 채색하였다. 사면 벽의 부조는 네 개의 팔이 달린 수호신, 천신祆神, 수렵, 연음, 출행, 상대商隊, 제사, 승천 등의 제재가 새겨져있다. 인물, 복식, 패식, 기물, 산수, 수목과 건축 구조 등의 부분에 채회를 하거나 금박을 하였다. 조각의 내용이나 표현에서 서역적 특징이 강하게 보인다.

석당의 앞면의 문 위에는 장방형 석판(길이 0.88m, 너비 0.23m)이 있는데 소그드문자와 한문 제명題銘이 쓰였다. 50행의 문자를 새겼는데 소그드문자가 32행, 한문이 18행이다. 문지방門檻은 길이 0.86m, 너비 0.2m, 높이 0.15m이다. 양쪽 끝에 각 한 마리 사자와 4명의 동자童子가 어울려 노는 모습을 새겼다.

석당 남벽은 8매의 석판으로 구성되었다. 높이 1.1m, 너비 2.2m, 두께 0.09m로 석당의 전면이다. 모두 5칸으로 나뉜다. 석당의 문 앞면에는 사비수호신四臂守護神이 두 명의 악귀를 밟은 모습을 고부조기법으로 새겼다. 사비수호신의 옆에는 창문을 새겨놓았으며 창문 위에 4명의 기악인이 있고 창문 양측에는 2명의 시자가 있으며 창문의 아래에는 파담 마스크를 쓴 인신응족人身鷹足의 제사祭司가 화곤火棍을 들고 화단火壇 앞에 서 있다.

석당 전면의 기대 앞면은 각종 신수神獸의 얼굴을 덩굴무늬 사이사이에 그려 넣었다. 화면의 중앙에는 정면상의 양머리가 있고 좌우로 다양한 상서나 벽사의 동물 두상이 묘사되었다. 기대의 양쪽 끝에는 하늘을 받치는 날개가 달린 천사상이 있다.

석당 서벽은 두 매의 석판으로 구성되었으며 각각의 석판에 기둥을 부조로 조각하여 두 개의 기둥이 있고 기둥과 기둥 사이에 각각의 장면을 그려 넣었다. 석판의 높이 1.1m, 너비 1.2m, 두께 0.09m이다. 우측에서 좌측으로 각 장면을 묘사하면 우측에는 화면 상단에 교각 자세로 연화보좌 위에 앉은 신상이 중생들에게 설법하는 장면이 있다. 신상의 몸 뒤에 타원형 광배가 있다. 앞에는 남녀가 둘러앉아 설법을 듣고 있으며, 사자, 영양, 멧돼지 등 7마리의 동물들이 그 아래에 모여 있으며 기악인들이 연주를 하고 있다.

중앙의 장면은 부부가 가옥 내에서 어린아이를 안고 있는 장면이다. 궁륭형 천장의 목조

가옥 내에 남녀묘주가 정좌하고 있으며 시종들이 둘러싸고 있다. 화면 아래 우측에는 산석과 수파문이 묘사되었고 좌측에는 한 마리의 말이 마부와 함께 대기하며 또 다른 시종이 산개傘蓋를 들고 있다. 가장 좌측의 장면은 산수 배경에서 상대商隊가 수렵과 출행을 하는 장면이다. 상단에는 한 명의 인물이 앞에서 뛰어가는 두 마리의 사슴을 향하여 화살을 겨누고 있으며 하단에는 낙타와 말로 구성된 상대의 행렬도이다.

서벽의 기대에는 좌우로 나뉘어 각각 수렵도가 그려져 있다. 말에 앉아 뒤로 돌아 쏘는 반사자세의 기마인물과 사납게 달려드는 짐승을 향하여 화살을 쏘며 달려가는 인물 등 수렵 장면이 생동감 있게 묘사되었다. 화면의 양쪽 끝에는 하늘을 받치고 있는 천사상이 있다

석당의 북벽은 4매의 석판으로 구성되었다. 목조가옥 구조를 모방한 석당이어서 6개의 기둥으로 5칸 공간을 구분하였으나, 석재의 크기와 화면 구성의 필요성에 의하여 실제로는 두 개의 기둥만 부조로 표현하였고, 화면은 내용상으로는 5개 부분으로 나뉜다. 서쪽(화면의 우측)에서 동쪽(좌측)으로 첫 번째 장면은 상대의 야외 노숙과 교역의 장면이다. 상하로 나누어 화면 상부는 유르트가 있고 내부에 한 명의 남자가 보관을 쓰고 번령에 좁은 소매가 달린 장포翻領窄袖長袍를 입고 손에는 장배長杯를 들고 앉아 있다. 유르트 바깥에도 같은 복식을 한 인물이 장배를 들고 앉아 같이 음주를 하는 모양이다. 화면 아래에는 4명의 남자가 이끄는 상대인데 각 2마리의 낙타와 말이 있다. 상대 가운데 두 명의 남자가 대화를 나누는 듯이 보인다.

두 번째 장면은 남녀묘주가 가옥 내에서 음연을 하는 장면이다. 궁륭형 천장에 회랑이 달린 목조가옥 내에 앉아 남자는 손에 장배를 들고, 여자는 소배를 들고 있다. 남녀묘주 주위에는 4명의 기악인이 있어 악기를 연주한다. 남녀묘주 앞에 무릎 꿇은 한 명의 시자가 잔을 들고 있고 몸 앞에는 호병을 놓았다. 회랑에는 4명의 시자가 있다. 계단 아래 우측에는 3명이 악기를 연주하고 춤을 추고 있다. 세 번째 장면은 남녀묘주의 기마출행의 장면으로 상하로 구분된다. 상부는 5명의 남자가 있는데 정중앙에 남자묘주가 화개를 들고 있고 옆에 말을 타고 산개를 든 시자가 따르고 있다. 화면 하단에는 여자묘주의 출행이 묘사되어 있다.

네 번째 장면은 두 개의 타원형 깔개 위에 앉은 남녀묘주의 포도원에서의 연음도이다. 정중앙에는 5명의 남자와 음식이 가득 담긴 쟁반이 있다. 모두 잔을 들고 술을 마시고 있다. 4명의 기악인이 악기를 연주한다. 화면 하부에는 5명의 여인이 앉아 있고 많은 양의 음식이 담긴 쟁반이 놓였다. 우측에는 3명의 시자가 좌측에는 3명의 기악녀들이 있다.

마지막 장면도 상하로 구분되는데 상부에는 산악 장면이고 한 명의 노인이 산의 동굴 속

에 앉아 있고 동굴 밖에는 한 마리의 개가 보인다. 화면 하부는 물 속에 두 명의 인물과 연잎과 두 마리의 물짐승이 있다. 하늘에는 비천이 날고 있다. 석당 뒷면의 기대에는 앞면의 기대와 같이 넝쿨무늬와 동물의 머리 부분을 조합하여 장식하였다.

석당의 동벽은 두 매의 석판으로 구성되었는데 높이 1.1m, 너비 1.2m, 두께 0.09m이다. 소그드인의 사망 후의 승천의 과정을 그린 것으로 보인다. 북측에서 남측으로 세 개의 장면으로 나뉜다. 첫 번째 장면은 상하로 나누어 상부에는 광배 안에 묘사된 신상으로 보관을 쓰고 둥근 옷깃과 좁은 소매의 옷(원령착수의圓領窄袖衣)을 입고 앉아 있다. 신상이 앉은 대좌에는 3마리의 소머리가 보이는데, 중앙의 소는 정면, 양측의 소는 측면상이다. 주신主神의 우측 아래에는 3명의 보관을 머리에 쓴 신이다. 화면 하부는 산과 나무가 있고 산 아래에는 다리가 놓여 있다. 다리의 좌측에는 두 명의 파담을 쓴 사제가 서 있으며 손에 화곤火棍을 들었다. 다리 위에는 한 무리의 동물들의 행렬인데 양, 낙타가 보인다. 낙타의 등 위에 두 마리의 닭이 보인다. 교량에는 연화문을 장식하였다.

두 번째 장면의 상부는 두 마리의 익마가 달려가고 그 아래에는 한 마리의 말이 있다. 두 마리의 말의 위에는 보관을 쓴 비천이 있고 비천의 주위에 연화도안을 둘렀다. 하부의 한 마리의 말 옆에는 한 명의 인물이 있다. 그 아래의 교량은 앞의 장면과 연결되어있다. 다리 위에 인물과 동물들이 행렬하고 있다. 3명의 인물과 한 명의 어린아이이다. 가장 앞에는 상반신을 노출한 남녀가 있다. 남자는 심목고비에 손을 가슴 앞에 모으고 있다. 4명의 뒤에는 두 마리의 말이 있으며, 5마리의 동물이 뒤따른다. 다리 아래 물 위로는 연화와 연잎이 있고, 수파 가운데 두 마리의 물짐승水獸이 있다.

세 번째 장면은 묘주인 부부가 비천의 인도를 받아 천국에 승천하는 장면이다. 화면 중앙에 남녀가 각각 익마를 타고서 승천을 한다. 4명의 기악 비천이 주위에 날고 있으며, 하단에는 사자, 소, 낙타, 양 등 4마리의 동물이 하늘을 날고 있다. 아래의 기단에는 수렵도가 새겨져 있다.

석당의 동벽과 후벽에는 조로아스터교의 친왓다리를 건너 승천하는 도상이 그려져 있어 우즈베키스탄 아프라시압궁전의 북벽 벽화의 연꽃이 핀 강을 배를 타고 건너는 장면과 비교된다.[68] 석당의 받침대의 전면과 후면은 다양한 괴수상들이 장식되었고 각 모서리에는 날

---

68 毛民, 앞의 논문, pp.444~450.

개를 편 천사상이 배치되었으며, 좌우면은 도보와 기마 등 여러 종류의 수렵도가 그려져 있다. 특히 수렵과 카라반이 묘사된 석당 좌면의 받침대에 묘사된 수렵도는 두 명의 기마인물이 좌우로 교차하며 사납게 달려드는 호랑이와 사자를 화살로 겨누는 장면을 묘사하였는데 우홍묘의 사나운 동물과 싸우는 동물투쟁도를 연상케 한다.

북주 사군묘의 무덤 주인인 사군은 북주 때 감숙성 양주지역의 관직을 지내면서 소그드인을 포함하여 중앙아시아, 서아시아 출신의 이민족들을 감독하는 위치에 있었다. 화상석은 대부분 연회 장면으로 6세기 북부 중국에 거주한 소그드 집단의 생활풍속을 보여준다. 사군묘의 정면의 석각에 파담을 쓴 조로아스터교 사제의 배화 장면이 있는데 고구려 쌍영총의 향로와 유사한 형태의 배화단이 묘사되었다.[69]

중국 묘지명은 대개 하나의 방형 석판으로 제작되어 묘도에 놓이나 사군묘의 묘지명은 석당의 문 위 상인방에 새겨졌다.[70] 사군묘의 묘지명은 중국어와 소그드어로 기록되었으며 소그드어 묘지명은 현재 알려진 것 중 유일한 것이다. 사군은 북주의 양주에서 살보의 관직을 갖고 있었다. 사국史國은 케쉬Kesh, 즉 현재 우즈베키스탄의 샤흐리 세브즈Shahr-i Sabz이다. 사군은 서역 지역에 살다가 장안으로 이주하였는데, 할아버지는 고국에서 살보였으며 아버지는 이름이 언급이 되었으나 관직명은 기록되지 않았다. 묘주는 중국어 묘지명에서는 중국 이름이 지워져 사군이라는 성으로만 알려졌다. 대통 연간(535~551) 초에 살보로 임명되었고, 대통 5년(539)에 양주의 살보가 되었다. 85세인 579년에 사망하였다. 그의 부인은 강씨로 사마르칸트 출신이며 남편의 사후 한 달 뒤에 죽었다. 사군의 무덤은 세 명의 아들에 의해 세워졌으며 죽은 다음 해에 매장이 이루어졌다.

---

69 사마르칸트 몰랄리쿠르간 Mollali-kurgan 출토 납골기(6-7세기, 46×0.57×75㎝, 사마르칸트 역사건축예술박물관 소장)는 배화단과 사제가 묘사된 것으로 잘 알려진 납골기이다. 몸체의 넓은 면은 기둥과 아치로 공간을 삼등분하고, 가운데는 불을 모시는 제단을, 왼쪽과 오른쪽에는 파담(마스크)을 쓴 채 제단을 향하고 있는 인물을 배치했다. 이들은 모두 손에 막대기처럼 생긴 물건을 들고 있는데, 이는 조로아스터교의 의식구 중 하나인 '바르솜 barsom'으로, 나뭇가지로 만든 성스러운 지팡이다. 이 장면에 대해서는 일반적으로 조로아스터교의 제사장이 불을 숭배하는 장면을 묘사한 것으로 본다. 국립중앙박물관 편, 『동서문명의 십자로-우즈베키스탄의 고대문화』, 국립중앙박물관, 2009, pp.126-127.

70 Albert E. Dien, "The Tomb of the Sogdian Master Shi: Insights into the Life of a Sabao, Master Shi," *The Silk Road*, vol. 7, 2009, pp.42-50; Frantz Grenet and Pénélope Riboud, "A Reflection of the Hephtalite Empire: The Biographical Narrative in the Reliefs of the Tomb of the Sabao Wirkak(494-579)", *Bulletin of the Asia Institute*, 17, 2003; 姜伯勤, 「中國藝術史上的波斯風」, 許虹, 範大鵬 主編, 『最新中國考古大發現─中國最近20年32次考古新發現』, 山東畵報出版社, 2002, pp.133-144.

2. 산서 태원 우홍묘

산서 태원太原 진원구晉源區 왕곽촌王郭村에서 1999년 산서성 고고대에 의해 발굴된 우홍묘虞弘墓는 비록 수대隋代의 묘이지만 북조의 사군묘, 안가묘와 같은 범 소그드계 석각이므로 여기에서 서술하고자 한다. 전실묘磚室墓로 묘향은 남향이며 묘도墓道, 용도甬道와 묘실로 구성되었다. 묘실 내에서 53개의 대리석으로 조합된 팔작지붕의 석곽이 발견되었다. 묘주의 성은 우虞이고 명名은 홍弘이며 자字는 막번莫潘이고 어국魚國 위흘린성尉紇驎城 사람이다. 여여茹茹국왕의 명을 받아 파사波斯, 토욕혼吐谷渾 등의 나라에 출사하였다. 후에는 북제에 출사하였다가 북제에 남아서 북주와 수에서 관직을 하고 592년(수개황12년隋開皇十二年)에 59세로 죽었다. 묘주의 장구葬具는 한백옥석곽漢白玉石樟으로 외관은 정면 세 칸의 전당殿堂식 건축이다. 석당은 기단, 벽면, 지붕의 세 부분으로 구성되었다. 석당의 길이는 2.95m, 너비는 2.20m, 높이는 2.17m이다. 내외벽에 그리거나 새긴 조각과 회화가 54점에 달한다. 내용은 연음도, 악무도, 수렵도, 가거도, 출행도 등이다. 수렵도 중에서 말, 낙타, 코끼리를 탄 심목고비의 외국인이 사자와 싸우는 장면이 많이 묘사되었다. 인물의 복식과 천의 및 두광, 호선무, 기물과 악기, 리본을 단 말과 새, 천교 제의 등 모두 페르시아와 중앙아시아 문화요소가 강하다.[71] 우홍묘의 인물들은 모두 두광에 머리 양 옆으로 날리는 관식이 특징으로 한족의 복식과는 차이가 있다. 우홍묘는 앞에서 보이는 부분은 부조를 사용하고 곽의 후면에는 회화를 그린 것이 독특하다. 우홍묘 석곽의 회화에는 안가묘와 같이 금색, 녹색 등 화려한 채색을 사용하였다.

우홍묘 석곽의 화상은 내벽 부조가 7폭, 외벽 부조 및 흑회黑繪가 9폭, 곽좌의 정면 부조, 우면 부조, 후면 채회, 좌면 부조로 구성된다. 화면은 상단의 2/3 정도의 공간에 중심 주제가 그려지고 하단의 1/3 정도 되는 공간에는 앞으로 걸어가는 동물상이 그려졌다. 내벽 부조와 외벽 부조는 병풍 구조를 이용하였는데 미호박물관 석각과 같이 석판의 너비가 조금씩 다르다. 내벽의 정중앙의 묘주부부 연음도가 그려진 석판의 너비가 가장 넓다(도31).

곽 내벽 부조 5번인 중앙의 묘주부부 연회도에서 남자는 배杯를 들고 여자는 작은 완을 들

---

71 山西省考古研究所,「太原隋代虞弘墓清理簡報」,『文物』, 2001年 1期; 姜伯勤,「中國藝術史上的波斯風」, 許虹, 範大鵬 主編,『最新中國考古大發現—中國最近20年32次考古新發現』, 山東畫報出版社, 2002, pp.139~144; 山西省考古研究所,『太原隋虞弘墓』, 文物出版社, 2005.

고 있다. 남자묘주 곁에 선 남자 시종들은 용기를 손에 들고 연회에 참여하고 있다. 여자와 옆에 선 두 명의 인물이 독특한 관식을 하고 있다. 두 명의 남자는 어깨에 천의를 두르고 있으며 천의의 끝자락이 몸 아래로 처졌다. 입고 있는 바지단이 바닥까지 흘러내렸다. 묘주부부가 앉은 건축물의 지붕에는 연주문이 장식되었다.

묘주부부가 앉은 건물의 앞 정원에는 6명의 악사와 한 명의 호선무를 추는 무용수가 있다. 화면의 우측에 악사들보다 크기가 큰 호병이 세워져 있고 호병의 목 부분에 연주문이 둘러져 있고 손잡이와 바닥 부분도 둥근 톱니 문양 장식이 있다. 묘주부부연음도 하단은 사자와 인물 간의 투쟁도이다. 두 명의 인물이 각각 사자와 싸우고 있는데 머리 부분은 이미 사자에게 삼켜졌으나 우측의 인물은 사자의 몸을 장검으로 꿰뚫은 상태이다. 개 두 마리가 주변에서 뛰고 있다.

코끼리와 낙타를 탄 소그드인과 돌궐인이 뒤로 돌아 동물과 싸우는 수렵도가 묘주부부도의 좌측 석판 한 점(제6폭)과 우측 석판 두 점(제3, 4폭)에 표현되었다. 곽벽槨壁 부조 제3폭은 낙타에 탄 인물이 몸을 돌려 뒤에 얼굴을 드러낸 사자를 향해 활을 쏘고 있다. 몸을 뒤로 돌린 낙타는 아래에 반대편으로 달리고 있는 사자의 뒷다리 부분을 꽉 물고 있고 사자의 아래에는 개가 같이 뛰고 있다. 동물투쟁도는 스키타이, 흉노와 아케메네스 페르시아 미술에서 연원을 살필 수 있고 사산조 페르시아의 수렵도 은기에 뒤로 돌아 쏘는 자세의 수렵인의 형상이 계승 표현된다. 사산조 은기에서는 낙타를 탄 기마인물의 수렵의 예도 볼 수 있다.[72]

우홍묘에서는 수렵인이 말이 아닌 낙타를 타고 있는 점과 수렵인이 탄 낙타가 수렵 대상인 동물을 물고 있는 점이 독특하다. 이는 6세기 말에 이르러 이전의 여러 문화요소들이 복합적으로 조합되면서 보다 급진적인 도상으로 표현되는 것으로 보인다. 낙타의 싸움을 그린 것은 감숙 고대 위진 벽화묘에서 그 사례를 볼 수 있는데 이 벽화묘는 쿠샨 박트리아 계통의 발라릭 테페의 연음도와 유사한 인물도가 그려진 묘이다.

우홍묘 부부연회도 하단에 그려진 사자와 무사 간의 격렬한 투쟁은 젊은 무사가 황소를

---

72 구에놀 콜렉션 소장 낙타 수렵도 은기(Silver-gilt plate with camel-riding hunter, 5-6세기, 직경 20.1㎝, The Guennol Collection)와 메트로폴리탄미술관 소장 수렵도 은기(Plate with a hunting scene from the tale of Bahram Gur and Azadeh, 5세기, Silver, mercury gilding. 높이 4.11㎝, 직경 20.1㎝) in Prudence Oliver Harper, "Art of the Sasanian Empire", *Archaeology*, Vol. 31, No. 1 (January/February 1978), pp. 48-52 참조.

도 31 | 《묘주부부연회와 수렵도》, 석곽 내벽(상), 《연회와 수렵도》, 곽좌 후면(하), 우홍묘, 산서성박물관

칼로 찔러서 희생시키는 고대 로마의 미트라신의 도상과 연관되었을 가능성이 있다.[73] 하단에는 어깨 위에 걸쳐져 옆으로 날리는 천의와 두광을 가진 인물이 연주문 장식이 둘러진 대좌 위에 앉아 있다.

좌측의 7폭의 석판에는 묘주가 말을 타고서 잔을 들고 행진을 하며, 8폭의 마지막 석판에는 의자에 앉아 잔을 들고 음악을 즐기는 묘주가 그려졌다. 연음도 좌측의 세 석판의 중심인물은 모두 같은 관식과 복식을 하고 있다. 연음도 우측의 두 명의 수렵인물은 관식이 다르다. 가장 우측에는 포도나무 아래 높은 단이 있는 건축물이 있고 건물의 위에 손을 잡고 춤을 추는 세 명의 인물이 보이고, 아래에는 건물을 향해 용기를 들고 걸어가는 인물이 있다. 이 인물이 든 목에 연주문이 둘린 호병이 묘주부부연음도의 우측에 크게 그려져 있다. 목과

---

73 원래는 페르시아의 영향을 받아 미트라교가 나타난 것으로 보다가 현재는 로마 자생의 신앙으로 보는데, 미트라신은 조로아스터교에서 맹세와 서약의 신이다. 이란의 터키 부스탄의 아르다시르 왕의 부조에는 머리 뒤로 태양광 같은 광배를 가지고 연화좌 위에 선 신상으로 묘사된다.

다리, 손잡이에 연주문 장식이 있고 덮개에 원형의 장식이 보인다.

묘주부부도 좌측의 세 개의 석판은 모두 남자 묘주가 등장하는데 연음도 바로 옆에는 코끼리를 타고 몸을 돌려 사자와 싸우는 수렵도이고 그 다음인 곽 내벽 부조 7번에는 말을 탄 묘주와 말의 앞뒤로 선 시종이 두 명이 있는데 세 명 모두 손에 모양이 다른 용기를 들고 있다. 묘주는 말에 탄 채 손에 잔을 들고 있다. 사군묘에서도 묘주는 잔을 들고 손을 내민 모습인데 고원 칠관화의 묘주도 마찬가지이다. 이렇게 중요 인물이 잔을 손에 들고 있는 도상의 의미나 금은기의 용도와 상징성이 전체 도상의 구성에도 연관된 것으로 보인다. 앞에 선 시종은 음식이 수북이 담긴 반을 들고 묘주에게 바치고 있다.

곽 내벽 부조 8번인 가장 왼쪽의 석판에는 묘주가 가운데가 오목한 의자에 반가자세로 앉아 손에 팔곡배처럼 보이는 용기를 손에 들고 있고 그 앞에 시종 한 명이 무릎을 꿇고 음식을 반에 올리고 앞에 선 시종은 비파를 연주하고 있으며 개 한 마리가 앉아있다. 석판 하단에는 긴뿔 사슴이 달리는 모양이다.

대체로 연회도, 수렵도, 기마인물행렬도가 중심 주제인데 각 장면에 등장하는 용기의 모양이 변화한다. 이들 용기의 형태는 묘에 부장되는 서역계 금은기의 형태와 유사하다. 묘주의 죽음과 연결된 제의 단계마다 사용되는 용기를 상징적으로 표현하였을 가능성이 있다. 만약 우홍묘 석곽 부조가 조로아스터교와 연관된 사후 제의 의식과 종교관을 표현한 것이라면 이들 용기들이 중국 내에서 발견된 사례 가운데 중국 내의 조로아스터교 사제가 소유하는 명문이 새겨진 금은기가 있다는 사실과 연관 지어 해석할 수 있다.

곽 내벽 부조는 묘주부부연음도와 기단이 높은 건물도의 두 장면을 제외하고, 모두 중심인물이 동물에 탄 채로 묘사되어 기마 유목 또는 상업 교역에 주로 종사한 북방·서역인들의 생활상을 잘 반영하고 있다. 몇몇 시종은 두광이 없으나 묘주를 포함한 대부분의 인물에 두광이 존재하는 점이 주목된다. 이는 현세의 인물이 아니라는 의미로 이미 사후세계에서의 모습을 묘사하는 듯이 보인다. 묘주의 행렬도나 수렵도에 항상 개가 같이 있는데 조로아스터교의 제의와 연관된 상징동물로 보인다. 석곽 내벽의 하단에는 사자의 배에 칼을 찌르고 싸우는 무사 두 명, 목에 리본을 두른 새, 긴뿔 사슴, 시무르그를 공격하는 사자상, 악기를 연주하는 천인상 등이 있다.

우홍묘 석곽 부조에 동물을 탄 인물들은 대부분 뒤로 돌아선 자세를 하고 있다. 스키타이의 선주민인 킴메르인들이 기원전 6-7세기에 이미 기마반사자세를 보이는데 등자를 사용하지 않고 몸과 말의 목에 끈을 묶어 고정하고 있다. 우홍묘도 묘주가 서역계 출신으로서 동물을 다루는 능력과 맹수와의 싸움에서 이기는 용맹성을 강조하는 도상이 표현된 것으로 생각된다.

묘실로 들어가는 방향에서 정면으로 보이는 석곽 외벽의 좌우측 끝의 석판은 말을 타고 행진하는 인물과 인물이 타지 않은 말이 각각 새겨져 있다. 정면에서 가장 우측의 석판인 곽 외벽 부조 9번은 묘주가 사리호와 같이 생긴 병을 손에 높이 들고 말을 타고 천개를 받쳐 든 시종과 함께 행진하고 그 앞에 작은 사리호와 같은 용기를 반에 받쳐 든 시종이 서 있다. 하단에는 자신보다 몸집이 큰 뿔이 달린 소의 등을 사납게 무는 사자가 묘사되었다.

곽 외벽 부조의 1번인 가장 우측의 석판에는 아무도 타지 않은 말과 이를 따르는 세 명의 인물이 있다. 우측의 두 명의 인물이 직사각형의 판을 왼팔에 끼고 서 있다. 말의 앞에 개 두 마리가 앞서가고 말고삐를 잡은 든 마부가 이들을 향해 서 있다. 목에 리본을 멘 공작새가 하늘을 날고 있다. 우측의 가운데 선 인물과 마부가 머리 위로 묶은 끈이 두드러진 관모를 쓰고 있는데 파담을 쓴 천교 사제의 것과 흡사해 보인다. 하단에는 시무르그와 유사하게 다리가 말린 모습으로 표현된 천마상이 있다. 소그드계 석각을 시간의 순서에 따른 묘주의 생애로 해석하는 기존의 학자들의 의견을 고려한다면 인물이 타지 않은 말은 사후 세계에서의 행렬로의 변화를 표시하는 것으로 보인다. 석곽의 외벽은 정면에서 보이지 않는데 부조가 아닌 흑회로 그린 7폭의 인물상이 있다. 묘주부부 연회도가 그려진 석판의 뒷면에는 반가 자세로 앉아 천의를 날리는 인물상이 있는데 얼굴 부분이 지워져서 확실치 않으나 종교적 신상으로 보인다. 이 인물을 중심으로 좌우측 각 세 명씩 인물들이 있는데 입상 또는 좌상으로 외벽 1번과 8번 석판을 향해 각각 다른 용기를 손에 들고 공양하는 자세로 그려졌다. 수·당대 벽화묘 안에서 발견되는 석곽에 새겨진 선각화 또는 벽화에 그려진 여러 다른 종류의 기물을 들고 묘주를 시중들고 있는 남녀 시종상들과 유사하다.

곽좌櫫座 정벽은 상하 2단으로 구성되었다. 상단은 소그드의 납골기에서 볼 수 있는 두 개의 기둥 사이에 인물 입상을 넣은 구성인데, 각 장면 사이에도 중간에 기둥을 세워 공간을 구분하였다. 우홍묘에서는 기둥 사이에 각 두 명의 인물이 서서 악기를 연주하고 있다. 모든 인물은 두광이 있으며 어깨에 두른 천의와 목에 두른 리본이 있다. 곽좌 정면 하단은 두 개의 안상이 있고 안상과 안상 사이에 조로아스터교의 배화제단과 두 명의 인두조신人頭鳥神이 불을 지키고 있다. 안상 안에는 긴 각배를 든 인물과 잔을 든 인물이 마주 앉아 있으며 왼쪽의 안상 가운데에는 손잡이와 목에 연주문이 둘린 큰 호병이 있다. 안상의 외측에는 문지기가 각각 서 있다.

곽좌 후면은 부조가 아닌 채색회화이다. 곽좌 정면과 같이 상하 2단 구성이다. 하단의 두 개의 안상 안에는 긴뿔 사슴을 공격하는 수렵도이다. 상단은 말은 등장하지 않지만 곽 내벽의 연회도 도상이 반복되는 느낌인데 다양한 종류의 용기를 들고 연회를 즐기는 인물들을 볼 수 있다. 우홍묘 출토 도용 가운데에서도 석곽의 부조와 회화에 표현된 호병을 가슴에 든 호용이 있다. 곽좌 우면과 좌면은 상단은 기둥으로 나눈 세 점의 수렵도가, 하단은 안상 안에 잔 또는 각배를 들고 선 인물이 있다. 수렵도에는 긴 뿔 사슴을 향해 화살을 겨누거나 몸을 뒤로 돌려 화살을 쏘는 기마 인물이 있고 말의 앞에 서서 말과 겨루는 인물도 보인다.

묘지명에 의하면 592년에 59세의 나이로 사망한 우홍은 유연왕에 의해 페르시아, 토욕혼과 박트리아 또는 간다라, 그리고 북제에 사신으로 보내졌으며, 후에는 중국의 북제, 북주, 수나라에서 조로아스터교 사원과 서역계 민족들을 관리하는 업무를 맡게 된다. 서현수묘 벽화에 나온 장식문양과 같은 단순한 서역계 요소의 전파가 아닌 중국 산서성 태원지역에서의 서역계 인물의 직접적인 활동상과 그들에 의한 중국 고분미술의 흡수와 변용을 볼 수 있는 묘로서 중요하다.

우홍묘 화상석과 산동 청주 부가장 화상석에 묘사된 리본 달린 새인 길상조는 페르시아 길상조 도안이 중국에 유입된 예이다. 고구려 천왕지신총의 천장 벽화에도 유사한 목에 리본이 달린 새 도상이 있어 주목된다.[74]

우홍묘 석당에 묘사된 연회, 행렬, 수렵 등은 중국 고분미술의 중심 주제이다. 그러나 우홍묘 석당을 포함한 소그드계 석각은 중국 장의미술의 전통을 수용하면서도 중앙아시아계통의 다양한 풍습과 활동들을 포함시켜 변용된 형식을 창조하였다. 사나운 동물이 겨루는 동물투쟁도는 페르시아계 미술 도상의 영향이 엿보이며, 조로아스터교 배화의식은 종교적 정체성을 반영하고, 두광, 천의, 리본을 포함한 인물의 복식 표현은 중앙아시아계통 불교미술의 영향이 보여 북조시기 일반적인 생활풍속도 주제의 벽화와 구별된다.

3. 중국 국가박물관 소장 북조석당

2012년 일본수장가日本收藏家 호리우치 노리요시崛內紀良가 국가박물관에 기증한 석당石堂

---

74   姜伯勤, 「中國藝術史上的波斯風」, 許虹, 『最新中國考古大發現』, 山東畵報出版社, 2002, pp. 139-144.

은 천교祆教 의식을 새긴 북조석당北朝石堂이다.[75] 손기孫機와 양홍楊泓의 검증 후 북조 시기 석당임이 확인되었다. 북조 때에 외래종교인 천교가 중국에 전파되고 교류 융합한 사실을 증명하는 중요한 석당이다. 북조에 들어온 소그드인이 제작하여 소그드 귀족 수령의 매장에 사용하였다. 국가박물관에서는 "방옥형석곽房屋形石槨"으로 명명하여 전시하였다. 이러한 종류의 장구葬具는 중국에 들어온 소그드 후예의 귀족들이 석조의 장구를 자신의 사후에 안치될 장소로 애호한 것을 잘 보여준다. 소그드인들이 사용한 석조 장구는 위병석관상圍屏石棺床과 전우석당殿宇石堂의 두 가지 종류가 잘 알려져 있다. 국가박물관 소장 석당石堂의 크기는 길이 2.12m, 너비 1.25m이다.

석당 정면에는 방형의 문이 있고, 문미 아래 좌우에는 철환 흔적이 있어 원래 유장을 걸었던 것으로 추정한다. 문의 양쪽에는 각각 한 명의 문을 지키는 수호신형의 무사의 부조가 있다. 한 명은 곱슬머리에 심목고비, 짧은 수염에 긴 바지를 입고 허리에는 단도를 차고 있고 상체는 노출하였다. 다른 인물은 심목직비深目直鼻에 짙은 수염이 아래로 나고 번령호포翻領胡袍를 입고 아래에는 가죽장화를 신었다. 양손에는 원환병단검圓環柄短劍을 들고 위풍당당하게 서 있다. 석당 전체에 입주횡방立柱橫枋을 조각하고 주두에 두공과 인자공人字拱을 선각하였다. 두공 사이에는 북조 때 유행한 외수畏獸, 현무玄武, 기수인물騎獸人物 등을 새겼다. 석당 네 모서리에는 번령호복을 입고 가죽신을 신고 긴 칼을 든 시위를 부조로 새겼다. 기존의 소그드계 석각에서 아직 출현하지 않은 예이다. 안가묘와 같이 채회첩금彩繪貼金을 사용한 흔적은 없다.

도상 주제는 군호수령알현도群胡首領謁見圖, 여성시립도女性侍立圖, 군호출행도群胡出行圖, 우거출행도牛車出行圖, 출행의장出行儀仗과 비마도備馬圖, 시녀와 호인악무도胡人樂舞圖, 천교대회장면도祆教大會場面圖로 나눈다(도32).

군호수령알현도는 석당 정면 좌부에 얼굴 가득 수염이 난 호인수령이 곱슬머리에 화관 형상의 두식을 하고 작은 방형의 부드러운 모자를 쓰고서 손에 수배반水杯盤을 들고 책상다리를 하고서 투조의 방탑方榻 위에 앉아 있다. 호인수령은 앞에서 두 명의 호선무를 추는 인물들을 보고 있다. 여성시립도는 석당 정면 우측에 일군의 여성 시자들이 일렬로 서서 높은 귀빈을 맞이하는 듯이 보인다.

75　葛承雍,「北朝粟特人大會中祆教色彩的新圖像—中國國家博物館藏北朝石堂解析」,『文物』, 2016年 1期.

도 32 | 《묘주부부도》, 석당 후면, 중국 국가박물관

군호출행도는 석당 좌측 입면에 인물을 가득 그렸는데 모두 텁수룩한 곱슬머리이다. 호인수령은 장식이 화려한 말을 타고 있는데 마구 장식이 페르시아 사산조의 마식과 유사하다. 말 위에 탄 호인수령은 일월륜왕관日月輪王冠을 썼는데 천교祆敎의 주신主神 아후라 마즈다의 상징으로 보기도 한다. 배화대회拜火大會를 거행할 때에 천주祆主는 연모軟帽를 벗고 화관花冠을 써야 했다. 수행하는 인물들 가운데 높이 든 화개와 깃털 부채를 든 인물들이 뒤따르고 말을 타거나 걸으면서 호인수령을 둘러싸고 있다. 출행대오의 가장 앞면에 연주문이 장식된 화단火壇을 높이 든 호인이 행렬을 인도하고 있다.

우거출행도는 석당 우측 입면에 두 명의 곱슬머리 호인이 높은 휘장이 처진 우거를 소의 좌우에서 인도하고 있다. 두 명의 호인이 우거의 전방에서 호송하고, 우거의 후방에는 한족 복식을 입은 네 명의 여성과 한 명의 남성이 걷고 있다. 우거의 주위에는 심목고비의 호인들이 둘러싸고 있으며 머리에 상투를 튼 한인漢人도 있다. 모두 원령포복圓領袍服을 입었다. 그림의 아래에는 시내가 흐르는데 이러한 시내는 천교 장례의식 중에서 영혼이 진입하는 친왓다리와 연관되었을 수도 있다.

석당 뒷면의 좌측에 있는 한 폭의 호인악무도는 모두 13명의 호인 남성이 등장한다. 후면은 악대로서 비파, 장구, 배소 등을 연주하고 있다. 전방은 두 명의 호인이 대무를 춘다. 석당 정면의 호선무胡旋舞 형상과 유사하며 다리 아래에 호병발완胡瓶鉢碗을 놓았다.

악무도의 우측에는 한 무리의 시녀들이 춤을 추고 악기를 연주하는데 맞은편의 호인 남성들의 가무에 호응하는 듯 보인다. 여성 악대는 사현四弦 또는 오현비파五弦琵琶와 배소排簫

도 33 | 석탑 석각, 안가묘, 섬서역사박물관

를 연주하며 가장 앞에는 대형공후大型箜篌를 연주하고 있어 호인들이 연주하는 악기와 차별이 있다. 화면 중심에는 두 명의 무녀舞女가 대무를 추고 있다. 무용은 소그드의 천신天神제배祭拜와 장례제의 가운데 중요한 부분이다.

천교대회장면도는 여섯 칸 구조의 앞이 트인 대청 건물 안에 막이 걸린 가운데 호인수령 부부가 주인으로 탑좌 위에 앉아있으며 뒤에는 병풍이 있다. 묘주는 번령장포 같은 모피 옷깃의 망토를 걸치고 긴 소매를 아래로 내리고 있다. 곱슬머리에 뺨에 구레나룻이 있으며 책상다리를 한 호인수령은 한 손에 잔을 들고 다른 손은 긴소매 안에 감추고 여주인과 마주보며 대화를 나눈다. 여주인은 비조발계飛鳥髮髻를 하고 긴 치마를 입고 두 손은 가슴 앞에 모았다. 국가박물관 소장 석당의 선각화는 출행, 악무, 의장 등으로 구성된 주제면에서는 다른 소그드계 석각과 유사하나, 군호호인수령알현도, 천교대회도, 천교 화단의 행렬도 등의 구성은 특색이 있다. 출토지를 알 수 없어 묘주의 신분과 지위를 알 수 없으나 북조대 소그드계 묘주의 장의미술의 새로운 사례로 중요하다.

4. 섬서 서안 안가묘

북조 후기의 소그드계 석각 가운데 특히 중앙아시아 계통의 주제와 표현이 두드러진 것은 안가묘, 사군묘, 우홍묘의 부조이다. 섬서성 서안시 북교北郊 미앙구未央區 대명궁향大明宮鄕에 위치한 안가묘安伽墓는 2000년 5월에서 7월까지 발굴되었다. 감숙성 무위 출신 소그드 귀족인 안가는 안국安國(부하라Bukhara) 출신으로 서안에 정착하여 동주살보同州薩保로 임명

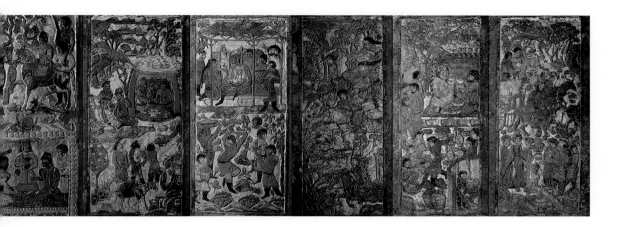

되어 서역계 이주민들을 관리하다가 579년 사망하였다.[76]

안가묘는 장사파묘도, 5개 천정, 5개 과동, 용도, 묘실로 구성되었다. 총 길이는 35m이다. 묘실은 정방형의 평면에 남북 길이 3.46m, 동서 너비 3.68m이고, 궁륭정의 높이는 3.3m이다. 묘도 제3, 4천정 동서 양벽에 벽화가 있다. 심홍색으로 테두리를 두르고 가운데에 검을 든 무사를 그렸다. 제4과동 입구 위쪽에 인동화가 남아 있다. 석문石門 위의 반원형 문액門額 위에 채회첩금彩繪貼金의 감지減地 천부조 기법으로 배화제단을 지고 있는 낙타, 반인반응半人半鷹의 사제, 기악비천, 각종 공양품 등을 조각하였다. 문미門楣 중앙에는 수면獸面, 주위에는 포도문양이다. 묘실 사면벽에는 홍색의 띠를 그렸는데 원래 벽화가 있었을 가능성이 있다.

안가묘에서 발견된 12폭의 석탑石榻(길이 228㎝, 너비 103㎝, 높이 117㎝)은 현재 섬서역사박물관에 소장되어있다. 정면과 좌우측 석판으로 화상이 구성되었는데 정면에는 6칸의 병풍식의 화상이, 좌우에는 각 3칸의 화상이 있다. 좌측은 우거와 기마출행, 수렵, 야회 연회, 중앙에는 야회연회, 포도밭 연회와 수렵, 남녀연회, 회맹, 야외연회, 야회연회, 우측에는 수렵, 야외연회, 우거출행의 순이다(도33).[77]

남녀묘주연회도의 좌측에 포도밭 연회장면 하단에는 소그드인 묘주가 사납게 달려드는

---

76   九姓胡는 昭武九姓의 줄임말로 쓰인 九姓과 胡가 결합한 것으로 소그드인을 지칭한다. 昭武九姓은 大安 또는 安國(부하라), 東安國(라르간), 曹國(東曹[사마르칸드와 코젠트 사이에 있는 우쉬, 西曹[사마르칸드 서북쪽, 中曹[사마르칸드 북쪽] 등으로 나뉨), 石國(타쉬켄트), 米國(사마르칸드 서남), 何國(타쉬쿠르간), 火尋國(호레즘), 戊地國(부하라 서남쪽의 베티흐), 史國(사마르칸드 남쪽 샤흐리 세브즈) 등이다.

77   陝西省考古硏究所,『西安北周安伽墓』, 文物出版社, 2003; 정완서, 앞의 논문, 2010, p.332.

짐승을 활을 당겨 제압하는 도상이 있는데 사산조 은기의 수렵도상과도 유사하다. 야외연회와 회맹장면에는 소그드와 돌궐 상호간의 활발한 교류관계를 묘사하였다.[78] 홍색의 좁은 소매의 호복을 입은 소그드인과 변발의 돌궐인이 말을 탄 채 만나는 회맹도는 사산조 부조의 가장 중요한 주제인 왕권 서임도와 표현 형식이 거의 같다. 소그드인과 돌궐인이 만나는 장막 위에는 조로아스터교의 일월 상징이 그려져 있다. 사산 부조의 서임도에서는 왕이 조로아스터교의 신인 아후라 마즈다나 아니히타 신에게 왕권을 상징하는 다이어뎀을 받기 위해 말을 탄 채 서로 마주 선 장면을 그리고 있다.

회맹도의 하부에는 조로아스터교의 일, 월 상징이 장막 위에 그려져 있고, 장막 안에 중간에 한 명의 사제 또는 감독인이 서고, 소그드인과 돌궐인이 양쪽에 앉아 있다. 미호박물관의 북조 화상석 중 내용이 같은 도상이 한 폭 있다. 이는 유목부락 간의 회맹장면을 묘사한 것으로 소그드인과 돌궐인 간의 실크로드 상에서의 활발한 교류관계를 반영하고 있다.

묘주 안가의 유골은 태워진 채 고분의 용도甬道에서 발견되었으며 묘실에는 오직 석탑만 놓여 있었다. 다른 소그드계 석각에 비교하여 금박과 붉은 안료가 잘 남아 있다. 섬서 서안 서시박물관 소장 소그드계 석각도 금박과 안료의 사용을 비교적 선명하게 알아볼 수 있다.

소그드는 4세기 에프탈에 의한 쿠샨의 멸망 이후 5-6세기 사산, 에프탈, 돌궐의 교차 지배를 받았으며 한편으로는 이들의 도움으로 교역 상인 집단으로 활발하게 활동하였으므로 중국에서 발견된 소그드계 석각에 페르시아와 북방 유목민에게 유행한 주제가 표현되는 것이다.[79] 안가묘의 수렵도에 보이는 나무의 묘사와 화면 구성은 각저총, 무용총, 그리고 장천 1호분과 비교된다. 각저총과 장천1호분에서는 안가묘와 같이 끝이 주걱처럼 묘사된 나무를 볼 수 있다. 안가묘의 수렵도는 장천1호분의 수렵도와 같이 상하 이단으로 나뉘어 각각 다른 형태의 수렵을 보여준다. 상단의 인물은 사자를, 하단의 인물은 멧돼지를 창으로 사냥하고 있다. 안가묘와 우홍묘 석상의 아래 부분에 아치와 기둥으로 설정된 공간 안에 수렵도나 주악도를 넣은 형식은 사마르칸트에서 발견된 납골기와 유사하다.[80]

중국에 들어와 활동한 안씨에 대해서는 이른 시기부터 기록을 찾아 볼 수 있다. 초기에 안

---

78 소그드석각에 보이는 소그드인들과 돌궐인들 간의 교왕에 대하여는 榮新江, 앞의 논문, 2014, pp.373-378.

79 국가문물국 주편, 「陝西西安北周安伽墓」, 『2000中國重要考古發現』, 文物出版社, pp.95~100.

80 사마르칸트 출토 납골기의 아치 모티프와 인물상에 대해서는 국립중앙박물관 편, 『동서문명의 십자로-우즈베키스탄의 고대문화』 국립중앙박물관, 2009, pp.126-127 참조.

씨는 파르티아 출신 서역인을 말했고, 후에는 부하라 출신의 소그드계를 지칭하게 된다. 파르티아 출신으로 한대에 들어와 불경을 번역한 안세고安世高가 있고, 『위서魏書』안동전安同傳 권30의 안동은 요동 호인으로 그 선조는 세고이다. 한나라 때에 안식국 시자侍子로 낙양에 들어와 위진시기에 요동으로 피난을 왔다. 영하 고원의 수·당대 사씨묘군 가운데 안낭安娘의 묘지에 의하면 그 선조가 무위 고장인이며 안식국 왕자로서 한나라에 입시入侍한 것으로 되어있다. 『신당서』에 기록된 이원량도 그 선조가 안식인으로 북조에서 수당 사이에 활동한 안국인들의 존재가 사서에 다수 기록되어있다.

5. 감숙 천수 병풍 석관상묘

1982년 6월 천수시天水市 석마평石馬坪 문산文山에서 발견된 병풍屏風 석관상묘石棺床墓(천수시박물관天水市博物館 소장)는 정북향의 수정단실전묘竪井單室磚墓이다. 묘의 높이는 6.6m, 묘문의 높이는 1.58m이다. 묘도는 길이 4m, 너비 1.3m, 높이 1.9m이다. 묘실 평면은 정방형이며 높이는 3.44m, 너비는 4.2m이다. 묘실 중앙에 병풍식 석관상石棺床을 놓았다. 관상위에는 목관木棺과 인골人骨 흔적이 남아있다. 관상은 높이 1.23m, 너비 1.15m, 길이 2.18m이다. 크기가 다른 17개의 화상석과 8개의 장식이 없는 석판으로 상좌床座, 상판床板, 병풍을 만들었다. 상좌는 2층으로 나뉘는데 상층의 호문壺門은 원형에 아랫부분이 연판형蓮瓣形이고 호문 내에는 6명의 남성이 기악하는 장면이 그려져 있다. 원령의 좁은 소매 옷을 입고 양쪽 어깨에 띠가 교차되어 날린다. 하층에는 여섯 마리의 신수神獸이다. 상판床板은 길이 51.9㎝, 너비 1.15㎝, 두께 9㎝의 네 개의 석판으로 구성되었다. 연주인동문을 새기고 금채로 장식하였다(도34).[81]

병풍은 높이 87㎝, 너비 30-46㎝의 채회화상석으로 구성되었다. 상의 좌, 우, 정면으로 나뉜다. 병풍은 평지감저平地減底의 조각기법으로 정교하게 조각하였다. 묘주인의 수렵, 연음, 출행, 범주泛舟 등 생활상과 정태누각亭台樓閣, 수사화원水榭花園 등의 건축도가 있다. 부분적으로 화상석을 홍색으로 채색하고 바깥에 첩금을 하였다.

81 張卉英,「天水市發現隋唐屏風石棺床墓」『考古』1992年 1期.

도 34 | 《채회화상석(모본)》, 천수 석관상묘

6. 전 안양 출토 쌍궐형 화상석

안양 출토 쌍궐형 화상석은 석상 받침대 전면의 석판(미국 워싱턴 프리어갤러리 소장, 높이 60.3㎝, 너비 234㎝, 깊이 23.5㎝), 두 개의 문궐(독일 쾰른 동방예술박물관 소장, 높이 71.5㎝, 너비 74㎝, 깊이 1㎝), 두 점의 후면 석판(미국 보스턴미술관 소장, 높이 63.8㎝, 너비 116㎝, 깊이 1㎝; 높이 64㎝, 너비 115.8㎝, 깊이 10㎝), 한 점의 측면 석판(프랑스 파리 기메미술관 소장, 높이 50㎝, 너비 1.09㎝)으로 구성되었다(도35).

받침대 전면은 악귀를 밟고 선 신장상이 양 끝에 서 있고 가운데에는 연화보주와 보살상이 있다. 그 사이에는 상하로 단을 나누어 하단에는 천의를 어깨에 두른 비천飛天 또는 천인天人(?)이 기둥을 사이에 두고 앉아 있는 모습이 투조로 새겨져 있다. 상단에는 양쪽에 각각 4개씩 원형의 연주문 내부에 앉은 자세로 악기를 연주하는 천인이 1명씩 묘사되었다.

쌍궐형의 문은 궐의 높이가 바깥쪽으로 가면서 낮아지며 여러 명의 인물들이 중국식 건축물을 배경으로 열을 지어 서 있다. 문궐이 서로 마주 보는 좁은 면에는 조로아스터교의 마스크인 파담을 쓴 사제가 배화제단을 앞에 두고 서 있다.

정면의 두 석판은 각각 세 폭의 병풍식 화면으로 나뉘어 있다. 정면의 좌측 석판의 좌에서 우로 설명하면 첫 번째 장면은 포도나무 아래에서 각배를 든 남자묘주와 여자묘주의 연회 장면이며 아래에는 악기를 연주하는 악사와 음식을 준비하는 여성들이 있다. 화면의 하단에는 반쯤 열린 문과 문 바깥에 검을 들고 대기하고 선 인물들이 있다.

두 번째 장면은 목에 리본을 매단 새가 화면의 상단에 묘사되었고 깃발을 든 여러 명의 인

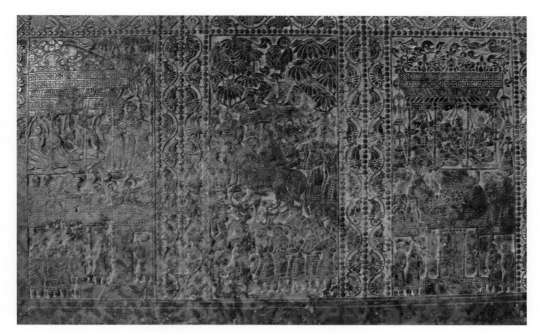

도 35 | 《연회와 행렬도》, 전 안양 출토 쌍궐형 화상석, 보스턴미술관

물들이 말을 타고 산개를 쓰고 행진하는 묘주를 따르고 있다. 마지막 장면 상단에는 가옥 내에서 여자묘주와 연회를 즐기는 묘주가, 하단에는 반쯤 열린 문으로 들어선 인물과 묘주가 타고 온 말과 산개를 들고 선 시종들이 있다.

정면의 우측 석판의 좌에서 우로 장면을 설명하면, 가장 좌측에는 상단은 묘주의 연회장면이고, 하단은 가옥으로 들어가는 반만 그려진 문과 문안에 서 있는 인물, 그리고 문 바깥에 좌우로 서 있는 3명의 인물들이다. 중앙의 화면은 말을 타고 행렬하는 묘주와 그를 따르는 시종들이다. 다음의 장면은 포도가 무성하게 열린 나무 아래에서 연회를 즐기는 묘주의 접객도 장면이다. 그 아래에는 악기를 연주하는 악대가 묘사되었으며 가장 아래쪽에는 가옥으로 들어가거나 말을 준비하고 서있는 인물들이다. 포도나무 아래에서의 연회는 사군묘의 유사한 연회장면을 연상시킨다.

정면의 두 개의 석판에는 화면의 중앙에 행렬도가, 화면의 좌우에 실내 연회도와 포도밭 연회도가 반복되어 묘사되었다. 좌측의 석판에는 좌우에 가옥 내부의 연회도, 중앙에 말을 탄 묘주의 행렬도가 묘사되었다. 스카글리아는 업도鄴都에 거주하던 살보가 안양화상석을 제작하였을 것으로 추정하였다.

7. 일본 미호박물관 소장 화상석

일본의 미호박물관이 구입한 12건의 석판과 한 쌍의 문궐은 산서성의 북제묘에서 출토된 것이다. 안양 출토 화상석과 같이 전면에 두 개의 문궐이 있다. 전면에 각각 네 명의 인물과 말이 서 있는 모습이다. 우거출행(서조, 서운), 나나여신, 묘주부부기마출행, 에프탈인의 기상출행, 돌궐인의 기마출행, 미트라신, 묘주부부 연회도, 장례제의, 대상隊商, 돌궐인의 유르트 내에서의 휴식, 주인이 타지 않은 말, 에프탈인의 수렵 등의 주제가 높이 약 60㎝, 너비 약 25~50㎝의 대리석 석판 위에 묘사되었다.[82]

미호박물관과 안가묘의 화상석의 공통적인 특징은 소그드인과 교류하는 돌궐인들이 다수 묘사된 점이다. 돌궐인은 좌측에서 3, 4, 5, 7, 8번째 병풍석에 묘사되었다. 3번 장면은 유르트 안에 돌궐인이 주인으로 앉아 있고 서너 명의 돌궐인들이 그 앞에 무릎을 꿇고 주인을 바라보고 있다. 세 마리의 말이 유르트 앞에 대기하고 서 있으며 한 명의 마부가 말을 돌보고 있다. 석판의 하단에는 두 명의 인물이 말을 타고 앞으로 도망가는 세 마리의 동물을 사냥하고 있다. 4번째 석판은 화면 상단에는 타부들에 이끌려 거대한 낙타 한 마리가 짐을 가득 싣고 가고 있다. 하단에는 세 명의 인물이 말을 타고 전진하는데 앞에 선 인물 가운데 돌궐인이 보인다. 소그드인과 돌궐인으로 구성된 낙타와 함께 이동하는 상대商隊의 묘사로 보인다. 5번째 장면은 소그드인의 장례의식을 표현한 것으로 해석되는데 파담을 쓴 조로아스터교 사제의 뒤쪽으로 앉아서 얼굴을 칼로 베고 있는 인물 가운데 돌궐인이 보인다. 7번째 석판에는 상단에 커다란 화개 아래에 소그드인 묘주가 화면 중앙에 앉은 가운데 1-2명의 돌궐인이 화면 우측에 나타나 묘주와 마주 보며 회맹하는 장면으로 보인다. 8번째 병풍석은 다음의 9번째 병풍석과 연결된 행렬도로 보인다. 두 장면 모두 화면 상단에 산개가 펼쳐져 있고, 8번째 병풍에는 돌궐인 세 명이 말을 탄 채 행렬의 앞을 인도하고, 9번째 장면에는 에프탈인으로 보이는 인물이 코끼리를 타고서 앞의 행렬을 따르고 있다.

---

82 서남영, 「일본의 소그드 연구 동향-주요연구와 일본 미호뮤지엄 소장 석관상위병 검토-」, 『東洋美術史學』 11, 2020, pp. 7-27.

8. 산동 청주 부가장 북제 화상석

1971년 산동성山東省 익도현益都縣 박물관(현 청주시박물관)이 익도현성의 서남쪽 4㎞ 거리의 부가장傅家莊에서 수집한 화상석이다. 조사 당시 기록에 의하면 남향의 정장방형 묘실(묘실 남북 길이 약 5m, 동서 너비 약 4m)에서 파손된 묘지가 나왔는데 묘주의 이름은 알 수 없으나 북제北齊 무평武平4년(573)에 사망하여 묻혔다는 사실만 확인되었다.[83] 모두 9개의 장방형 석판(높이 130-135㎝, 너비 80-104㎝)에 음각기법으로 화상을 새겼다. 중국인 묘주가 소그드인을 만나서 교역을 하는 모습, 대상隊商의 운송장면, 소 수레, 코끼리, 낙타, 말 등을 이용한 상려商旅, 서역인 마부 등이 묘사되었다(도36).

이상에서 살펴본 북조 소그드계 석각의 야외연회도, 기마출행도, 남녀연회도, 수렵도, 제의도는 소그드계 석장구에 등장하는 공통 주제이고 소그드인 묘장미술의 도상을 구성하는 주요 요소이다. 이들 주제들은 크게 종교적 주제와 세속적 주제로 나눌 수 있다. 남녀연회도는 천국에 안착한 피장자, 제의도는 피장자 영혼을 위한 제례, 무인마와 다리는 영혼의 심판, 인물 행렬은 피장자 영혼을 위한 제례의 일부로 해석한다. 세속적 주제에서 야외연회도, 기마출행도, 대상출행도, 수렵도는 살보의 상업 활동, 포도밭연회도는 공동체 생활을 표현한다. 종교적 주제는 조로아스터교의 사후세계관을 묘사하는데 첫 번째 단계는 피장자의 사후 영혼이 현세를 떠나기까지의 기간으로 유가족과 친구들이 내세로 가는 영혼을 위해 아프리나간이라는 의식을 지내고 나서 시체를 침묵의 탑으로 옮기고 장례제의를 끝낸다. 두 번째 단계는 사자의 영혼이 심판을 받는 기간으로 미트라가 주재하는 심판을 받고 친왓다리를 건넌다. 선한 일을 한 사람은 미녀의 인도로 천국행을 하고, 악인은 추한 노파의 인도로 다리 아래 지옥으로 간다. 세 번째 단계는 심판 이후로 천국에 들어가 안락한 삶을 누리게 된다. 남녀연회도, 제례장면, 무인마, 사람들의 행렬장면은 사후세계의 세 단계를 반영한다. 두 번째 단계에서 미트라는 비어있는 말의 모습으로 등장하고 친왓다리를 의미하는 다리 도상이 묘사된다. 사군묘의 경우는 세 마리의 짐승(소?) 위에 올라타고 원형의 공간 안에 앉은 인물로 표현되었다. 중국에서 발견되는 소그드인 석장구의 도상들은 소그드인들의 종교 교리에 입각하여 묘사되었으며 종교적 주제의 도상들이 특정 위치에 배치되어 공간적

---

83 鄭巖,「靑州傅家畵像石與入華粟特人美術」,『文物』, 2001年 5期; 靑州市博物館,『山東靑州傅家莊北齊線刻畵像石』, 齊魯書社, 2014.

으로 사후 여정을 그려내고 있다.[84]

　가옥 내의 연회와 접대, 수렵, 행렬, 대상으로 구성된 부조의 주제는 6세기 북부 중국에 거주한 소그드 집단의 생활풍속을 보여준다. 소그드는 실크로드 상의 상대로 활동하였으며 중국 천교 화상석 중 출현하는 대량의 낙타 도상은 실크로드의 무역의 구체적 표현이다. 서안 안가묘와 사군묘의 호인 대상, 태원 누예묘 묘도 양벽 상부의 낙타 인물상, 익도 부가장 화상석의 상인 낙타행렬도와 상담도商談圖가 대표적인 예이다.[85]

도 36 | 《상담도(商談圖)》, 부가장화상석

VI. 남조의 화상전묘

　삼국시기의 손오孫吳와 촉한蜀漢, 서진西晉, 동진東晉, 송宋, 제齊, 양梁, 진陳으로 이어지는 남조의 벽화묘는 하남, 절강, 복건, 운남, 사천, 귀주, 중경 등 장강중하류長江中下遊에 분포한다. 주로 전실묘磚室墓이며 벽화는 모인병양전벽화模印拼鑲磚壁畵 위주이며 채회벽화는 비교적 적다. 화상석으로 장식한 석실묘와 애묘도 소량 존재한다. 남조의 화상전의 주제는 우인羽人의 용호희룡, 죽림칠현, 기마악대, 시위侍衛 등이다.[86]

84　정완서, 『6세기 후반 중국 내 소그드인 무덤 미술 연구 - 석장구(石葬具)의 도상을 중심으로』, 한국예술종합학교 석사논문, 2009, pp.142-147.

85　한에서 수당까지 불전에 출현하는 살보에 대하여, 그리고 북위에서 수당시기의 살보에 대해서는 羅宏宰 주편, 『從中亞到長安』, 上海大學出版社, 2011, 표 1, p386, 표 2, p387 참조. 미호박물관 소장 제7폭 화상은 출행도로서 商隊의 규모와 그 참여자를 보여준다. 羅宏宰 주편, 『從中亞到長安』, 上海大學出版社, 2011, pp.361-412.

86　鄭岩, 『魏晋南北朝壁畵墓研究』, 文物出版社, 2016, pp.56-84.

장강하류지역에서는 육조의 도성이었던 강소성 남경을 중심으로 동진東晉 남조南朝 벽화묘壁畵墓가 분포한다. 동진의 화상전묘로는 1972년 발견된 진강鎭江 동진東晉 화상전묘畵像磚墓(398)가 잘 알려져있다. 전실(길이 1.95m, 너비 3.93m), 후실(길이 5.18m, 너비 2.37m), 용도(길이 1.82m, 너비 1.33m)로 구성된 전실묘이다. 묘실 벽면에 일정한 간격을 두고 현무(6폭), 청룡(4폭), 백호(6폭), 주작(8폭), 수수조신獸首鳥身(5폭), 인수조신人首鳥身(4폭), 수수인신獸首人身(5폭) 등의 화상전이 배치되었다. 중요한 동진, 남조의 화상전묘로는 1957년 청리한 남경南京 만수촌萬壽村 동진東晉 영화4년묘永和四年墓(348), 1960년 발굴한 남경 서선교西善橋 궁산묘宮山墓, 1961-1962년 발굴한 남경 서선교 유방촌묘油坊村墓, 1965년 발굴한 강소江蘇 단양丹陽 학선요묘鶴仙坳墓, 1968년 발굴한 단양 건산建山 금가촌묘金家村墓, 1968년 발굴한 단양 호교胡橋 오가촌묘吳家村墓, 1972년 청리한 진강鎭江 남교南郊 축목장畜牧場 27대대二七大隊 동진東晉 융안2년묘隆安二年(398)墓, 1976년 청리한 강소 상주常州 척가촌묘戚家村墓, 1978년 청리한 남경 철심교鐵心橋 왕가와묘王家窪墓, 1984년 청리한 상주 전사촌묘田舍村墓, 1987년 청리한 남경 유방교油坊橋 표가와묘票家窪墓, 1994년 청리한 강소 육합번집묘六合樊集墓 등이 있다. [87]

1960년 4월 강소성문물공작대가 남경 서선교에서 유송劉宋시기 전실묘(총길이 8.95m, 너비 3.1m, 높이 3.3m, 용도 길이 1.49m)를 발굴하였다. 묘장의 도굴이 심하여 출토유물은 적으나 장방형 묘실 양벽에서 대형의 죽림칠현도(길이 2.4m, 높이 0.8m)가 완전한 형태로 발견되어 잘 알려져 있다. 중국에서 처음 발견된 남조 화상전묘이다. 화상전의 제작은 먼저 비단 또는 종이 위에 분본粉本을 그리고, 나무 틀을 나누어 조각하고 벽돌의 측면 혹은 단면 위에 찍은 후, 각 벽돌의 측면이나 정면에 번호를 붙이고 구워서 조합한 것이다. 묘실의 남벽에는 혜강嵇康, 완적阮籍, 산도山濤, 왕융王戎의 4인, 북벽은 향수向秀, 유령劉靈, 완함阮咸, 영계기榮啓期 4인이다. 수하인물도 형식으로 각각 독립적인 화면을 구성하였다.

1965년 11월 남경박물관이 강소 단양 호교묘(학선요묘鶴仙坳墓)와 1968년 8월과 10월 단양 호교 오가촌묘와 단양 건산 금가촌묘를 발굴하였다. 화상전이 벽면에 상중하 여러 단으로

87 鎭江市博物館,「鎭江東晉畵象磚墓」,『文物』, 1973年 4期; 常州市博物館,「常州南郊戚家村畵像磚墓」,『文物』, 1979年 3期; 揚州博物館,「江蘇邗江發現兩座南朝畵像磚墓」,『考古』, 1984年 3期; 常州市博物館, 武進縣博物館,「江蘇常州南畵像, 花紋磚」,『考古』, 1994年 12期; 南京市博物館,「南京油坊橋發現一座南朝畵像磚墓」,『考古』, 1990年 10期; 南京市文物保管委員會,「南京六朝墓淸理簡報」,『考古』, 1959年 5期; 南京博物院, 南京市文物保管委員會,「南京西善橋南朝墓及其磚刻壁畵」,『文物』, 1960年 8, 9期 合刊; 羅宗眞,「南京西善橋油坊村南朝大墓的發掘」,『考古』, 1963年 6期; 南京博物院,「江蘇丹陽胡橋南朝大墓及磚刻壁畵」,『文物』, 1974年 2期; 南京博物院,「江蘇丹陽胡橋, 建山兩座南朝墓葬」,『文物』, 1980年 2期.

구분 배치되어 서선교묘보다 화상전 장식의 규모가 더 크다. 호교묘는 용도(길이 2.9m)와 묘실(길이 9.4m, 너비 4.9m, 높이 4.35m)로 구성되었다. 묘실 동벽에는 기마악대도(길이 0.65m, 높이 0.4m)가 있고 기마악대의 위에는 4명의 죽림칠현도(남은 길이 0.75m, 높이 0.3m)이다. 묘실 서벽에는 앞부분에 거대한 백호와 백호를 희롱하는 우인羽人이 있다. 백호도 아래에는 3폭의 벽화가 있는데 묘실 바깥쪽에서부터 안쪽으로 제1폭은 기마무사도(길이 0.35m, 높이 0.35m), 제2폭은 집극시위도執戟侍衛圖(길이 0.15m, 높이 0.35m), 제3폭은 집선개시종도執扇蓋侍從圖(길이 0.3m, 높이 0.35m)이다. 서벽의 뒷부분은 많이 훼손되었는데 위치로 보아 4명의 죽림칠현과 기마악대가 있었을 것으로 추정한다. 묘실 양벽 상부는 대부분 훼손되었는데 "천인天人"의 문자전이 있어 하늘을 나는 천인의 벽화가 있었음을 알 수 있다.

건산 금가촌묘는 용도(길이 5.2m)와 궁륭정의 말각장방형묘실(길이 8.4m, 너비 5.17m, 남은 높이 5.3m)로 구성되었다. 묘실의 양벽과 후벽에 두 개씩의 가창과 등감이 있다. 용도 입구에 용봉 등의 채회벽화가 있다. 용도 양벽에는 뒷다리를 꿇고 앉은 사자와 장도를 든 무사상이다. 천장에는 삼족오가 있는 일상과 계수나무와 옥토끼가 있는 월상이 있다. 묘실 양벽은 상하 2단으로 나누어 상단에는 동측에 청룡, 서측에 백호, 용호 위에는 각 3명의 천인이, 하단에는 죽림칠현이 그려져 있다.

단양 호교 오가촌묘는 묘장의 구조와 화상전의 내용이 건산 금가촌묘와 기본적으로 일치한다. 용도(길이5.3m)와 궁륭정의 말각장방형묘실(길이 8.2m, 너비 5.19m, 남은 높이 5.1m)로 구성되었다. 묘실 좌우 양벽과 후벽에 채회벽화 흔적이 있다. 용도에는 사자상(높이 0.77m, 너비 1.13m)이 있다. 묘실 양벽을 상하 2단 구분하였다. 상단에 동쪽에 청룡, 서쪽에 백호가 있다. 용호의 앞에는 한 명의 선인이 이끌고 있다. 용호의 위에는 각 3명의 천인이 있다. 용호의 뒤에는 양벽에 4명씩의 죽림칠현도(너비 2.5m, 높이 0.85m)이다.

1961년 10월에서 1962년 4월까지 남경박물원과 남경시문물보관위원회가 남경 서선교 유방촌油坊村에서 청리 발굴한 대형 남조묘는 용도(길이4.75m, 너비 6.7m, 높이 6.7m)와 궁륭정을 가진 타원형 묘실(길이 10m, 너비 6.7m)로 구성되었다. 묘장의 파손이 심하여 묘실 양벽에 보호벽이 세워졌다. 묘장의 대부분이 권초문卷草紋, 연화문, 쌍전문雙錢紋 등의 화문전으로 축조되었으며, 용도의 양벽에 사자좌상 화상(1.05×0.65m)이 남아있다.[88]

88　羅宗真,『六朝考古』南京大學出版社, 1996, pp. 129~142.

1976년 청리한 강소 상주 척가촌묘는 용도(길이 2m)와 정타원형 평면의 묘실(길이 4.5, 너비 3.06m)로 구성되었다. 묘실 중앙에 관상이 있다. 묘실 좌우 양벽에 가창이 있다. 용도와 묘실 벽화는 4층의 화상전과 화문전으로 장식되었다. 화상은 고부조 기법을 사용하였으며 화상전은 모두 39종이다. 무사, 시녀, 비천, 청룡, 백호, 주작, 사자, 천추만세千秋萬歲, 수면獸面 등이다. 화문전은 연화, 인동문과 각종 기하도안이 있으며, 어떤 벽돌은 측면 혹은 단면에 번호가 쓰여있다.

1984년 청리한 상주 전사촌묘는 용도(길이 1.52m)와 궁륭정의 정타원형 평면의 묘실(길이 4.43m, 너비 2.96m)로 구성되었다. 용도와 묘실 좌우양벽에 화상전과 화문전을 장식하였다. 용도 양벽에 사자, 비선, 우거와 안마출행 등 화상이 있다. 묘실 좌우벽에는 선녀기룡仙女騎龍, 비선飛仙, 풍조風鳥, 출행出行 등이다. 그 외에 각종 연화와 인동 화문전이 있다.

남경과 단양지역 외의 기타지역의 남조묘장으로는 1958년 하남성河南省 남양南陽 등현鄧縣(현재 등주시鄧州市) 학장촌學莊村에서 발견된 등현묘가 있다. 채색彩色벽화와 모인화상전模印畵像磚을 병용한 묘이다.[89] 묘실墓室 권정券頂은 이미 파괴되었다. 묘도와 묘실 세 벽은 보존되었다. 묘실의 크기는 길이 6.54m, 너비 2.43m, 높이 약 3.20m이다. 용도甬道는 길이 3.62m, 너비 1.66m이다. 묘실의 좌우 양벽에 벽돌로 만든 기둥이 각각 8개씩 있다. 공권형拱券形의 묘문墓門의 정면正面 상부上部와 좌우 양측에 채색벽화를 그렸다. 문의 상부에는 괴수怪獸 수면獸面이 중앙에 있고 좌우에는 각 1명의 비선이 있으며, 문의 양측에는 검을 든 무사상이 1명 있다. 용도 양벽에는 사자 화상전이 있다. 묘실에는 출행의장, 효자고사와 역사고사의 인물들, 비선, 천추만세, 청룡, 백호, 봉황, 천마, 기린 등의 화상이 있다.

등현묘의 화상전은 채색을 많이 한 것이 특징이며, 묵서제기 가운데 "가재오군家在吳郡"이 있어 묘주의 원적이 남조지역에 속함을 알 수 있다. 화상전과 채색벽화가 병용되었고 사자좌상과 출행의장, 효자화상 등 남경지역의 남조와 낙양지역의 북조의 장의미술의 특징을 고루 갖추고 있다.

---

89 Annette L. Juliano, "Teng-Hsien: An Important Six Dynasties Tomb", *Artibus Asiae*, Ascona, Switzerland, 1980.

Ⅶ. 남북조 벽화묘의 발달과 특징

1. 북위의 벽화묘

북위 묘장벽화는 용도와 묘실사벽에 주로 분포하며, 묘실 천장과 묘도에도 소량 존재한다. 그 표현배치상의 특징은 용도에 무사문리를 그리고, 묘실 천장부에 성상星象과 승선乘仙 장면을 그리며, 묘실 사벽의 벽화제재는 다양한데, 기본적으로 묘주를 중심으로 하는 장면이다. 북위 묘장의 부장품은 선비요소를 가진 부장품을 비롯하여 한문화요소의 부장품과 외래요소를 가진 부장품까지 포함한다. 북위 초에 탁발선비의 옛 습속과 전통이 지속되며 도기陶器가 대종을 이루며 주요부장품은 도호陶壺와 도관陶罐의 조합이다. 한문화와 외래문화가 빈번하게 유입, 교류되면서 묘장 가운데 선비적 문화 색채가 점차 약화된다. 대량의 용류俑類와 자기瓷器와 같이 중원 특징의 기물이 주류를 차지하게 되고, 동시에 이국 특징의 기물도 부단히 출현한다.

북위 묘장벽화의 제재는 다양하고 내용이 풍부하여 크게 세 가지로 나눈다. 현실생활, 사후세계, 진묘벽사의 인물 혹은 신수神獸로, 세부 내용은 묘주연음, 의위출행, 생산생활, 수렵, 승선상서, 장식도안 등이다. 위진의 전통 제재를 계승하고 선비문화의 특색도 겸하면서 동시에 당시 유입된 불교의 새로운 요소도 있어서 북위의 개방적인 사회풍조와 다원적 문화특징이 표출되기 시작하였다.

북위 벽화묘는 세 시기로 구분한다. 제1기는 묘장형제가 호장방형弧長方形 전실묘이며 전형적 기물은 도호陶壺와 도관陶罐이다. 벽화 내용은 선비 특징이 강하면서 동시에 한문화요소를 흡수하고 있어 호한융합의 시초단계이다. 대략 북위 건립에서 태무제太武帝 탁발도拓跋燾가 황하유역을 통일하는 시기까지이다. 제2기의 묘장 형제는 호방형전실묘弧方形磚室墓가 많으며 전형적 기물은 유도기釉陶器, 도용陶俑과 묘지墓志이다. 벽화의 주요 내용은 묘주 생전 장면의 재현이다. 선비의 유목민 특징에 한문화와 서역불교 색채가 더해졌다. 대개 도무제道武帝 탁발규拓跋珪가 황하유역을 통일한 시기부터 낙양 천도 전이다. 제3기는 묘장형제가 주로 호정방형弧正方形 혹은 근방형묘近方形墓이며 전형기물은 도용陶俑과 자기瓷器이다. 벽화내용은 승선을 주로 표현한다. 대개 효문제孝文帝 탁발굉拓跋宏이 낙양 천도한 이후부터 북위 멸망까지이다. 북위 벽화묘의 발전과정을 보면 한위 벽화전통을 바탕으로 하면서 동북지역, 하서지역의 위진 문화요소를 흡수, 계승하였으며, 북위 초기 벽화묘의 시작을 가져왔다. 정치중심이 남쪽으로 이동하면서 남조벽화 묘장예술을 흡수하고 동시에 불교 예술형식을 가져와 북위 특유의 묘장 장식예술을 만들었다. 이러한 다원적 예술과 다민족의 융합으로 새로운 북위문화를 낳게 된다.[90]

북위의 평성지역 벽화묘는 이전의 선비족이 거주하던 북부 초원지역의 유물에 보이는 사슴문과 같은 동물문 청동장식품, 성락 화림격이 벽화묘, 요녕지역의 동북지역 벽화묘, 고구려의 벽화묘, 하서지역의 벽화묘의 전통, 그리고 낙양이나 남조로부터의 영향을 받아들여 혼합된 벽화문화 위에 만들어진 것으로 보인다. 사령 벽화묘는 영하지역에 거주하던 선비 파다라부에 속하는 묘주가 축조한 것으로 묘도 천장의 복희 여와도에서 하서지역의 주제를 보여주는 동시에 여러 가지 화제를 조합하여 복잡한 구성으로 벽면을 가득 채우는 방식은 동한 화림격이 벽화묘의 특징이면서 하서지역 벽화묘와 지화의 화면 구성과 유사하다. 위지정주묘는 동물의 두골을 다수 묘도에 부장하여 동물의 뼈를 묻는 선비족 장례풍습을 보여준다.

북위시대 평성으로부터는 벽화만이 아니라 관판화, 칠관화, 부조나 벽화가 그려진 석상石床, 석곽石槨이 다양하게 남아있다. 한대에는 장안과 낙양을 중심으로 벽화묘가 주로 제작되었으며, 위진시대에 와서는 감숙과 요녕지역에 벽화묘의 축조가 계속되었고, 북위시대에는 북량과 북연 등 감숙과 요녕지역에 있던 나라들이 북위에 의해 통일되면서 북위 수도 평성으로 벽화묘를 조성하는 장의미술이 전파된다. 평성지역 벽화묘는 감숙, 요녕, 그리고 고구려의 벽화묘의 영향을 받은 것으로 평가된다. 북량·북위시대에 고분만이 아니라 감숙의 돈황석굴에서도 벽화 장식이 시작되었고, 북량의 멸망 후에 하서지역의 돈황석굴의 미술과 장인집단은 평성의 운강석굴로 이동하게 되고 불교 석굴의 벽화와 조각 장식이 고분의 그 것과 서로 영향을 주고 받으면서 발달하게 된다. 이러한 시대적, 문화적 흐름을 배경으로 북위 고분벽화에서는 고분미술 전통의 주제와 문양이 불교미술의 새로운 주제와 문양과 결합되는 양상을 보이게 된다.

북위 평성시기의 관화와 석상 부조의 주제와 표현 양식을 보면 새롭게 유입된 불교미술과 하서지역의 고분미술 전통, 그리고 내몽고와 산서, 섬북, 영하 지역에 있던 북방문화가

---

90   呂朋珍, 『北魏壁畵墓硏究』, 內蒙古師範大學 碩士論文, 2013.

결합되는 양상을 관찰할 수 있다. 산서성 대동 지역은 탁발선비족이 세운 북위의 수도 평성이 있던 곳으로 낙양으로 이주하여 한화되기 이전 선비족의 풍속을 볼 수 있어 북방 유목민적 요소가 강하게 나타나며, 또한 고분 출토 서역계 은기나 장식문양에서도 서역적 요소를 찾을 수 있다.[91]

북위시대에 고분의 벽면에 그리는 벽화가 아닌 석조의 석상, 석곽에 벽화를 그리는 사례가 종종 관찰되는 것은 섬서, 산서, 하남, 산동의 한대 묘와 사당의 화상석의 전통이 결합된 것이라고 볼 수 있다. 석상, 석곽을 고분의 묘실의 중앙에 설치하는 것은 목관 대신 석조의 시상, 곽을 사용한 것인데, 석관을 사용하여 화상을 새기는 전통은 한대 사천성에서 주로 볼 수 있다. 한편으로 선비족의 전통인 석실을 제의장소로 사용하는 관습에서 유래하였을 가능성도 있다.[92] 북위시대의 대표적인 화상석관으로는 낙양 출토로 전해지는 미국 캔자스박물관 소장 효자도 석관이 있다. 낙양 지역에서도 여러 점의 화상 석관과 석곽, 석상들이 출토되었다. 낙양 지역의 화상 석관과 석곽, 석상은 단순한 생활풍속도나 장식문양이 새겨진 평성지역의 석상이나 석곽보다 조각기법이나 표현솜씨에서 훨씬 세련된 수준에 달한 것들이다. 수대에 와서는 북방·서역계 문양으로 장식된 석관들이 출현하는데, 섬서 삼원현三原縣 출토 이화묘李和墓 석관(582)과 삼원현 출토 수면獸面 석관(서안 비림박물관 소장)이 그 예이다. 이화묘 석관의 관 앞면과 덮개, 수면 석관의 관 덮개에는 수면 연주문 장식이 되어있어 위진시대 북경 팔각촌 석곽 벽화 문미의 수면 장식의 계승 형식을 볼 수 있다.

북위의 수도인 평성의 고분미술은 벽화만이 아니라 채회관, 칠병풍, 부조, 석상 또는 석곽 등 다양하게 나타난다. 칠의 사용은 중국에서 춘추전국시대부터 이미 증후을묘의 칠관과 칠상자의 사례에서 칠화의 발달을 볼 수 있는데, 한대에는 주로 칠기의 장식으로 나타나다가, 북위대에 와서는 관의 칠화 장식으로 발달한다. 석상이나 석곽의 부조는 한대 화상석묘나 화상석 사당에서 발달한 것으로 볼 수 있다. 특히 북위 문명태후의 영고릉이나 대동의 귀족묘에서 나오는 석상, 석곽, 석관 부조의 특징은 낙양으로 이어진다. 송소조묘의 가옥형 석곽은 그 가운데 특이한 경우인데 산서 태원의 수대 우홍묘 등 서역계통의 묘주의 석곽과 같

91 최진열, 「북위(北魏) 평성시대(平城時代) 호인(胡人)들의 생활과 습속 -호속(胡俗) 유지와 그 배경을 중심으로-」, 『동방학지』, 149, 2010, pp.283-326; 崔珍烈, 「北魏後期 胡語사용 현상과 그 배경」, 『중국고중세사연구』, 23, 2010, pp.195-246.

92 李永平, 周銀霞, 「圍屛石榻的原流和北魏墓葬中的祆教習俗」, 『考古與文物』, 2005年 5期.

이 서역계 장식이 두드러진 경우와 연관된 것으로 보인다. 낙양으로 수도를 옮긴 이후에는 인물 표현이나 복식면에서 한화가 더 진전되나 한편으로 낙양에는 이미 위진시대부터 서역계 인물들의 거주가 이루어졌으므로 낙양 천도 이후에도 북방·서역계 문화는 계속해서 발달했을 것이다.[93]

여기까지 살펴본 산서 대동지역 묘장의 회화 형식을 정리하면 하나는 묘실벽화 혹은 조각으로 사령 벽화묘, 양발호묘, 회인단 양왕묘, 영고릉, 효문제 만년당, 영빈대도 16호묘 등이다. 두 번째는 석장구石葬具의 벽화 혹은 조각으로 지가보 석곽 벽화묘, 송소조묘, 사마금룡묘, 전한기재창 112호묘, 칠리촌 14호묘, 지가보 북사장北砂場 석관상묘石棺床墓, 전촌묘田村墓 등의 묘장이다. 세 번째는 칠관화 혹은 관관채회로 지가보 관관화묘, 사령묘, 호동 1호묘, 전한기재창 185호묘, 229호묘, 238호묘, 253호묘, 영빈대도 90호묘, 이전창二電廠 37호묘, 대준철로안류장大准鐵路安留莊 8호묘 등이다. 네 번째는 사마금룡묘에서 보이는 부장기물로서의 칠관화이다.

평성지역 묘장 도상의 제재는 가거생활도, 출행도, 산림수렵도, 무사문리도, 상서도, 교화도, 장식문양 등 7가지 종류이다. 첫 번째는 가거생활도이다. 사령 벽화묘 동벽 벽화, 칠관과 지가보 석곽 벽화묘의 묘주부부 병좌상은 동북지역의 삼연 묘장과 고구려 벽화묘에서 보인다. 조양 북묘촌 1호묘의 북벽 벽화, 408년 덕흥리 벽화묘 후실 북벽 벽화 등이다. 사령 벽화묘 동벽 벽화의 묘주가 여러 명의 남녀 시종과 우거와 안마鞍馬가 같이 배치된 도상은 덕흥리 벽화묘와 유사하다. 삼연과 고구려 초기 벽화묘의 연원은 요동 지역 한위진 벽화묘로 보는데 십육국시기 동북지역 묘장문화의 전형적 특징을 반영한다.

사령 벽화묘 남벽 벽화와 지가보 관관화묘에 보이는 실외 음연도, 기악무용, 식탁, 거마 등은 주천 정가갑 5호묘 전실 서벽 벽화와 유사하다. 사령 벽화묘 남벽 벽화 서측에 보이는 곡식 창고, 유르트氈場, 실외에서 양을 잡는 장면과, 칠관화의 타작하는 장면 등은 하서 위진 십육국묘에서 온 것이다. 돈황 불야묘만 39호묘의 곡식창고도, 가욕관 신성 3호묘의 유르트, 6호묘의 돼지와 양의 도살, 주천 정가갑 5호묘 전실 남벽 벽화 중간층의 타작 장면 등이 그 예이다. 하서문화의 요소 외에 동북 삼연 문화요소로는 사령 벽화묘 남벽의 동서 양측을 칸막이로 나눈 것이라든가, 지가보 관관화묘의 시종들이 묘주의 유장 옆에 배열되어 있는

---

93 최진열, 「북위(北魏) 평성시대(平城時代) 호인(胡人)들의 생활과 습속 -호속(胡俗) 유지와 그 배경을 중심으로-」 『동방학지』 149, 2010, pp. 283-326.

것 등이다. 이러한 구도방식은 덕흥리 벽화묘 전실 천장 남부와 서벽에서 보인다.

호동 1호묘 목관 뒷면의 문을 여는 그림은 돈황 불야묘만 133호묘 조장 정부의 두 문리와 주천 정가갑 5호묘 전실 북벽 벽화 아래층의 오벽塢壁의 부인이 문을 여는 장면의 요소를 결합하였다. 송소조묘 석곽 벽화 북벽에 두 명의 가야금을 타고 완함을 연주하는 인물은 남조의 영향이다. 남조묘장 중의 죽림칠현과 영계기 전화磚畵의 탄금인물과 유사하며 당시 남조에서 유행한 고사高士의 형상이다. 석곽 서벽에 손에 방울을 들고 무용하는 세 명의 인물과 두 명의 무용하는 남성과 같이 두 조로 구성된 주악과 무용인물도상이 있다. 탄금, 탄완의 인물도는 안악 3호분 후실 동벽 벽화와 주천 정가갑 5호묘 전실 서벽 벽화 중간층에 보인다. 또한 이들 두 벽화묘에서 주악인물과 무용인물이 배합되어있다. 지가보 북사장 석관상묘에는 석관상 부조의 수면獸面의 위쪽에 각저희를 하는 인물들이 있다. 동작이나 복장이 4세기말-5세기 초의 길림 집안 고구려 무용총 후실 천장부의 각저희와 유사하다.

두 번째로 출행도이다. 사령 벽화묘 북벽 벽화와 지가보 관관화묘 A판 좌측 화면의 출행도는 구도방식이 묘주인의 거가車駕가 중심이고 기병과 병사들이 둘러싸고, 시종, 백희 기악, 군악대를 가깝게 배치하였다. 출행도는 하서와 동북 벽화묘에 모두 발견된다. 구도방식상 안악 3호묘 후실 동측 회랑 동벽 벽화, 덕흥리 벽화묘 전실 동벽 벽화 등 동북에서 온 것으로 보인다.

산림수렵도는 지가보 관관화 A판 우측 화면 수렵도와 전한기재창 229호묘 관관채회의 수렵도로서 구도방식에서 여러 명의 기마인물이 산림 속에서 사냥감을 쫓는 장면이다. 하서 위진십육국 벽화에서 종종 보이는 한 명의 기마인물이 수렵을 하는 화면과는 차이가 나며, 조양 원대자 전연묘의 동벽 벽화, 고구려 덕흥리 벽화묘 전실 천장 동쪽 벽화, 무용총 후실 서벽 벽화의 구성과 일치한다.

네 번째로 무사문리도는 사령 벽화묘에 보면 두 가지 종류의 무사문리도가 있다. 하나는 용도 양측 벽 위의 어린갑魚鱗甲과 방패와 검을 든 무사와 인면용신수人面龍身獸의 조합이다. 진묘무사와 진묘수의 표현으로 보기도 한다. 진묘무사와 진묘수를 묘벽에 그리는 것은 몽고 內蒙古 오심기烏審旗 옹곤량翁滾梁 대하시기大夏時期 6호묘에서 보인다.[94] 그 외에 묘실 서벽 입

---

94 內蒙古自治區博物館, 鄂爾多斯博物館, 「烏審旗翁滾梁北朝墓葬發掘簡報」, 『內蒙古文物考古文集』 第二輯, 中國大百科全書出版社, 1997, p.480; 張景明, 「烏審旗翁滾梁墓葬年代問題」, 『內蒙古文物考古』, 2001年 1期.

구 양측에 대칭으로 그린 두 명의 무사는 주위에 목조건축을 모방한 틀을 그렸는데 이런 구도는 안악 3호묘의 전실 서측실 입구의 벽화와 장천 1호묘의 전실 동벽 벽화와 유사하다.

다섯째는 상서도祥瑞圖이다. 사령 벽화묘 용도 천장에 그려진 복희여와도는 위진 십육국 시기 기본적으로 하서지역에서 종종 보이는 것으로 가욕관 신성 1호묘(257), 신성 6호묘, 가욕관 모장자毛莊子 위진묘魏晋墓, 고대현高臺縣위진묘魏晋墓 2003GNM10의 관판棺板 위에 그려졌다. 송소조묘 석곽 외벽의 포수함환鋪首銜環 제재는 하서河西에서 온 것이다. 지가보 석곽 벽화묘 중의 깃발을 날리며 나는 우인도羽人圖의 형상은 덕흥리 벽화묘 전실 천장부의 우인과 같다. 사마금룡묘의 석관상의 인수조人首鳥, 영빈대도 90호묘의 관 덮개의 천하성운도 등은 모두 덕흥리 벽화분 전실 천장에 보인다. 수면, 역사, 운기문과 사신 등 대표적 기금이수 제재로서 하서, 동북 지역에서 모두 발견된다.

마지막으로 장식문양 가운데 수파문은 흉노문화에서 온 것으로 평성시기에 탁발선비의 전통 장식문양이 되었다. 외래문양은 인동문 외에 연주문, 연화문이 있다. 연주문은 페르시아 사산조에서 애호하던 장식도안으로 남북조시기 실크로드를 통하여 중국에 유입되었다. 연화문은 불교의 전파에 따라서 위진남북조시대에 시작되어 장식문양의 주류가 되었다. 연화문은 하서 위진십육국묘장 가운데 묘정의 조정藻井 연화로 설치되는 정면 연화의 형태가 있다. 평성지역의 연화문은 정면연화 외에 지가보 석곽묘 벽화의 측시연뢰와 측시연화가 있다. 측시연화와 연뢰문은 고구려 무용총, 집안장천1호분 등에 다수 사용되었다.

이상에서 살펴본 바와 같이 평성지역 묘장 도상의 내원은 동북과 하서지역의 문화 요소의 영향이 가장 크다. 이 두 지역은 서진이 멸망한 이후에 나뉘어져 각각 지역 문화의 특징을 가지고 발전하다가 평성에서 하나로 합해지게 된다. 따라서 평성지역 묘장문화에서는 여러 계통이 병존하게 되고 복합적인 성격을 갖게 되는데 그 양상이 반영된 것이 사령 벽화묘이다. 사령 벽화묘의 묘주는 파다라태부인破多羅太夫人으로 하서나 동북 출신 인물은 아니나 양 지역의 문화를 흡수하여 태무제 시기 평성지역에 여러 문화가 취합되는 모습을 잘 보여준다.

평성지역 묘장문화의 연원은 초기 탁발 문화요소, 십육국 문화요소, 동진 남조문화, 서역 외래문화로 정리된다. 평성지역 묘장문화는 초기 탁발 문화요소를 바탕으로 하면서 하서와 동북지역에서 온 십육국 문화요소가 북위가 북방을 통일하는 과정에서 평성에 대규모로 유입되게 된다. 또한 동진의 남조문화와 서역 외래문화 역시 평성 묘장문화를 더욱 다양하

게 형성하는 데 일조하였다.[95]

2. 동위, 북제, 북주의 벽화묘

북위 이후 동위, 북제, 북주의 벽화묘들은 하북 자현, 산서 태원, 섬서 서안 등에 위치하고 있다. 하북 자현은 중국의 동위, 북제의 통치중심지로 동위와 북제 왕실의 고분들이 위치하여 있다. 자현 1호묘의 묘주는 여여茹茹공주, 만장묘의 묘주는 문선제 고양高洋(529~559)으로 추정되며, 동위촌 1호묘의 묘주는 고윤이다. 고양의 아버지 고환高歡은 발해渤海 수인蓨人, 고환의 처는 류씨로 선비귀족이며, 여여공주는 화친하여 온 유연柔然 귀족이다. 동위, 북제의 상층 통치계급 중에는 선비어가 통용되었으며 선비 습속을 보유하였다.[96]

하북성 자현 지역의 묘실 벽화의 특징은 묘도의 벽화는 용과 호랑이를 가장 앞에 두며, 청룡과 백호의 얼굴이 무덤 바깥쪽을 향하도록 하며, 류운과 인동을 배경에 배치한다. 묘도의 양옆 중간에 출행하는 의장행렬이, 묘문의 바로 위쪽에 정면상의 주작, 양옆에는 신수 등의 도상이 배치된다. 용도의 옆벽에는 호위인상護衛人像이 그려진다. 묘실 안의 벽화는 후벽에 묘주상과 그 옆에 시종과 호위무사, 좌우 벽에는 수레, 남자 관리와 시녀, 묘실 천장은 일월, 천상도와 사신도를 그렸다.[97]

여여공주묘의 묘주도는 이전까지의 묘주도가 정면 좌상이나 부부병좌상으로 묘사되거나, 손님들과 가무, 연회를 즐기는 장면으로 묘사되던 것과 차별된다. 묘주를 포함하여 한 벽면에 모든 인물이 입상으로 무리를 이루어 묘사되는 방식은 당의 영태공주묘나 장회태자묘의 벽화구성을 연상시킨다. 유연족인 여여공주의 묘나 선비족인 문선제 고양의 만장묘의 벽화 구성상의 특징이나 회화 기법 등은 수·당대의 벽화묘들로 이어진다. 550년 전후 형성된 북조 벽화묘의 특징이 한대 이래의 전통을 변화시키고 새로운 벽화 구성과 배치형식을

---

95 倪潤安, 「北魏平城時代平城地區墓葬文化的來源」, 『首都師範大學學報』, 2011年 6期. 중국학계에서는 십육국문화요소의 중심을 晉制, 더 나아가서는 漢制라고 보고 한문화의 연속으로 해석하는데 낙양 천도 이전에는 선비문화가 적지 않게 나타나므로 한계 문화요소가 지배적이라고 보기보다는 호한문화의 융합이라고 보는 것이 적절하다. Liu Junxi and Li Li, "The Recent Discovery of a Group of Northern Wei Tombs in Datong," *Orientations*, 34-5(2002), pp. 542-547

96 楊效俊, 「東魏, 北齊墓葬的考古學研究」, 『考古與文物』, 2000年 5期, pp. 68-96.

97 楊泓, 「중국 고분벽화 연구의 회고와 전망」, 『미술사논단』, 23, 2006, pp. 7-42.

수립했다는 점을 확인할 수 있다.

짧은 시기 동안 존속하였지만 세련되고 높은 수준으로 발달한 벽화를 보여주는 동위, 북제, 북주 벽화묘들은 기본적으로 북위의 평성과 낙양지역 벽화의 생활풍속과 승선의 주제를 계승하고 있다. 동 시기의 고구려 벽화고분과 비교하면 고구려는 후기에 오면서 사신도로 벽화의 주제를 전환시켰기 때문에 고구려 묘실 벽화에서는 행렬이나 생활풍속 주제를 찾기 어렵다. 북조에서는 고구려에서는 보기 힘든 생활풍속과 행렬의 주제가 크게 발달하며 후에 오는 수·당대 벽화묘로 계승된다.

동위, 북제 벽화와 고구려 벽화의 주제의 배치면에서 또 다른 차이점은 북조에서는 경사진 묘도를, 고구려에서는 말각조정 천장을 중요한 화면 구성의 공간으로 인식하였다는 점이다. 묘도 양벽에 3-4단으로 나눈 화려한 의장행렬과 신수도상을 그린 만장묘, 구원강묘 등이 그 예이다. 한편 북조묘의 묘도의 신수상과 역사상과 유사한 도상은 고구려 후기 사신도 벽화묘의 천장과 묘실 내의 모서리 부분에서도 찾아볼 수 있는데, 이는 묘의 구조와 유사 제재의 공간 배치면에서 차이가 나면서 전체적으로 다른 벽화 구성과 도상 조합이 나오게 된 것이다. 이는 벽화묘의 건축구조에 반영된 북조와 고구려의 장의공간과 사후세계의 인식, 각 주제의 기능과 상징성에 대한 이해와 인식에서의 차이가 배경으로 작용하였을 것으로 생각된다.

북위에서 발달한 석조 장구의 장식은 북제, 북주에 와서는 중앙아시아계통 묘주들의 묘에서 적극적으로 채용된다. 재료는 돌을 사용하여 중국의 한대 사당과 묘지 화상석의 건축형식과 조각방법을 잇고 있는 반면, 도상은 중앙아시아문화와 한문화를 조합한 특징을 보여준다. 북조 벽화묘의 문화적 다양성은 남북조를 통합한 수대에 가서 다시 한번 융합되며 수·당대의 국제적 문화를 형성하게 된다.

VIII. 북위 평성시기 고분미술의 변천과 융합

1. 평성시기 고분미술의 개관

북위의 수도 평성平城(현 산서성山西省 대동大同, 398~494)과 낙양(현 하남성河南省 낙양洛陽, 494~534)의 고분벽화는 2000년대 이전에는 발굴된 벽화묘가 많지 않아 칠병漆屛이 출토된 산서 대동 사마금룡묘司馬金龍墓(484년경)와 칠관화漆棺畫가 발견된 영하寧夏 고원固原 북위묘北魏墓(486~489년), 낙양 출토로 알려진 미국 캔자스시티의 넬슨 앳킨스 미술관 소장 효자도 석관 등 제한된 수의 칠병풍과 칠관화, 석관 선각화로 알려져 있었다.[98]

북위 고분벽화에 대한 연구는 2000년대 이후 집중적인 발굴과 조사로 확대, 심화되었다.[99] 20기 이상 발견된 북위 벽화묘는 북위의 수도였던 산서 대동과 하남 낙양 외에 내몽고

---

98 본 절은 박아림, 「북위 고분벽화의 형성과 변천」, 국외교류특별전〈北魏 - 鮮卑 拓跋部의 발자취〉연계 국제학술심포지엄, 2021년 10월 15일; 박아림, 「북위 평성시기 고분미술의 변천과 융합」, 『中央아시아研究』 26-2, 2021, pp.73~99을 수정하여 수록한 것임.

　　寧夏固原博物館, 『固園北魏墓漆棺畵』, 寧夏人民出版社, 1988; 孫機, 「固園北魏漆棺畵研究」, 『文物』 1989年 9期; ___, 「固園北魏漆棺畵」, 『中國聖火』, 遼寧敎育出版社, 1996; 韓恭禮, 「固園漆棺彩畵」, 『美術研究』 1984年 2期; Patricia Eichenbaum Karetzky and Alexander C. Soper, "A Northern Wei Painted Coffin," *Artibus Asiae* 51, 1991, pp.5~28; Elizabeth M Owen, "Case Study in Xianbei Funerary Painting : Examination of the Guyan Sarcophagus in Light of the Chinese Funerary Painting Tradition," MA Thesis. University of Pennsylvania, 1993; Luo Feng, "Lacquer Painting on a Northern Wei Coffin," *Orientations* 21-7, 1990, pp. 18~29; 朴雅林, 「북위 평성시기 고분미술 연구」, 『역사교육논집』 36, 2006, pp.305~331; 朴雅林, 「高句麗 古墳壁畵와 同時代 中國 北方民族 古墳美術과의 比較硏究」, 『高句麗硏究』 28, 2007, pp.167~206.

99 韋正, 『魏晉南北朝考古』, 北京大學出版社, 2013; 王銀田, 『北魏平城考古硏究;公元五世紀中國都城的演變』, 科學出版社, 2017; 倪潤安, 『光宅中原: 拓跋至北魏的墓葬文化與社會演進』, 上海古籍出版社, 2020; 山西省考古硏究所, 大同市博物館 編著, 『大同南郊北魏墓群』, 科學出版社, 2006; 大同市考古硏究所 編, 劉俊喜 主編, 『大同雁北師院北魏墓群』, 文物出版社, 2008; 張慶捷, 劉俊喜, 「大同新發現兩座北魏壁畵墓年代初探」, 『文物』 2011年 12期; 大同市考古硏究所, 「山西大同文瀛路北魏壁畵墓發掘簡報」, 『文物』 2011年 12期; 최진열, 『효문제의 '한화'정책과 낙양 호인사회 : 북위 후기 호속 유지 현상과 그 배경』, 한울엠플러스, 2016; ___, 『북위황제 순행과 호한사회』, 서울대학교 출판문화원, 2011; 최진열, 「北魏 平城時代 胡人들의 생활과 습속 -胡俗 유지와 그 배경을 중심으로-」, 『동방학지』 Vol. 149, 2010, pp.283~326; 서윤경, 「북위 平城期 沙嶺벽화고분의 연구」, 『美術史學硏究』 267, 2010), pp.175~208; 박아림, 「중국 북조의 벽화묘에 보이는 유라시아계 문화요소와 그 연원」, 『고구려 고분벽화 유라시아 문화를 품다』, 학연문화사, 2015, pp.321-347; 박아림, 「5세기 고구려와 북위의 고분미술의 畵稿의 전래와 적용」, 『고구려발해연

호화호특, 섬북 정변, 산서 회인, 영하 고원 등에 분포한다. 북위의 고분회화는 묘실 벽면에 그려진 벽화 외에 목관, 석관, 석곽의 회화와 부조, 그리고 병풍 등 부장기물의 채화 등을 포함한다. 산서 대동지역에는 탁발선비가 398년 평성으로 천도하고 494년 낙양으로 천도하기 전까지 1세기 동안 주요 묘장들이 조성되었다. 대동의 동쪽 교외에 안북사원묘군雁北師院墓群, 영빈대도묘군迎賓大道墓群, 사령묘군沙嶺墓群, 호동묘군湖東墓群 등이 있고, 남쪽 교외에는 전한기재창묘군電焊器材廠墓群, 칠리촌묘군七里村墓群 등이 있다. 평성지역 북위 벽화묘는 대개 전실묘와 토동묘의 두 종류이며 경사진 묘도墓道, 용도甬道와 묘실墓室로 구성되었다.[100]

산서 대동지역 북위 벽화묘의 특징 중 하나는 가옥형 또는 석상형 석장구石葬具의 벽화나 부조가 적지 않게 발견된다는 것이다. 묘실 내에 놓인 석조 또는 목조의 관곽과 석상, 석등 등에 벽화와 부조가 장식된 예가 적지 않으며, 또한 가옥형 석곽과 함께 발견되는 도용 등의 부장품의 배치를 보면 북위의 묘실 벽화와 석곽의 벽화가 3차원적으로 재현되어 있어 흥미롭다.

다음에서는 먼저 산서 대동의 북위 벽화묘의 발굴과 주요 벽화묘의 구조와 벽화 배치를 정리하고, 평성시기 벽화묘의 발달을 평성시기 전기와 후기로 나누어 주제와 표현 매체의 변천과 연원 등을 살펴본다. 다음으로 평성시기 출현한 석조와 목조 가옥형 장구葬具의 분류와 부장품의 배치 양상을 알아본다. 마지막으로 기존에 석장구의 연원으로 언급된 한대의 석사당과 석관과 조로아스터교의 사당과 납골기가 시기나 지리적으로 가깝지 않다는 점에

구』64 (2019), pp.109-138; 주경미, 「北魏時代 平城地域 출토 금속공예품의 국제성」, 『中央아시아研究』 25.2 (2020), pp.47-86; Shing Müller, Thomas O. Höllmann, and Sonja Filip, eds. *Early Medieval North China: Archaeological and Textual Evidence* (Wiesbaden: Harrasovitz Verlag, 2019); Chin-Yin Tseng, "The Making of the Tuoba Northern Wei: Constructing Material Cultural Expressions in the Northern Wei Pingcheng Period(398-494 CE)." Ph. D. diss. University of Oxford, 2012; Nina Duthie, "Origins, Ancestors, and Imperial Authority in Early Northern Wei Historiography." Ph. D. diss. Columbia University, 2015; Fan Zhang, "Cultural Encounters: Ethnic Complexity and Material Expression in Fifth-century Pingcheng, China." Ph. D. diss. New York University, 2018.

100 북위가 낙양으로 천도한 이후 낙양지역에서 발견된 북위 벽화묘는 많지 않은데 北向陽村 江陽王元乂墓(孝昌2년, 526년), 낙양 孟津北陳村 安東將軍王溫墓(太昌원년, 532년), 낙양 洛孟公路 淸河郡王元懌墓(正光원년, 525년) 등이다. 북위 낙양에서는 효문제의 한화정책 이후 석관이 대표적 장구로 사용되었다. 30여 건이 발견된 북위 화상석 장구 가운데 낙양지역에서 약 18건이 발견되었고, 보존이 양호한 사례는 14건이다. 평성의 벽화묘들에 묘주도, 수렵도, 행렬도가 주로 그려진 반면, 낙양의 석장구에는 청룡과 백호 등의 사신과 乘龍昇仙, 유교의 효자, 山水 등이 선각화로 새겨졌다. 洛陽博物館, 「河南洛陽北魏元乂墓調査」, 『文物』1974년 12기; 徐蟬菲, 「洛陽北魏元怪墓壁畵」, 『文物』2002年 2期; 朱亮, 李德方, 「洛陽孟津北陳村北魏壁畵墓」, 『文物』1995년 8기.

서 북위의 사례와 보다 근접한 중국 북방과 서북지역의 영하성, 감숙성, 내몽고 등의 위진시기와 북조 초기의 벽화묘들의 가옥을 모방한 구조의 사례들을 찾아 연원과 전파 과정을 고찰하고자 한다.

2. 평성시기 벽화묘의 발굴과 분기

1) 주요 벽화묘의 발견

비교적 최근에 소개된 북위 벽화묘의 발굴을 연도순으로 정리하면 다음과 같다. 1992년 발굴한 산서山西 삭주朔州 회인懷仁 벽화묘壁畵墓(단양왕묘丹揚王墓, 437년 추정),[101] 1993년 내몽고 호화호특시 화림격이현 유수량촌楡樹梁村 벽화묘,[102] 2002년 산서 대동 영빈대도迎賓大道 16호묘16號墓,[103] 2005년 대동 사령沙嶺 벽화묘(태정太延원년, 435),[104] 2008년 대동 남교南郊 동가만仝家灣 벽화묘(양발호묘梁拔胡墓, 화평2년和平2年, 461),[105] 대동 부교랄금분소발전창富喬垃圾

---

101 山西 懷仁縣 七里寨村 丹揚王墓는 묘실 내에는 목관이나 유골, 부장기물의 흔적이 보이지 않는다. 安孝文, 李麗娟, 懷仁縣文物管理所, 「山西懷仁北魏丹揚王墓及花紋磚」『文物』2010年 5期; 求實, 「懷仁縣發現北魏丹陽王墓」『北朝研究』1999年 第1輯; 徐光冀 主編, 湯池, 秦大樹, 鄭岩 編, 『中國出土壁畵全集』2권 山西 편, 科學出版社, 2011, 도 28, 29, 30.

102 모인전과 벽화를 같이 사용하여 축조한 묘로서 묘주부부 연회도 위쪽에 벽화층이 탈락되어 문양전이 노출된 것이 보인다. 작은 얼굴, 좁은 어깨를 가진 인물들이 앞의 옷깃이 열린 넓은 소매의 장삼과 단삼을 입고 있으며 성년남자는 모두 二梁冠을 착용하여 선비와 한족 복장의 특징이 공존한다. 이 묘의 사신도는 내몽고지역 벽화에서 드물게 보는 예로 주목된다. 王大方, 「內蒙古首次發現北魏大型磚室壁畵墓」『中國文物報』1993.11.28; 蘇俊 等, 「內蒙古和林格爾北魏壁畵墓發掘的意義」『中國文物報』1993.11.28. 주변의 유적으로는 2010년 盛樂고성(和林格爾縣 土城子古城)과 대동 사이의 교통요지상에 위치한 內蒙古 和林格爾縣 大紅城鄕 楡樹梁行政村 雞鳴驛自然村의 雞鳴驛北魏遺址群에서 북위시기 묘장, 窯址, 房址群이 발굴되었다. 북위시기 요지군은 내몽고에서 처음으로 발견된 것이다. 대형방옥기지F1는 지표에 호화스런 벽돌을 깔았으며 원형 천장의 건축으로 처음으로 발견된 형식이다. 中國文物報社, 『中國考古新發現年度記錄 2010』, 中國文物報社, 2011.

103 2002년 발굴한 영빈대도 16호묘는 홍, 흑, 橘黃과 石靑 등의 안료를 사용하였는데, 홍색 선으로 초고를 그린 후 묵선구륵을 사용하고 마지막으로 채색을 한 화법이 동가만 벽화묘와 유사하나, 인물과 동물의 입체감을 잘 살리지 못하였고, 비례가 어색하며 용필이 간략하고 고졸하다. 劉俊喜, 「山西大同迎賓大道北魏墓群」『文物』2006年 10期.

104 사령 벽화묘에 대해서는 서윤경, 앞의 논문, pp.175~208.

105 山西省考古研究所, 大同市考古研究所, 「山西大同南郊仝家灣北魏墓發掘簡報」『文物』2015年 12期. 용도 동벽에 紅黑彩鉤勒의 괴수형상과 30여 자의 朱書題記 및 和平二年의 墨書가 있다. "大代和平二年歲在辛□/三(五)月丁巳朔十五日辛未/□□(散)骑常侍選部□□/安樂子梁拔胡之墓"

焚燒發電廠 9호묘, 2009년 대동 운파리로雲波里路 벽화묘,[106] 대동 어동신구禦東新區 문영북로文瀛北路 벽화묘,[107] 2011년 대동 장지랑張智朗 석곽石槨 벽화묘(어하동시공안국공지석곽御河東市公安局工地石槨 벽화묘壁畵墓, 460),[108] 2014년 대동시 운파로雲波路 화우華宇 석곽 벽화묘,[109] 2015년 대동성남大同城南 부교발전창富喬發電廠 석곽(469),[110] 2017년 대동시 어동신구禦東新區 13호묘(가보묘賈寶墓, 477),[111] 2018년 대동 남교구 사령沙嶺 건재시장建材市場 부부합장석곽묘夫婦合葬石槨墓,[112] 2019년 대동시 운파리 화우이기華宇二期 벽화묘,[113] 대동 이전창二電廠 37호묘,[114] 2020년 대동 평성구平城區 칠리촌七里村 벽화묘[115] 등이 있다(표 2).

---

106   大同市考古研究所,「山西大同雲波里路北魏壁畵墓發掘簡報」,『文物』2011年 12期.

107   문영북로 벽화묘는 낙타도상과 출토기물은 사마금룡묘(484년)와 안북사원 5호묘(송소조묘, 477)의 낙타도용과 부장기물과 유사하고, 도용은 송소조묘와 유사하며 북위 孝文帝 太和十八年(494)의 복식 개혁 이전의 형식으로 낙양 천도하기 이전의 평성시기의 묘로 추정한다. 張慶捷, 劉俊喜,「大同新發現兩座北魏壁畵墓年代初探」,『文物』2011年 12期; 大同市考古研究所,「山西大同文瀛路北魏壁畵墓發掘簡報」,『文物』2011년 12기.

108   毛德祖의 妻 張智朗의 묘로서 文成帝 和平元年(460년)에 장사를 지냈다. 모덕조는 원래 남조 劉宋의 저명한 장군으로 낙양이 함락된 후 북위로 옮겨왔다. 석곽 내벽 좌우의 무사는 적색의 긴 두루마기를 입고 있는데 몸의 좌우로 여러 겹의 옷자락이 날리며, 발 앞에는 연화가 피어있다. 좌우로 날리는 천의와 같은 표현은 사령 벽화묘 북벽의 상단에 줄지어 서 있는 여자시종들에서도 보이는데 장지랑석곽벽화가 더 과장되게 그려졌다. 삼각형 나뭇잎이 달린 도안화된 나무 좌우로 선 우인은 어깨 위로 날개가 뻗어나오고 허리와 다리에도 날개옷이 날린다. 대동의 초기 북위묘는 대개 墓銘이 없고, 銘志의 石刻, 磚刻과 墨書銘志는 북량, 삼연, 남조에서 북위로 유입된 이들의 묘 가운데 나온다. 북위 평성 시기의 墓銘, 墓磚, 墓碑, 碑形墓銘는 많은 경우 壙內 혹 묘도 가운데 위치하였으며, 破多羅太夫人壁畵墓 漆畵題記와 梁拔胡墓 題記와 같이 묘벽 혹은 壙 가운데 위치한 기물 위에 적은 것도 있다. 묘묘석 혹은 석곽 외벽에 새긴 것도 있는데 尉遲定州墓門石刻銘은 묘문석 외측 중상방에 있고, 毛德祖妻張智朗石槨銘은 석곽문 外右壁 위쪽에 있다. 張慶捷, 劉俊喜,「大同新發現兩座北魏壁畵墓年代初探」,『文物』2011年 12期.

109   張志忠,「大同雲波路北魏石槨墓解讀」,『收藏家』2019年 9期

110   張志忠, "大同北魏墓葬佛教圖像淺議," Shing Müller, 앞의 책, pp.68~77.

111   大同市考古研究所,「山西大同北魏賈寶墓發掘簡報」,『文物』2021年 6期.

112   「大同沙嶺建材市場東發現北魏夫妻合葬石槨墓」,『新大同網』2018. 4. 19.

113   화우이기 벽화묘는 기년은 없으나 文成帝 太安과 和平 연간인 455-465년의 묘로 추정한다. 묘실 사벽과 용도 양벽에 벽화가 있는데 홍, 흑, 백 3종 안료와 소량의 청색 안료를 사용하였으며, 지가보 석곽벽화, 지가보 관관채화, 해흥석당 벽화 등과 유사한 화풍의 인물생활풍속도가 주제이다. 侯曉剛,「大同市雲波里華宇二期壁畵墓的年代」,『文物世界』2020年 1期.

114   2002년 발굴되고 2019년 소개된 묘이다. 大同市考古研究所,「山西大同二電廠北魏墓群發掘簡報」,『文物』2019年 8期; 張志忠, "大同北魏墓葬佛教圖像淺議," Shing Müller, 앞의 책, pp.64~66.

115   칠리촌 벽화묘는 산서 대동 평성구 칠리촌묘지에서 발견한 남향의 長方形 斜坡墓道 磚砌單室墓(남북 길이 24.12m)로 묘실 내 벽화, 칠목관, 칠기 등 보존이 비교적 잘되었으며, 묘실 사벽과 천장에 출행, 연락, 부부대좌, 수렵, 연화도 등이 그려졌다. 「山西大同發現一座珍貴北魏壁畵墓」,『新華網』2021. 3. 31.

사령 벽화묘(435)와 동가만 벽화묘(461)는 비교적 완전한 형태로 발견된 북위 벽화묘이며 벽화가 잘 남아 있어 평성시기 벽화의 주제와 구성을 알 수 있는 중요한 사례이다. 또한 기년문자紀年文字가 발견되어 묘주와 조성연도를 알 수 있다. 운파리로 벽화묘와 영빈대도 16호묘는 조성연도를 알 수 없으나 벽화의 주제나 양식상 특징에서 동가만 벽화묘와 비슷한 시기로 추정한다.

북위 초기 황릉皇陵이 있는 내몽고 성락에 위치한 유수량촌 벽화묘는 모인전과 벽화를 사용하여 묘를 조성하였다는 점에서 산서 삭주 회인 벽화묘와 형식이 같다. 유수량촌묘는 벽화의 인물들의 복식의 특징으로 보아 486년 북위 효문제가 복제 개혁을 시작한 이후와 494년 낙양 천도 이전인 480년대 전후에 조성한 묘로 추정한다.[116] 회인 벽화묘의 묘주 단양왕丹揚王에 대해서는 여러 의견이 있는데 최근의 연구에서는 숙손건叔孫建으로 제시하여 태연3년太延三年(437)경의 묘로 추정한다.[117]

한편 묘실 내부의 석문이나 문미 등을 벽화가 아닌 조각으로 장식한 예는 태황태후풍씨太皇太后馮氏 영고릉永固陵(태화太和14년, 490)과 효문제孝文帝 허궁虛宮 만년당萬年堂(태화15년, 491) 등이 있다. 효문제 만년당 석조 문광門框에는 장검을 들고 굳건하게 선 수문장상과 무사의 머리 위의 청룡이 일부 남아 있다.

북위묘에서는 묘실 벽면이 아닌 목관이나 석관, 석곽 등의 장구葬具에 벽화가 그려지거나 부조가 새겨진 사례도 적지 않다. 목관에 그려진 그림이 발견된 예는 대동의 사령 벽화묘(435), 지가보智家堡 관판화묘棺板畵墓, 호동湖東 1호묘[118] 남교묘군 185호묘, 229호묘, 238호묘, 253호묘, 이전창二電廠 37호묘,[119] 내몽고의 찰우기察右旗 칠랑산七郎山 10호묘, 영하의 고원 칠관화묘(486~489년경) 등이다.[120] 부장기물로서의 칠화는 사마금룡묘 출토 칠병풍이 대표적이다.

1973년 발견된 고원 칠관화묘는 발굴보고서에서 486년경으로 추정하였는데, 이 묘에 대

116 鄭岩, 『魏晋南北朝壁畵墓研究』, 文物出版社, 2002, p.84.

117 李梅田, 「丹揚王墓考辨」, 『文物』 2011年 12期.

118 高峰, 劉俊喜, 左雁, 李伯軍, 李曄, 江偉偉, 「大同湖東北魏一號墓」 『文物』 2004年 12期.

119 大同市考古研究所, 「山西大同二電廠北魏墓群發掘簡報」, 『文物』 2019年 8期; 張志忠, "大同北魏墓葬佛教圖像淺議," Shing Müller, 앞의 책, pp.57~80.

120 위진남북조시대의 북방지역의 칠화 목관에 대하여는 韋正, 『魏晉南北朝考古』, 北京大學出版社, 2013, p.328.

해서 최근 새로 발굴을 진행하여 묘실 남벽에서 기년 명문전을 발견하였다. 묘장의 수축 연도가 태화13년인 489년이며 묘주인은 사지절使持節, 진서장군鎭西將軍, 고평진도대장풍시공高平鎭都大將馮始公이다.[121] 1997년 발굴한 대동 지가보묘의 관관화는 수렵도, 행렬도 등 사령묘, 동가만묘, 운파리로묘와 유사한 양식의 주제들이 그려졌다.[122] 1986년 발굴한 호동 1호묘와 2002년 발굴되고 2019년 소개된 이전창 37호묘의 관관화는 동자형 기악천인상이 공통되는 도안이며 문을 열고 나오는 인물이나 가옥 내의 연음도 등의 생활풍속과 사신도와 같은 신수 주제가 공존하는 칠관화이다. 석관화로는 대동서경박물관大同西京博物館 소장 석관과 산서 유사현楡社縣 방흥方興 화상석관畵像石棺(520) 등이 있다.[123]

표 2 | 북위의 벽화묘

벽화묘		구조와 葬具	벽화 내용
벽화	산서 대동 사령 벽화묘(435)	서향, 長斜坡墓道, 용도, 묘실 칠관	묘주부부 연회도, 행렬도, 수문장도, 인면신수도, 복희, 여와도
	산서 삭주 회인 벽화묘(437년 경 추정)	남향, 사파묘도, 전실, 후실과 전실 양측의 좌우측실	전실과 후실 및 용도에 畵像磚과 花紋磚 장식 文字, 人物, 鳥獸, 花草의 4가지 종류의 模印陽文圖案(벽돌 길이 37㎝, 너비 17㎝) 模制陽文의 '丹揚王墓磚' 문자전 조수와 화초류는 인동문, 쌍봉 혹은 雙龍忍冬紋, 雙鳥蓮花忍冬紋, 瑞獸蓮花忍冬紋, 포도문 등 인물문은 前甬道 양측 입벽의 무사입상
	산서 대동 남교 동가만 벽화묘(양발호묘, 동가만촌9호묘)(461)	남향, 사파묘도, 磚築單室墓 묘도, 過洞, 天井, 묘문, 용도(길이 1.7m, 너비 1.2m, 높이 1.6m)와 방형묘실(길이 3.4m, 너비 3m), 전체 길이 19.9m	묘문 상방 문미, 용도 양벽, 묘실 사벽에 벽화 분포(총면적 30㎡) 북벽 묘주도와 백희기악 악무도, 동벽 수렵도, 서벽 부속건물, 수레, 우경도

121 羅豐, "固原北魏漆棺畵年代的再確定", Shing Müller, 앞의 책, pp. 133~149.

122 劉俊喜, 高峰, 「大同智家堡北魏墓棺板畵」, 『文物』2004年 12期, pp. 35~47. 지가보 관관화묘의 우거는 대동 안북사원묘군의 송소조묘(477)의 陶車와 일치하여 비슷한 시기의 묘로 보인다.

123 北魏廣遠將軍妻母의 묘에서 나온 것이다. 大同北朝藝術硏究院 編, 『北朝藝術硏究院藏品圖錄, 靑銅器, 陶瓷器, 墓葬壁畵』, 文物出版社, 2016, pp. 55~57.

벽화묘		구조와 葬具	벽화 내용
벽화	산서 대동 운파리로 벽화묘	서향, 장사파묘도, 單室磚墓 묘도, 封門, 용도, 弧邊正方形 묘실 (길이 2.5m, 잔존 높이 2.75m) (도굴로 묘실과 용도의 천장 붕괴, 묘실 네 벽의 상부 대부분이 무너짐) 묘실 중앙의 목관, 묘실 모서리 세 개의 석주초, 북쪽과 남쪽의 석주초 옆 관의 상부를 덮은 帷帳의 목조 구조 흔적, 관 안에 남성의 두개골, 관의 아래에 세 마리의 양의 척추골·갈비뼈	동벽, 남벽, 용도 양측에 총 10㎡의 벽화 동벽 묘주부부도, 남벽 수렵도, 북벽 벽면은 무너져 하단의 삼각형 장식 잔존 점토의 백회층을 벽돌에 직접 접합 천장은 백회층과 벽화가 이미 사라져 벽돌이 노출
	산서 대동 어동신구 문영북로 벽화묘	남향, 묘도, 용도, 묘실, 단실묘 묘실 내 북벽과 서벽에 棺床 두 관상 사이에 벽돌을 세워 공간을 구분, 두 관상 앞에 낮고 작은 제단 설치	묘실 동벽 모서리 들보를 받쳐 든 역사상의 하체 부분 잔존, 북벽 관상 입면에 낙타를 끌고 가는 서역계 타부와 적색 들보를 오른손으로 받쳐 들고 곤봉을 왼손에 든 역사상(남아 있는 벽화가 거의 없어 전체 구성을 알기 어려움)
	산서 대동 영빈대도 16호묘	묘도, 용도, 묘실, 弧邊方形 전실묘	宴飮, 車馬, 山林, 狩獵, 鎭墓武士 등(도굴과 침수 등으로 인해 천장과 벽면의 벽화가 거의 박락)
	내몽고 호화호특시 화림격이현 유수량촌 벽화묘(480년경)	묘도, 용도, 前室, 後室, 雙室磚墓	전실과 용도에 벽화 묘주부부연회, 유목수렵, 死後升天과 四神, 蓮花, 採桑, 虎牛咬鬪, 牧羊, 인물, 동물, 화훼 등 7-8종류의 模印圖案磚
	산서 대동시 운파리 화우이기 벽화묘 (文成帝 太安·和平 연간인 455~465 추정)		묘실 사벽과 용도 양벽에 벽화, 홍, 흑, 백 3종 안료와 소량의 청색 안료를 사용, 지가보 석곽벽화, 지가보 관판채화, 해흥석당 벽화 등과 유사한 화풍의 인물생활 풍속도 주제
	산서 대동 평성구 칠리촌 벽화묘	남향, 장사파묘도, 磚砌單室墓, 남북 길이 24.12m)	묘실 사벽과 천장에 출행, 연락, 부부대좌, 수렵, 연화도 등
목관화	영하 고원 칠관화묘 (486~489년경)	묘도, 용도, 정방형 묘실 (3.8×3.8m×3.9m)	관의 앞면에 묘주연회도, 관의 덮개에 東王公과 西王母, 좌우 측판 상단에 효자고사도, 하단에 수렵도, 목관 덮개와 좌우 측판에 사방 연속 연주문 장식
	산서 대동 지가보묘	사파묘도토동묘, 묘도, 봉문, 묘실	3매의 松木 彩繪棺板 수렵도, 행렬도, 부엌도 등
	산서 대동 호동 1호묘	묘도, 전실(길이와 너비 3.82m)과 후실(길이와 너비 4.2 m) 일관 일곽 묘실의 벽면과 천장 거의 파괴	관의 측면 사방 연속 연주문 장식, 연주문 안에 천의를 두른 동자형 기악천인상

	벽화묘	구조와 葬具	벽화 내용
목관화	산서 대동 이전창 37호묘	서향, 장사파묘도전축단실묘 일관일곽의 장구 도굴로 인해 곽관은 묘실 남부와 서부로 이동	칠관 관판의 네 모서리에 童子, 瑞獸가 담긴 흰색 연주문, 남측 관판과 다리 부분 관판은 서수, 樂工, 수렵, 북측 관판은 출행, 서수, 관 덮개는 서수, 禽鳥, 동자 등 머리 부분 관판의 중앙에 가옥의 대문 형상, 門楣, 門框 및 門板을 고부조로 조각, 내부에 앉은 두 명의 인물, 가옥 앞의 한 마리의 검은 개, 문미 상부 우측에는 두 명의 인물이 曲足案을 앞에 두고 對飮하는 장면, 人面鳥身의 千秋 형상과 玄武
석관화	대동서경박물관 소장 석관	두 매의 석판(각각 길이 1.30m, 너비 1.2m, 두께 0.12m, 길이 1.49m, 너비 1.17m, 두께 0.13m)	묘주부부의 야외연회도, 수레와 창고와 氈帳, 가옥 내에 앉은 3-4명의 인물들의 기악도
	산서 유사현 방흥화상석관(520)	비석(반원형 상부, 높이 90㎝, 너비 66㎝, 두께 8㎝)과 두 매의 측면 석판(각 220㎝, 너비는 80㎝, 두께는 10㎝) 묘주 方興(북위 神龜 연간[518-520]에 60세로 사망)	비석의 아래 부분 묘주부부의 가무기악연회도 석관의 좌측 석판은 화면 중앙에 백호(?), 좌우로 나무 위에서 곡예를 하거나 여러 개의 공을 돌리는 雜技圖와 수렵도, 우측 석판은 묘주의 기마출행과 청룡을 탄 선인

2) 벽화묘의 분기별 발달과 연원

(1) 평성 전기

앞에서 살펴본 북위 벽화묘의 발달은 북위의 정복과정과 그에 따른 각 지역의 문화요소의 융합을 배경으로 한 벽화 장식의 변천, 평성에서 낙양으로의 천도 등에 따라서 시기를 구분한다.[124] 최근의 연구에서는 평성 전기와 후기, 북위 만기의 세 시기로 구분하여 시기별 벽화묘의 특징과 연원을 살피고 있다.[125] 평성시대 전기(398~465)에는 한인漢人의 서진西晉, 흉노의 한조漢趙, 갈족羯族의 후조後趙, 모용선비의 전연前燕, 저족氐族의 전진前秦 간의 문화교류, 후연, 후진, 대하, 북연, 북량, 유연, 동진 유송 간의 문화 왕래에 더하여, 북위의 정복전쟁으로 한인, 흉노인, 고차인, 모용선비인, 고구려인 잡호,[126] 강족 등 대규모 사민 인구의 평성

---

124 평성지역 묘의 발달의 분기 구분은 曹臣明,「平城附近鮮卑及北魏墓葬分佈規律考」,『文物』2016年 5期.

125 본 논문에서는 倪潤安의 분기 구분을 따랐다. 倪潤安, 앞의 책, pp.121~172.

126 북위의 수도 평성의 건설에 많은 수의 고구려인들이 참여한 것이『魏書』卷2 太祖紀 天興元年 正月條에에 기록되어있다. 天興元年은 398년으로 天興元年 탁발부에 의해 산동육주에서 평성으로 옮겨진 인구 중에 있는 '高麗', '雜夷' 등의 기록으로 보아 모용부와 전쟁으로 인해 화룡성으로 옮겨진 고구려인이 평성으로 이주하였을 가능성이 있다.

이동이 이루어졌다(표 3). 이 시기에는 하북, 산서의 서진 묘장문화, 위진시기 오환, 흉노의 묘장문화, 한조, 후조, 대하 및 중원지역의 전연, 후연의 묘장문화가 모두 한 곳에 융합된다. 사령묘(435), 양발호묘(461) 등이 전기의 벽화묘이다. 이 시기에는 묘실 후벽 정중앙에 묘주 부부병좌 혹 남자묘주의 연락도가 배치된다. 묘주가 가옥 내의 유만 아래의 탑상에 앉고 배후에 병풍을 설치하고 탑의 앞에 안案과 식구食具를 진열하고, 옆에는 시자가 서 있고 양측에 안마, 시종, 잡기, 악무를 배치한다. 묘실 양측 벽 가운데 한쪽 벽은 장원생활도, 다른 벽은 거마출행도 혹은 산림수렵도이다. 묘실 전벽은 수문장상을, 용도는 복희, 여와, 청룡, 백호, 시녀 등을 배치하였다.[127]

표 3 | 북위 묘의 분기 구분[128]

시기		묘명
평성 전기	435년	산서 대동 사령 벽화묘
	437년	산서 삭주 회인 벽화묘
	457년	산서 대동 양고현 왕관둔진 위지정주묘
	455~465년	산서 대동시 운파리 화우이기 벽화묘
	460년	산서 대동 장지랑 석곽 벽화묘
	461년	산서 대동 남교 동가만 벽화묘
평성 후기	469년	산서 대동성남 부교발전창 석곽
	477년	산서 대동시 어동신구 13호묘(가보묘), 산서 대동 안북사원 5호묘(송소조묘)
	477~499년 (태화연간)	산서 대동 이전창 37호묘, 산서 대동 호동 1호묘, 산서 대동 지가보 관판화묘, 산서 대동 운파로 화우 석곽 벽화묘
	484년경	산서 대동 사마금룡묘
	484~489년	산서 대동 남교 지가보 북위 석곽 벽화묘
	486~489년경	영하 고원 칠관화묘
	489년 전후	내몽고 호화호특시 화림격이현 유수량촌 벽화묘
평성 후기	490년	산서 대동 태황태후 풍씨 영고릉
	491년	산서 대동 효문제 만년당

127 개별 북위 벽화묘의 구조와 벽화 내용에 대해서는 박아림, 앞의 책, pp. 321~347.

128 북위 묘의 분기 구분은 倪潤安의 연구를 참고하였으며, 각 벽화묘의 편년은 발굴보고서와 연구논문 등을 종합한 것이다. 기년자료가 없는 몇몇 벽화묘들은 향후 보다 자세한 편년 검토가 필요할 것으로 보인다. 倪潤安, 앞의 책, pp. 154~155, pp. 121~172.

시기		묘명
북위 만기	525년	하남 낙양 낙맹공로 청하군왕 원역묘
	526년	하남 낙양 북항양촌 강양왕 원예묘
	532년	하남 낙양 맹진북진촌 안동장군 왕온묘

이 시기에 평성 지역으로 각 지역의 한위진시기의 묘장문화가 모두 융합되는 양상을 잘 보여주는 벽화 주제는 묘주연회도이다. 평성 전기의 묘주도는 사령묘(435), 해홍석당(458), 동가만묘(461) 등의 기년묘 등에서 볼 수 있다. 묘주도는 묘주 단독상과 묘주부부 병좌상의 2가지 종류가 있다. 사령묘의 동벽(후벽)의 묘주부부 병좌상과 남벽의 묘주연회도, 북벽의 행렬도, 남벽의 수문장상의 구성은 이후에 오는 북위 평성시기 고분미술에서 반복되는 벽화 주제의 전형을 마련하였다는 점에서 중요하다(도37).

사령묘의 남벽 묘주연회도는 서경박물관 소장의 석관 석판에 재현된다. 서경박물관 소장의 두 매의 석판은 하나의 석판의 가운데가 분리되어 두 장면으로 나뉘는데, 한 석판에는 작

도 37 | 《묘주부부 병좌도》, 동벽, 사령 벽화묘

은 나무들이 둘러싼 야외에서 묘주부부가 손님과 악사들과 함께 연회를 즐기고 있고, 다른 석판에는 가옥 안에서 악기를 연주하는 인물들과, 여러 대의 수레, 천막을 포함한 부속건물들, 생산활동 등이 담겨 있다.[129] 석판의 위아래로 지그재그식으로 놓인 포장布障이 공간을 구획한다. 전체 구성이 사령묘 남벽 벽화와 유사하여 북위 평성 고분벽화의 일정한 구성 형식을 알 수 있으며 묘실 벽화가 석관화로 옮겨지는 양상을 확인할 수 있다.[130] 홍색을 주조로 하면서 밝은 황색을 설채하였다.

사령묘의 묘주부부도 형식이 석당으로 옮겨진 사례는 서경박물관西京博物館 소장 해흥석당解興石堂(458)이다. 해흥석당의 묘주부부 정면초상은 사령묘, 동가만묘와 운파리로묘의 구도와 형식과 거의 같으나 석당 좌우벽의 벽화 구성이 단순해졌다. 위지정주묘 석곽(457)와 거의 같은 시기에 축조한 해흥석당은 현재까지 나온 석곽 벽화 가운데 가장 이른 시기의 것이자 구조가 가장 단순한 형태에 속하며, 묘실 벽면의 벽화가 석곽 내외부로 옮겨가는 과정을 보여준다. 석당의 앞면에 갑주무사형의 수문장과 여러 생활풍속적 제재와 신수들이 다소 무질서하게 조합되어 있어 묘실 벽화에서 석곽 벽면으로 화면이 전환되면서 다양한 모본들을 배치하는 과정에서의 과도기적 특징을 보여준다.[131]

동가만묘(461)와 운파리로묘는 묘향이 달라서 묘실의 후벽의 방위는 다르나 묘실의 좌우와 후벽에 그려진 벽화의 주제와 구성, 배치가 거의 같다. 이전에 발굴된 사령묘와는 벽화 주제의 선택과 배치, 벽화 기법, 색채 사용에서 차이가 있다. 동가만묘는 묘실 천장에는 거의 벽화를 그리지 않고 벽면에만 약 1.2m 높이로 회를 바르고 홍색 윤곽선을 두르고 그 안에 벽화를 그렸다(도38).

동가만묘 북벽에 묘주 단독 초상이, 운파리로묘 동벽에 묘주부부 초상이 있다. 동가만 묘주도에는 남자묘주만 묘사되었으나 발굴된 목관과 시신이 두 구이기 때문에 남자 묘주가 먼저 묻히고 나서 여자 묘주가 죽은 이후에 합장한 부부합장묘이며 묘실 벽화에는 아직 생존한 여자 묘주를 그리지 않았을 것으로, 용도 동벽의 "화평2년和平二年"(461) 제기는 남성 묘주의 하장 연도로 추정한다. 운파리로묘는 남성이 좌측에, 여성이 우측에 앉았는데, 여자묘주 부분은 벽화가 거의 박락되어 알아보기 어렵다. 남자묘주는 손에 흑색 고족배高足杯를 들

---

129   大同北朝藝術研究院 編, 앞의 책, 2016, pp.55~57.
130   張慶捷, 앞의 책, 2016.
131   박아림, 앞의 논문, 2019, pp.109~138.

도 38 | 《묘주연음도》, 북벽, 동가만 9호묘

고 있다. 두 묘 모두 묘주도가 백희기악 악무도와 결합되었다는 공통점이 있다. 동가만묘는 3단으로 구성된 복잡한 백희기악 악무도가, 운파리로묘의 묘주는 비파, 횡적橫笛, 배소排簫와 고鼓 등을 연주하는 5명의 호인악사들의 가무악대도가 화면의 우측 하단에 그려졌다. 동가만묘에는 교령交領의 흰색 두루마기와 홍색 바지를 입은 인물이 어깨에 세운 십자형 기둥 위에 6명의 인물들이 곡예를 부리고 있는데 북위 평성유지와 송소조묘 등을 포함한 북위묘장에서 나온 호인기악용들은 평성시대에 유행한 서역악무의 존재를 알려주며 북위묘의 벽화와 도용의 상호 조응관계를 잘 보여준다.

평성지역의 수렵도는 북방유목민인 탁발선비의 취향을 반영하듯 한 벽면의 단독 주제로 출현하면서 비중이 높아졌다. 동가만묘(461)의 동벽과 운파리로묘 남벽의 수렵도는 북위 평성시기 수렵도를 대표한다. 운파리로묘의 수렵도는 고구려 무용총 수렵도와 같이 화면 중앙에 거대한 나무를 그리고 좌우로 산악과 수목을 지그재그식으로 배치하여 산악의 비중이 크다(도39). 말을 타거나 서서 수렵을 하는 인물들은 안료가 많이 희미해져 알아보기 어렵다. 동가만묘 수렵도는 화면 중앙에 지그재그 방향의 산악을 배치하여 화면을 양분하고 산

도 39 | 《수렵도》, 남벽, 운파리로묘

악 좌우로 기마 또는 도보 수렵인물들을 배치하고 다양한 동물들을 야외의 빈 공간에 채워 넣었다.

　　북위 평성지역 수렵도의 구성과 산악 형태의 연원을 찾아보면 동북지방의 요녕 조양 원대자묘의 수렵도, 고구려의 덕흥리 벽화분(408), 약수리 벽화분, 무용총 등의 수렵도가 지그재그식의 화면 구성과 인물과 동물의 구성과 동세에서 북위 수렵도와 거의 같아 북위 평성지역 수렵도보다 이르거나 동시기의 형식을 공유하는 것으로 보인다. 중국 북방지역에서 유목민들에 의해 선호된 주제인 수렵도의 형성과 변천에서 최근 2000년 이후로 소개된 내몽고지역 동한시기 벽화묘들이 주목된다.[132] 내몽고 악탁극기 봉황산 1호묘 서벽의 산악도와 내몽고 오르도스 악탁극기 미랍호한묘 북벽의 위렵도圍獵圖, 내몽고 오르도스 파일송고오포 벽화묘 남벽의 수렵도와 산림방목도는 섬서 관중지역의 서한 벽화묘의 수렵도를 계

132　박아림, 「중국 섬북과 내몽고지역 동한시기 벽화묘 연구」, 『동양미술사학』 10, 2020, pp. 35~73.

도 40 | 《위렵도》, 북벽, 미랍호묘

승하면서 북위와 고구려 벽화의 산악도와 수렵도의 형식을 예시한다는 점에서 중요하다(도
40).[133] 동아시아 장의미술에서 수렵도 주제의 변천을 보면 북방유목민으로서 탁발선비가
조성한 북위 평성시기 고분벽화의 중심 주제가 되었고 그 양식적 연원은 북방지역의 동한
대 벽화묘의 수렵도와 동북지역의 고구려의 고분벽화임을 알 수 있다.

사령묘에서도 나온 북위의 채회칠관은 하서지역의 위진시기 채회관의 영향과 동시에 후

---

133 張慶捷,「大同電廠北魏墓題記壁畵初探」,『中國社會科學報』2009-11-05; 徐光冀 主編, 湯池, 秦大樹, 鄭
     岩 編, 앞의 책, 2011, 도 27; 倪潤安,「北魏盛樂時代至平城時代墓葬的發現與硏究」,『文物世界』2009년 6
     기. 섬북과 내몽고 등 북방지역 벽화묘와 화상석묘의 평성지역 북위묘의 연원관계는 하강하는 신수와
     포수함환 제재에서도 찾아볼 수 있다. 사령 벽화묘 용도의 수문장상 옆의 하강하는 자세의 人面神獸는
     섬북지역 화상석의 묘문의 하강하는 龍虎도상의 계승 변형으로 보인다. 섬북지역 묘문의 화상석 제재
     는 용호와 포수함환의 결합인데, 포수함환의 제재가 평성시기에 와서는 석곽, 목관의 장식으로 다수 활
     용된다. 고원칠관화묘 출토 透雕銅飾과 鋪首의 "一人雙獸"주제에 대해서는 大夏지역에서 연원하였을
     가능성이 제시되었다. 西北大學文博學院, 陝西省考古硏究院, 楡林市文物考古勘探工作隊, 神木縣文物
     管理辦公室,「陝西神木大保當東漢畵像石墓」,『文物』2011年 12期; 倪潤安,「北魏盛樂時代至平城時代墓
     葬的發現與硏究」,『文物世界』2009年 6期.

도 41 | 《호인견타도》, 문영로 벽화묘

연과 북연의 영향도 지적된다. 동한시기 채화칠관은 "동원비기東園秘器"로서, 북위의 도무제道武帝가 397년 후연을 멸하고 관동을 평정한 후에 비기제도가 북위에 들어오게 되면서 명원제明元帝 시기인 413년과 416년에 비기를 사여한 사례가 있다. 사령묘 채화칠관은 비기는 아니나, 북위 초기 이미 흥기한 비기제도의 영향을 받았다고 본다. 424년 태무제 탁발도의 즉위 후에는 436년에 북연을 멸하고 요서지역을 점령한다. 북연 풍소불묘에서도 채화칠관을 사용하였는데 후연의 잔여 세력이 북연의 주요 건립자이기 때문에 후연이 중원문화를 사용한 칠관비기를 사용하였을 가능성이 제기되었다.[134]

(2) 평성 후기

평성 후기(466~494, 헌문제 즉위부터 효문제 낙양 천도 전까지)는 송소조묘, 사마금룡묘, 영고릉, 효문제의 만년당 석조문 등이 해당하며, 묘실 사벽 벽화가 없거나 쇠퇴하고, 석각이 출현하며, 제재가 간략화된다고 본다.[135] 전기의 묘주도 중심의 벽화 구성이 간략화되면서 사라지

---

134 倪潤安, 위의 책, pp. 150-151.

135 사마금룡묘 병풍과 문명태후 영고릉의 효자충신 제재 석병풍, 효문제의 황신당 벽화 등에 대해서는 태화 연간의 '平齊戶' 출신 화공의 활약과 깊은 관계를 가진 것으로 보는 견해가 있다. 북위 태화 5년(481)

게 된다. 묘실 벽화가 간략화되면서 생활 풍속도가 사라지는 예는 대동 진장陳莊 북위묘로서 홍색 안료로 직접 벽돌 위에 간단하게 묘문, 기둥, 들보, 천장의 연화문 조정 등을 그렸다.[136]

평성 전기의 생활풍속도가 후기에도 아직 존속하는 양상을 보여주는 예는 내몽고의 유수량촌 벽화묘이다. 성락지역의 묘로서 평성에서 형성된 벽화의 주제와 표현이

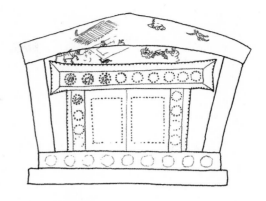

도 42 | 채회칠관 앞면(모본), 이전창 37호묘

지역적으로 잔존하고 있는 형태이며 솜씨는 평성 전기에 비하여 많이 떨어지는 편이다. 묘주도를 보면 화면 중앙에 적색으로 그린 가옥 안에 묘주부부가 오른쪽을 향해 앉아 야외의 잡기 장면을 관람하고 있다. 북과 피리를 연주하는 악사와 장대를 가지고 곡예를 부리는 인물 등이 생생하게 묘사되었다. 묘주 부부의 어깨 윗부분이 벽화가 박락되어 얼굴 부분은 알아볼 수 없으나 풍성하게 입은 옷의 묘사가 운파리로묘의 묘주와 유사하다.[137] 유수량촌묘의 수렵도 역시 평성 전기의 수렵도를 재현한다. 화면 중앙으로 강이 흐르는 가운데 대각선 방향으로 놓인 산악과 소, 호랑이, 멧돼지 등 다양한 동물들과 수렵인물들의 배치에서 오는 운동감 등이 동가만묘와 운파리로묘의 수렵도와 유사한 구성이다.

평성 중기 벽화묘의 중요한 특징인 도상의 장구화는 묘실 벽화가 쇠퇴하고 벽화가 장구로 전이되는 것이다. 장구가 중시되면서 묘실 내에서 석조 또는 목조의 가옥형 장구와 석관의 사용은 북위를 이은 북조 후기와 수·당대의 석조 장구의 유행을 예시한다고 할 수 있다.

벽화묘로서 문영북로묘는 묘의 북측과 서측에 각각 전관상磚棺床이 놓였는데 북관상 입면의 역사力士와 호상견타胡商牽駝, 서측 관상 입면의 역사, 관상 사이의 담에 그려진 선비 복장

사마금룡묘가 조영된 전후 시기 북위 문명황태후가 평성 교외의 방산에 영고릉을 조영하기 시작하였는데, 분구 앞에 축조되었던 사당의 내외에 청석병풍을 두르고, 충신, 효자, 열녀 등 제재의 설화도를 부조하였던 것으로 알려졌다. 평성궁 내의 皇信堂에도 題名이 붙은 성인, 충신 열사도가 그려져 있었다. 南朝의 靑齊徐州 지역 출신인 張僧達, 蔣少遊 등이 그린 것이다. 북위 獻文帝 皇興3년 남조 송의 靑齊徐三州지역을 공략하여 그 민호를 평성으로 사민시켰고 이들을 平齊戶라고 칭하였다. 蘇哲, 『魏晋南北朝壁畫墓の世界』, 白帝社, 2007, pp.89~92.

136 山西省考古研究所, 大同市考古研究所, 「山西大同市大同縣陳莊北魏墓發掘簡報」, 『文物』2011年 12期.

137 王大方, 「內蒙古首次發現北魏大型磚室壁畫墓」, 『中國文物報』1993.11.28.

의 시자侍者, 그리고 관상 앞에 놓인 단에 연화문이 그려져 있어서 벽화가 묘실 사벽에서 관상으로 이동한 것을 보여준다(도41).[138]

평성 전기의 해흥석당에 이어서 평성 후기의 석곽 벽화로는 지가보 석곽묘가 있는데 벽화 구성이 동가만묘, 해흥석당과 유사하면서 전기에 보이지 않던 천인이 등장하고 연꽃을 손에 든 시종들의 모습이 불교 석굴의 공양인상 형식을 따르고 있어 평성 후기 묘장미술에 미친 불교미술의 영향을 살펴볼 수 있다.[139]

중기에 들어 목관으로 고분 회화가 전이되는 현상은 지가보 관관화묘, 호동 1호묘, 이전창 37호묘에서 관찰된다. 이전창 37호묘의 칠관의 머리 부분 관판에 그려진 문의 문미 위의 가옥 내부에 앉은 두 명의 인물과 곡족안을 앞에 두고 대음하는 두 명의 인물의 묘사는 묘주 연회도에 속하는 것으로 보이며, 북측과 남측의 관판에 그려진 출행, 수렵, 기악 장면 역시 묘주연회도를 중심으로 좌우로 수렵, 출행, 기악잡기가 배치되는 평성지역의 일반적인 벽화의 배치와 상통한다(도42).

태화연간으로 추정하는 지가보 채회관관화묘의 수렵도는 관판으로 옮겨진 평성 전기의 수렵도 형식을 잘 보여준다. 대동 남교 북위묘군 229호묘의 관판의 수렵도, 253호묘의 관판의 연회와 행렬도 등과도 주제, 구도, 화풍이 거의 같아 평성 후기에 거의 같은 화공집단에 의해 유사한 목관화로 제작된 것으로 보인다. 고원칠관화는 좌우 측판의 하단에 수렵도가 묘사되어 평성지역 수렵도 형식이 전해진 것을 알 수 있으나 전체 화면 구성에서 수렵도 주제의 비중이 확연하게 줄어들었다.

고원칠관화묘, 호동 1호묘와 이전창 37호묘는 장식문양의 비중이 증가하며 현실생활풍속도의 비중이 줄어들고 있다. 고원 칠관화묘의 칠관화의 주제와 배치를 보면 묘실 벽면에 그려지던 묘주도, 수렵도, 서수도, 수문장도 등이 칠관의 표면으로 옮겨진 것을 확인할 수 있다. 또한 서왕모와 효자도 등 한대부터 전해진 신화고사 주제가 북위시기 장의미술에 어떻게 변형, 표현되었는지 살펴볼 수 있다. 고원묘 목관 덮개와 좌우 측판의 사방 연속 연주문 장식은 호동 1호묘와 낙양지역 석관들과, 연주문 내부에 그려진 역사, 서수 등은 평성지역 석관상과 칠관화의 장식과 공통된다. 호동 1호묘의 연화화생 도상은 운강석굴 제10굴 남벽 문미의 연화화생과, 기악동자상은 고원칠관화묘의 연주문의 천인상과 사마금룡묘 석주

138   倪潤安, 앞의 책, pp. 185~193.
139   王銀田, 劉俊喜, 「大同智家堡北魏墓石槨壁畵」, 『文物』 2001年 7期.

초의 천인상과 유사하여 평성 후기 불교석굴 미술의 연화화생 신앙과 천인 표현이 고분미술과 융합 표현되었음을 확인할 수 있다. 이전창 37호묘의 동측 칠관판 하부에는 연주문이 일렬로 배열되었는데 연주문 안에는 각각 서수와 동자를 배치하였다.[140] 연주문 안에 왼손에 활, 오른손에 화살을 들고 쏘는 자세의 동자와 백호 등이 있다.

평성 후기의 고분미술의 또 다른 특징은 불교미술과의 융합이다. 북위 고종 문성제(재위 452~465년)가 세조 태무제(재위 423~452)가 시행했던 불교 탄압을 폐지하고 운강석굴을 조성하면서 고분미술에도 불교석굴 미술의 영향이 커지게 된다.

불교미술의 영향이 강하게 보이는 고분미술의 주제는 수문장상인데 북위 평성지역 벽화묘의 수문장상은 전통적인 갑주무사형 수문장과 불교미술의 보살과 천왕형 수문장 두 종류가 공존한다.[141] 435년의 사령묘에서는 묘의 용도에 방패와 창을 든 갑주무사와 묘실 서벽의 방패와 창을 들고 붉은 두루마기를 입은 수문장의 두 종류가 출현한다. 영빈대도 16호묘의 수문장상은 손에 긴 창을 들고 갑옷을 입고서 연화좌 위에 서 있어 전통적 수문장상에 불교적 요소가 추가되었음을 보여준다.[142] 북위묘 내의 다른 주제들은 전통적 장의미술에서 발전한 형식으로 크게 이질감이 없는 반면, 불교식 수문장상은 불교미술 도상에서 고분미술 도상으로 변환하면서 상반신 나신에 천의를 두르고 삼곡 자세를 보이는 불교미술의 도상에 묘를 지키는 벽사의 의미가 강조되어 변형 표현되었다.[143]

불교미술의 영향은 평성 전기 벽화묘에도 이미 드러나고 있어 태무제 시기의 서북지역의 정복과 사민으로 하서지역의 불교미술이 평성지역의 고분미술로 유입되었음을 확인할 수 있다. 북위의 불교식 수문장상의 유사한 사례는 신강 키질 제171굴(417~435)의 보살상, 감숙 병령사 제169굴(서진西秦, 420) 6호감 좌측 미륵보살, 천제산 제4굴(북위) 중심주 서면의 보살, 돈황 제263굴(북위) 서벽 중앙의 시자 등이 있다. 병령사 제169굴의 6호감 좌측의 연꽃을 든 공양인상과 이들의 치마에서 여러 갈래로 날리는 천의나, 맥적산석굴 115굴(북위, 502) 우

140 북위 평성의 연주문에 대해서는 王銀田, 앞의 책, 2017, pp. 117~123.
141 雲娜, 「北魏平城時代墓室畵像硏究」, 內蒙古大學碩士論文, 2017, pp. 33~38. 사령묘의 용도의 무사상과 인면신수는 한 쌍의 진묘무사와 진묘수의 표현으로 보기도 한다. 진묘무사와 진묘수를 묘벽에 그리는 것은 동가만 벽화묘와 內蒙古 烏審旗 翁滾梁 大夏時期 6호묘에서 보인다.
142 張志忠, "大同北魏墓葬佛敎圖像淺議," Shing Müller, 앞의 책, 도5, p. 60.
143 박아림, 앞의 논문 (2019), pp. 109~138; 韋正, 劉綷一, 「中古北方地區鎭墓神物的文化構成和變化機制」, 『考古與文物』 2020年 3期.

도 43 | 《수문장도》, 회인묘

벽 인연고사의 괴수의 날개옷 등도 북위 고분벽화의 수문장, 우인, 괴수상에서 유사한 표현을 볼 수 있다. 북위 벽화묘의 불교식 수문장상과 신강과 감숙지역 불교석굴의 조성시기를 비교해보면 불교미술의 동전과 함께 5세기 전반에 이러한 불교식 수문장상이 전파되었을 가능성이 높다.

산서 회인 벽화묘는 용도 동, 서벽 남단에 머리가 셋에 팔이 6개이며 삼곡자세의 반라의 수문장상을 심홍색으로 그려 강한 인상을 준다(도43). 용도 동벽의 수문장은 어깨에 천의를 걸치고 삼곡 자세로 손에 금강저 등의 병기를 들고 산양을 밟고 서 있으며, 용도 서벽의 수문장은 양 어깨 위에 괴수문 장식이 된 갑옷을 입고 있으며 여신을 밟고 서 있다. 북주 사군묘 석당의 입구에 조각된 불교식 수문장상, 미국 프리어갤러리의 북조 석상의 좌우에 묘사된 불교식 수문장상, 섬서 서안 서시박물관 소장 북조 석상의 천왕형 수문장상 등과 유사한 서역계통의 수문장상이다. 회인묘 수문장은 소그드계 석각에 출현하는 외래계 수문장상에 가까워 불교미술보다도 소그드미술과 불교미술의 신상 표현의 결합은 아닌지 좀더 고찰이 필요하다.

회인묘의 수문장상을 둘러싼 바퀴살이 달린 원형연화문은 신강 누란고성 벽화묘의 후실을 장식한 문양과 같으며, 당대에는 투루판 아스타나묘 출토 복희, 여와도에도 보이는 것으로 서역계통 장식문양이다. 전실과 후실은 남조의 화상전묘에 주로 사용되던 모인전화상전으로 장식하고, 묘의 입구인 용도에 사나운 형상의 불교식 수문장상을 벽화로 그린 회인묘는 남조와 중앙아시아로부터의 영향이 동시에 보이는 독특한 사례이다. 회인묘의 편년은 여러 의견이 있는데 그 가운데 437년설을 따른다면 북위묘에 430년대에 이미 두 가지 종류의 수문장상이 공존한 셈이 된다.

장지랑 석곽묘(460) 앞벽의 수문장상은 곱슬머리, 심목고비, 삼곡 자세, 어깨 위의 천의 등

에 고분미술 특유의 벽사의 상징성이 가미
되어 복합적인 외래인의 형상으로 표현되
었다.[144] 이국적인 불교식 수문장상은 문
영북로묘, 운파리로묘, 팔대량묘지 1호묘
등에서도 발견된다. 문영북로묘 용도 동벽
의 수문장상은 손에 긴 창과 곤봉을 들고
삼곡 자세로 서서 눈을 부릅뜨고 문을 지
키고 있으며 적색 천의를 몸을 휘감고 있
다. 섬서 정변현 통만성 팔대량묘지 1호묘
의 앞벽에도 불교식 수문장상이 있는데 소
그드인 묘주와 승려와 불탑이 함께 묘사되
어 불교적 색채가 짙다.[145]

불교미술이 고분미술 안으로 온전히 유
입되어 표현된 사례는 469년의 부교발전
창 석곽묘이다. 부교발전창 석곽묘에는 홍

도 44 | 채회불상 석곽판, 부교발전창 석곽묘

색 천의를 두르고 두 손에 금강저金剛杵를 든 나신의 상체에 짧은 하반신으로 묘사된 수문장
(또는 호법신護法神)이 그려져 있고, 석곽 내부는 이불병좌상二佛並坐像과 남녀공양인과 승려
등이 그려져 있어 불교석굴 사원을 재현하였다(도44).

북위 만기(494~534)의 낙양지역 묘들을 살펴보면 평성시기에 비하여 벽화묘가 줄어들게
된다. 벽화의 주제는 묘주부부, 시종, 안마우거출행, 문리 등의 묘주생활도, 청룡, 백호, 주작
등의 승선도, 효자고사 등의 고사인물도, 산석수림, 인동문과 같은 장식문양 등이다.[146] 왕온

---

144 張志忠, "大同北魏墓葬佛敎圖像淺議," Shing Müller, 앞의 책, p.63. 북위묘에서 외래계 인물의 표현은
     곡예를 하는 호인의 벽화나 호인 잡기용 외에 부장품 가운데 大同軸承廠 출토 銀碗, 大同 南郊 109호
     묘 출토 銀杯, 大同 南郊 107호묘 출토 銀碗, 그리고 2010년 內蒙古 錫林郭勒盟 正鑲白旗에서 발견된
     伊和淖爾1호묘의 高浮雕鎏金人物銀碗의 인물반신상 등 다양한 사례가 있다. 박아림, 앞의 논문 2015,
     pp. 385~461; ____, 『유라시아를 품은 고구려 고분벽화』, 동북아역사재단, 2020, pp. 124~139; 주경미, 앞
     의 논문, pp. 47~86.

145 陝西省考古硏究院, 榆林市文物保護硏究所, 榆林市考古勘探工作隊, 靖邊縣文物管理辦公室, 靖邊縣統
     萬城文物管理所, 「陝西靖邊縣統萬城周邊北朝仿木結構壁畵墓發掘簡報」, 『考古與文物』 2013年 3期.

146 북위의 낙양 천도 이후 제작된 북위 화상석장구들은 東園에서 나온 혹은 동원의 영향을 받은 것들이다.

묘(532)는 묘실 동벽에 묘주부부 병좌음연도가 있는데, 묘주도가 동벽으로 이동하였고, 옆의 벽에는 벽화가 있었는지 분별이 어렵지만 그리지 않았을 가능성이 높다고 본다.[147]

석관 부조인 산서 유사현 화상석관은 비석 중앙에 묘주부부가 악사와 무용수와 함께 연회를 즐기는 장면을 그렸다.[148] 지역 석공의 제작으로 제작 기법이나 화면 구성이 다소 고졸한 작품이다. 석관의 좌측 석판에는 백호가 중앙에 새겨지고 잡기도와 수렵도가 좌우에 묘사되었다. 우측 석판은 묘주의 기마출행과 청룡을 탄 선인이 조각되었다. 520년경에 제작된 석관으로 묘주부부 연회도는 동가만묘와, 잡기도는 운파리로묘와, 청룡승선도는 낙양지역 석관화와 연결되어, 평성과 낙양지역 묘장 회화의 주제를 모두 포함하면서 생활풍속이 쇠퇴하고 사신의 승선사상으로 대체되는 과정을 잘 보여준다.

3. 평성시기 가옥형 장구의 종류와 유행

1) 가옥형 장구의 발견과 유형 분류

1997년 지가보 석곽 벽화묘에서 맞배지붕을 가진 가옥형 석곽이 발견된 이래 북위 평성 유지와 그 주위에서 많은 석곽과 석관이 발견되었는데 기년이나 회화, 조각을 발견한 예는 많지 않다. 2000년에 안북사원묘군에서 송소조묘(안북사원 5호묘, 태화원년, 477년)가 발견되면서 북위묘 묘실 내부에 설치된 가옥형 석장구에 대한 관심이 집중되었다.[149] 이후 2010년 대동 양고현陽高縣 왕관둔진王官屯鎭 위지정주묘(태안3년太安三年, 457), 2011년 대동 장지랑 석

북위 석관에 보이는 다양한 문화요소와 제작 기법, 상서도상의 구성 등은 동원비기로서 북위 황실에서 제작한 장구의 범본의 특징을 잘 보여준다. 북조대 역대 황실에서 사여된 비기는 40여 건이며 동원이라 칭해진 경우는 28건이다. 북위의 낙양 천도 이후에 동원의 화공들이 진대 이래 남조의 회화 양식을 받아들여 다양한 문화요소의 장구 도상을 만들게 되는데, 한대의 전통적인 승선, 용호, 주작, 현무, 봉황, 우인의 상서 제재, 산수 제재, 유가의 효자화상에 불교의 마니보주, 그리고 畏獸와 같은 祆敎의 내용까지 받아들였다. 박아림, 「섬서 동관세촌묘를 통해 본 수대 벽화묘의 특징」, 『동양미술사학』 12 (2021), pp. 129-162.

147 朱亮, 李德方, 「洛陽孟津北陳村北魏壁畵墓」 『文物』 1995年 8期.

148 묘주는 태화연간(477)에 應川太守, 熙平연간(516)에 逢遠將軍郡太守를 역임하였다. 王太明, 「山西楡社縣發現北魏畵像石棺」 『考古』 1993年 8期. p. 767.

149 Wu Hung "A case of cultural interaction: house-shaped sarcophagi of the Northern dynasties." *Orientations* xxxiv/5 (May 2002), pp. 34-41.

곽 벽화묘(화평원년和平元年, 460), 2014년 대동시 운파로 화우 석곽 벽화묘,[150] 2015년 대동성남 부교발전창 석곽묘(469),[151] 2017년 가옥형 목곽이 있는 대동시 어동신구 13호묘(가보묘, 477),[152] 2018년 대동 남교구 사령건재시장 부부합장석곽묘[153]가 발견되면서 가옥형 장구와 묘내 제사와 그에 따른 부장품의 배치에 대한 연구가 확대되고 있다(표 4).

벽화나 부조가 없는 사례까지 포함하여 기년이 있는 가옥형 석곽 또는 목곽은 위지정주묘 석곽(태안3년太安三年, 457)[154]이 가장 이르며, 서경박물관 소장 해흥석당(태안4년太安四年, 458), 장지랑묘 석곽(460), 부교발전창 석곽(469), 송소조묘 석곽(477), 가보묘 목곽(477)[155] 순이다(도45).

최근의 연구에서는 북위의 가옥형 석곽을 석당이라는 용어를 사용하여 건축의 세부적 특징에 따라 3가지 종류로 구분하였다.[156] 첫 번째 유형은 지가보 석당과 장지랑 석당, 운파로 화우 석당으로 수가 가장 많으며, 목조건축을 모방하여 평정平頂 혹은 현산식懸山式 천장(맞배지붕 형식)에 처마가 비교적 크다. 두 번째는 송소조묘 석당으로 현산식 천장에 처마가 비교적 크고, 전랑前廊과 낭주廊柱가 있는 전랑후실前廊后室의 구조이며, 석벽 조각도 정교하다. 2010년 발견된 위지정주묘 석당과 대동서경박물관 소장의 낭주가 달린 석당도 여기에 속하나 벽화나 조각은 없다. 세 번째 종류는 해흥석당으로 외형이 단순하고 두공, 각주, 횡방 등을 그림으로 그렸다.

해흥석당과 장지랑묘 석곽은 평성시기 묘주 중심의 생활풍속도가 석곽에 재현된 사례로서 이미 앞에서 서술하였다. 석곽 벽화 가운데 묘주의 생활풍속도가 아닌 불교석굴 벽화의

---

150 張志忠,「大同雲波路北魏石槨墓解讀」,『收藏家』2019년 9期.

151 대대황흥삼년(大代皇興三年, 469년)의 墓誌銘에서 묘주는 幽州燕郡安次縣人韓受洛拔의 처로, 이름은 邢合姜, 原籍은 定州潤河郡人이고 후에는 長安馮翊郡萬年縣으로 이주하였으며 66세로 사망하였다. 張志忠, "大同北魏墓葬佛教圖像淺議," Shing Müller, 앞의 책, pp. 68~77.

152 大同市考古研究所,「山西大同北魏賈寶墓發掘簡報」,『文物』2021年 6期.

153 대대동 남교구 사령건재시장 동쪽에 위치한 부부합장 석곽묘 석곽은 전랑과 후실로 구성되었다. 회랑의 기둥은 八棱形이며 상부는 一斗三升斗拱이고, 후실의 관상 위에 남녀의 유골이 있고 두부 위치에 石灰枕 흔적이 있다. 석곽과 두공, 三角梁 위에 번호가 있다. 묘실 서남 모서리에 칠기와 獸骨이 놓인 나무 탁자가 있다. 묘실 석문 밖 서측에 석등이 있으며, 벽화나 문자는 발견되지 않았다.「大同沙嶺建材市場東發現北魏夫妻合葬石槨墓」,『新大同網』2018. 4. 19.

154 위지정주묘는 동물의 두골을 다수 묘도에 부장하여 동물의 뼈를 묻는 선비족 장례풍습을 보여준다.

155 大同市考古研究所,「山西大同北魏賈寶墓發掘簡報」,『文物』2021年 6期; 李梅田, 趙冬,「帷帳居神─墓室空間內的帷帳及其禮儀功能」,『江漢考古』2021年 3期.

156 張慶捷, 앞의 책, 2016.

도 45 | 석곽, 위지정주묘

구성과 조형을 장의용 석곽 벽화로 재현한 부교발전창 석곽(469)은 460년대에 이르러 북위 인들이 장의미술에 표현한 내세관의 변화를 잘 보여준다. 2015년 발굴한 부교발전창 석곽 벽화는 석곽의 문에는 호법신, 석곽 북벽(정벽)은 감 안에 수미좌 위에 앉은 이불병좌상이 배 치되었다. 우측에는 좌불을, 좌측에는 공양보살을 그렸다. 하단에는 박산로를 든 호인 승려 가 중앙에 있고, 그 좌측에는 선비 복장의 남성 공양인(현존 5인), 우측에는 6명의 여성 공양 인이 서 있다. 석곽 동벽의 상층은 이존좌불상으로 좌우측에 각각 결가부좌 불상과 공양보 살이 있다. 아래에는 중앙에 박산로가 있고 좌측에 2명의 한인漢人 남성공양인, 우측에 호인 공양승려, 그 뒤에 6명의 한인 여성공양인이 있다. 서벽에도 상층에 이존좌불상이 있다.[157] 생활풍속도가 보이지 않는 부교발전창 석곽의 벽화의 구성은 석굴사원을 조성하는 대신 석 곽 형태의 사원을 조성하여 공양인의 모습으로 묘주를 묘사하여 북위인들의 사후세계관이

---

157   張志忠, "大同北魏墓葬佛敎圖像淺議," Shing Müller, 앞의 책, pp.68~77

계세적 내세관에서 불교적 내세관으로 변천하였음을 잘 보여준다. 이러한 석곽 형태의 불교 사원의 재현은 북위묘 내에서 발견되는 석조 또는 목조 가옥형 석곽의 유행이 종교적, 제의적 상징 공간의 재현을 하나의 목적으로 하였음을 짐작하게 한다.[158]

표4 | 북위 석조 관곽의 부조와 채회

위치	벽화묘	연도	구조	벽화
산서 대동	서경박물관 소장 해흥석당	458	석당(길이 2.16m, 너비 1.05m, 높이 1.18m, 30매의 석판, 평천장) 석당의 네 벽 12매의 석판으로 구성 후벽(너비 110cm, 높이 93cm, 두께 10cm), 좌우벽(각 너비 89cm, 높이 98cm), 전벽(좌우측판 너비 80cm, 높이 93cm, 문 한짝 너비 50, 높이 90cm). 석당 내부에 석관상이 있으나 훼손되어 복원이 어려움	앞벽 적색의 목조가옥 구조 그림, 창과 칼, 방패를 들고 갑옷과 투구를 쓴 무사상, 생활풍속, 瑞獸, 후벽 묘주부부도, 좌우벽 시종들과 안마도
	장지랑 석곽 벽화묘	460	토광묘 사암질의 석곽(2.59m×2.41m×1.75m)과 石床 석곽 문 바깥쪽 우측 벽 상단에 毛德祖妻張智朗石槨銘	석곽 앞벽 진묘무사상, 고부조의 정면연화문, 채색 정면연화문 석곽 내벽 좌우 무사, 수목과 우인상 석관상 포도문, 수파문, 수면문 등
	부교발전창 석곽	469	남향, 장사파묘도토동묘, 현산정의 가옥 형식의 장방형 석곽 석곽 내 북부에 인동문과 수파문 도안 석관상	문 양쪽 2명의 護法神, 북벽(정벽) 須彌座 위에 앉은 二佛並坐像, 호인승려와 선비복장의 남녀공양인, 동벽과 서벽 이존불좌상, 박산로와 호인승려, 남녀공양인(일부는 漢人)
	안북사원 5호묘 (송소조묘)	477	長斜坡墓道單室磚築墓, 2개의 天井 묘실 내 前廊 후실식 맞배지붕의 殿堂式 石槨 (길이 2.52m, 너비 2.65m, 높이 2.28m), 곽실 내의 石棺床 관상 위에 목조 장구가 없으며 인골도 발견되지 않음 석관 위에 서측에 두 개의 백색 회침, 전랑에는 석제 제사상 석곽 외벽 정면에 두 개의 문이 있으며 양측에 虎頭門枕을 설치, 門楣에는 蓮花門簪을 달았음, 석곽 외벽과 관상에 鋪首 27개, 석곽 외벽에 일정 간격으로 배치한 泡釘이 239개	석곽 내벽 3면의 벽화 석곽 왼쪽 벽의 5인의 가무 장면, 뒷벽의 月琴 등의 악기를 연주하는 장면, 오른쪽 벽의 중년의 남성과 그 앞에 무릎 꿇은 인물이 남아 있음
	어동신구 13호묘 (가보묘)	477	묘도, 용도, 묘실로 구성, 장사파묘도방형단실전묘 목곽(목당)과 木塌(목관은 보이지 않음, 목당이 곽의 역할을 하였을 것으로 추정) 포수만 남아있는 목당, 두 건의 목조 무사용과 1건의 진묘수	황백색 사암질의 석등(높이 45.4cm) 기둥에 선비 복장을 입은 남성과 여성의 가무 장면, 석등의 받침에 이룡문 조각

---

158 중국 고분에서 발견된 가형 석곽과 석탑이 가진 제의적 상징성, 고분 내에 석조로 재현된 목조 사당의 상징성에 대해서는 박아림, 「고구려 벽화고분의 帷帳의 설치와 기능」, 『고구려발해연구』 44 , 2012, pp. 137~167.

위치	벽화묘	연도	구조	벽화
	대동 지가 보 석곽 벽화묘 (태화 18년, 494 년 이전 추정)		남향, 토동묘, 맞배지붕을 가진 가옥형 석곽(길이 2.43m, 너비1.54m, 높이 1.64m), 묘도는 청리되지 않아 정황이 분명하지 않음. 석곽(길이 2.43m, 너비 1.54m, 높이 1.64m)은 7매의 장방형 초석 위에 10매의 사암(砂岩)질 석판으로 구성 (남북 양벽은 3매의 석판, 동서 양벽은 두 매의 석판) 묘문 양쪽 도금철문환	후벽 묘주부부와 시종 7명, 동벽 연꽃을 손에 든 남자 시종 4명과 깃발을 든 천인, 서벽 여자 시종 4명과 깃발을 든 천인, 남벽 牛車鞍馬圖

2) 가옥형 장구와 부장품의 배치

가옥형 장구의 출현과 그와 함께 부장된 도용 등의 배치는 벽화가 장구로 이동하는 현상이나 벽화 대신 도용으로 사후세계를 구성하는 매체의 변화를 살펴보는데 중요한 시사점을 준다. 사령묘는 채회칠관 잔편을 포함하여 출토된 부장품 수가 27점에 불과한데, 이미 벽화가 석곽으로 옮겨간 송소조묘는 인물용 113점을 포함하여 출토기물이 174점이다. 또한 생활풍속 제재에 대한 관심은 2차원적인 벽화보다는 3차원적인 도용과 같은 부장품으로 변화되고 있음도 살필 수 있다. 송소조묘에는 석곽 앞쪽의 용도에 연결된 통로에 진묘수와 진묘무사상, 묘실 통로 양쪽과 석곽 양쪽에 인물도용, 우거, 모형동물模型動物, 일용도기日用陶器 등이 놓여 있어 벽화로 표현되던 것들이 부장기물로 변화되었다.[159]

2014년 발굴한 운파로 화우 북위 10호묘는 가옥형 석곽과 부장품의 배치를 잘 보여주는 사례로 주목된다.[160] 묘실 내에 석곽과 석곽 내에 목관을 안치하였으며, 부장품은 일정한 장속에 따라 석곽의 앞과 내부에 집중적으로 배치하였다(도46). 먼저 첫 번째는 묘실 입구와 남벽 양쪽에는 진묘무사용과 인면人面과 수면獸面의 진묘수를 배치하였다. 사령묘와 영빈대도 16호묘 용도와 서벽 벽화의 배치와 유사하며 송소조묘 부장품에 표현된 무사, 진묘수, 문리 등과 유사한 형식이다.

두 번째로 석곽의 앞부분에 배치된 부장품은 도전장모형陶氈帳模型, 각종 도거陶車와 도우

159　大同市考古研究所,『大同雁北師院北魏墓群』, 文物出版社, 2008; 山西省考古研究所, 大同市考古研究所, 「大同市北魏宋紹祖墓發掘簡報」, 『文物』 2001年 7期; 張海嘯, 「北魏宋紹祖石室研究」, 『文物世界』 2005年 1期.

160　대동 운파로 화우 북위 10호묘(대동시화우상업문화중심공지북위묘)는 남향의 長斜坡墓道土洞墓이며 墓道, 甬道와 墓室로 구성되었다. 총 길이는 17.54m이다. 墓室平面은 정방형으로 길이 3.54m, 너비 3.8m, 천장 높이 2.4m이다. 大同지역 宋紹祖墓, 智家堡 石槨墓, 尉遲定州墓 이후 발견된 北魏 石槨墓이다. 묘실 내에 정면 세 칸의 맞배지붕 형식에 삼각 들보가 처마에서 바깥으로 나온 목조건축을 모방한 석곽을 배치하였다. 張志忠, 「大同雲波路北魏石槨墓解讀」, 『收藏家』 2019년 9期.

陶牛가 바깥 가장자리에, 석곽 문의 양측에는 여악용女樂俑, 호악용胡樂俑 등이 연주를 하고 호인잡기용胡人雜技俑이 곡예를 하며, 여시용이 옆에 서서 관람을 한다. 석곽의 바깥에서 전장, 우거 등 실외의 제재를 표현하고 묘주인이 야외에서 가무백희를 즐기는 광경을 묘사하여 사령묘의 남벽 벽화와 안북사원 2호묘의 부장품에 표현된 것과 유사하다. 세 번째는 석곽 내 목관의 남쪽으로 석곽 문 정중앙에 회도다지등灰陶多枝燈을 놓고, 다지등의 뒤에는 대동 북위묘에서는 처음 출현하는 도옥모형陶屋模型을 놓았다(도47). 정면에 열린 문이 있는 도옥은 현산정에 정면 3칸 건물이며, 전랑이 달렸었으나 이미 사라졌다. 기둥과 들보를 적색으로, 지붕은 흑색으로 칠하였다. 도옥 주위에는 묘주인을 시중드는 여시용들이 있다. 이러한 석곽 내의 부장품들은 묘주인의 가거생활 장면을 반영하며 사령묘 동벽 벽화, 송소조묘 석곽 내 부장기물의 표현 제재와 같으며, 도옥에 보이는 반쯤 열린 문의 표현은 호동 1호묘의 칠관 앞면과 같다. 운파로석곽묘에는 기년의 기물이 없어 묘장 연대는 구조와 부장품의 특징으로 추정한다. 장사파묘도에 근방형 토동묘

도 46 | 묘실 발굴 전경, 화우 10호묘

도 47 | 채회도옥, 화우 10호묘, 대동시박물관

는 대동지역 전형적 북위묘의 형식이다. 묘실 내 설치된 가옥형 석곽이 있는 북위의 기년묘 가운데 송소조묘의 진묘용, 진묘수, 전장, 도우, 도거모형 및 인물용들과 유사하며, 사마금룡묘 출토 부장품의 조합과 군용의 특징과도 비슷하다. 이에 따라 태화 초년의 묘로 추정하며, 관목 내의 유골로 보아 묘주는 40~50세의 여성이며, 관목에서 여성의 부장품인 철경鐵鏡

도 48 | 묘실 내부 전경, 가보묘

이 나왔다

　2017년 발굴된 가보묘(477)는 묘실 중앙에 목당과 목탑이 있고, 목관은 보이지 않아 목당이 곽의 역할을 하였을 것으로 추정한다(도48). 목당은 이미 부패하여 남아 있지 않고 축조 시에 사용한 청동포수가 있다. 포수의 형식이 안북사원 2호묘의 포수와 일치한다. 당 내에 "요凹"자형 탑을 설치한 것은 송소조묘와 유사하다. 위지정주묘, 장지랑묘, 지가보 석곽묘의 석곽과 달리 가옥형 목곽이 발견된 것인데, 북제 고적회락묘厙狄回洛墓에서도 유사한 목당이 발견된 바 있다.[161] 석등과 석비가 목당의 남쪽에 용도를 향하여 배치되었는데 석비의 위치는 진대 묘의 묘명전의 배치와 같다. 몸체가 긴 형태의 황백색 사암질의 석등(높이 45.4㎝)은 송소조묘 석곽 서벽의 기악인물도에 등장한다(도49). 부장기물로는 봉하돌묘(504)의 석등, 서현수묘(571)의 도등에서 유사한 형태를 볼 수 있다.[162] 두 건의 목조 무사용과 1건의 진묘수가 나왔는데 이미 많이 파손되었으나 서역인의 얼굴 형상을 갖고 있고, 북위에서 처음

161　大同市考古研究所, 「山西大同北魏賈寶墓發掘簡報」, 『文物』 2021年 6期.

162　大同市博物館, 馬玉基, 「大同市小站村花圪塔台北魏墓淸理簡報」, 『文物』 1983年 8期, 도10; 張志忠, "大同北魏墓葬佛敎圖像淺議," Shing Müller, 앞의 책, 도4, pp. 59~62.

으로 출토된 목조 무사용과 진묘수로서 중
요하다.[163] 묘실 벽면에 그려지던 가무기
악도가 석등의 표면 부조로 옮겨갔음을 알
수 있고 가옥형 목당과 석등과 같은 부장
품의 배치를 통해 북위 평성기의 묘장 내
의 제의 양상을 확인할 수 있다.[164] 가보묘
의 묘실 내에서 나온 석비의 "唯大代太和
元年歲次丁巳十月辛亥朔十日庚申涼州武
威郡姑藏縣民賈寶銘"의 내용으로 묘주가
양주 무위군 고장현민 가보이고 하장 연도
가 태화원년(477) 10월 10일임을 알 수 있
다. 묘주는『위서魏書』에 기록이 없으나 위
진남북조시기에 무위 가씨는 양주 명문망
족으로,『위서』세조기世祖紀 태연5년太延5
年 저거목건沮渠牧犍과 고장지역 주민들이

도 49 | 석등, 가보묘

평성으로 천사遷徙될 때에 가보의 가족도 대동으로 이주한 것으로 추정한다.

　　2001년 발굴한 칠리촌 1호묘는 천정天井이 있는 장사파묘도와 이실이 달린 전실묘로 묘실
중앙에 석조 주초 3개를 사용하여 전랑의 입주를 세운 목조 유탑帷榻(길이 2.96, 너비 2.42m)이
있다. 유탑 서쪽에 장방형 목탑(길이 1.98, 너비 0.99m)이 있고 목탑 위에 목조 기구를 세운 흔
적이 있다.[165] 1호묘와 4호묘가 관목을 사용하지 않았고 목제 유탑을 설치하여 묘주를 직접

163　李梅田, 趙冬,「帷帳居神—墓室空間內的帷帳及其禮儀功能」,『江漢考古』2021年 3期.

164　大同市考古研究所,「山西大同北魏賈寶墓發掘簡報」,『文物』2021年 6期; 李梅田, 趙冬,「帷帳居神—墓室
　　　空間內的帷帳及其禮儀功能」,『江漢考古』2021年 3期.

165　칠리촌 14호묘는 묘실 서, 북측과 이실의 세 곳에 석조 관상을 놓았는데 관상 표면에 인동문, 수파문,
　　　연판문, 인물상과 포수 도안 등이 조각되었다. 관상 위에 목조 장구가 발견되지 않아, 장법이 명확하
　　　지 않은데, 인골 감정으로 보아 1명의 남자와 4명의 여자가 함께 묻혔다. 칠리촌 35호묘에서 태화팔년
　　　(484) 묘명전이 나왔다. 발굴보고서에 의하면 칠리촌 묘군은 선비전통의 목관 형태를 사용하고 있고 石
　　　雕棺床이 출현하면서 棺木을 사용하지 않고 시체를 관상 위에 직접 안치하였다. 14호묘와 안북사원 송
　　　소조묘의 석관상의 형식과 조각 내용이 비슷하며, 14호묘의 묘실과 이실에 3개의 석관상을 설치한 것
　　　은 드문 현상이다. 大同市考古研究所,「山西大同七里村北魏墓群發掘簡報」,『文物』2006年 10期.

목탑 위에 안치하고, 네 모서리에 나무 기둥을 세웠으며 전량을 설치하기도 하였다. 발굴보고서에서는 이러한 장법은 영하 팽양彭陽 신집新集 북위 1호묘의 봉토 내에 만든 가옥형 모형과 송소조묘의 가옥형 석곽과 같은 성격으로서 묘실에 현실의 가옥을 재현한 것이라고 보았다.[166]

3) 가옥형 장구의 북방·서역계 연원

북위묘에서 출현하는 가옥형 석조 또는 목조 장구에 대해서는 그 연원을 한대의 묘내에서의 제사시설의 설치에서 찾거나 산동, 강소지역의 석사당, 사천지역의 석관에서 비롯하였다고 보거나 조로아스터교의 사원 건축이나 유골함에서 영향을 받은 것으로 보는 견해가 있다.[167]

북위의 가옥형 석장구와 조로아스터교 건축과의 연관성은 다양한 측면에서 검토되었다. 송소조묘의 석곽의 문정門釘 장식이 북제 서역계 화상석과 고궁박물원의 당대 건축형성골도기建築形盛骨陶器의 문의 장식과 유사하여 조로아스터교와 연관된 건축일 가능성이 제시되

---

166 최근 채회칠관이 발굴 보고된 이전창묘군도 북위 평성시기 묘장의 특징을 살펴볼 수 있다. 이전창 1호묘는 남향의 단실묘로 전관상의 동서 양측에 하나씩 석장좌를 놓고 묘실 서남부에 석등을 놓았다. 이전창 31호묘는 묘실 중앙에 목조 가옥형식의 곽실을 설치하였는데, 곽실 네 모서리에 방형 기둥을 세웠으며, 목곽실 앞쪽에 석주초가 하나 남아있다. 칠관이 나온 이전창 37호묘는 일관일곽의 장구가 있는데 곽의 내외에 黑漆을 하였고 관의 바깥은 紅漆을 하고 그 위에 백색과 흑색으로 그림을 그렸다. 이전창 37호묘의 곽실은 이미 무너졌으며 북측 곽관은 관관 바깥쪽에 아직 일부 남아 세워져 있다. 일부 곽관은 도굴시에 묘실 남부와 서부로 이동되었다. 곽실 바깥 묘실 서측에 남자 1명과 여자 2명의 인골이 흩어져 있다. 용도 내에서 석등과 鐵門環, 묘실 서남 모서리에 원형 大漆盤이, 칠반 위에는 칠이배 2점과 동물 갈비뼈가, 곽관 위에는 銅鍑, 石灰枕 등이 발견되었다. 이전창 16호묘에서 태화14년(490) 명문전이 나왔다. 이전창 36호묘의 도용과 庖廚모형이 태화8년(484) 사마금룡묘, 지가보 북위 석곽벽화와 관관화, 안북사원 2호묘, 태화원년(477) 송소조묘와 유사하다. 전실묘 가운데 8기에서 磚床을 사용하였고, 인골을 직접 전상 위에 놓았고 관구가 보이지 않는데 북위묘에 자주 관찰된다. 1, 2호묘의 전상 앞에 양측의 석장좌는 유장용으로 보인다. 大同市考古硏究所, 「山西大同二電廠北魏墓群發掘簡報」 『文物』 2019年 8期; 張志忠, "大同北魏墓葬佛敎圖像淺議," Shing Müller, 앞의 책, pp. 64~66.

167 한대 화상석관과 사당과의 연관성은 Wu Hung op. cit., pp. 34~41. 조로아스터교 미술과의 연관성은 李永平, 周銀霞, 「圍屛石榻的源流和北魏墓葬中的祆敎習俗」 『考古與文物』 2005年 5期; 施安昌, 「北齊粟特貴族墓石刻考」 『故宮博物院院刊』 1999年 2期. 靑海藏醫藥文化博物館 소장 彩繪棺板(390-430년)에도 祆敎 제의 장면이 묘사되어 있어 주목된다. 張建林, 才洛太, "靑海藏醫藥文化博物館彩繪棺板," Shing Müller, 앞의 책, pp. 262~282. 최근의 한국의 중앙아시아연구 현황에 대해서는 주경미, 「한국의 중앙아시아 미술사 연구 현황과 과제」 국립문화재연구소, 중앙아시아학회 편, 『실크로드 미술 연구 현황과 전망』 국립문화재연구소, 2021, pp. 210~233.

었다.[168] 또한 고원묘의 묘주도와 투조동식透彫銅飾, 북경 석경산구石景山區 팔각촌八角村 서진西晉 벽화묘의 석곽의 상부의 네 개의 수두獸頭 등도 서역에서 온 조로아스터교의 신앙 습속을 반영하거나 영향을 받은 것으로 본다.[169]

위진시기 조로아스터교와 불교 및 중국 전통 민간신앙 사이에 상호융합과 교류가 일어나는데, 고궁박물원 소장의 건축형성골도기의 정면의 신감神龕의 형식은 불교식 조상造像 방식의 사례이다. 그리고 산동성 익도현 출토 북제 화상석각(573년경) 가운데 장례 행렬과 사그다드 의식을 보여주는 석판에 북위의 가옥형 석장구와 같은 석곽을 옮기는 장면이 묘사되어 있어 북위의 가옥형 석곽이 소그드의 장례의식의 영향으로 출현하였을 가능성이 있다.[170]

북위의 가옥형 석장구의 출현과 연관하여 기존의 연구에서는 한대 사당과 조로아스터교 건축에서 연원을 찾는데 두 사례 모두 북위 평성시기 묘장과 시기나 지리적으로 거리가 멀거나 후대의 것이어서 중간 단계의 전파와 변용과정을 찾기가 쉽지 않았다. 그러나 이제까지 살펴본 평성시기의 북위묘의 형성과정을 보면 위진십육국시기에 북방과 서방의 영하, 내몽고, 감숙지역을 따라서 축조된 벽화묘에서 벽화묘 내부를 목조가옥형 구조로 모방한 형식이 관찰되며, 하서지역 출신 묘주들의 묘에서 가옥형 장구가 발견되는 사례가 종종 보인다. 사

---

168 대동지역 북위묘군 중에서 목곽의 외벽에 동, 도금 등의 포정이 다수 발견된다. 포수 주위를 둘러싸 배치하여 장식 작용을 한다. 중심에 큰 못 또는 작은 못을 여러 개 사용하여 관관에 부착하였다. 묘장에서 출토된 청동포수로는 칠리촌북위묘군 25호묘, 32호묘, 35호묘의 포수, 남교묘군 116호묘, 238호묘, 안북사원북위묘군 2호묘, 동가만7호묘, 9호묘, 영빈대도북위묘군 61호묘 등이다. 포수는 북위 석관상 장식에도 출현하는데, 석관상에 단순 문양대로만 장식하다가, 중앙과 양쪽 가장자리 다리부분에 포수와 역사상이 추가되면서 보다 정교해졌다. 한편 송소조묘 발굴보고서에 의하면 포수와 포정은 벽사의 의미가 담겨 있으면서 묘주의 명계의 평안을 구하고 보호하는 동시에 묘주인의 존귀한 신분을 표시하는 것으로 보기도 한다. 大同市考古研究所, 앞의 책, 2008, pp.106~119. 송소조묘의 포수의 머리 부분이 다양한 모습으로 변화하며 석곽 외벽의 단일한 모티프로 사용되어서 포수함환 자체를 독립된 상징물로 사용하였다는 점에서 고구려 중기 벽화의 순수장식문양고분을 연상하게 한다. 포수 위에 역사상이 추가되는 것은 북위 석관상의 다리 부분에 포수와 역사가 함께 장식되는 예가 많아 석공들이 사용한 모본의 조합으로 보이며, 또한 청동 포수장식을 목관에 다수 부착한 예가 발견되어 목관과 석곽의 장구를 공동으로 제작하는 장인들의 작업 방식을 볼 수 있다.

169 李永平, 周銀霞, 「圍屛石榻的源流和北魏墓葬中的祆教習俗」, 『考古與文物』 2005年, 5期; 施安昌, 「北齊粟特貴族墓石刻考-故宮博物院藏建築型盛骨甕初探」, 『故宮博物院院刊』 1999年 2期.

170 산동성 익도현 화상석각과 소그드 장례제의와의 연관성은 주디스 A. 러너, 「소그드 종교의 시각적 표현들」, 국립문화재연구소, 중앙아시아학회 편, 『실크로드 미술 연구 현황과 전망』 국립문화재연구소, 2021, pp.82-101. 우홍묘와 안가묘 등 서역민족의 석장구를 중심으로 북조 후기 석조 장구와 소그드의 상장례에 대하여 논의한 선행연구로는 서윤경, 「中國 喪葬美術의 東西交流」, 『미술사논단』 (24) (2007), pp.97~127.

령묘와 송소조묘의 경우 묘주가 감숙 돈황과 통만성 지역과 연관되어 하서지역과 북방지역 묘장미술의 영향이 지적되었다.[171] 따라서 북방과 하서지역으로 흘러들어온 북방·서역계 문화가 북위 평성시기 묘장에 반영되면서 가옥형 장구가 출현하였음을 짐작할 수 있다.

가옥형 장구 이전에 북위 벽화묘의 구조와 하서지역과의 연관성은 천정의 설치에서도 언급된 바 있다. 태무제는 431년 대하大夏를 멸하고, 관롱關隴지역을 점령하였고, 439년에는 북량을 멸하고 하서지역을 점령하였다. 송소조묘는 2개의 천정이 달려 있는데 평성지역에서 일찍 출현하는 천정의 사례로 중요하다. 원래 16국시기 돈황 일대에 비교적 많은 묘장 구조로서 돈황 지역의 건축 형식이 전해진 것으로, 평성지역의 전실묘의 출현은 4세기말에서 5세기 중기 하서지역에서 유행한 사파묘도전실묘의 영향으로 본다.[172]

북위 평성지역으로의 가옥형 장구의 유입과정에서 주목되는 사례들은 영하 팽양 신집 북위 1호묘, 내몽고 오심기烏審旗 곽가량郭家梁 대하국大夏國 전명묘田明墓와 섬서 정변현 통만성 팔대량묘지 1호묘와 3호묘, 곡지량 2호묘, 감숙 장액 고대현 나성향 하서촌 지경파묘지 1·2·3호묘이다.

1982년 발견된 신집 북위 1호묘는 봉토 아래에 장방형 토광(길이 11.8m, 너비 6.48m, 깊이 1m)이 있는데 토광의 앞쪽에 장방형 토축가옥모형土築家屋模型(길이 4.82m, 너비 1.28m), 토광의 뒤쪽에 장방형 토축가옥모형(길이 4.84m, 너비 2.9m, 높이 1.88m)이 놓였다.[173] 신집북위묘의 가옥모형은 사당이 봉토 내부에 축조된 형상이다.[174] 최근의 연구에서는 도용의 복장이 선비복

---

171 曺麗娟, 『大同沙嶺北魏壁畵墓研究』, 中央美術學院 석사학위논문, 2009. 선비의 別種인 破多蘭部에 대해서는 『魏書』 권2 「太祖紀」와 『北史』 「蠕蠕·匈奴宇文莫槐·徒何段就六眷·高車傳」 第86 高車.

172 倪潤安, 앞의 책, p.144.

173 신집 북위 1호묘는 봉토(길이 69m, 잔고 6.2m), 묘도, 과동, 천정, 용도, 묘실로 구성되었다. 토광의 앞쪽과 뒤쪽에 놓인 모형 사이의 토광 중앙에는 장방형 천정(길이 6.2, 너비 4.6m)이 있다. 뒤쪽의 모형은 지세에 따라 바닥 높이를 조절하여 바닥면 앞쪽이 높고 뒤쪽이 낮은 형태로 지었다. 모형 천장부와 정면에 백회를 발랐다. 묘실 천장부는 이미 파손되었는데 남아있는 묘실(길이 6.6, 너비 3.15m)은 전후 양실의 벽면에 백회가 칠해져 있었을 가능성이 있으며 장구의 흔적은 분명하지 않으나 남아있는 유골과 철정으로 볼 때 묘실 뒤쪽에 장구가 놓여 있었을 것으로 추정한다. 신집 북위 1호묘의 천정은 이른 시기에 출현하는 천정 형식으로, 돈황의 서진십육국묘장 중에 이미 나타나는데 敦煌新店台60M1, 敦煌佛爺庙湾80DFM3에 모두 하나의 천정이 있다. 발굴보고서에서는 북위가 430년 平涼 일대를 점령하고 436년 固原에 高平鎭을 설치할 당시의 해당 지역 군사수령의 묘로 추정한다. 寧夏固原博物館, 「彭陽新集北魏墓」, 『文物』 1988年 9期; 倪潤安, 앞의 책, p.184.

174 가상현 무씨사의 전석실과 좌석실, 가상현 송산의 소형 사당은 사당의 후반부가 무덤의 봉토 속에 묻힌 형태이다. 한대 대부분의 사당은 돌로 흙이나 나무 등의 재료를 치환하면서 크기가 축소되는 과정을 거

장이 아니어서 북위가 고원을 점령하기 전인 후진이나 대하의 묘장으로 고려한다.

1991년 발견, 2011년 보고된 전명묘는 전실과 후실 천장이 맞배지붕식으로 축조되었으며, 적색으로 입주, 횡량, 산자형 가옥 구조 등 건축 구조를 그렸다. 전명묘에서 나온 대하2년 420년의 묘지로 십육국시기 대하국 기념묘장으로서 처음 발견된 사례가 되었다. 팽양 신집 1호묘의 가옥 모형과 유사한 전명묘 묘실 천장의 구조라든가 과동과 천정이 달린 사파묘 도토동묘라는 공통점으로 보아 두 묘의 연대가 가까울 것으로 추정한다.[175]

2011년 발굴된 섬서 정변현 통만성 팔대량묘지 1호묘와 3호묘, 곡지량 2호묘는 묘실의 천장과 벽면에 기왓골과 기둥, 두공, 들보가 있는 목조가옥 구조를 재현하였다. 이들 묘장은 대하국大夏國(407~431)의 도성 통만성에서 4km 거리이다. 팔대량묘지 1호묘는 소그드인 묘주가 불탑에 예배하는 장면, 호상胡床에 앉은 승려, 불교식 수문장상 등의 벽화를 선묘로 그렸다.[176] 북위시기 북량의 수도 고장姑臧의 소그드인이 통만성을 경유하여 평성으로 들어와 활동하였는데, 통만성 지역에 들어와 상업활동을 하던 소그드인 묘주의 모습을 잘 보여주는 벽화 내용이다. 벽화의 구성에서 동시기 북위 평성과 낙양의 벽화와는 차이가 있어 이 시기 묘장미술과 불교미술의 혼합의 특징을 고찰하는데 중요한 자료이다. 곡지량묘지 1호묘는 묵선구륵기법과 삼각형 문양장식대 등이 운파리로 벽화묘와 유사하다.

지경파묘지 1·2·3호묘 가운데 1호묘는 전실에 황토로 들보, 기둥, 두공 등 목조가옥을 모방하여 조각하였다(도50). 전·후

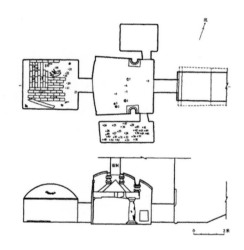

도 50 | 《평면도》, 지경파 1호묘

쳤다. 한대 석사당의 치환 작용에 대해서는 정옌, 『죽음을 넘어』, 지와 사랑, 2019, pp.111~137.

175 전명묘는 장사파토동묘로 전실과 후실로 구성되었다. 전명묘에서 나온 墓誌는 大夏2년 420년으로 태무제가 통만성을 함락한 427년보다 이르다. 內蒙古自治區文物考古研究所, 鄂爾多斯博物館, 烏審旗文物管理所, 「內蒙古烏審旗郭家梁大夏國田昞墓」, 『文物』2011年 3期.

176 팔대량 1호묘 북벽 벽화의 비천상은 운강석굴 제2기말에서 제3기(5세기 말~6세기 초), 특히 제3기에 한화된 후의 비천양식과 유사하다. 陝西省考古研究院, 「陝西靖邊縣統萬城周邊北朝仿木結構壁畫墓發掘簡報」, 『考古與文物』2013年 3期.

실로 구성된 4호묘는 전실 천장부에 묵선 채회로 목조가옥 구조를 모방하였고, 양측 벽에는 묵선 구륵의 입주를 그렸다. 벽화는 묘문 양측에 방목과 수렵, 전실 서벽에 문리와 신수神獸, 동벽에 격고擊鼓와 각저角抵, 북벽에는 흑색의 가옥 내에 2명의 호인대좌胡人對坐, 2명의 한인대음漢人對飮이 있다.[177]

4. 북위 벽화묘의 형성과 변천

산서 대동의 북위 벽화묘의 발굴과 주요 벽화묘의 구조와 벽화 배치를 정리하고, 평성시기 벽화묘의 발달을 평성시기 전기와 후기로 나누어 묘주연회도, 수렵도, 수문장도의 세 가지 중요 주제와 묘실 벽화에서 장구로의 표현 매체의 변천과 연원 등을 살펴보았다. 호한문화의 융합을 시기 구분의 중요한 기준으로 삼고 있는 북위 벽화묘 연구에서는 한위의 벽화전통을 바탕으로 동북지역, 하서지역의 위진시기 문화요소를 흡수, 계승하면서 북위 벽화묘가 시작되었고, 낙양으로 천도하면서 남조의 묘장 예술을 흡수하고 동시에 불교예술 형식을 융합하여 북위 특유의 다원적 예술성과 다민족의 융합으로 새로운 묘장 장식예술을 만들었다고 본다.[178]

북위 벽화의 각 주제는 여러 지역의 문화요소의 융합의 결과이다. 북위 벽화의 묘주생활도는 하서요소와 동북요소, 복희여와도, 청룡백호도는 하서요소, 수문장과 진묘수는 중원요소로 보며, 묘주연락도, 거마출행도, 산림수렵도, 문리무사도는 동북요소로 삼연문화와 고구려 문화요소가 크다고 본다. 수면獸面, 역사, 운기문과 사신 등 대표적 기금이수 제재들은 하서, 동북 지역에서 모두 발견된다. 사마금룡묘의 석관상의 인수조人首鳥, 영빈대도 90호묘의 관 덮개의 천하성운도 등은 덕흥리 벽화분 전실 천장에서 연원을 찾는다. 양발호묘 수렵

---

177 지경파 4호묘는 묘도, 照壁, 묘문, 前甬道, 前室, 後甬道, 後室 등으로 구성되었다. 甘肅省文物考古硏究所, 高臺縣博物館, 「甘肅高臺地埂坡晋墓發掘簡報」, 『文物』 2008年 9期; 鄭怡楠, 「河西高臺縣墓葬壁畵祥瑞圖硏究—河西高臺縣地埂坡M4墓葬壁畵硏究之一」, 『敦煌學辑刊』 2010年 1期; 鄭怡楠, 「河西高臺縣墓葬壁畵娛樂圖硏究—河西高臺縣地埂坡M4墓葬壁畵硏究之二」, 『敦煌學辑刊』 2010年 2期. 이러한 위진시기 하서지역과 북위 평성시기 묘의 목조가옥 구조를 모방한 천장 형식은 낙양 吉利濟澗 북위묘에도 보인다. 남향의 토동묘로서 통만성 정변현 팔대량묘지 1, 2, 3호묘와 谷地梁묘지 1, 2호묘와 유사한 방식으로 묘실 천장에 목조가옥 구조를 모방하였다. 倪潤安, 앞의 책, p.244, 243, 247; Shing Müller, 앞의 책, p.242. 洛陽市文物考古硏究院, 「洛陽吉利濟澗北魏墓發掘簡報」, 『文物』 2015年 4期.

178 呂朋珍, 『北魏壁畵墓硏究』, 內蒙古師範大學 석사학위논문, 2013년.

도의 산천 경계도 덕흥리 벽화묘의 천장의 은하수에서 연원한 동북요소로 본다.[179] 수렵도는 평성지역의 탁발선비의 북방유목민으로서의 선호도가 높은 주제이자 북방의 내몽고, 섬북지역의 동한시기 수렵도의 형식을 계승한 북방문화요소가 짙게 드러나는 주제이다. 북위 평성시기 수문장상은 북위 시기의 불교문화의 유입과 변형을 잘 보여준다.

다음으로 평성시기 출현한 석조와 목조 가옥형 장구의 분류와 부장품의 배치 양상을 알아보고, 화우 석곽 벽화묘와 가보묘 등의 사례를 통하여 벽화가 장구로 이동하거나 도용으로 표현되는 현상을 살펴보았다. 평성지역 묘장의 가옥형 석당과 부장품, 벽화의 구성 관계를 살펴보면 장구, 벽화, 도용을 하나로 조합하는 통일성이 보이고, 일종의 통합미술로서 정해진 형식에 따라 공동 작업을 하는 장인집단의 활동이 짐작된다. 이러한 장인집단에는 운강석굴과 같은 석조를 다루는 각공이 포함되게 되고 불교석굴 사원 조영에서 영향을 받은 활발한 석재의 사용이 더해지면서[180] 목탑木榻은 석탑으로, 사당 또는 사원은 목당이나 석당으로 치환하여 묘실 내에 재현하게 된 것으로 보인다.

마지막으로 기존에 북조 석장구의 연원으로 언급된 한대의 석사당과 석관 및 조로아스터교의 사당과 납골기가 시기나 지리적으로 가깝지 않다는 점에서 북위의 사례와 보다 근접한 중국 북방과 서북지역의 영하성, 감숙성, 내몽고 등의 위진시기와 북조 초기의 벽화묘들의 가옥을 모방한 구조의 사례들을 찾아 연원과 전파 과정을 고찰하였다. 묘실 내부에 가옥형 천장을 만들거나 봉토 내부에 가옥형 모형을 설치한 영하 팽양 신집 1호묘, 내몽고 오심기 곽가양 대하국 전명묘, 섬서 정변현 통만성 팔대량묘지 1호묘와 3호묘, 감숙 장액 고대현 나성향 하서촌 지경파묘지 1호, 2호, 3호묘의 사례들을 살펴보아 북위 평성시기 벽화묘와 시기나 지리적으로 근접한 가옥형 구조 건축의 전파와 변형을 고찰하여 북위묘의 가옥형 장구의 출현의 배경을 제시하고자 하였다. 평성시기 가옥형 장구는 북제와 북주, 수대에 소그드계 묘주의 가옥형 장구로 계승된다는 점에서 주목된다. 북위와 시기적, 지리적으로 가까운 가옥형 구조의 출현 지역이 대하국이나 하서지역이라는 점에서 북위 가옥형 장구 유형이 하서지역과 내몽고, 섬북지역과 같은 서역과 북방지역으로부터 들어왔다는 점을 확인할 수 있었다.

179　倪潤安, 앞의 책, pp. 170-171, pp. 154~162, 표 3-4; 倪潤安, 「北魏平城時代平城地區墓葬文化的來源」, 『首都師範大學學報』 2011年 6期.

180　서윤경, 앞의 논문, pp. 175~208

이상에서 살펴본 북위 벽화묘의 형성과 변천은 기존의 북위 벽화묘의 연구가 최신 발굴 자료들을 통하여 크게 확장될 수 있는 가능성을 열어주며, 이러한 북위 벽화묘의 연구에 기반하여 북위와 고구려, 백제, 신라와의 교류를 미술문화를 통하여 보다 구체적으로 복원할 수 있을 것으로 생각된다.

제6장
수·당대 고분벽화의 주제와 변천

Ⅰ. 수 · 당대 고분벽화의 개관

수隋 · 당대唐代 회화는 초당初唐 염립본閻立本의 『제왕도帝王圖』로 한대漢代 이래의 역사인 물화의 전통을 잇고, 성당盛唐 장훤張萱의 『도련도搗鍊圖』와 주방周昉의 『잠화사녀도簪花仕女 圖』에서 볼 수 있는 것과 같이 사녀화仕女畵 주제의 세련된 여인인물화를 발달시켰다. 사녀 화는 중국 인물화의 화제로 궁정에서 일하는 부녀를 주제로 한 미인화 또는 궁정풍속화의 일종으로 한대에 시작되어 수 · 당 때에 성행했다. 산수화의 발달에서는 이사훈李思訓, 이소 도李昭道 부자의 청록靑綠 산수화와 왕유王維의 수묵水墨 산수화가 대별되면서 이후 산수화 발달의 두 가지 유파를 형성하였다.[1]

한편 당대의 회화 진적이 드문 상황에서 묘실벽화墓室壁畵는 정확한 기년紀年을 가진 원작 으로서 현재까지 보존되어 학술적 가치가 높다. 신강新疆 키질석굴, 감숙甘肅 돈황敦煌 막고 굴莫高窟 등 수 · 당대 석굴 벽화도 당대 회화의 실물 자료이다. 수 · 당대 묘실벽화는 중국인 들의 장의미술葬儀美術, 조상숭배祖上崇拜, 우주관宇宙觀 등을 반영하여 독립된 체계를 가지고 있다. 수당묘 벽화는 수 · 당대 능묘陵墓 예술의 한 구성부분으로 묘실墓室의 건축구조 및 지 면상의 석조石彫와 봉토封土, 묘내墓內의 석곽石槨, 도용陶俑, 묘지墓誌 등으로 구성된 복잡한 종합예술이며 회화, 조소, 서법, 건축 등 각종 조형예술을 포함한다.[2]

중국의 수당 벽화묘는 1950년대 이래 발굴되기 시작하였다. 대다수가 섬서관중陝西關中의 서안시교西安市郊와 부근의 예천현禮泉縣, 건현乾縣, 장안현長安縣, 삼원현三原縣, 부평현富平縣 과 함양시교咸陽市郊에 집중 분포한다.

고종高宗(재위 649~683) · 측천무후則天武后(624~705)의 건릉乾陵과 태종太宗(재위 626~649) · 문 덕황후文德皇后의 소릉昭陵의 배장묘들에서 벽화가 많이 발견되었다. 이미 발굴 혹은 조사된 제릉帝陵 배장묘는 고조高祖 헌릉獻陵 2기, 태종 소릉 배장묘 30기, 고종 건릉 6기, 중종中宗 정

---

1 본 장은 박아림, 「당대 고분벽화의 주제와 변천」, 『넓고 깊게 보는 당대 미술』, 민속원, 2020, pp. 89~104; ___, 「아스타나무덤군 7-세기회화」, 「아스타나무덤군 6폭병풍벽화」, 문화재연구소 편, 『실크로드 연구사 전 동부 · 중국 신강』, 문화재연구소, 2019, p. 436~441. p. 442~443; ___, 「中國 寧夏回族自治區의 固原隋唐 墓와 鹽池唐墓 壁畵와 石刻硏究」, 『東洋美術史學』, 9, 2019, pp. 93~120의 내용을 추가 보완하고 정리하였 음.

2 周天游 主編, 『陝西歷史博物館 唐墓壁畵硏究文集』, 三秦出版社, 2001, pp. 4-5.

릉定陵 1기, 예종睿宗 교릉橋陵 3기 등이다.

왕릉과 배장묘군, 일반귀족묘군이 대거 조성된 관중지구는 당대 벽화고분의 중심지이다. 1950년대 이후 관중지역에서 발굴된 황실, 관료, 귀족 벽화묘는 100여 기이다. 벽화가 비교적 잘 보존된 예는 초당의 소릉 배장묘인 정인태묘鄭仁泰墓와 아사나충묘阿史那忠墓가 있고, 성당의 건릉 배장묘인 의덕태자묘懿德太子墓, 영태공주묘永泰公主墓, 장회태자묘章懷太子墓 등이 있다. 산서山西 태원太原, 영하寧夏 고원高原, 신강新疆 투루판吐魯番 등지에서도 당묘 벽화가 발견되었다.

수·당대는 중국 고분벽화의 발달에서 가장 전성기에 해당하나 고분 내의 벽화의 주제는 인물화 중심으로 주로 현실세계를 반영하며, 일정한 형식과 구성을 반복하여 비교적 단순하다. 벽화 주제는 궁전宮殿, 문궐門闕, 의장儀仗, 궁녀宮女 등이다. 건축 벽화는 궁전 전각의 배치형식과 건축양식을 반영한다. 사신을 제외하고 천상세계의 묘사는 드문 편이다. 사신은 동서남북의 방위를 나타내고 우주의 질서를 지키는 네 가지 상징으로서의 짐승으로 동의 청룡青龍, 서의 백호白虎, 남의 주작朱雀, 북의 현무玄武로 구성되며, 현무는 거북과 뱀이 합쳐진 모습으로 음양의 조화를 표현한다. 수당묘 벽화는 당시의 의복衣服, 두관頭冠, 거여車輿와 수렵의례狩獵儀禮를 보여주는 중요한 시각자료이다.

II. 수당 벽화묘의 조사발굴과 시기별 주요 벽화묘

1. 수당 벽화묘의 발굴

수·당대는 발견된 벽화묘의 수가 많아 이른 시기부터 연구가 활발하게 이루어져왔다. 20세기 초 영국의 A. 스타인 등이 신강위구르자치구 투루판 아스타나묘군을 발굴할 때에 당대 묘장이 포함되었는데 여기서 일련의 견본絹本과 지본紙本 병풍화가 발견되었다. 1930-1933년 중국과 스웨덴의 중국 서북지역 공동조사에서 황문필黃門弼이 아스타나의 국씨고창國麴氏高昌國 시기의 일부 묘장을 조사하면서 복희여와 화상을 발견하고 『토노번고고기吐魯番考古記』(1954, 1958)에 연대와 제재에 대하여 서술하였다. 이 시기 아스타나 당묘 중에 발견된 견본, 지본, 마본麻本 회화는 벽화는 아니나 묘실 중에 걸리거나 진설陳設된 명화冥畫로서 묘실벽화와 성질과 기능이 같다.[3]

당대 묘실벽화가 과학적으로 고고발굴된 것은 1950년대부터이다. 섬서지역에서 발견된 수당묘는 800여 곳에 달하며 관중지역의 서안부근에서 발굴된 묘장은 300여기이다. 그중 기년묘는 약 200여기이다. 수당 벽화묘 가운데 수대는 존속기간이 짧아서 발견된 벽화묘가 많지 않다. 발굴된 주요 수묘隋墓는 서안西安 동교東郊 백록원白鹿原 유세공묘劉世恭墓(615), 서안 동교 한삼채韓森寨 여무묘呂武墓(592), 삼원三原 쌍성촌雙盛村 이화묘李和墓(582), 서안 동교 이춘부부묘李椿夫婦墓(608)이다. 모두 벽화의 훼손이 비교적 심하다. 영하회족자치구에서 발견된 수묘는 사사물묘史射勿墓(610)이다. 북조에서 당으로 넘어가는 과도기의 벽화의 구성과 주제 상의 변천을 잘 보여준다.

당대에는 묘실벽화 장식의 전성기를 맞이하는데 그 중에 섬서 서안지역 묘장 수량이 최다이며 등급도 비교적 높다. 섬서 당묘 발굴은 20세기 중엽에 시작하였으며 현재까지 지속적으로 새로운 벽화묘가 조사·보고되고 있다.

1950년대에 장안에서 발견된 당 귀족 벽화고분들로는 장안현長安縣 곽두진郭杜鎮 집실봉절묘執失奉節墓(658), 서안西安 안탑구雁塔區 양두진羊頭鎮 이상묘李爽墓(668), 장안현 남리왕촌南里王村 위형묘韋泂墓(708)가 있다. 1960년대 발굴된 묘장은 비교적 적어서 건릉배장묘 가운데 영태공주永泰公主 이선혜묘李仙蕙墓(706), 함양시咸陽市 소군묘蘇君墓 등이다. 1970년대에는 섬서성에서 다수의 벽화묘를 발굴 청리하였는데 서안의 각 제릉의 경내에 있다. 1973년부터 조사된 삼원三原 당唐 고조高祖 헌릉獻陵과 배장 벽화묘로 이수묘李壽墓(631), 방릉대장공주묘房陵大長公主墓(673), 이풍묘李風墓(675)가 있다.

예천禮泉 당 태종太宗 소릉昭陵 능원 안의 배장묘들은 1971년부터 조사되어 30여 기에서 벽화가 확인되었다. 초당시기에 속하는 묘로는 당장락공주묘唐長樂公主墓(643), 단간벽묘段簡璧墓(651), 장사귀묘張士貴墓(657), 정인태묘鄭仁泰墓(663), 이적묘李勣墓(670), 아사나충묘阿史那忠墓(675), 안원수묘安元壽墓(684)와 부인夫人 적육랑翟六娘(727)부부합장묘 등 모두 십여 기이다.

---

3 李星明, 『唐代墓室壁畫研究』, 陝西人民美術出版社, 2005, pp. 1-12. 韓偉, 張建林, 『陝西新出土唐墓壁畫』, 重慶出版社, 1998. 李星明, 「關中地域 唐代 皇室壁畫墓의 도상연구」, 『美術史論壇』 第23號, 2006. 12, pp. 101~125.

소릉의 배총 가운데 하나인 당계필부인묘唐契苾夫人墓(721)에서도 벽화가 확인되었다.[4]

건현乾縣 당 고종高宗 건릉乾陵 경내에는 성당盛唐(684~756)시기의 벽화로 8세기 초 당 회화의 수준을 보여주는 의덕태자懿德太子 이중윤묘李重潤墓(706), 장회태자章懷太子 이현묘李賢墓가 있다. 그 외 건릉 배총으로 설원초묘薛元超墓(685)가 있다.[5]

당 예종睿宗 교릉橋陵 배장묘陪葬墓로서 포성蒲城 예종비睿宗妃 왕방미묘王芳媚墓(745)에서도 성당기 벽화가 발견되었다. 상술한 당묘 중에서 이수묘, 방릉대장공주, 이풍묘, 단간벽묘, 이적묘, 아사나충묘, 장회태자묘, 의덕태자묘 벽화가 비교적 양호하다.[6]

1980년대 발굴된 소릉 배장묘는 장락공주長樂公主 이려질묘李麗質墓(643)와 위귀비묘韋貴妃墓(666) 등이 있다. 그 외에 청리 발굴된 묘장으로는 장안長安 남리왕촌南里王村 위호묘韋浩墓(708), 장안 남리왕촌 위군부인韋君夫人 호씨묘胡氏墓(742), 경양涇陽 태평향太平鄉 석류촌石劉村 장중휘묘張仲暉墓(753), 서안시 동교 왕가분王家墳 당안공주묘唐安公主墓(784) 등이다.[7] 중종의 황후 위씨의 가족묘군이 장안현 남리왕촌묘역에서 집중 발견되었는데 남시도, 여시도 등이 시기의 벽화의 성숙한 인물표현을 볼 수 있다. 상술한 당묘에서, 장락공주묘, 위호묘, 위군부인 호씨묘, 장중휘묘, 당안공주묘, 남리왕촌 위씨가족묘가 비교적 중요한데 모두 발굴보고서가 나왔다.

1990년대 청리 발굴된 당대 벽화묘 가운데 예천 소릉 배장묘陪葬墓에 속하는 묘는 이사마

---

4 陝西歷史博物館, 『唐墓壁畵眞品選粹』, 陝西人民美術出版社, 1991年; 昭陵博物館, 「唐昭陵李勣陪葬墓淸理簡報」, 『考古與文物』, 2000年 3期; 陝西省博物館·禮泉縣文敎局唐墓發掘組, 「唐鄭仁泰墓發掘簡報」, 『文物』, 1972年 7期; 陝西省文物管理委員會·禮泉縣昭陵文管所, 「唐阿史那忠墓發掘簡報」, 『考古』, 1977年 2期; 昭陵博物館, 「唐安元壽夫婦墓發掘簡報」, 『文物』, 1988年 12期; 昭陵博物館, 「唐昭陵段簡璧墓淸理簡報」, 『文博』, 1989年 6期; 昭陵博物館, 「唐昭陵長樂公主墓」, 『文博』, 1988年 3期; 陝西省考古硏究所·陝西歷史博物館·昭陵博物館, 「唐昭陵新城長公主墓發掘簡報」, 『考古與文物』, 1997年 3期.

5 陝西省博物館·乾縣文敎局唐墓發掘組, 「唐章懷太子墓發掘簡報」, 『文物』, 1972年 7期; 陝西省博物館·陝西省文物管理委員會編輯, 『唐李賢墓壁畵』, 文物出版社, 1974; 陝西省博物館·乾縣文敎局唐墓發掘組, 「唐懿德太子墓發掘簡報」, 『文物』, 1972年 7期; 陝西省博物館·陝西省文物管理委員會, 『唐李重潤墓壁畵』, 文物出版社, 1974; 陝西省文物管理委員會, 「唐永泰公主墓發掘簡報」, 『文物』, 1964年 1期. 楊正興, 「唐薛元超墓的三幅壁畵介紹」, 『考古與文物』, 1983年 6期.

6 陝西省博物館文管會, 「唐李壽墓發掘簡報」, 『文物』, 1974年 9期; 陝西省博物館文物管理委員會, 富平縣文化館, 「唐李鳳墓發掘簡報」, 『考古』, 1977年 5期.

7 趙力光, 王九剛, 「長安縣南里王村唐墓壁畵」, 『文博』, 1989年 4期; 昭陵博物館, 「唐昭陵段簡璧墓淸理簡報」, 『文博』, 1989年 6期; 陝西省文物管理委員會, 「長安縣南里王村唐韋泂墓發掘記」, 『文物』, 1959年 8期; 王育龍, 「西安南郊唐韋君夫人等墓葬淸理簡報」, 『考古與文物』, 1989年 5期.

묘李思摩墓(647), 신성장공주묘新城長公主墓(663), 연비묘燕妃墓(671)가 있다. 부평富平 정릉定陵 배장묘陪葬墓로 절민태자節愍太子 이중준묘李重俊墓(710), 포성蒲城 교릉橋陵 배장묘陪葬墓로는 혜장태자惠莊太子 이위묘李撝墓(724)이다.[8] 포성蒲城 태릉泰陵 배장묘陪葬墓로는 고력사묘高力士墓(762)가 있다.

기타 묘장의 발굴은 서안시西安市 미앙로未央路 왕선귀묘王善貴墓(668), 기산岐山 정가촌鄭家村 원사장묘元師獎墓(686), 포성蒲城 보남향保南鄕 산서촌山西村 이회묘李晦墓(689), 서안시 파교구灞橋區 신축향新筑鄕 금향현주金鄕縣主 이씨묘李氏墓(690), 함양咸陽 위성구渭城區 약왕동촌藥王洞村 계필명묘契苾明墓(696) 등이다. 1994년 2월 연안시延安市 마동천향麻洞川鄕 서촌西村에서 모두 17점의 성당시기盛唐時期 화상전畵像磚이 수집되었다.

2000년 이후부터 현재까지 섬서성에서 신발굴된 주요 묘장은 서안西安 동교東郊 온사간묘溫思暕墓(696), 장안 남교 위신명묘韋愼名墓(727), 포성蒲城 삼합향三合鄕 이헌묘李憲墓(742), 삼원현三原縣 회남대장공주묘淮南大長公主墓와 사괵왕嗣虢王 이옹묘李邕墓 등이다. 영하회족자치구에서 2014년 발굴한 고원 남원 1401호묘도 있다.

산서 태원 동여장과 금승촌 등에서도 성당기 벽화묘가 여러 기 발굴되었다. 태원太原 동여장董茹莊 당唐 조징묘趙澄墓, 태원 금승촌 4호묘金勝村4號墓(696), 금승촌 337호묘(7세기 후반), 금승촌 6호묘(7세기 말), 금승촌 7호묘(7세기 말) 등이다.[9]

영하寧夏회족자치구에서도 수당 벽화묘가 발견되었는데 1995년 고원박물관固原博物館이 양방촌羊坊村 북쪽에서 평량군도위표기장군平涼郡都尉驃騎將軍 사색암부부합장묘史索巖夫婦合葬墓(658)를 발굴하였으나 벽화 화면이 이미 많이 탈락하였다. 고원지역 수당묘 가운데 보존이 비교적 양호한 묘는 1986년 고원固原 양방촌羊坊村 양원진묘梁元珍墓(699)로서 천정天井 동서 양벽에 모두 인물목마도人物牧馬圖를 그렸고 용도甬道 양벽에 각각 한 폭의 견마도牽馬圖를 그렸다. 묘실墓室 동벽東壁과 남벽南壁에 남녀시자男女侍者를, 서벽西壁과 북벽北壁에 십선수하인물병풍도十扇樹下人物屛風圖를 그렸다. 1985년 영하寧夏 염지현鹽池縣 소보정향蘇步井鄕에서 발굴된 당대묘지唐代墓地가 있는데 그 중 6호묘에서 출토된 양선석문상兩扇石門上에 세선

---

8 陝西省考古硏究所·蒲城縣文體廣電局,「唐惠莊太子墓發掘簡報」,『考古與文物』, 1999年 2期.
9 山西省文物管理委員會,「太原市金勝村第六號唐代壁畵墓」,『文物』, 1959年 8期; 山西省文物管理委員會,「太原南郊金勝村唐墓」,『文物』, 1959年 9期; 山西省文物管理委員會,「太原市金勝村第三號唐代壁畵墓」,『考古』, 1960年 1期; 山西省考古硏究所, 太原市文管會,「太原金勝村337號唐代壁畵墓」,『文物』, 1990年 12期.

음각감지細線陰刻減地의 호선무도胡旋舞圖가 있다.[10]

신강성지역에서는 1963-1965년 신강 투루판 아스타나 묘지에서 42기의 당묘를 발굴하였다. 초당기의 서역 진출 과정에 정복된 고창의 투루판 아스타나일대에 조성된 성당-만당기 벽화고분군이다. 만당기 벽화고분으로 투루판 아스타나 65TAM38호묘(766년~779), 투루판 아스타나 65TAM217호묘(8세기말), 투루판 아스타나 72TAM216호묘(8세기말) 등이 있다. 묘실 후벽에 그려진 병풍식屛風式 벽화壁畵와 목광木框 병풍화가 발견되었다. 견絹 바탕에 그려진 병풍화는 묘주인의 생전 거주하던 상탑床榻을 상징하는 시상尸床에서 출토되었다. 병풍화의 주제는 사녀, 화조, 목마, 수하인물 등이다. 벽화는 아스타나 38호묘(65TAM38호묘)의 육선병풍식六扇屛風式 수하인물도樹下人物圖, 216호묘(72TAM216호묘)의 육선병풍식 감계도鑑戒圖와 217호묘(65TAM217호묘) 육선병풍식 화조도가 발견되었다.[11]

하북, 하남 일원에서는 성당기 벽화고분의 발견 사례가 드물다. 하북 및 북경지역에서는 중당 및 만당기 벽화고분이 드물게 발견된다. 1981년 북경北京 풍대구豊臺區 왕좌향王佐鄕 임가총촌林家塚村 당唐 사사명묘史思明墓(762), 1985년 북경 태평로太平路 만당묘晩唐墓, 1991년 북경 팔리장八里莊 당 왕공숙부부묘王公淑夫婦墓(838년~852)가 발굴되었다.

2. 시기별 중요 벽화묘

1) 수대 벽화묘

현재까지 발견된 수대 묘장 가운데 약 30여 기에서 벽화가 발견되었다. 북방지역묘에는 벽화가 그려진 반면, 남방지역의 묘는 화상전으로 장식되었다. 북방지역은 벽화묘가 14기인데, 섬서 9기, 영하 1기, 감숙 1기, 산서 1기, 하남 북부 1기, 산동 1기가 있다. 남방지역 화상전묘는 14기로서 하남 남부, 안휘, 호북, 호남, 강서, 절강, 복건, 광동 등에 흩어져 분포한다.

수대에 남방과 북방지역의 묘장 건축은 지역적으로 특징이 다르다. 남조와 북조의 전통을 이어서 남조의 고급 묘장은 많은 수가 토갱土坑 전실묘 또는 산에 묘혈을 뚫은 후 건설한

---

10 羅豊 編著,『固原南郊隋唐墓地』, 文物出版社, 1996; 寧夏固原博物館,「寧夏固原唐梁元珍墓」,『文物』, 1993年 6期.

11 新疆維吾爾自治區博物館,,「吐魯番縣阿斯塔那-哈拉和卓古墳墓羣淸理簡報(1963~1965)」,『文物』, 1973年 10期; 趙豊 主編,『絲綢之路美術考古槪論』, 文物出版社, 2007, pp. 219~232; 金維諾, 衛邊,「唐代西州墓中的絹畵」,『文物』, 1975年 10期; 王曉玲, 呂恩國,「阿斯塔那古墓出土屛風畵硏究」,『文物』, 2015年 2期.

전실묘이다. 수대 남방 화상전 장식의 전실묘는 대부분 장방형 묘실이며 부분적으로 용도, 묘도가 있다. 묘도와 용도가 없는 경우도 있고 토갱묘 내에 전곽磚槨을 만든 유형의 전실묘도 있다. 묘실을 전후 이실로 만든 예도 있다. 묘실 길이는 일반적으로 2-3m이다. 비교적 큰 묘실의 길이는 6m 이상이다. 전실에는 모제화상전模製畵像磚으로 장식을 하였다. 남경, 단양 등에서 발견된 남조의 묘장에 많이 보이는 형식이다. 1968년 발굴한 강소 단양 건산 금가촌金家村대묘는 묘실과 용도에 화상전으로 만든 병양전화拼鑲磚畵로 장식되었다. 유사한 대묘가 남경 서선교西善橋 남조묘, 단양 호교胡橋 남조묘 등이다. 남방지역 묘장 가운데 단폭의 화상전도 있는데 하남 등현 학장 남조 화상전묘로서 정교하고 세밀한 모인화상전이 많이 출토되었다. 행렬, 고취, 무사, 효자고사 화상 등이다. 모인화문을 사용한 전실묘는 한대 이래 남방지역에 유행한 방식이다. 수대 남방의 전실묘에는 이러한 화상전 장식 풍습이 유행하여 당대 묘장에서도 초기까지 지속되다가 사라진다.

묘실 화상전의 내용은 남조에서는 죽림칠현과 출행의장의 종류가 중심이었으나 수대에는 이러한 주제가 사라졌다. 남북 통일이 되면서 남조 제왕릉묘에 장식하던 죽림칠현 주제가의 사용이 금지되었을 가능성이 있다고 본다. 전형적인 수대 화상전의 주제의 예는 호북湖北 무창武昌에서 발견된 수대隋代 전실묘磚室墓인데 모인화문전模印花紋磚으로 사신四神과 천상선계天上仙界를 표현하였다. 화상전은 전실 동벽에 주작, 서벽에 우인비천, 후실 동벽에 청룡, 서벽에 백호, 북벽 중앙에 현무이다. 유사 주제는 한대 벽화묘에서 연원을 찾을 수 있다.

북방지역에는 벽화묘가 기본적으로 지속이 되며 북조에서 유행한 사파묘도다천정토동묘와 사파묘도다천정토동전실묘의 형식을 보인다. 사파묘도, 천정, 과동, 용도, 묘문, 정방형 묘실로 구성되었으며 기본적으로 단실묘이다. 묘벽에 큰 폭의 채색 벽화가 있다. 벽화묘의 규모는 비교적 크고, 고위계층에서 이용한 묘장형식이다.

발굴된 주요 수묘隋墓는 산동성山東省 가상현嘉祥縣 서민행묘徐敏行墓(개황4년開皇四年, 584), 서안西安 동교東郊 백록원白鹿原 유세공묘劉世恭墓(대업11년大業十一年, 615), 서안 동교 한삼채韓森寨 여무묘呂武墓(개황12년開皇十二年, 592), 삼원三原 쌍성촌雙盛村 이화묘李和墓(개황2년開皇二年, 582), 서안 동교 이춘부부묘李椿夫婦墓(대업4년大業四年 608)이다. 모두 벽화의 훼손이 비교적 심하다. 영하회족자치구에서 발견된 수묘는 사사물묘史射勿墓(610)이다. 북조에서 당으로 넘어가는 과도기의 벽화의 구성과 주제 상의 변천을 잘 보여준다.

(1) 이화묘

이화묘隋李和墓는 섬서성陝西省 삼원현三原縣 쌍성촌雙盛村에서 발견되었다. 토동묘로서 길이 37.55m의 사파묘도에 5개의 천정이 있고 3개의 천정과 2개의 과동을 청리하였다. 묘실은 길이 3.75-4m, 너비 3.6m, 높이 약 4m이다. 선각이 새겨진 석관이 발견되었다. 묘실 내와 묘도에 벽화가 있었으나 이미 탈락하였다. 묘도 내에 남녀시종상이 있고, 묘실 내에는 목조건축과 산수도가 남아있다.

이화묘에서 발견된 석관의 형태는 앞이 높고 넓으며, 뒤는 낮고 좁은 형태이다. 석관石棺의 앞부분前部에는 인수사신人首蛇身 또는 인수조신人首鳥身의 복희伏羲와 여와女媧가 있다. 석관石棺 좌우左右 측면에는 정세한 승선도昇仙圖를 그렸다. 청룡과 백호를 탄 신선이 화면의 중앙에 그려지고, 청룡과 백호의 앞에는 넓은 소매의 긴 두루마기를 입고 긴 칼을 가슴 앞에 든 4명의 무사들이 정면을 바라보며 서있다. 청룡과 백호의 주위에는 천인과 괴수 등이 연화운기문 가운데 날고 있다(도1).

이화묘는 수隋 개황2년開皇二年(582)에 장사지낸 이화李和부부의 묘이다. 수연주총관사지절상주국덕광군개국공隋延州總管使持節上柱國德廣郡開國公 이화는 북위, 서위, 북주에서 수에

도1 | 석관, 이화묘, 서안비림박물관

이르기까지 관직을 지내고 『북사』, 『주서』에 실려 있다. 북조시기 관롱지역의 고위 귀족으로 이화묘李和墓의 형제 규모는 묘주의 신분 등급에 부합한다.

(2) 서민행묘

서민행묘徐敏行墓는 1976년 산동성山東省 가상현嘉祥縣에서 발견된 벽화묘(영산1호수묘英山─號隋墓, 수隋 개황4년開皇四年, 584)이다. 사파묘도토동전실묘斜坡墓道土洞磚室墓이다. 단실묘로 묘실의 남북 길이는 4.8m, 동서 너비는 3.2m, 높이 5.2m이다. 백회를 묘실의 벽면과 원형의 천장에 발라 벽화를 그렸다.[12] 묘의 파괴가 심하여 묘지墓志와 소량의 도용이 출토되었다. 다양한 주제의 그림이 발견되어 수대隋代 회화사상에 중요한 가치가 있는 벽화묘이다. 묘실 네 벽 벽화는 북벽에 연락도宴樂圖, 동벽에 부인출유도夫人出遊圖, 서벽에 견마출행도牽馬出行圖 등이 있다.

묘실 천장에는 천상도天象圖가 있다. 동쪽에 별자리와 태양을 적색으로 그렸다. 남북 양쪽에는 별자리를 그리고, 서쪽에는 별자리와 달을 그렸다. 달 안에는 계수나무와 약을 찧는 옥토끼이다. 묘실 네 벽과 문동門洞 내외에 벽화가 있다. 묘실 북벽 벽화의 주제는 서시랑부부연향행락도徐侍郎夫婦宴享行樂圖이다(도2). 유장 아래에 남자가 왼쪽에 여자가 오른쪽에 목탑木榻 위에 앉아 있고 손에는 각각 투명한 고족배高足杯를 들었다. 앞에는 과일 채소류가 가득 차려졌다. 뒤에는 산수 병풍이 둘렀다. 목탑 양측에는 두 명의 시녀가 각각 서 있고, 탑의 앞에는 한 명의 인물이 호선무와 유사한 춤을 추는 자세를 보여준다.

탑의 좌측에는 3명이 연주를 하는데 횡적 등의 악기를 들고 있다. 또한 화면 좌측에는 새가 앉아있는 한 그루의 나무가 있고, 공중에는 선인仙人 다리 부분만 남아있다. 우측에는 한 그루의 나무가 있고 나무 위에 선인의 다리 부분이 보인다.

서벽 벽화는 남주인의 출행을 준비하는 듯한 견마출행도이다. 세 부분으로 나누는데 앞에는 인물 2명과 한 마리의 말이 행렬을 인도하고 있다. 중간에는 4명의 인물이 부채, 등, 산개, 고병행등高柄行燈을 들고 행렬을 따르고 있다. 뒤에는 두 명의 인물이 두 마리의 말을 끌고 있어 묘주가 탈 말을 준비하였다. 행렬도의 상방에 익수翼獸 일부분이 남아있어 백호로 보인다.

---

12 山東省博物館, 「山東嘉祥英山一號隋墓清理簡報─隋代墓室壁畫的首次發現」, 『文物』, 1981年 4期.

도 2 |《묘주부부도》, 북벽, 서민행묘

동벽은 서시랑부인출유도徐侍郎夫人出遊圖이다. 가장 앞에는 4명의 여인이 궁등宮燈을 들고 인도한다. 그 다음은 한 대의 유병우거帷屏牛車인데, 여주인이 탈 안거安車이다. 수레 뒤에는 4명의 여자 시종으로 기물을 들고 있다. 가장 마지막에는 개 사육사와 두 마리의 개가 있다. 동벽 상방에는 청룡의 일부가 보인다. 남벽에는 검을 든 무사를 그렸는데 묘문의 좌우에 나누어 그렸다.

문동門洞의 들보 위에는 달리는 말奔馬을 한 마리 그렸다. 문동 내의 좌우 벽면에는 각각 2명의 인물을 그렸다. 전자는 기실記室, 주부主薄 같은 문하소리門下小吏로 보이고, 후자는 시종노복侍從奴僕으로 보인다. 문동 바깥 동서 양벽에는 각각 수문인守門人을 한 명씩 그렸는데 양손에 깃대를 들고 문 옆에 서 있다.

묘주墓主 서민행徐敏行은 자字는 납언納言이며, 의동삼사전항산태수儀同三司前恆山太守 서지범徐之範의 둘째 아들이며, 양梁 사농경司農卿 소개蕭漑의 외손外孫이다. 양무제梁武帝 대동구년大同九年(543)에 태어나서 수문제隋文帝 개황사년開皇四年(584)에 죽었으며, 양, 북제, 북주와 수 4대에 걸쳐서 관직을 지냈다.『북제서』서지재전徐之才傳과 영산英山 2호묘의 서지범묘지徐之範墓志에 기재되어있다.

(3) 이정훈묘

1957년 서안西安 양가장梁家莊 부근에서 발견된 이정훈묘李靜訓墓는 남향의 토갱석곽묘土坑石槨墓이다. 길이 6.85m, 너비 1.6m의 사파묘도에 길이 3.55m, 너비 3.55~3.68m의 묘실로 구성되었다. 묘실 내에서 석곽이 발견되었다. 좌광록대부左光祿大夫, 기주자사岐州刺史 이민李敏의 네 번째 딸인 이정훈(608)의 묘는 출토묘지出土墓志에 의하여 묘주가 밝혀졌다. 증조曾祖는 이현李賢, 조부祖父는 이숭李崇이며 외조모의 총애를 받아 궁궐 안에서 양육되었다. 이정훈묘는 기년이 명확하고 보전이 잘되었으며 장제가 특수하고 부장품이 풍부하다. "방형석장구房形石葬具"가 발견되어 주목된다(도3).[13]

구척전당九脊殿堂형식의 방형석장구의 서벽은 정면 3칸으로 중간에 대문이 있고, 문 양측에 각각 시녀상을 선각하였다. 좌우에 각각 창문을 그렸다. 각 칸의 정중앙에 인자형 두공人

도 3 | 석곽, 이정훈묘, 서안비림박물관

---

13 週繁文,「隋代李靜訓墓研究─兼論唐以前房形石葬具的使用背景」,『華夏考古』, 2012年 第1期.

字栱을 새겼다. 문틀, 문지방, 기둥 등에는 권초문卷草纹과 용봉문 등을 새겼다. 창틀 기둥과 석곽 기둥 사이에는 연화, 보병寶瓶, 권초卷草 문양이 있다. 기와면瓦面에 "開者即死"라는 네 글자가 새겨져있다. 방형 석장구의 남면의 문의 좌우에 각각 남시 1명씩을 새겼다. 동벽과 북벽은 서벽과 남벽과 유사하나 대문이 없다.

방형석장구의 내부의 네 벽에 벽화가 있어 주목된다. 수해를 입어 현재는 벽화가 많이 탈락하였다. 석장구 내부의 후벽인 서벽 중앙의 화훼도와 양 옆에 시녀인물화가 두 폭이 있다. 남북 양벽에는 각각 두 폭의 그림이 있는데 매 폭에 2명의 인물이 있다. 동벽에는 가옥, 인물, 금조禽鳥, 수목 등을 그렸다. 당시 묘실 벽화에서 볼 수 있는 도상 내용과 유사하며, 묘실 벽화를 가옥형 석장구 내부에 간단한 형식으로 표현하였다.[14]

(4) 세촌 벽화묘

2005년 섬서陝西 동관潼關 세촌稅村에서 발견된 수대 대형 벽화묘로서 사파묘도, 7개의 과동過洞, 6개의 천정天井, 4개의 벽감壁龕, 용도甬道와 궁륭형 천장의 묘실墓室(길이 5.72m, 너비 5.94m, 높이 5.6m)로 구성되었다. 묘의 전체 길이는 63.8m이다. 사파묘도에 7개의 과동과 6개의 천정을 설치하였고, 제6, 7과동 좌우 양측에 대칭으로 벽감을 만들었다. 벽감 내에서는 250여 건의 부장품이 발견되었다. 묘실 평면은 "甲"자형이다.[15] 벽화는 묘도, 과동, 천정, 용도, 묘실 네 벽에 분포하고 있다. 묘도에는 시위의장대, 궁륭정에는 성상도가 있다. 또한 묘실 중앙에서 화려한 장식이 새겨진 화상석관이 발견되었다. 과동과 천정의 수가 많고 벽화와 화상석관이 발견된 수대의 대형 고급 벽화묘로서 묘주는 수隋 전태자前太子 양용楊勇으로 추정한다.

묘장 형제로 보면 북주의 전통을 이으면서 부분적으로 동위·북제묘의 풍격도 가지고 있다. 천정, 과동, 벽감의 묘도 형식과 최근 함양에서 발굴된 대량의 높은 품격의 북주묘장들과 유사성이 높다. 북주北周 무제武帝 효릉孝陵은 5개의 과동과 천정이 각각 있고, 4번과 5번 천정 양측에 벽감을 설치하였다. 기타 북주 대형과 중형 묘장에 사파묘도와 여러 개의 천정과 과동이 있다. 동위·북제 묘장에서는 천정이 달린 묘도가 드물다. 동위·북제의 높은 등급의 묘장에서는 누예묘와 서현수묘에서 천정이 출현하지만 형제가 통일되지 않았다. 세촌

---

14 唐金裕, 「西安西郊隋李静訓墓發掘簡報」, 『考古』, 1959年 9期.
15 趙超, 「試論隋代的壁畵墓與畵像磚墓」, 『考古』, 2014年 1期.

묘는 석문이 달린 호방형弧方形 궁륭정穹隆頂 전실묘磚室墓라는 점에서 묘실의 건축 방식에서는 동위·북제 묘장의 건축 전통을 따른다. 북주 묘장에서는 절대 다수가 토동묘土洞墓이다. 동위·북제 묘장은 여여공주묘, 만장묘, 고윤묘, 누예묘, 서현수묘, 고적회락묘庫狄廻洛墓 등을 포함하여 모두 호방형弧方形 전실묘磚室墓이다.

세촌 벽화묘는 묘장 구조, 묘실 벽화, 부장품, 장구, 도용 등 북주 전통을 계승한 동시에 동위·북제 영향도 받았다. 묘도 벽화는 양벽에 홍색 선을 가로로 긋고 화면을 상하로 나눈뒤, 벽화는 홍색 선 아래에만 그렸다. 동서 양벽은 대칭의 배치로 각각 7조의 내용으로 각 조가 독립적이다. 묘도 벽화에서 그려진 인물은 모두 남성이며 인물의 복식은 기본적으로 같다 (도4). 묘도 북벽, 즉 제1과동의 남구南口의 상방에는 2층 누각식樓閣式 건축물을 그렸다. 과동에서 용도의 동서 양벽에는 주홍색으로 목조가옥 구조를 그렸다. 과동 천장은 파괴되어 벽화가 훼손되었다. 용도의 공형정拱形頂에는 주홍색朱紅色 천화天花를 그렸다. 천정天井 양벽에는 시위도상侍衛圖像이 남아있다. 묘실墓室 네 벽의 벽화는 이미 전부 탈락하였다. 묘실 지면에서 채집한 벽화편으로 보아 묘실 사벽은 원래 주홍색 목조가옥 구조를 그리고, 기둥 사이에 각각 시녀형상을 그렸다. 묘실 천장에는 은하수를 그렸다.

묘의 문권門券, 용도甬道, 과동過洞 위에 문루門樓를 부조로 장식하는 방식은 동한시기에 이미 서북지역에 출현하였고 문루를 그리는 것은 북조 만기에 출현하여 북주 관할 지역에 집중된다. 동위·북제에서는 드물게 보인다. 북주의 가장 이른 누각도는 북주北周 천화4년天和四年(569) 주국대장군柱國大將軍 이현묘李賢墓에서 출현한다. 북주北周 건덕3년建德三年(574) 표기대장군驃騎大將軍 질라협묘叱羅協墓의 과동過洞 위에도 각루 벽화가 있다.

세촌묘稅村墓는 과동過洞 상방上方에 문루도門樓圖를 그렸는데 북주의 방식을 계승한 것이다. 묘도 중간을 홍색 선으로 가로로 나눈 것은 이현묘, 전홍묘田弘墓, 독고장묘独孤藏墓, 왕덕형묘王德衡墓, 왕사량묘王士良墓, 우문통묘宇文通墓 등 북주묘장에 보이며 동위·북제묘에서는 드물게 보인다. 이러한 홍색의 가로띠는 초당初唐 벽화묘壁畵墓의 난액闌額, 요첨방撩簷枋과 입주立柱 등 목조구조의 연원이다. 북주北周 우문통宇文通, 오육혼씨烏六渾氏, 권씨삼묘權氏三墓 가운데 두공斗拱과 홍색입주紅色立柱가 출현한다. 전홍묘田弘墓에 관목棺木이 놓인 후부실後附室에도 간단한 목구건축양주木構建築樑柱를 그렸다. 동위·북제 묘장에서 발견되지 않는 문루도와 세촌수묘의 목조구조를 모방한 연원은 북주에서 나온 것이다. 세촌묘의 묘도 양벽의 홍색 가로띠, 과동 상방의 문루도, 용도와 묘실의 목조구조도는 당대唐代의 "묘장침실화墓葬寢室化" 경향의 기초를 보여준다. 세촌묘는 북주北周 묘장의 기초 위에서 업성鄴城,

도4 | 《의장대열도》, 묘도 동벽, 세촌묘

진양晉陽지역 동위·북제 묘실벽화의 영향을 받았다.[16]

    세촌묘 묘도墓道 양벽의 의장도가 잘 보존되었는데 좌우 양벽이 대칭 구도이며 각 46인이

---

16   邵小莉,「隋唐墓葬藝術淵源新探—以陝西潼關稅村隋代壁畫墓爲中心」,『文藝研究』, 2011年 1期.

등장하고 1마리의 말과 하나의 극가戟架가 그려졌다. 인물들은 7조로 나뉜다. 이는 자현磁縣 만장灣漳 북제묘北齊墓 묘도 벽화의 의장도를 연상시킨다. 묘도 끝의 극가戟架는 동위 여여 공주묘에서 선례를 찾아볼 수 있다. 제3조第三組와 제5조第五組 인물들이 들고 있는 유기旂旗 는 서현수묘 벽화에서 보인다. 업성지역 동위·북제묘 묘도의 의장대 전면前面에는 청룡 백 호가 선두에 있으며 상방에는 각종 신금서수神禽瑞獸가 있는데 이는 세촌수묘에서는 보이지 않는다.

세촌수묘에서는 거대한 화상석관畫像石棺(높이 1.42m, 길이 2.90m)이 나왔는데, 청회색 석회 암으로 만들었으며 관의 덮개, 머리와 다리 부분의 판, 좌우 판, 바닥 판의 여섯 부분으로 나 뉜다. 관 표면에 천감지음선각방식淺減地陰線刻方式으로 화상을 가득 새겼다.

화상석관의 도상은 다양한 요소를 보여준다. 덮개는 보존이 비교적 좋으며 전체 길이 2.91m, 서쪽 너비 1.40m 동쪽 너비 1.14m이며 평면은 사다리꼴이다. 판의 가장 외측에 9-13mm의 인동장식 문양대를 두르고, 인동장식 문양대의 내측에는 연주문 장식대를 둘렀 다. 덮개의 연주문 원형 장식은 84개이며 그 가운데 머리와 다리 부분의 각 행에는 6개의 완 전하지 않은 육각형이 있다. 연주문 원형 장식 내에 봉조鳳鳥, 해치獬豸, 기러기 등 28종류의 상서를 넣었다.

발굴보고서에 의하면 귀갑형 연주 서수문의 도안 형식은 고급직물의 모방이며, 관 덮개 위의 도안과 석관 양면, 머리와 다리 부분, 그리고 바닥 부분의 도안으로 신선세계를 구성한 것으로 보았다. 서수瑞獸 연주 귀갑문도안은 낙양 출토 북위 석관의 덮개에 유사한 도안이 있다. 서아시아와 사산조 페르시아 왕조에서 기원하며 서아시아, 중앙아시아 중의 연주문 도안으로 전파되어 중국미술에 표현된다. 연주문, 석관 덮개의 연화문 등은 불교미술의 영 향이다. 관 덮개의 저면 연화는 공현석굴 제1-4호굴에 그려진 연화와 유사하다. 관 덮개의 육각형 내에 그려진 신수 혹은 상서는 좌우 대칭 구도인데, 역시 공현석굴 천장 모서리의 연 화화생과 비천의 대칭배치와 유사하다. 관 덮개의 복련좌의 마니보주, 보병 등 세촌수묘의 관 덮개 도상은 불교미술의 요소들을 흡수한 것이다.

수대묘장은 북방 벽화묘 건축 가운데 북제 묘장의 건축요소를 많이 흡수하였다.[17] 수대

---

17 북제 벽화묘의 건축 규범을 "鄴城規制"라고 하는데 "업성규제"는 업성에서 시작하였으며 벽화가 묘장 등 급 지위를 표현하는 표지가 되고 이는 북방 기타지역 묘장과 후대 벽화묘의 발전에 영향을 미친다. 북위 시기의 상장예의제도에는 각종 신분 등급의 인물이 사용하는 禮儀형식이 있다. 북조 상장예의는 비교적 명확한 등급으로 나뉘고 각 등급에 상응하는 예의형식이 있다. 묘장 건축과 부장품, 묘지, 묘주 신분, 벽

벽화묘에도 등급 차이가 존재한다. 수대 벽화묘의 건축방식은 대부분 천정이 달린 사파묘 도토동묘인데 북조의 고급묘장의 형식을 계승한 것이다. 또한 북조 묘장과 같이 수대 묘장에서도 석장구와 석문을 사용하였다.

정암은 북조 벽화묘 연구에서 묘도 길이, 묘실 크기, 석장구 등으로 전실묘를 다섯 가지 유형으로 나누었는데 묘주인 신분의 고하 등급을 표현한다. 1976년 산동성山東省 가상현嘉祥縣에서 발견된 서민행묘徐敏行墓(수개황4년隋開皇四年, 684)의 형제는 정암이 분석한 바에 의하면 묘도가 비교적 짧은 유형으로 동형의 북조 묘장은 산서山西 북제北齊 고적회락묘庫狄迴洛墓, 하북河北 북제北齊 요준묘堯峻墓 등이다. 이들은 일품의 고급관원이나, 서민행은 정오품 가부시랑駕部侍郎이어서 본인의 관직 등급을 넘어서는 묘장으로 축조한 것으로 보인다.

세촌묘는 6개 천정, 7개 과동이 있으며, 전체 길이 63.8m, 깊이 16.6m이며 묘실 길이와 너비가 거의 6m이다. 세촌묘의 벽화 도상은 업성에서 발견된 북제 만장대묘, 서안에서 발견된 당의 장회태자묘 등과 유사하다. 세촌수대묘는 묘장 크기로 보아 수隋 폐태자廢太子 양용楊勇의 묘장으로 추정한다.

다른 수대 벽화묘들은 벽화가 많이 남아있지 않다. 류세공묘는 묘실 네 벽에 벽화 흔적이 있다. 서안 한삼채 여무묘는 묘도 양측, 묘실 네 벽에 백회를 바르고 벽화의 흔적이 있다. 이 화묘는 묘도, 묘실 벽화가 대부분 탈락하여 묘도, 제2과동 입구 양벽의 4명의 단신상이 있고, 묘실 내의 수목산수가 있다. 이춘부부묘는 묘 벽에 얇은 백회층이 있고, 홍색의 채색 흔적이 있다. 묘도 양벽에 시위형상을 그렸다. 수대 벽화묘 가운데 비교적 벽화가 잘 남은 서민행묘는 출행도, 연음도 등이 있어 내용이 풍부하다.

수대 벽화묘의 벽화 내용은 북조 벽화묘의 주요 표현과 배치를 계승하였다. 서민행묘에서 보듯이 묘주인 중심의 생전 생활장면으로 연락도, 비기출행도, 출유도 등이다. 유사도상은 동위 최분묘(북제시기에 장사 지냄), 북제 누예묘, 고윤묘 등 북조 벽화묘에서 보이는 것이다.

세촌 벽화묘 출행의장 도상은 만장대묘의 의장행렬도와 유사하다. 수대 벽화묘에서 천상세계의 묘사는 영혼 승천 관념에서 기원을 찾을 수 있다. 세촌묘와 서민행묘의 묘실 천장에 사신, 운기, 신수 등의 벽화가 있다. 고적회락묘庫狄回洛墓, 요준묘堯峻墓, 태원제일열전창묘太

화 등에 의하여 동위·북제 벽화묘는 5가지 종류로 나뉜다. 황제릉, 황실가족 및 권세를 가진 외척묘장, 정일품관료묘장, 3품이상관료묘장, 중하급관료묘장이다. 이미 북위시기에 하나의 계통을 가진 벽화묘 등급 제도가 형성되었다. 趙超, 「試論隋代的壁畵墓與畵像磚墓」『考古』2014년 1기.

原第一熱電廠墓 등에도 묘실 천장에 유사한 천상도가 출현한다.

　북조시기 황족과 고급관원의 묘장 중 석관상, 석병풍 등 석제 장구를 사용하기 시작하였다. 수대 묘장 중에는 석제장구를 보편적으로 사용하게 된다. 주로 석관곽이 장구로 사용되었다. 수대 고급묘장은 벽화 장식 이외에 석관곽, 석관상, 석병풍 및 석묘문 등을 사용하고 그 표면에 정세한 선각화상과 채회도화를 그리고, 일부는 채색을 한 부조도상이 있다. 이러한 부조는 예의, 종교, 방술 방면에 벽화와 같은 작용을 하며 당시 사회에서 유행한 상장사상을 반영한다. 대표적인 예가 이화묘와 세촌묘의 석관이다. 이화묘는 세촌묘와 같이 석관 외측에 정교한 선각 도안을 새겼다. 관 덮개에 남녀 인수사신상 또는 인수조신상이 있는데 대체적으로 복희와 여와도상으로 본다. 관의 테두리와 복희와 여와 사이의 공간은 신수와 인면이 담긴 원형 연주문 도안이 가득 장식되어있다. 인수조신상이나 원형 연주문 도안은 중앙아시아문화의 영향을 보여준다. 세촌묘 석관 덮개도 서수 등이 담긴 귀갑 연주문 도안으로 덮였다. 상서로운 신수나 인면이 담긴 원형 연주문 도안은 서아시아와 중앙아시아문화에서 기원한 것이다.

　이화묘와 세촌묘의 석관 좌우면에는 묘주의 승천도상을 그렸다. 이화묘의 석관 측면에는 검을 든 무사, 청룡 혹은 백호를 탄 신선, 천인, 괴수, 천록 등이 새겨졌다. 이화묘의 관 앞면에는 두 개의 문짝이 달린 대문과 대문 위에는 주작이 있고, 문 양쪽에 무사 각 1명이 지키고 서 있다. 석관 뒷면에는 주작, 현무, 천록을 그렸다. 관의 바닥 면에는 산악과 들짐승을 새겼다.

　이화묘와 세촌묘의 석관 도상은 승선도가 중심 주제이다. 무사의 보호를 받아 신선이 이끄는 천상을 향한 모습을 묘사한다. 이러한 석관에 새겨진 승선도상은 한대의 화상석관에서 이미 완성된 도상이다. 이화묘 석관의 외래문화 요소는 북조시기부터 유행한 서역문화를 반영한다. 당대에 가서는 이러한 승선사상이 묘도 입구의 청룡, 백호 벽화로 표현된다.

2) 당대 벽화묘

(1) 장락공주묘

　장락공주묘長樂公主墓는 섬서 예천에 위치한 단실전묘單室磚墓(643)로 묘도墓道, 5개의 천정天井(제5천정은 용도에 위치함), 4개의 과동過洞, 4개의 소감小龕, 용도甬道, 묘실墓室로 구성되었다. 묘 전체 길이는 48.18m이다. 벽화는 묘도에 청룡도, 백호도, 운중거마도, 의장행렬도이다. 제1, 2 과동 상단부에는 누각도樓閣圖, 제1, 2과동 동·서벽에 의위도, 남시도이다. 제1, 2 천정 동, 서벽은 의위도, 제3, 4천정 동, 서 양벽 소감小龕의 입구 좌우에 각 2명씩 남시도가

도 5 | 《문루와 의장도(모사도)》, 장락공주묘, 소릉박물관

있다. 제3, 4 천정의 네 모퉁이를 받치는 원형 목조 기둥에 연주화문이 있다.

용도 및 석문을 보면 제1석문 입구(외부) 동, 서벽에는 남시종, 제1석문 내부 동, 서벽은 사녀도 일부가 잔존한다. 제 2, 3석문 사이에 시녀도, 용도 천장(제1, 2석문 사이)에는 정방형의 천장 조정 안에 정면연화도가 있다. 묘실의 네 벽 벽화는 박락이 심하며, 궁륭형 천장에는 천상도가 있다(도5).

(2) 신성장공주묘

신성장공주묘新城長公主墓는 단실전묘單室磚墓(663)이며 묘도墓道, 천정 5개, 과동過洞 5개, 벽감壁龕 8개, 용도甬道, 묘실墓室로 구성되었다. 묘 전체 길이 50.8m이다. 묘도에는 청룡,

도 6 | 《시녀도》, 묘실 동벽, 신성장공주묘

백호 및 의장행렬, 문리門吏, 거마車馬, 가마, 내시도가 있다. 묘도 북벽 상단부는 누각도樓閣圖, 제1과동에 남시도, 제2-5과동에 시녀도가 있다. 천정에는 병기 걸개, 호위의장대열, 시녀도이다. 용도에는 시녀도가 있다. 묘실 각 벽면에 2개의 붉은 기둥을 그려 벽면을 세 개의 구획으로 나누어 시녀도를 그렸다. 궁륭형 천장에 천상도가 있다(도6).

도7 | 《시종도(모사도)》, 아사나충묘, 소릉박물관

(3) 아사나충묘

아사나충묘阿史那忠墓는 단실전묘單室磚墓(675)로 묘도墓道, 천정 5개, 소감小龕 2개, 과동過洞 5개, 용도甬道, 묘실墓室로 구성되었다. 묘 전체 길이 55m이다. 묘실과 용도 천장이 도굴꾼에 의해 무너져 과동만 보존되어 있다. 묘도에는 청룡(머리, 배 부분만 잔존), 백호(몸통 부분 잔존), 말, 낙타, 11인의 의장대열, 수레도가 있다. 과동의 동·서 양벽에 남녀시종들을 그렸으며 적색의 기둥으로 구분하였다. 제1과동 내, 외부에 남시 6명, 제2과동 동, 서벽에 남시종 각각 2명씩, 총 4명이 있다. 제3-5과동 동, 서벽은 남녀시종 각각 2명, 총 4명이다. 남녀시종의 자세와 들고 있는 기물이 조금씩 다르고, 복식은 유사하다.

제1천정 동, 서벽은 6극 병기걸개, 제2천정 동, 서벽은 각각 남시 2명씩 그렸다. 제3천정은 남녀시종 총 4명이 있으며, 제4천정 동, 서벽 정중앙 소감小龕에 남녀시종이 그려진 것으로 추정된다. 제5천정에는 남녀시종 총 6명이 그려졌다(도7).

(4) 영태공주묘

영태공주묘永泰公主墓는 쌍실전묘雙室磚墓(706)로서 묘도墓道, 천정天井 6개, 과동過洞 5개, 용도甬道 2개, 묘실墓室 2개(전실, 후실)로 구성되었다. 묘 전체 길이는 87.5m이다.

영태공주묘는 약 87.5m 길이의 묘도 내부와 전, 후실의 네 벽과 천장, 관에 채화가 있다. 벽화의 제제는 각기 다르지만, 화폭의 주제는 인물 위주이다. 전체 화면 배치를 보면, 앞쪽

도 8 | 《궁녀도(모사도)》, 전실 동벽, 영태공주묘

은 무사, 중간은 남녀시종, 전실은 시녀를 위주로 묘주를 시중드는 모습을 묘사하였다. 묘도 벽화는 동벽의 남쪽부터 무사, 청룡, 궐루가 있고 배경에 청, 주홍, 황색으로 구름을 그렸다. 서벽에는 무사, 백호, 궐루가 있다.

제1~2과동은 천장에 화초도안花草圖案, 제3과동은 천장에 18개의 보상화문, 제4~5과동은 천장에 운학, 제5과동은 동벽에 9명의 인물도 1폭이 있다. 제5과동부터 전실까지 도굴로 인해 진흙이 가득 차 있어 벽화 파괴가 심하다. 제5과동 천장 양끝에 평기도안이 있으며, 양벽에 인물, 화초花草, 석가산 등 각 한 폭의 벽화가 잔존한다. 제1~4천장에는 네 모퉁이에 기둥과 두공을 그렸다. 천정 동, 서벽 소감에도 인물화가 있다.

전실과 후실을 잇는 용도는 천장에 운학, 양벽에 인물, 화초, 석가산 등의 벽화가 비교적 잘 보존되어 있다. 전실은 벽화가 모두 8폭으로, 궁륭형 천장에는 천상도, 남벽은 남시 1명씩 2폭, 동벽은 총 9명(궁녀8, 남시1), 북벽은 궁녀 1명씩 2폭, 서벽은 총 9명의 궁녀군상이다.

후실(주실)의 궁륭형 천정은 천상도, 남벽 동쪽은 남시 1명, 서쪽은 5명의 궁녀와 남시도이다. 동벽 남북 부분은 7명의 궁녀군상이 대칭으로 그려졌다. 북벽 동쪽 부분은 약 6명의 악대이며 서쪽 부분은 3명의 인물형상이 보이지만 박락되어 희미하다(도8).

(5) 의덕태자묘

의덕태자묘懿德太子墓는 쌍실전묘雙室磚墓(706)로 묘도墓道, 7개의 천정天井, 6개의 과동過洞, 8개의 소감小龕, 2개의 용도甬道 , 2개의 묘실墓室(전실, 후실)로 구성되었다. 묘 전체 길이 100.8m이며 묘도, 과동, 천정, 전·후실 내에 벽화 약 40폭이 있다.

묘도에는 의장행렬(기마, 보병, 수레병), 청룡, 백호, 산수를 배경으로 망루望樓와 성벽이 그려졌다. 제1~2과동은 동, 서벽에 남시종 4명이 있고, 표범과 조련사가 그려졌다. 제3~4과동에는 동, 서 양벽에 총 7명의 내시와 시녀가 있다. 제6과동에는 동, 서벽에 궁녀 2명이 그려졌다.

제1~2천정의 동, 서 양벽은 대형 병기걸개 4개가 있으며, 각각의 선반에는 12칸의 극이 있

도9|《궐루도》, 묘도 서벽, 의덕태자묘

다. 제 3~4천정은 동, 서 양벽에 수레가 있다. 전, 후 용도 동, 서벽은 비파, 생활용기를 들고 있는 궁녀상이 그려져 호화로운 궁중 생활 장면을 표현하였다.

전실에는 당대 궁중의 일상을 묘사하여 동, 서벽 7명의 궁녀그림(잔, 촛대, 병 등 다양한 기물을 들고 있음)이 있다. 후실에는 동벽에 쟁반 든 궁녀를 선두로 나머지 8명 궁녀가 거문고, 비파 등 악기를 들고 있다. 궁륭식 천장에는 천상도가 그려져있다(도9).

(6) 장회태자묘

장회태자묘章懷太子墓는 묘도, 과동, 천정, 용도, 전실 및 후실로 구성되어 있다. 묘도는 사파식이고 길이는 20m, 너비는 2.5-3.3m이다. 과동과 천정은 각각 4개씩 있다.

벽화는 총 50여 폭이 있으며, 비교적 보존이 잘 된 편이다. 벽화의 내용은 청룡, 백호를 제외하고 출행, 객사客使, 의장儀仗, 마구馬球, 가무, 유희, 및 궁중의 시녀, 배신陪臣 등 모두 당대 황실의 궁중 생활 모습을 보여주고 있다. 벽화는 채색화로 그려졌으며, 색채가 선명하고 인물, 동식물, 산수 등은 모두 능숙한 솜씨로 생동감 있게 그려졌다.

묘도의 동서 양벽에는 각각 4개의 조로 된 벽화가 있다. 동벽에는 출행도, 객사도, 의장도와 청룡도가 있고, 서벽에는 동벽과 대칭적인 마구도, 객사도, 의장도, 백호도가 그려져 있다.

출행도는 40여명의 기마 인물, 낙타 2마리, 과수 5그루와 산악으로 구성되었다. 벽화는 먼저 북쪽에서 남쪽으로 질주하는 네 필의 말을 시작으로, 이어서 깃발을 든 기사의 뒤에는 좌우로 수십 개의 깃발이 있다. 중간에는 둥근 얼굴에 수염이 있는 인물들이 빽빽하게 그려져 있다. 큰 백마를 타고 있는 인물은 출행 중인 묘주의 모습으로 추정된다.

마구도馬球圖는 서벽에 있으며, 출행도와 대칭적이다. 모두 20여 필의 말이 있으며, 기마 인물은 모두 다양한 색의 소매가 좁은 옷을 입고 있으며, 검은색 장화를 신고 있고 머리에는 두건을 쓰고 있다. 마구를 치는 인물은 왼손에 고삐를 잡고 있고 오른손에는 격구채鞠杖를 들고 있다. 말의 뒤에는 고목과 중첩된 청산이 있다.

객사도客使圖는 동벽과 서벽에 각각 6명으로 구성되어 있다. 남쪽에서 북쪽 방향으로, 첫 번째 인물은 가죽 모자皮帽를 쓰고 있고, 둥근 얼굴에 수염은 없다. 둥근 옷깃의 회색 외투를 입고 있으며, 가죽 바지를 입고, 노란색의 가죽 장화를 신고 있다. 양손을 소매 속에 넣었다. 두 번째 인물은 북쪽을 향하고 있으며 반측면상이다. 타원형의 얼굴은 풍만하며, 눈썹은 또렷하고 입술은 붉다. 머리에는 고구려 사신으로 추정하게 하는 깃털이 달린 모자를 쓰고 있

도 10 | 《객사도(客使圖)》, 묘도 동벽, 장회태자묘

으며, 두 개의 새 깃털이 위를 향해 곧게 서 있다. 모자의 앞부분은 주홍색이고 양 옆 달린 녹색 띠가 얼굴 아래에 묶여있다. 귀는 띠 밖으로 나오고, 붉은 옷깃이 있는 흰색 장포의 옷자락에는 붉은 띠가 둘러져 있다. 허리에는 흰 띠를 두르고 있다. 세 번째 인물은 정면을 보고 있고, 둥근 얼굴에 대머리이고 짙은 눈썹, 높은 코, 깊은 눈, 큰 입을 가졌다. 자주색 옷을 입고 있으며 검은색 장화를 신고 있다. 두 손은 가슴 앞에 포개어 놓고 있다. 네 번째와 여섯 번째 인물은 서로 마주보고 서 있고, 다섯 번째 인물은 벽과 마주보고 있다. 세 인물은 모두 농관籠冠을 쓰고 있으며 긴 옷을 입고 있다. 네 번째 인물은 손에 홀笏을 들고 있다(도10).

의장도儀仗圖는 동서 양벽에 대칭적으로 그려져 있다. 모두 10명으로 구성된 의장도는 남쪽에서 북쪽으로 전개되며, 서벽의 첫번째 인물을 예로 보면, 둥근 얼굴에 긴 수염이 있고, 좁은 소매가 달린 긴 옷을 입고 있으며, 검은색 장화를 신고 있다. 왼쪽에는 활과 검을 차고, 오른쪽에는 화살통箭囊이 달려 있다.

과동의 벽화는 총 10개의 조組의 인물들로 구성되어 있다. 용도의 양벽에는 시녀와 시자가 그려져 있다. 시녀들은 머리를 높게 묶고 있으며, 긴 얼굴에 붉은 입술을 가지고 있다. 상의와 숄, 치마에 황색, 적색, 녹색 등을 번갈아 사용하였으며 운두화雲頭鞋를 신고 있다. 손에 든 쟁반에는 가산假山과 작은 나무, 과일 등을 담고 있다. 후용도後甬道의 시녀는 머리를 높게 묶고, 둥근 얼굴에 붉은 입술을 가지고 있으며, 두 손으로 작은 호미를 들고 앞의 대나무를 바라보고 있다.

전실의 벽화는 모두 8개의 조組의 인물들로 구성되어 있다. 서벽 남측에 위치한 한 조의 인물들을 예로 살펴보면, 세 명의 시녀와 새 두 마리, 나무 한 그루, 돌로 구성되었다. 나무의 남쪽에 있는 시녀는 얼굴이 긴 원형이고, 머리를 높게 묶고 있으며, 붉은 숄을 두르고 녹색

긴 치마를 입고 있으며, 운두화를 신고 있는데, 날아가는 새를 바라보고 있다. 나무의 북쪽에 위치한 인물은 긴 원형 얼굴이고, 노란색 상의와 치마를 입고 있다.[18]

(7) 아스타나 38·216·217호묘

신강 투루판 아스타나 묘지에서 발굴된 성당-만당기 벽화묘로서 투루판 아스타나 38호묘, 투루판 아스타나 216호묘, 투루판 아스타나 217호묘 등이 있다. 아스타나 38호묘는 전후 이실묘이며 묘실 후벽에 육선병풍식 수하인물도가 있다. 전실 천정 네 모서리에 운문과 비학, 동쪽에 동자기학童子騎鶴, 묘실 궁륭에는 28수二十八宿와 월륜月輪이 표현된 천상도天象圖가 있다. 달 안에는 계수나무 아래에 옥토끼가 절구를 들고 있고, 좌측에 두꺼비가 그려졌다. 십이생초十二生肖 도용陶俑도 출토되었다. 후벽의 육선병풍식 수하인물도는 매선每扇 세로 길이가 약 140㎝, 가로 약 56㎝이다. 자색紫色으로 테두리를 그리고 매폭에 등나무 덩굴이 얽힌 큰 나무를 배경으로 복두幞頭를 쓰고 포대袍帶를 입은 주요인물이 그려져 있다. 인물들은 시종들에 둘러싸여 앉거나 혹은 선 채로 대화를 나누고 있다. 한 인물은 매를 조련하고 있어 장안 당묘 벽화의 수렵도에 보이는 왕공대신의 수렵활동의 주제와 연관된다. 전실 동벽에 "西州高昌安西口鄕 / 君諱師字文 / 量溫雅實 / 民口東口"라는 묵서사행墨書四行이 쓰여 있다.

아스타나 216호묘는 후벽에 세로 140㎝, 가로 71㎝의 육선병풍식 감계도를 그렸다. 제1폭과 제6폭에는 의기欹器 등의 기물을 그리고, 제2, 3, 4폭에는 가슴과 등에 '옥인玉人', '금인金人', '석인石人'의 글자가 쓰인 남자상을 각각 1인씩 그렸다. 이러한 형식의 유교적 인물감계도는 장안의 당묘唐墓를 포함하여 7-8세기 벽화 고분에서는 찾아보기 어려운 주제이다.

아스타나 217호묘는 후벽에《육선병풍식 화조도》를 그렸다. 중경의 백합, 난, 수선화를 배경으로 근경에는 원앙, 물오리, 꿩 등을 그렸다. 원경에는 붉은 구름 사이로 솟은 산봉우리들과 그 위를 V자 형태로 날아가는 새들을 그렸다. 좌우 3폭의 새들이 중앙을 향하여 서로 마주 보고 있다. 새들의 동작이 어색하고 배경의 꽃의 묘사도 자연스럽지 못하여 다음에 살펴볼 지화에 그려진 화조도에 비하여 솜씨가 떨어진다.

18　陝西省博物館, 乾縣文敎局唐墓發掘組, 「唐章懷太子墓發掘簡報」, 『文物』1972年 7期, pp. 13-25.

(8) 아스타나 187 · 188 · 230호묘

1972년 신장위구르자치구박물관과 투루판문물보관소吐魯番文物保管所가 아스타나 무덤군 동남단에서 당대唐代 서주西州 호족豪族 가문인 장씨張氏가족묘원을 발굴하였다. 그 가운데 187호묘에서 위기사녀도圍碁仕女圖, 188호묘에서 목마도牧馬圖, 230호묘에서 무악도의 채회견화가 발견되었다(도11). 모두 사파묘도가 달린 평정토동묘平頂土洞墓이다. 이미 도굴을 당하여 시신과 부장품이 교란되었다. 230호묘는 주실 문 입구에 쌓인 모래 속에서 나무틀에 표구된 무악육선병풍도가 출토되었다. 화면은 두 명의 무기舞伎와 네 명의 악사樂士를 그렸다. 각 폭에 한 명씩이며 좌우를 향하여 선 자세이다. 대부분의 그림이 훼손되고 한 폭의 그림(47×20㎝)이 완전하게 남아 있는데 고계高髻의 머리를 하고 이마에 화전花鈿장식을 한 무녀가 화려한 화문이 장식된 백색 상의에 적색 치마를 입고 우아한 자태로 서 있다. 남 · 북이실 밖에서 출토된 세사암질묘지細砂巖質墓志에 의하면 묘주는 장예신張禮臣(655~702)으로 생전에

도 11 | 《위기사녀도(圍碁仕女圖)》, 아스타나 187호묘

상주국上柱國 관직을 가진 장군으로 활동하였으며 장안 2년長安二年(702) 11월 21일에 사망하여 장안3년長安三年(703) 정월正月 10일에 입장入葬하였다. 장예신은 1910년에 발굴된 아스타나 501호묘의 묘주 장회적張懷寂의 아들이다. 장회적은 692년(장수원년長壽元年) 안서사진安西四鎭을 수복한 부원사副元師였다. 장회적묘에서는 니인니마泥人泥馬, 채회무사니용彩繪武士泥俑 등 장회적의 생전 전공을 상징하는 부장품들이 나왔다. 장회적의 아버지인 장웅의 무덤인 아스타나 206호묘도 진묘무사 목용과 견의 여용으로 잘 알려져 있다. 장예신묘의 하한은 부장품의 기록에 근거하여 721년(개원9년開元九年)이다. 장예신묘 견화의 무악여인상은 가냘픈 모습이 섬서陝西 서안西安 집실봉절묘執失奉節墓(현경3년顯慶三年, 658) 벽화의 무녀舞女, 아스타나 206호묘(수공연간垂拱年間, 685~688) 출토의 여자무희용과 복식 및 형식면에서 유사하다. 장회적의 가족묘에서 나온 견화 속 인물은 장씨 가문에 속하는 인물을 그렸을 가능성이 있고, 견화는 해당 지역 화공에 의하여 만들어졌을 가능성이 있다.

(9) 카라호자 50호묘와 105호묘

1969년 발굴된 신강 투루판 카라호자 50호묘의 화조병풍도는 세로 140㎝, 가로 205㎝로 크기가 다른 몇 장의 종이를 연결하여 만들어 벽에 부착하였던 것으로 3폭으로 구성되었다. 묵선으로 새의 윤곽을 그리고, 채색을 더하였다. 산석은 선묘가 유려하고, 담묵과 담홍색으로 일종의 준을 가하였다. 근경에 바위와 풀, 중경에 꽃을 배경으로 한두 마리의 새와 나비를, 원경에는 구름을 배치한 형식이 아스타나 217호묘의 화조도와 거의 같다. 다소 조잡한 217호묘의 벽화에 비하여 카라호자 50호묘의 지화는 화조, 수목, 암석의 대소비례가 알맞고 구성과 배치가 적절하며 화면에 생기가 있다. 카라호자 50호묘는 565년에 축조되었으며, 피장자는 장덕회張德淮이다. 무덤이 일찍 도굴되었기 때문에 화조도가 고창국高昌國 시기(450~640)에 원래 있던 것인지 또는 도굴자에 의해 당묘의 지화가 이 무덤에 들어오게 된 것인지는 명확하지 않다.

아스타나 105호묘 출토 화조도는 세로 29.5㎝, 가로 13.5㎝로 1968년 발굴되었다. 서너 장의 종이를 이어서 만든 한 폭의 화조도로 상하 두 부분으로 나눈다. 상단에는 한 쌍의 원앙이 입에 꽃가지를 물고서 몸을 교차한 채 만개한 연화 위에 서 있다. 하단은 한 쌍의 원앙이 아래쪽을 향해 날고 있다. 원앙의 주변은 화초와 채운이 둘러싸고 있다. 유려한 묵선으로 윤곽을 그리고 녹, 청, 적색으로 화려하게 채색을 하였다.

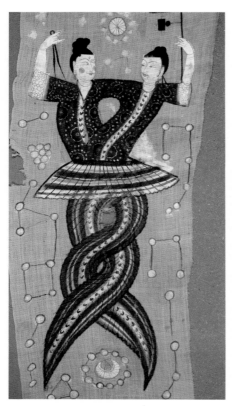

도 12 | 《복희여와도》, 아스타나 76호묘

(10) 아스타나와 카라호자 당묘의 복희여와도

신강 투루판 고창고성高昌故城 부근의 아스타나와 카라호자묘지에서 발견된 복희여와도는 대략 40점 정도가 출토되었으며 현재 공개 작품 수는 32점으로 알려져 있다. 복희여와도가 발견된 아스타나묘는 국씨고창국鞠氏高昌國시기에서 당 서주西州시기의 묘이다. 복희여와도의 재질은 견과 마로 구별된다. 바탕색은 청, 황, 원래의 비단색 등 세 가지이다. 일반적으로 나무못을 사용하여 묘실 천장에 걸고 화면은 아래로 향하게 한다. 소수의 복희여와도는 접혀진 채 사자의 옆에 놓여 있었다. 한 기의 고분에서 1점에서 3~4점이 같이 발견되기도 한다. 대개 길이가 2m를 넘지 않으며 너비는 1m 정도이다. 상단은 넓고 하단은 좁은 형태가 많다. 화면 중앙에는 인신사미人身蛇尾 형태의 복희와 여와가 그려진다. 하반신이 얽힌 횟수는 1회에서 6-8회까지 다양하다. 복희·여와의 상하에는 일월을 그리고, 주위에 성신을 그렸다. 하단의 남녀사미男女蛇尾의 결합형식과 교차횟수, 그리고 손의 자세에 의해 구분하기도 하며, 얼굴의 묘사나 일월의 표현에서 보이는 화풍상의 특징으로 중국풍과 서역풍으로 나누기도 한다(도12).

(11) 희종 정릉

서안西安 당18릉唐十八陵 가운데 가장 늦게 지어진 정릉靖陵은 당唐 희종僖宗 이현李儇(862~888)의 능묘陵墓(888)로서 대부분의 당의 제왕릉이 발굴이 되지 않은 가운데 고고발굴이 된 유일한 당릉이다. 의종懿宗 이최李漼의 다섯 번째 아들로 당 18대 황제이며 재위는 873년에서 888년까지이다. 문덕원년文德元年 3월 6일(888년 4월 20일) 27세에 장안에서 죽었으며 익호謚號는 혜성공정효황제惠聖恭定孝皇帝이다.

산을 이용하여 능을 만들지 않고 봉토를 쌓아 능을 만든 경우이다. 봉토의 높이는 7m이다. 능의 잔존 석각은 화표 1쌍, 익마 1쌍, 석사 1쌍이다. 여러 차례 이미 도굴을 당하였으며

1995년 섬서성문물국陝西省文物局에서 발굴을 하여 당대의 유일하게 발굴된 제릉帝陵이 되었다. 정릉은 묘도, 용도, 묘실로 구성되었으며 100여 건의 부장품이 출토되었다. 수차의 도굴로 묘의 파괴가 심하여 원래의 벽화도 반 이상 사라졌다.

남아있는 벽화는 시위도侍衛圖, 집극무사도執戟武士圖, 십이생초도十二生肖圖 등이다. 현재는 섬서성고고연구소 소장이다. 『중국출토벽화전집』에 실린 시위도(높이 210㎝, 너비 110㎝)는 묘도 서벽에 보행步行하는 의위儀衛 13인 가운데 2명으로 검은색 첨정관尖頂冠을 쓰고 적색赤色 원령포삼圓領袍衫을 입고 궁낭弓囊을 허리에 차고 있다. 보존상태가 가장 좋은 집극무사도는 용도 동서 양벽에 한 명씩 그려져 있다. 적색 상의에 흰색 바지를 입고 손에 긴 극을 들고 서 있으며 얼굴에 훈염법으로 음영을 표현하였다.

도 13 | 《십이생초도(말)》, 희종 정릉

십이생초는 용도, 묘실의 벽감에 그려졌다. 말의 도상은 넓은 소매의 긴 두루마기를 입고 허리에 넓은 띠를 매고 두 손을 가슴 앞에 올려 홀을 들고 있다. 백색으로 십이지상의 바탕을 칠하고 그 위에 검은 색과 밝은 적색으로 윤곽선을 그렸다. 당대 벽화에서 드물게 보이는 십이생초 도상의 예이다(도13).

III. 당대 묘장의 등급제도와 벽화의 주제

1. 구조와 등급제도

당대 묘장의 형식과 구조의 발달은 크게 5기로 구분된다. 단계별 주요 묘장형제墓葬形制는 제1기(618~657, 고조, 태종, 고종시기) 경사진 긴 묘도를 가진 토동묘斜坡墓道土洞墓와 전실묘塼室墓, 제2기(658~710, 고종 후기, 무측천, 중종시기) 쌍실전묘雙室塼墓와 단실전묘單室塼墓, 제3기(710~748, 예종睿宗, 현종玄宗 개원開元시기) 단실전묘와 단실토동묘單室土洞墓, 제4기(748~809, 현종 천보, 숙종肅宗, 덕종德宗시기) 단실토동묘, 제5기(809년~당말) 수정묘도묘竪井墓道墓이다.

초당의 신성장공주묘, 장락공주묘, 혜장태자묘는 긴 경사진 묘도에 여러 개의 천정을 가진 단실전묘單室塼墓이며, 위귀비묘, 방릉대장공주묘, 영태공주묘, 의덕태자묘 등은 경사진 묘도에 여러 개의 천정을 가진 쌍실전묘雙室塼墓이다. 중당의 당안공주묘唐安公主墓는 단실전묘이다. 만당의 희종 정릉은 경사진 묘도를 가진 단실토동묘로 구조상 간소화된다.

당대 묘장의 관상棺床은 석石관상, 전塼관상, 토土관상 등이 있다. 관상의 평면은 장방형으로, 남, 북, 서 삼면과 묘실 벽이 접한다. 석관상과 전관상은 동측 입면에 대개 호문壺門장식이 있다. 석관상은 태자, 공주와 삼품이상관원이 사용한 최고급 장구葬具로서 장락공주묘, 단간벽묘, 장사귀묘, 위지경덕묘, 신성공주묘, 방릉공주묘, 이풍묘, 절민태자묘 등에서 사용하였다. 전관상은 당대 가장 흔히 보는 관상 형식으로서 평면은 장방형이 가장 많다.

당묘 묘실의 입구를 폐쇄하는 봉문封門의 형식은 전塼봉문이 가장 흔하다. 당묘의 건축 구조물 가운데 대개 보존이 가장 잘 되어있는 석묘문石墓門은 문비門扉, 문주門柱, 문액門額, 문미門楣, 문침門砧, 문한門限으로 구성되었다. 일부 묘의 석묘문에는 주작, 문리門吏, 서수瑞獸 등이 감지선각減地線刻기법으로 새겨졌다. 묘주 품급에 따른 등급 제한의 예가 없으나 삼품이상 귀족계층이 주로 사용하였다. 비용이 많이 들고 제작이 쉽지 않아 묘장의 사치스러움을 증명한다. 석문의 사용자의 신분은 태자, 공주가 가장 많아 석관상과 등급 범위가 일치한다.

당대 묘장은 등급제도에 따라서 구조상의 분기와 비슷하게 5기로 나누어지기도 한다. 제1기 고조, 태종시기(618~649), 제2기 고종, 무측천시기(650~705), 제3기 중종, 예종, 현종시기(706~741),

제4기 현종 천보에서 덕종시기(741~805), 제5기 덕종말년에서 당말(805~907)이다(표 1).[19]

표 1 | 당대 묘장 등급제도에 따른 분기[20]

		封土	陵园	石刻	墓葬 構造	石葬具	俑数
1기	特級	覆頭形	8개土闕	石人, 石羊, 石虎, 石柱 各2	單室磚墓, 5個以上天井, 2個以上小龕	石門, 石棺床	100件以上
	三品以上	圓錐形 위주	無	石人, 石羊, 石虎, 石柱 各2	單室磚墓, 4個以上天井, 2個以上小龕	石門	90
	五品以上	圓錐形	無	文献記載 4件獸	單室土洞墓, 天井과 小龕은 비교적 적음	磚封門, 磚棺床	60~50
2기	特級	覆頭形	8개土闕	石人, 石羊, 石虎, 石柱 各2	單室磚墓, 5個以上天井, 3個以上小龕	石門, 石棺床	120件以上
	三品以上	圓錐形, 像山形	無	石人, 石羊, 石虎, 石柱 各2	單室磚墓, 雙室磚墓, 5個以上天井, 2以上小龕	石門, 石棺床 (개별 石棺도 존재)	120件左右
	五品以上	圓錐形	無	未發見, 文献記載 石獸4件	單室土洞墓, 雙室土洞墓, 二室3個天井, 2個小龕	磚封門, 磚棺床 (石棺墓門을 사용하는 경우도 있음)	70
3기	特級	覆頭形	有	石狮, 石人, 石柱	雙室磚墓	石門, 石槨, 玉册	600件以上
	三品以上	圓錐形, 像山形	無	石人, 石羊, 石虎, 石柱 各2	雙室磚墓, 單室磚墓	石門, 石棺床(石槨)	90
	五品以上	圓錐形	無	未發見, 文献記載 石獸4件	單室磚墓, 單室土洞墓, 3個以上天井, 2個以上小龕	磚封門, 磚棺床	60
4기	特級	覆頭形	雙重垣墙	石狮, 石人, 石柱 各2	單室磚墓	石門, 石棺槨, 玉册	600件以上
	三品以上	圓錐形	無	文献記載 石人, 石羊, 石虎, 石柱 各2	單室磚墓, 4個以上天井, 3個以上小龕	石門, 石棺床	70
	五品以上	圓錐形	無	未發見, 文献記載 石獸4件	單室土洞墓/刀形墓	磚封門, 磚棺床	40
5기	特級	覆頭形	有	이미 파괴됨	單室磚墓	石門, 磚棺床	不明
	三品以上	圓錐形	無	石人, 石羊, 石虎, 石柱 8件(文献記載)	單室土洞墓/ 竪井墓道墓	不明	100件以下
	五品以上	圓錐形	無	未發見, 文献記載 石獸4件	單室土洞墓/ 竪井墓道墓	不明	70

---

19 程義, 『關中地區唐代墓葬研究』, 文物出版社, 2012, pp.77~85, 104~107, 334~337.

20 程義, 위의 책, 표28~32.

벽화묘의 전체 규모는 신분등급에 의해 정해지는데 신룡神龍2년(706) 매장한 최대급 묘인 의덕태자懿德太子 이중윤묘李重潤墓는 전장全長 100.8m의 전후前後 이실묘二室墓이며, 천정 7개, 과동 6개, 소감 8개이다. 같은 해에 매장한 영태공주묘는 전장全長 87.5m이며, 천정 6개, 과동 5개, 소감 8개이다. 장회태자 이현묘의 전장은 71m이고, 천정 4개, 과동 4개, 소감 6개로 구성되었다.

2. 당묘 벽화의 주제와 내용

당묘 벽화의 주제와 내용은 의장儀仗, 수렵狩獵, 궁정생활宮廷生活과 가거생활家居生活, 예빈禮賓, 종교宗教, 건축建築, 사신四神, 성상星象 등으로 분류한다. 리싱밍李星明은 관중지역 당대 황실 벽화묘의 도상을 첫째 저택 혹은 궁정 안팎의 정경을 묘사한 현실적인 도상계통, 둘째 우주도상과 승선昇仙, 길상吉祥방면의 도상계통으로 나누었다. 현실 도상계통은 묘문에서 묘실까지 목조가옥 구조를 그리고, 그 안에 호위 의장대, 병기 걸개, 문리, 출행의장, 시녀 또는 궁녀, 내시, 악무의 장면을 그렸다. 가거생활과 출행도가 전경식 화권을 이룬다. 두 번째 도상은 묘실 남북 양벽의 주작과 현무, 묘도 동서 양벽의 청룡과 백호, 서조瑞鳥, 선인, 십이지상 등이다.[21] 십이지상은 수대와 초성당 벽화묘에는 보이지 않으며 안사의 난 이후 당희종 정릉 등에 출현한다.

당묘 벽화의 풍격은 당 고조 무덕武德과 당 태종 정관貞觀시기 발전하기 시작하여 고종高宗과 무측천武則天시기에 이미 북조北朝벽화의 영향을 탈피하고 전형적 특징을 형성하고 개원開元, 천보天寶 시에 완성된다.

수바이宿白는 관중지역 24기 중요 당대 벽화묘의 벽화 배치와 내용에 기반하여 5단계로 당묘의 발달을 구분하여 이후 연구의 기초를 마련하였다.[22] 수대에서 초당기의 벽화고분은 주로 장안지구를 중심으로 축조되었다. 제1단계는 고조에서 태종 중기로 정관4년 이수묘(630)가 있다. 이수는 고조 이연의 종제從弟로서 정관4년(630) 사망하였다. 이수묘는 석문과 석곽이 설치된 전축묘로서 4개의 천정, 과동이 있다. 벽화는 출행도, 수렵도, 농경도, 연락

21　李星明, 앞의 논문, p.123.

22　宿白, 「西安地區的唐墓壁畫的佈局和內容」, 『考古學報』, 1982年 第2期, pp.137~154. 당묘 벽화의 분기와 연구사는 周天游, 앞의 책, pp.4-5.

도, 주방도 등 남북조 벽화묘에 보이는 묘주 생전 생활장면이 주를 이루며, 불교사원과 도교 사원의 가람을 묘사한 장면이 있다. 이수묘에서는 당대에 새롭게 출현하기 시작한 화제가 등장하는데 극가戟架를 동반한 보위의장도保衛儀仗圖이다. 극가는 수대부터 삼품 이상 관원의 문에 세운 것이다. 이수묘는 제4천정 동서벽에 각 7극戟, 합하여 14극을 묘사하였다. 이수묘 벽화는 16국과 북조, 수대 벽화묘의 벽화 주제가 존속되어 당대 벽화의 풍격이 아직 형성되기 전이다.

제2단계에서는 당대 벽화의 특징이 출현하기 시작하였다. 당고종과 무주시기로 아사나충묘, 집실봉절묘, 정인태묘 등이 있다. 653년의 아사나충부부묘에서 675년 이풍묘李風墓까지 해당된다. 이수묘와 벽화 배치가 완전히 다르며 벽화 배치가 일원화되어간다. 집실봉절묘, 정인태묘, 소정방묘, 아사나충묘, 이적묘 등은 당 초기 무훈을 세운 장군들의 묘로서 벽화 내용이 풍부하게 남아있다.

초당 벽화묘의 벽화 구성은 묘도에 청룡과 백호가 묘문을 향하여 배치되어 신수神獸가 전체 고분 공간을 이끄는 형식을 갖춘다. 청룡과 백호 이후의 공간은 묘도와 묘실 모두 당시의 가옥의 목조건축을 회화적으로 재현하였으며 인물상을 일정한 간격으로 배치하여 생활공간을 재현하는데 중점을 둔다. 위진남북조시대 묘실 후벽에 그려지던 묘주좌상은 사라지고 인물은 주로 의장대열과 남녀시종과 같이 입상으로 표현된다. 묘도 벽화는 저택의 문외門外의 풍경을 표시하고 묘실 벽화는 저택의 내실內室을 표시하면서 하나의 긴 두루마리 형식으로 간결하게 정리된다. 묘도에는 저택 문외의 의위儀衛, 거車, 마馬, 극가戟架 등의 내용이 그려진다. 묘실은 저택과 정원을 묘사하였고 그 사이에 시종侍從, 여악女樂 등을 배치하였다. 묘실 천장에는 은하와 성수星宿를 그려서 별의 운행을 표시한 천상도天象圖가 묘사된다. 이 단계 벽화는 당대 벽화 배치의 전형적 특징을 보여주기 시작한다.

제3단계는 706-729년으로서 의덕태자묘, 영태공주묘, 장회태자묘 등이다. 황족의 묘는 많은 천정과 과동이 있고 전축의 묘실은 전실과 후실로 구성되며 석곽, 석문이 설치되었다. 초당에는 묘도 동서 양벽에 청룡과 백호가 그려지다가, 개원 연간부터는 벽화묘 묘실 남북 양벽에 주작, 현무가 첨가되어 완전한 사신도가 나타난다. 이는 성당 이후 나타나는 우주도상의 중요한 변화이다.[23]

---

23 李星明, 앞의 논문, p.110.

묘도에 청룡과 백호, 의장대열, 수렵, 건축이 그려지고, 용도와 묘실에는 묘주를 시중드는 남녀시종들이 무리를 이루어 서있다. 묘주 등급이 비교적 낮은 경우는 목조구조를 모방한 것이 묘도까지 확대되며 인물자태가 더욱 생동감 있고 배경이 풍부해진다. 묘주가 태자, 공주 등 등급이 비교적 높은 경우 출행도가 유지되고, 유락遊樂제재가 증가한다. 장회태자묘의 수렵도는 부감의 시점으로 그렸으며 질주하는 기마인물군이 생동감 있게 묘사되었다. 장회태자묘의 수렵도와 출행도의 배경의 산수 수석은 이 시기의 산수화의 발달을 잘 보여준다. 장회태자묘의 사절도는 당 장안을 찾아온 외국사절들을 그렸는데 사신들의 복식과 얼굴 표현이 사실적이며 토번吐番과 한국韓國에서 온 사절도 포함하고 있다. 성당 벽화에는 화조화가 자주 그려지며 병풍화가 유행하는 것도 특징이다. 병풍화에는 수하인물도가 많이 그려지는데 중국 당대에 성행한 나무 아래에 인물을 배치한 그림으로 인물이 여성일 때는 '수하미인도'라 한다.

제4단계는 730~805년으로 천보연간天寶年間에서 덕종연간德宗年間이며, 이 단계는 2, 3단계에 형성된 특징이 비교적 크게 변화하여, 목조구조 모방이 감소하며 벽화에서 출행의장대가 보이지 않고 묘주인상과 악무도가 출현한다. 또한 절선折扇 병풍화가 유행한다. 묘실 남북 양벽에 주작과 현무를 그린다. 제5단계는 헌종憲宗 원화연간元和年間에서 당말唐末까지 (806-907)이다. 벽화가 간략해지면서 인물형상이 감소한다. 묘실 서벽에 6폭 병풍을 그리며, 만당 도교의 성행과 유관한 운학雲鶴 인물화 병풍이 많다.

당묘 벽화의 인물도의 발달은 4기로 구분하기도 한다. 고조에서 고종시기(618~683), 무측천에서 예종시기(684~712), 현종시기(712~756), 숙종肅宗에서 당말까지(756~907)이다. 제1기 초당묘의 인물화는 남북조 만기와 수의 인물화에서 발전한 것이다. 초당의 사녀 형상은 동감이 결핍되고 순박하고 강건하게 묘사되어 다음에 오는 '무주풍격武周風格'의 사녀 형상과 차이가 난다. 제2기는 무측천시기(684~705)와 중종과 예종시기(705~712)로 나눈다. 무측천시기 인물의 특징은 '무주풍격'이라 하는데 사녀상의 신체가 가늘고 길어지면서 동작에는 율동감이 강조되고 선조가 유려해진다. 제3기는 이전 시기의 사녀가 삼곡 형태에 장신이었던 반면, 성당에 이르면 사녀의 조형이 농려풍비濃麗豊肥하게 변화한다. 제4기는 당말까지로 묘실 구조가 단순화하면서 벽화를 그릴 화면이 대량으로 축소된다. 벽화는 의장, 극가는 많이 보이지 않고, 지도패검持刀佩劍의 무사도 크게 감소하며, 남녀시자, 문리, 무악舞樂, 병풍이 주요 제재가 된다.

당대 묘실 안에 발견되는 석곽에는 선각화가 새겨져 있는데, 관중지역 수당묘 가운데

608~756년의 150년 사이에 27개의 선각 석곽이 발견되었다. 정인태묘, 방릉장공주묘, 계필명묘, 이중윤묘, 이현묘, 이선혜묘, 위형묘, 금향현주묘, 아사나회도묘, 무혜비武惠妃묘 등이며 선각의 주제는 화조화와 사녀화이다.

또한 당묘 내의 석문에 새겨진 선각화들도 있다. 대개 문미門楣에는 권운문과 산악문 배경위에 쌍주작이 새겨지고 문선門扇에는 문리, 서수 등을 감지선각減地線刻 기법을 사용하여 그렸다. 영하회족자치구의 염지 6호묘의 석묘문 문비에는 두 명의 남성의 호선무 도상이 새겨져 있다.

당대 벽화가 아닌 견화絹畵, 지화紙畵, 마화麻畵의 사례는 건조한 기후의 신강 투루판지역에서 여러 점 발견된다. 투루판 출토 견화는 아스타나 230호묘(장예신묘張禮臣墓)의 무악도舞樂圖, 아스타나 187호묘의 귀족부녀의 위기사녀도圍棋仕女圖, 아스타나 188호묘의 목마도牧馬圖가 있다.[24] 지화紙畵는 아스타나 105호묘의 화조도, 카라호자 50호묘의 화조도 등이다. 신강 투루판 고창고성高昌故城 부근의 아스타나와 카라호자묘지에서 발견된 복희여와도도 잘 알려져 있다.

중당 및 만당에 이르러서는 안록산·사사명의 난 이후 당이 쇠퇴기에 접어들면서 벽화묘의 축조가 줄어든다. 당 후기의 제릉과 배장묘 벽화의 사례로는 1995년 조사에서 벽화가 확인된 섬서 건현乾縣 불철향佛鐵鄕 남릉촌南陵村 당唐 희종僖宗 정릉靖陵(888)이 있다. 희종 정릉은 규모가 작으며 의장儀仗의 문무관文武官을 묘사한 벽화도 생기가 없는 형식적인 내용으로 당묘 벽화의 쇠퇴를 잘 보여준다.

---

24 金維諾·衛邊, 「唐代西州墓中的絹畵」, 『文物』, 1975年 10期; 李征, 「新疆阿斯塔那三座唐墓出土珍貴絹畵及文書等文物」, 『文物』, 1975年 10期, pp.89~90; 王曉玲·呂恩國, 「阿斯塔那古墓出土屛風畵硏究」, 『文物』, 2015年 2期, pp.42~44.

IV. 섬서 동관 세촌묘를 통해 본 수대 벽화묘의 특징

1. 수대 벽화묘의 개관

현재까지 발굴된 수대(581~619) 묘장은 약 500여기이며 관중지역은 약 120여기, 수대 도성이었던 현재의 섬서 서안지역에는 80여기로 알려져 있다.[25] 그 가운데 벽화와 화상전 등이 발견된 수대의 묘장은 약 30여기 정도이다. 비록 짧은 기간 동안 존속하였으나 상당한 수로 남아있는 수대의 묘장은 남북조와 당대의 묘장에 비하여 아직 충분한 관심을 받지 못하였다.

수대에 북방지역묘에는 벽화가 그려진 반면, 남방지역의 묘는 화상전으로 장식되었다. 북방지역의 벽화묘는 약 15기로, 섬서 9기, 영하, 감숙, 산서, 하남 북부, 산동에 각 1기 등이다. 남방지역 화상전묘는 약 15기로서 하남 남부, 안휘, 호북, 호남, 강서, 절강 등에 흩어져 분포한다.[26]

수대에 남방과 북방지역의 묘장 건축은 남조와 북조의 전통을 이어서 지역적으로 특징이 다르다. 수대 남방 화상전 장식의 전실묘는 대부분 장방형 묘실이며 부분적으로 용도, 묘도가 있다. 묘실 내에는 모제화상전模製畵像磚으로 장식을 하였다.

모인화문을 사용한 전실묘는 한대 이래 남방지역에 유행하였으며, 남경, 단양 등에서 발견된 남조의 묘장에 많이 보이는 형식이다. 수대 남방의 전실묘에서 유행한 화상전 장식 풍습은 당대 초기 묘장까지 지속된다. 묘실 화상전의 내용은 남조 시기에는 죽림칠현과 출행의장류가 중심이었으나 수대에는 사라진다. 이는 남북 통일이 되면서 남조 제왕릉묘를 장식하던 죽림칠현의 주제가 사용이 금지되었기 때문일 가능성이 있다.[27]

북방지역에는 벽화묘가 기본적으로 지속이 되며 북조에서 유행한 사파묘도다천정斜坡墓

---

25 본 절은 박아림, 「섬서 동관세촌묘를 통해 본 수대 벽화묘의 특징」『동양미술사학』, 12, 2021, pp.129-162 을 재수록하였음. 수대 묘장의 개관과 연구사에 대해서는 石文嘉, 『隋代墓葬的考古學研究』 南開大學 博士論文, 2014. 관중지역 수대묘장의 분포에 대해서는 劉呆運, 「關中地區隋代墓地分佈研究」, 『考古與文物』 2015年 5期.

26 수대 벽화묘와 화상전묘의 목록은 趙超, 「試論隋代的壁畵墓與畵像磚墓」, 『考古』, 2014年 1期, 附表.

27 전형적인 수대 화상전의 주제는 模印花紋磚으로 四神과 天上仙界를 표현한 湖北武昌隋代磚室墓에서 볼 수 있다. 趙超, 위의 논문, 2014年 1期.

道多天井의 토동묘土洞墓와 전실묘磚室墓의 두가지 형식을 보인다. 기본적으로 단실묘이며 사파묘도斜坡墓道, 천정天井, 과동过洞, 용도甬道, 묘문墓門, 정방형 묘실墓室로 구성된다. 다음에서는 북방지역의 벽화묘 가운데 2013년 상세한 발굴보고가 단행본으로 출간된 섬서陝西 동관潼關 세촌稅村 수묘隋墓를 사례 연구로 선택하여 구조와 벽화 및 석관 선각화를 살펴본다.[28] 세촌묘와 비교할 수 있는 수대 벽화묘와 석장구 출토묘로는 섬서성陝西省 삼원현三原縣 쌍성촌雙盛村의 수隋 이화묘李和墓(수개황이년隋開皇二年, 582),[29] 산동山東 가상현嘉祥縣 양루촌楊樓村의 서민행묘徐敏行墓(수개황사년隋開皇四年 584),[30] 서안성西安城 양가장梁家莊의 이정훈묘李靜訓墓(608), 영하寧夏 고원固原 남교향南郊鄕 소마장촌小馬莊村의 사사물묘史射勿墓(수대업육년隋大業六年, 610),[31] 감숙甘肅 천수시天水市 석마평문산石馬坪文山의 천수시天水市 병풍屛風 석관상묘石棺床墓, 산서山西 태원太原 진원구晋源區 왕곽촌王郭村의 우홍묘虞弘墓(592)[32] 등이 있다. 본 논문에서 사례연구로 택한 세촌묘는 이전의 남조지역의 모인화문을 사용한 수대의 전실묘와는 그다지 많은 영향관계가 보이지 않기 때문에 수대 관중지역에서의 묘장미술에 국한하여 논의를 전개함을 미리 밝힌다. 세촌묘를 중심으로 수대 묘장의 구조와 벽화 주제, 석제 장구와 선각화를 북조 묘장의 전통의 지속과 당대 묘장으로의 계승, 그리고 통일 이후의 융합과 복고적 특징을 중심으로 살펴보고자 한다.

28　陝西省考古研究院, 『潼關稅村隋代壁畵墓』, 文物出版社, 2013; 陝西省考古研究院, 「陝西潼關稅村隋代壁畵墓線刻石棺」, 『考古與文物』, 2008年 3期; 陝西省考古研究院, 「陝西潼關稅村隋代壁畵墓發掘簡報」, 『文物』, 2008年 5期; 李明, 「潼關稅村隋代壁畵墓石棺圖像試讀」, 『考古與文物』, 2008年 3期; 邵小莉, 「陝西潼關稅村隋代壁畵墓研究—兼論隋唐墓葬藝術源流」, 中央美術學院 碩士論文, 2010; 邵小莉, 「隋唐墓葬藝術淵源新探—以陝西潼關稅村隋代壁畵墓爲中心」, 『文藝硏究』, 2011年 1期; 楊效俊, 「潼關稅村隋墓石棺與隋代的正統建設」, 『唐史論叢』, 2016年 2期; 李莉, 「陝西潼關稅村隋代壁畵墓線刻畵像石棺昇仙圖試探」, 『中國美術學院』, 2014年 72期.

29　付珺, 『隋李和墓研究』, 中央民族大學 碩士論文, 2013, pp. 36~38; 楊波, 余穎, 「李和墓石棺蓋上的伏羲女媧線雕」, 『美術大觀』, 2009年 10期; Patricia Eichenbaum Karetzky, "The Engraved Designs on the Late Sixth Century Sarcophagus of Li Ho," *Artibus Asiae*, Vol. 47, No. 2(1986), pp. 81~106.

30　嘉祥縣文物管理所, 「山東嘉樣英山二號墓隋墓淸理簡報」, 『文物』, 1981年 4期; 山東省博物館, 「山東嘉祥英山一號隋墓淸理簡報—隋代墓室壁畵的首次發現」, 『文物』, 1981年 4期.

31　羅豊, 「寧夏固原史射勿墓發掘簡報」, 『文物』, 1992年 10期.

32　山西省考古研究所, 「太原隋代虞弘墓淸理簡報」, 『文物』, 2001年 1期.

2. 세촌묘의 구조와 벽화 및 석관

1) 묘장 구조와 벽화

2005년 섬서성陝西省 동관현潼關縣 고교향高橋鄉 세촌稅村 북쪽에서 발견된 남향의 대형 벽화묘로 전체 평면은 정"갑"자형묘"甲"字形이다(도14). 묘의 전체 길이는 63.8m이다. 사파묘도, 7개의 과동过洞, 6개의 천정天井, 4개의 벽감壁龕, 용도甬道와 정원형묘圓形 평면의 묘실墓室(남북 길이 5.72m, 동서 너비 5.914m, 높이 5.6m)로 구성되었다.[33] 제6, 7번 과동 좌우 양측에 대칭으로 벽감을 만들었다. 용도 북쪽의 묘실문은 묘실 남벽 정중앙에 위치한다. 묘실 천장은 이층의 궁륭정이며 내층 천장의 높이는 5.6m, 외층 천장의 높이는 8.4m이다. 4개의 벽감 내에서 250여 건의 부장품이 발견되었다. 진묘무사용과 진묘수 각 한 쌍으로 총 4건, 기마용騎馬俑 48건(갑기구장용甲騎具裝俑 11건, 기마고취용騎馬鼓吹俑 36건), 입용立俑 118건, 축금畜禽 40건, 모형명기模型明器 6건 등이다. 묘실 중앙에 화려한 장식의 화상석관이 발견되었다. 묘도, 과동, 천정, 용도, 묘실 네 벽에 모두 벽화가 있다. 묘도 동서 양벽의 벽화 주제는 출행의장도로 묘주인의 생전 출행대열을 보여준다(도15). 묘도 양벽에 홍색 선을 가로로 긋고 화면을 상하로 나눈 뒤, 벽화는 하단에만 그렸다. 동서 양벽의 출행의장도는 대칭의 배치로 각각 7조의 인

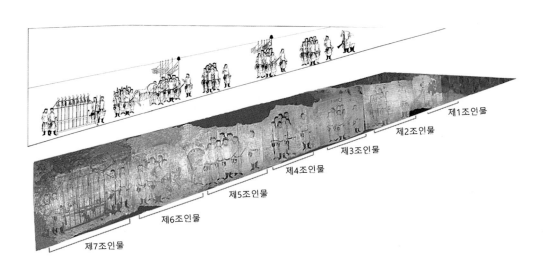

도 14 | 《출행의장도》, 묘도 동벽, 세촌묘

---

33 趙超, 앞의 논문, 2014年 1期.

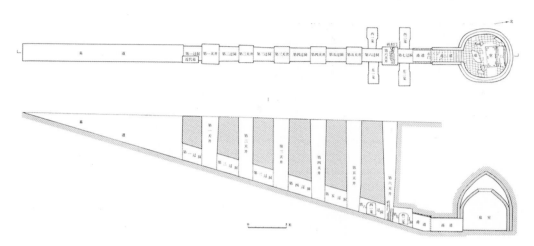

도 15 | 《평면도와 부면도》, 세촌묘

도 16 | 《열극도》, 묘도 동벽, 세촌묘

물군으로 구성되며, 각 조는 독립적으로 배치되었고, 그 사이에 공백이 있다. 동벽과 서벽에 각각 인물 46인, 열극列戟 1가架, 말 한 마리를 그렸다(도16). 묘도의 인물은 모두 남성이며 인물의 복식이나 도열하고 선 자세 등이 기본적으로 같다. 윗부분이 낮고 평평한 흑색 복두幞頭를 쓰고 있으며, 비교적 긴 건각巾角은 위로 향하게 하여 머리 위에서 묶었다. 원령직금착

도 17 | 《누각건축도》, 묘도 북벽, 세촌묘

수삼圓領直襟窄袖衫을 입고 흑색 허리띠를 매었으며 아래에는 바지를 입었다. 허리띠에 기물을 차고 있으며 손에 병기를 들고 있다.

묘도 동벽의 의장대열 제1조는 2인으로 구성된 집궁도執弓圖이다. 제2조는 8인으로 구성된 집궁도이다. 모두 단령직금착수삼을 입고 손에는 궁을 들고, 허리에는 주머니와 활집을 차고 있다. 제3조는 경기도擎旗图로 8명의 인물이 있다. 제4조는 집궁도로 8명의 인물이다. 제5조는 8명의 인물로 구성된 경기도이다. 제6조는 견마도로 8명의 인물이 있다. 제7조는 열극도로 1개의 극가와 4명의 인물로 구성되었다. 서벽의 의장대열은 순서와 인물의 수가 동벽과 같다.

묘도 북벽, 즉 제1과동의 남구南口의 상방에는 쌍층누각식 건축을 그렸다(도17). 천정의 저부에는 동서 양벽에 시위를 그리고 용도에는 주홍색으로 목조가옥 구조를 그려 묘주가 생전 거주하던 가옥을 표시하였다. 과동 천장은 파괴되어 벽화가 훼손되었다. 용도의 공형정拱形頂에는 주홍색 화문을 그렸다. 천정 양벽에는 시위도상이 남아있다.

묘실 네 벽의 벽화는 이미 전부 탈락하였다. 묘실 지면에서 채집한 벽화 편으로 보아 묘실 네 벽은 주홍색 목조가옥 구조를 그리고, 기둥 사이에 각각 시녀 형상을 그렸을 것으로 추정된다. 묘실 천장에는 은하수를 그렸다.

2) 화상석관

세촌수묘에서는 거대한 화상석관畵像石棺(전체 높이 1.42m, 전체 길이 2.90m)이 나왔는데, 청회색 석회암으로 만들었으며 관의 덮개, 앞면, 뒷면, 좌우면, 바닥면의 여섯 부분으로 구성되었다. 관 표면에는 천감지음선각淺減地陰線刻기법으로 다양한 도상과 장식문양을 새겼다(도18).

세촌묘의 석관의 형식은 북위시기에 유행한 앞이 높고 넓으며 뒤는 낮고 좁은 형태이다. 덮개는 사방 연속 귀갑 연주 서수문으로 덮여있고 좌우 석관은 묘주부부의 승선도이고, 전후

 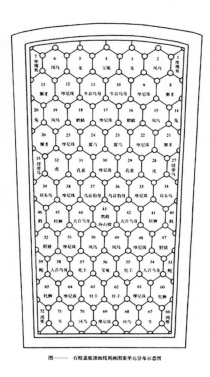

圖一── 石棺盖板頂面线刻画图案单元分布示意图

도 18 | 《귀갑 연주 서수문》, 석관 덮개, 세촌묘

석판은 현무도와 주작도로 구성되었다.

사다리꼴 평면의 석관 덮개(전체 길이 2.91m, 서쪽 너비 1.40m 동쪽 너비 1.14m)를 장식한 사방 연속 귀갑 연주 서수문은 상하 13단에 걸쳐서 총 84개의 귀갑문이 있다(도19). 귀갑문의 각 꼭지점은 육엽 정면 연화문으로 연주문으로 서로 연결되어 있다. 각 단 정중앙의 귀갑문 안의 장식문은 위에서 아래로 보병寶甁, 마니주摩尼珠, 앵무

도 19 | 《석관 복원도》, 세촌묘

와 해석류海石榴, 보병, 마니주 등의 순서이며 불교적 상서를 상징하는 것으로 본다. 정 중앙의 귀갑문 좌우에는 28종의 총 56마리의 상서로운 금수禽獸가 대칭으로 배치되었다. 마갈어摩竭魚, 봉조鳳鳥, 용龍, 해치獬豸, 우수조신서수牛首鳥身瑞獸, 토토兔, 기린麒麟, 익마翼馬, 수대조綬帶鳥, 호虎, 공작孔雀, 쌍두조雙頭鳥, 조수표신서수鳥首豹身瑞獸, 학鶴, 모사牡獅, 견수조신서수犬首鳥身瑞獸, 야저野猪, 모양牡羊, 우牛 등이다.

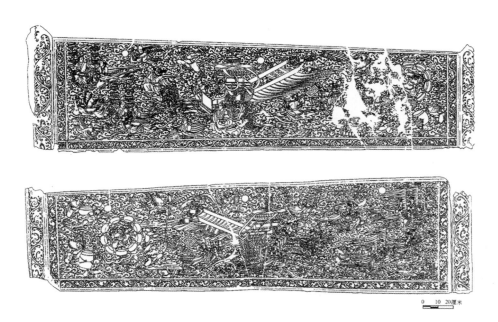

도 20 | 《청룡, 백호, 선인거가출행도》, 석관 좌우면, 세촌묘

　세촌묘의 석관의 앞면과 뒷면에는 현무와 주작이 모두 원형 구도를 이루며 당당하고 탄력 있는 몸체로 묘사되었다. 석관의 앞면에는 일월도상과 날개가 달린 괴수문이 문액 중앙에, 그리고 두 마리의 용이 하늘에서 내려오는 형상으로 문액의 양옆에 배치되었다. 화면 중앙에는 두 개의 석문비가 있고 문 외측에는 문리가 한 명씩 서 있다. 문리는 평건책을 쓰고 교령광수포를 입었다. 문 앞에는 한 마리의 주작이 날개와 꼬리를 들어 원형의 구도를 이루며 크게 새겨져 있다(도20).

　문 아래에는 두 마리의 사자가 측면상으로 묘사되었다. 문 위에는 두 마리 주작이 마주 보고 있으며 그 사이에 날개가 달린 괴수가 얼굴만 보인 채 묘사되었다. 괴수의 얼굴 위에는 해와 초승달의 도상이 그려져 있어 이채롭다.

　석관의 뒷면 석판에는 현무와 역사가 새겨져 있다. 얼굴을 마주 보며 다투는 뱀과 거북의 머리 사이로 이국적인 모습의 역사(?)가 칼을 어깨 위로 빼어 들고 있다(도21).

　석관의 좌우측 석판은 묘주부부의 승선도로 본다. 석관의 좌측 석판(화폭 길이 2.70, 머리 부분 높이 0.81, 다리 부분 높이 0.68m)은 머리와 다리 부분이 도굴로 인하여 훼손되었는데 특히 다리 부분의 손상이 심하다. 세 부분으로 구성된 선인거가출행仙人車駕出行의 선각화가 새겨졌다. 가장 앞에는 신수를 탄 두 명의 지절선인持節仙人과 한 명의 봉훈로선인捧熏爐仙人이 출행 대열을 이끌고 있다. 중간에는 네 마리의 용이 이끄는 격거格車에 탄 한 명의 남성이 있고 수

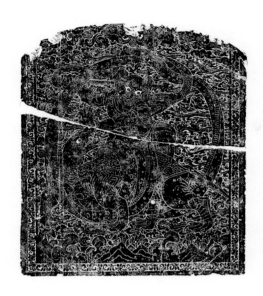

도 21 | 《현무와 역사도》, 석관 뒷면, 세촌묘

도 22 | 《주작도》, 석관 앞면, 세촌묘

레의 앞뒤로 동물을 타거나 혼자서 하늘을 나는 등 다양한 모습의 선인들이 묘사되어 있다.
신선이 16명, 악기를 연주하거나 지물을 든 역사가 8명이 출현한다(도22).

　석관의 우측 석관의 선각화(너비 2.70, 머리 부분(서쪽) 높이 0.81, 다리 부분(동쪽) 높이

0.69m)는 좌측 석관의 그림과 구도와 내용이 유사하다. 봉훈로선녀棒薰爐仙女가 가장 앞에서 행렬을 인도하고 화면의 중앙에 귀부인이 탄 격거格車 한 대가 있고, 그 주위를 선녀 12명이 호위하고 있다. 그 외 분건역사奔建力士 3명, 취각역사吹角力士(풍백風伯) 3명, 경산역사擎山力士 2명, 격고역사擊鼓力士(뇌공雷公) 3명, 부고역사負鼓力士 2명 등이다. 석관 바닥면 외측에도 연주문 테두리 안에 마니보주와 여러 마리의 서수들(기린, 사자, 봉황, 표범, 코뿔소, 양 등)이 새겨져 있다.

3) 묘장의 조성시기

해당 지역 주민들에게 '양가총楊家塚'으로 불려온 세촌묘는 원래 농지 안에 위치하여 지면에 봉토, 묘비, 석각 등의 표시가 없었으며 도굴을 심하게 당하여 부장품이 거의 남지 않았다. 도굴로 인하여 묘주의 유골은 영성하게 남았으며 감정 결과 30-55세의 남성으로 추정한다. 묘지가 출토되지 않아 발굴 초기에는 초당시기의 묘로 보기도 하였으나 수대와 당대 묘장의 구조와 부장품의 양식적 차이에 근거하여 수대의 묘로 본다. 수대와 당대 묘장의 구조상의 차이점으로는 수대 묘장의 용도 입구는 묘실 남벽 정중앙에 위치하며, 묘장 형태는 "갑甲"자형이다. 또한 묘실 북부에 동서 방향으로 장구를 설치한다.

한편 당대 묘장의 용도 입구는 묘실 남벽에 동쪽으로 치우쳐 위치하며, 묘장 형태는 정丁 "도파刀把"형이 된다. 또한 묘실 서부에 남북 방향으로 석곽 혹은 관상을 배치한다. 따라서 용도 입구가 묘실 남벽 정중앙에 위치하며 "갑"자형 묘실 형태를 가진 세촌묘는 수대 묘장의 특징적 구조를 보여준다.

부장품면에서도 수대의 특징이 분명하다. 세촌묘 출토 부장용은 대부분 이미 발견된 수묘들에서 나온 부장용들과 같다. 세촌묘 출토 소형기마용과 서안 서교의 나달묘羅達墓(수개황16년隋開皇十六年, 596) 출토 "홍기마용紅騎馬俑"은 규격 등이 완전히 같은데, 이러한 종류의 기마용은 북제묘와 수묘에서 출토되며 당묘에는 보이지 않는다. 세촌묘의 일부 소관용과 군졸용은 서안 남교 이유묘李裕墓(수대업원년隋大業元年, 605)와 이적李勣부부묘(수대업5년, 609) 출토 용과 일치한다. 동물용을 포함한 일부 부장 도용은 서안 남교 송호묘宋虎墓(수개황5년隋開皇五年, 585) 출토 용과 같은 계통의 모형으로 제작되었다. 부장품 기물 가운데 도모형陶模形 명기明器조합은 중형 이상의 수대 묘장에서 자주 보이나, 당묘에서는 드물다. 따라서 세촌묘는 묘장 구조와 부장품의 특징으로 보아 수대의 묘로 추정한다.[34] 이상으로 세촌묘의 구조와 벽화, 석관 선각화에 대해서 정리하였고 다음에서는 수대의 중요 벽화묘 또는 선각 석관이 발견된 묘의 구조와 벽화 주제, 석제 장구와 선각화를 살펴본다.

3. 세촌묘의 성격

1) 수대 벽화묘의 구조와 벽화 주제

(1) 구조

수대 북방지역에는 북조에 이어서 벽화묘가 기본적으로 지속이 된다. 수대 벽화묘는 규모가 비교적 크며 고위계층에서 이용한 묘장형식이다. 묘의 구조는 북조에서 유행한 사파묘도다천정의 토동묘, 또는 전실묘이다. 일반적으로 묘도, 사파묘도, 천정, 과동, 용도, 묘문, 정방형 묘실로 구성되었으며 기본적으로 단실묘이다. 벽면에는 대개 큰 폭의 채색 벽화가 있는데 몇 기의 벽화묘를 제외하고 벽화가 많이 탈락하여 거의 남아 있지 않다.

또한 수대 묘장에는 석제 관곽과 석묘문을 사용하였다. 『수서隋書』에 나오는 황제가 수여한 석곽에 대한 기록으로는 이목李穆의 사후死后에 "諡曰明. 賜以石槨, 前後部羽葆鼓吹, 輼輬車"라고 하여 나라에서 하사한 동원비기東園秘器로서 석곽을 사용하였음을 알 수 있다.[35] 세촌묘, 이화묘, 이정훈묘 등에서도 석관을 장구葬具로서 사용하였다. 이들 수대 석관은 한위진남북조 이래의 전통을 계승한 복고적 형태를 갖고 있다.[36]

수대의 중요 벽화 또는 석각 묘 가운데 세촌묘는 묘의 규모나 석관의 크기가 크고 여러 개의 천정을 가지고 있어 가장 대형의 묘이다. 세촌묘는 6개 천정과 7개 과동이 있으며, 전체 길이 63.8m, 깊이 16.6m이며 묘실 길이와 너비가 거의 6m이다.

세촌 벽화묘와 구조와 크기가 비슷한 대형묘장인 이화묘와 비교하면 두 묘 모두 묘전墓前 석각이 있으며, 천정의 개수는 세촌묘는 6개, 이화묘는 5개이다.[37] 세촌묘의 석관의 길이는

34　陝西省考古研究院, 앞의 책, 2013, pp.134~135.

35　『隋書』卷三十七 列傳 第二 李穆.

36　楊效俊, 앞의 논문, pp.189~203.

37　陝西省 三原縣 雙盛村에서 발견된 李和墓(隋開皇二年 582)는 단실토동묘로서 길이 37.55m의 사파묘도에 5개의 천정이 있다. 용도 입구는 묘실 남벽 정중앙이다. 묘실의 크기는 길이 3.75-4m, 너비 3.6m, 높이 약 4m이다. 『北史』와 『周書』에 기재되어 있는 隋延州總管使持節上柱國德廣郡開國公(正一品) 李和는

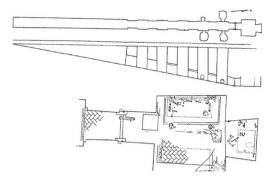

도 23 | 《평면도와 부면도》, 북주 무제 효릉

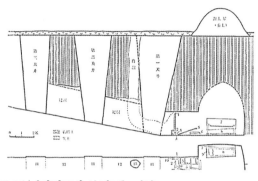

도 24 | 《평면도와 부면도》, 이화묘

2.9m, 후자는 2.5m이다. 구조상으로는 차이가 있어 세촌묘는 전실묘磚室墓, 이화묘는 토동묘土洞墓이다(도23). 이화묘와 같은 수대의 토동묘로는 사사물묘가 있는데, 다천정사파묘도토동묘多天井斜坡墓道土洞墓로서 각 2개의 천정, 과동, 소감이 있다.

세촌묘와 같은 전실묘로는 서민행묘와 우홍묘가 있다. 서민행묘는 사파묘도 토동전실묘斜坡墓道土洞磚室墓이고 석묘문이 있으며 묘도가 비교적 짧다. 같은 형식의 북조묘장은 산서山西 북제北齊 고적회락묘庫狄迴洛墓, 하북河北 북제北齊 요준묘堯峻墓 등인데 묘주가 일품一品의 고급관원들이다. 서민행은 정오품正五品 가부시랑駕部侍郎으로서 본인의 관직 등급을 넘어서는 묘장을 축조한 것으로 보인다. 우홍묘는 사파묘도, 용도와 묘실로 구성된 남향의 전실묘이며 서역계통의 인물과 주제가 새겨진 가옥형 석곽이 묘실 내에 안치되었다.

세촌묘의 구조상의 특징은 북제와 북주 묘장의 특징을 다 갖고 있다는 점이다. 세촌묘의 다천정, 과동, 벽감이 달린 묘도 형식은 사파묘도와 여러 개의 천정과 과동이 있는 북주의 대형과 중형묘장들과 유사성이 높다. 섬서성陝西省 함양시咸陽市 위성구渭城區의 북주北周 무제武帝 효릉孝陵은 5개의 과동과 천정이 있고, 제4, 5번 천정 양측에 벽감을 설치하였다(도24). 효릉은 세촌묘와 크기도 비슷한데, 세촌묘의 총 길이는 63.8m, 효릉은 69.4m, 세촌묘의 묘도 너비는 2.36m, 효릉은 2.8m, 세촌묘의 묘실 깊이는 16.6m, 효릉은 13m이다. 그러나

북위, 서위, 북주에서 수에 이르기까지 네 왕조에 걸쳐서 관직을 지낸 북조시기 관중지역 功臣 貴族이다. 이화묘의 묘장 구조와 장구 형식은 모두 국가 예제 아래서 만들어진 것으로 여겨진다. 묘주 이화는 북방 邊鎮의 夏州, 현재의 산서와 섬서지역에서 태어나고 활동하여 북방초원 유목민족과 밀접한 관계를 가진 인물로 여겨진다. 付琉, 앞의 논문, pp.36~38.

효릉은 전축묘실이 아니며 북주에는 전실묘가 드물다. 세촌묘는 위치가 북주의 영토에 속하나 북주의 묘실 축조 방식과는 차이가 있다.

한편 동위·북제 묘장에서는 천정이 달린 묘도가 드물다. 동위·북제의 고급 묘장 가운데 산서山西 태원太原 북제北齊 누예묘婁叡墓(570)와 산서山西 태원太原 서현수묘徐顯秀墓(571)에서 천정이 출현하지만 형식이 통일되지 않았다. 하북河北 자현磁縣 만장灣漳 북제묘北齊墓(560), 누예묘와 서현수묘는 모두 장사파묘도에 천정을 설치하지 않거나 하나의 천정만 있다.

세촌묘는 다천정단실묘와 석관의 형식, 도용 등 묘장구조와 부장품 면에서 북주 전통을 계승한 동시에 부분적으로 동위·북제묘의 특징도 가지고 있다. 북주묘는 벽화가 발달하지 않았기 때문에 세촌묘의 대형전실묘 구조에 대량으로 장식한 벽화는 북주 고급묘장의 특징과 부합하지 않는다. 세촌묘의 묘실의 건축 방식은 석문이 달린 호방형궁릉정전실묘弧方形穹隆頂磚室墓로서 동위·북제 묘장의 건축 전통을 따른다. 동위·북제 묘장은 동위東魏 여여공주묘茹茹公主墓(550), 만장묘, 하북河北 자현磁縣 고윤묘高潤墓(576), 누예묘, 서현수묘, 고적회락묘厙狄廻洛墓 등을 포함하여 모두 호방형전실묘이다. 북주묘장은 절대다수가 토동묘이다. 세촌묘가 위치한 동관현은 북조 만기에는 북주에 속하는 지역이었으나 중국을 통일한 수대 미술에 보이는 복고와 융합의 기조를 고려하면 기존의 북주와 북제 묘장의 구조와 형식을 모두 융합하여 동관세촌묘를 축조하였을 가능성이 있다.

(2) 벽화

수대 벽화묘 가운데 벽화가 비교적 잘 남아있는 예는 세촌묘, 서민행묘, 사사물묘 등이며 북조묘의 벽화의 주제와 배치를 계승하였다. 북조의 묘주 중심의 생활풍속도 주제는 서민행묘 묘실 벽화에서 찾아볼 수 있다. 서민행묘는 묘실 네 벽에 묘주부부 연락도宴樂圖, 비기출행도備騎出行圖, 출유도出遊圖 등이 있고, 궁릉형 천장에는 천상도天象圖가 그려져 있다. 세촌묘의 묘실 벽화는 목조가옥과 시녀의 그림만 일부 남아있어 어떠한 주제가 묘실에 그려졌는지 복원하기 어렵다. 이화묘는 묘실 내에 수목산수도가 그려져 있다.

북조대에 출현한 묘도 양벽에 그려진 의장대열도儀仗隊列圖는 만장대묘가 대표적이며, 수대에 와서는 세촌 벽화묘로 계승되었다.[38] 수·당대 고분의 묘도, 과동과 천정 동서 양벽은

---

38 북조벽화의 의장출행에 대해서는 서윤경, 「중국 北朝 시기 儀仗出行의 재현과 祭儀」, 『미술사논단』 39, 2014, pp. 7~35.

도 25 | 《열극도》, 여여공주묘

대체로 호위의장대 · 극가戟架 · 문리門吏 등의 도상이 그려져 있다.

세촌묘의 출행의장도는 좌우 양벽 대칭 구도이며 동서 양벽에 각각 46인의 인물과 한 마리의 말과 하나의 극가가 그려졌다. 인물들은 7조로 나뉘어 집궁도와 경기도 형식으로 교차 배치하였다. 각 조를 이루는 인물들의 모습에서 개성이 두드러져 보이지는 않으나 얼굴과 몸의 세부 표현에서 북제 묘도 벽화의 뛰어난 인물화 표현을 잇는 숙달된 필력이 엿보인다.

삼품 이상 관원의 문에 세우는 극가戟架에서 극의 수는 등급에 따라 차별이 있으며 묘주의 지위를 표현하는 도상이다. 열극도의 수는 동위 여여공주묘(550)의 12개(도25), 당唐 이수묘李壽墓(631)의 14개, 의덕태자묘懿德太子墓(706)의 24개, 절민태자묘節愍太子墓(710)의 18개, 혜장태자묘惠莊太子墓(724)의 18개, 영태공주묘永泰公主墓(706)의 12개 등이 있다. 당묘 벽화에서 황제급의 열극 24개가 그려진 의덕태자묘를 제외하고 다른 묘에서는 엄격하게 제도를 준수하여 열극도를 그렸다.[39]

한편 세촌묘의 출행의장도에서도 북주와 동위·북제의 특징이 혼합되었다. 세촌묘의 열극도는 여여공주묘, 만장대묘와 같은 업성鄴城지역 동위·북제 벽화묘의 주제이다. 그러나 업성지역 벽화묘 묘도의 의장대의 선두에는 청룡, 백호가 있으며, 행렬의 상단에는 각종 신금서수가 있는데 이는 세촌수묘에서 보이지 않는다.

세촌묘의 의장대열도의 제3조와 제5조 인물들이 들고 있는 류기旒旗는 서현수묘 벽화에서도 보인다. 보행의장대 뒤에 배치된 한 마리의 안마鞍馬와 각 인물조 사이에 간격을 둔 것도 서현수묘와 같은 북제 진양晉陽지역의 특징이다.[40]

세촌묘 과동에서 용도의 동서 양벽에는 주홍색으로 목조 가옥 구조를 그리고, 천정 저부 양벽에는 한 명의 의도의위儀刀儀衛인물이 있다. 영하寧夏 고원固原 이현묘李賢墓 묘도, 과동, 천정 양벽에는 대칭으로 10폭의 의도儀刀 도는 포도의위抱刀儀衛의 인물이 그려져 있다. 영하寧夏 고원固原 우문맹묘宇文猛墓 제5천정 저부 동벽에도 한 폭의 의도의위儀刀儀衛 인물이 남아있다. 서안西安 안가묘安伽墓 제3, 4천정 양벽 저부에도 대칭으로 배치된 의도무사儀刀武士인물이 있다. 서안 사군묘史君墓 제5천정 양벽 저부에 있는 인물도 많이 훼손되었으나 의위도로 보인다.[41]

세촌묘 묘도 북벽인 제1과동 입구의 상방에는 쌍층누각식 건축도가 있다. 세촌묘의 문루도는 배치와 형식에서 북주의 문루도를 계승한 것이다. 묘도 후벽, 용도, 과동 위에 문루를 부조로 장식하는 방식은 동한 시기 이미 서북지역에 출현하고 문루를 벽화로 그리는 것은 북조 만기에 출현하는데 주로 북주의 관할 지역에 집중된다. 동위·북제묘에서는 문루도를 보기 드물다. 북조 만기 고분에서 이렇게 문루를 그리는 방식은 수당 벽화묘에 계승된다.[42]

북조 벽화묘의 문루도의 예는 산서山西 흔주시忻州市 구원강九原崗 북조北朝 벽화묘壁畵墓

39 李星明, 「關中地域 唐代 皇室壁畵墓의 도상연구」, 『미술사논단』 23 (2006), pp.101~124; 李星明, 「列戟圖 상과 등급제도」, 『唐代墓室壁畵硏究』(陝西人民美術出版社, 2006), pp.156~159; 박아림, 「당대 고분벽화의 주제와 변천」, 『넓고 깊게 보는 당대 미술』, 민속원, 2020, pp.89~104.

40 倪潤安, 앞의 논문, 2016年 11期.

41 倪潤安, 위의 논문, 2016年 11期.

42 秦浩, 『隋唐考古』, 南京大學出版社, 1996, pp.404~406; 李星明, 앞의 논문, pp.101~125.

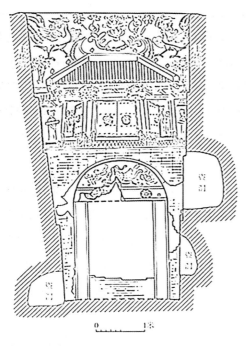

도 26 | 《문루도》, 구원강묘

묘도 북벽의 사공斜栱과 쌍주식雙柱式 두공斗栱 문루도(도26),[43] 영하寧夏 고원固原 북주北周 이현묘李賢墓(569) 제1과동 입구 상방과 용도 입구 상방에 쌍층문루도, 제2, 3과동 입구 상방의 단층문루도, 질라협묘叱羅協墓(북주北周 건덕삼년建德三年, 574)의 과동의 각 루도 등도 있다.

수·당대 벽화묘의 문루도는 수隋 사사물묘史射勿墓(610)의 제1·2과동 남구南口의 문루와 연화도,[44] 섬서 서안 근교의 당 이수묘(630)의 제1과동 남쪽 출입구의 정면 5칸의 이층 누각도, 장락공주묘長樂公主墓(643)의 묘문 상부의 정면 세 칸의 단층문루도, 제1천정 북벽의 이층문루도 등이 있다. 그 외 신성장공주묘新城長公主墓(663), 위귀비묘韋貴妃墓(666), 영태공주묘(706), 의덕태자묘(706), 절민태자묘(710), 혜장태자묘(724), 이헌묘李憲墓(742) 등에 그려졌다.[45]

세촌묘는 과동, 용도 양벽에 주홍색으로 목조가옥 구조를 재현하였다. 이현묘 묘도와 천정 양벽, 묘실 사벽, 안가묘安伽墓(579) 천정, 사군묘 천정, 강업묘康業墓 묘실에도 홍색의 테두리를 그려 목조가옥 구조를 표현하였다. 전홍묘田弘墓에 관목棺木이 놓인 후부실後附室에도 간단한 목구건축량주木構建築樑柱를 그렸다. 세촌묘의 목조구조를 모방한 벽화는 주로 북주에서 연원한 것이다.[46]

세촌묘에서 묘도 중간을 홍색 선으로 가로로 나눈 것도 북주 묘장을 계승한 것으로, 이현묘, 전홍묘田弘墓, 독고장묘独孤藏墓, 왕덕형묘王德衡墓, 왕사량묘王士良墓, 우문통묘宇文通墓 등

43 上海博物館 編,『壁上觀 - 細讀山西古代壁畫』, 北京大學出版社, 2017.

44 寧夏回族自治區固原博物館, 羅豊 編著,『固原南郊隋唐墓地』, 文物出版社, 1996.

45 寧夏回族自治區固原博物館 編, 앞의 책, 도 1~26, 27, 41, 42; 李星明,『唐代墓室壁畫研究』, 陝西人民美術出版社, 2006, 도 1~44, 45; 秦浩 앞의 책, pp.404~406. 李星明, 앞의 논문, 2006, pp.101~125.

46 倪潤安, 앞의 논문, 2016年 11期.

북주묘장에 보이며 동위·북제묘에서는 드물게 보인다. 이러한 홍색의 가로띠는 초당 벽화묘의 란액闌額, 료첨방撩簷枋과 입주立柱 등 영작목구影作木構의 연원이다. 세촌묘의 묘도 양벽의 홍색 가로띠, 과동 상방의 문루도, 용도, 묘실의 목조구조도는 당대唐代의 "묘장침실화墓葬寢室化"경향을 예시한다. 세촌묘는 북주묘장의 기초 위에서 업성鄴城, 진양晉陽지역 동위·북제 묘실벽화의 영향을 받았다고 볼 수 있다.[47]

2) 세촌묘의 석관과 선각화

(1) 북조-수·당대 석제 장구의 발달

수대묘에 보이는 석관과 석당 형식의 석장구는 한대 이래 출현하여 당대까지 지속적으로 사용되었다. 북조-수대에는 황족과 고급관원의 묘장에서 석관곽, 석관상, 석병풍 및 석묘문 등 석제 장구를 사용하였다.

장의용 석관은 동한대 서남지역, 특히 사천과 중경지역에 많이 출현한다. 한대 사천지역 석관의 도상은 도교의 승선과 유가의 세속도덕 제재를 혼합하였다. 석관의 사면에 사신四神 등의 부조를 새겨 하나의 소우주를 형성하고 석관의 머리 부분에 문을 새겨 천문을 상징하였다. 잘 알려진 사천四川 노산蘆山의 왕휘王暉석관(동한東漢 건안建安17년, 212)은 앞면에는 선동仙童과 천문天門, 뒷면에는 현무, 좌우면에는 청룡과 백호 도상을 천부조 기법으로 새겼다.

북위에 와서는 낙양지역에서 효문제의 한화정책 이후 석관이 대표적 장구로 다시 유행하였다. 북위 화상석관은 30여 구가 있으며 사신 도상 외에 도교의 승룡乘龍의 승선昇仙 도상과 유교의 효자 도상과 수목, 산석, 가옥 등 현실 제재를 추가하여 내용이 풍부해진다. 낙양박물관 소장의 낙양洛陽 상요촌석관上窯村石棺은 앞면에는 문리, 마니보주, 주작도가, 뒷면에는 효자고사와 산석수림도, 양측판에는 청룡, 백호와 묘주부부, 그리고 승선을 인도하는 선인을 산수도 가운데 그렸다. 관 덮개 내면에는 일월을 새기고, 관의 바닥면에는 청룡, 백호, 수두獸頭, 연화, 신수神獸를 새겼다.

북주 시기의 이탄묘李誕墓(564), 장정묘張政墓(572), 곽생묘郭生墓(576), 필루환묘匹婁歡墓 등에서도 석관이 발견된다. 석관의 사면에는 사신을 새겼으며, 관 덮개의 도상과 앞면 도상에서 세부적 차이가 있다. 장정묘 석관 덮개는 연화를 음선각陰線刻으로 새겼다. 곽생묘 석관은

---

47 邵小莉, 앞의 논문, 2011年 1期.

관 덮개에 일월을 든 인수금신人首禽身의 복희, 여와를, 관 앞면에는 문, 장도문리杖刀門吏와 주작을, 관 바닥의 앞면에는 육인주악도六人奏樂圖를 새겼다. 필루환묘 석관의 덮개에는 인수사신人首蛇身의 복희, 여와, 좌측판에는 역사와 용, 토끼 등이 그려졌다.

석관은 북위에서 북주, 수에 이르기까지 발달하나, 수대 이후에는 석관의 사용이 드물어지거나, 소형화되어 사리용기로 변화된다.[48] 5-7세기 묘장의 석장구의 발전에서 세촌묘 석관의 형태는 유행 시기를 지나 소멸하게 되는 단계의 예라고 할 수 있다.

당대에는 주로 가옥형 석곽의 형태로 석장구가 유행하며 관중지역의 608~756년 사이의 수당묘 가운데 27구의 선각 석곽이 발견되었다. 장회태자묘, 영태공주묘, 무혜비묘武惠妃墓 등 당대 석곽 선각화의 주제는 주로 화조화와 사녀화이다. 당대의 선각 석장구에는 석문石門과 묘지墓誌도 있다. 석문 문미門楣에 권운문과 산악문 배경 위에 쌍주작을, 문선門扇에는 문리, 서수 등을 감지선각減地線刻 기법을 사용하여 그렸다. 당대 묘장 출토 묘지에도 사신, 십이지, 서수와 함께 각종 장식 문양이 선각되었다.

(2) 세촌묘 석관의 도상의 종류

① 사신四神 도상

ㄱ. 주작

세촌묘 석관 앞면은 문이 중앙에 새겨지고, 문 양 옆에는 두 명의 문리가 검을 짚고 연화와 산석좌 위에 서 있다. 문 앞에는 날개를 양옆으로 벌리고 꼬리를 들어 올려 원형의 구도를 이룬 한 마리의 주작이 자신감 넘치는 필치로 당당하게 묘사되었다. 문 아래에는 사자상이 새겨졌다.

세촌묘 석관 앞면의 도상과 비교할 수 있는 예는 북주 이탄묘, 수 이화묘, 초당 이수묘와 사색암부부묘史索巖夫婦墓(658) 등이 있다. 이탄묘는 석관의 형태와 앞뒷면의 도상이 세촌묘와 유사점이 많다(도27, 28). 이탄묘 석관의 앞면은 문의 크기가 축소되고 양옆에 선 문지기와 문 밑에 묘사된 화단火壇이 강조되었다.[49] 이탄묘 문지기상은 두광이 있고 어깨에 천의를 두

---

48 河北 趙縣柏林寺 舍利石棺, 河北 張家口市 宣化區 唐代石棺이 그 예이다. 북송시기에 가서는 석관이 재차 상장용구로 사용된다. 한문화전통을 추숭하고 고수하였던 송대의 시대 상황을 반영한다.

49 陝西 西安 李誕墓(保定四年, 564)는 남향의 장사파묘도궁릉정의 전실묘이며 평면 정"갑"자형이다. 묘도, 용도, 묘실 세 부분으로 구성되었다. 묘실 내에 석관이 동서방향으로 묘실 중부에 놓여있었다. 석관 내에서 동로마 금화(Justinian 1세, 527~565)가 발견되었다. 묘주인 이탄은 북인도 간다라지역을 가리키는

도 27 | 《문지기도》, 석관 앞면, 이탄묘   도 28 | 《현무와 역사도》, 석관 뒷면, 이탄묘

르고 창을 들고 연화좌 위에 선 불교의 천왕상과 유사한 문신상이다.

이화묘의 석관 앞면은 문 위에 두 마리의 주작이 서 있고 문의 양옆에는 긴 창을 든 무사가 삼곡 자세로 악귀를 밟고 서 있다(도29, 30). 문 아래에는 날개를 펼친 듯한 괴수의 얼굴이 중앙에, 양옆에는 신수의 얼굴이 내부에 장식된 원형연주문들이 배치되었다.

문의 정면에 주작이 새겨진 예는 이수묘가 있다. 하나의 문비를 상하로 나누고 상단에는 주작을 하단에는 공작을 한 마리씩 새겼다(도31). 사자상은 환조로 조각되었다. 사색암부부묘는 석묘문 문비에 주작, 청룡과 백호, 그리고 괴수가 상하 삼단으로 장식되었다.

세촌묘의 석관 앞면 선각의 구성은 이화묘, 이탄묘와 유사하나, 문 앞에 원형 구도의 주작이 크게 강조되어 그려졌다는 차이점은 초당의 이수묘와 사색암묘의 주작을 포함하는 석문 문비의 선각 형식을 예시한다는 점에서 중요하다.

계빈국 출신으로 석관의 火壇의 제재와 동로마 금화의 부장으로 주목받았다. 程林泉, 「西安北周李誕墓的考古發現與研究」, 『西部考古』, 2006年 1期.

도 29 | 석관, 이화묘, 서안비림박물관

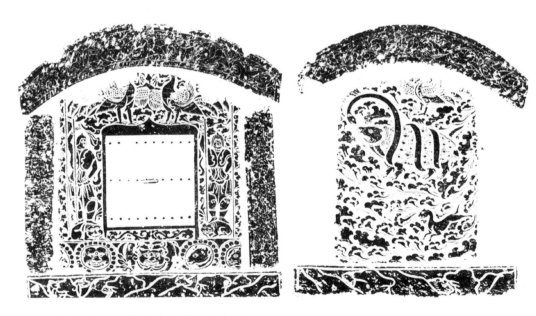

도 30 |《주작과 현무도》, 석관 앞면과 뒷면, 이화묘

도 31 | 《주작과 공작도》, 석문, 이수묘

ㄴ. 현무

세촌묘의 석관 뒷면의 현무도는 운기문이 가득한 배경에 거대한 거북과 거북의 몸을 세 번 감싼 뱀이 원형의 구도를 이루며 활력이 넘치는 모습으로 강력한 신수로서의 성격이 잘 표현되었다. 동시에 뱀과 거북 사이에 칼을 어깨 위로 빗겨 들고 다른 팔은 현무를 향하여 뻗고 있는 역사 또는 악귀상이 등장하여 이채롭다.

이화묘 석관의 현무도에는 이러한 역사가 등장하지 않는다. 빠르게 흐르는 운기문을 배 경으로 크기가 다소 작게 묘사된 현무가 화면의 상단에 있고, 그 위쪽에는 날개를 편 주작, 아래쪽에는 사슴(?)이 있다. 이탄묘 석관의 현무도는 세촌묘 현무도와 전체 구성이 가장 유 사하다. 그러나 이탄묘의 현무도는 뱀과 거북, 인물의 표현이 어색하고 탄력성이 부족하다. 목이 짧은 거북은 앞쪽을 바라보고 있고 앞쪽으로 뻗은 세 개의 다리의 묘사가 부자연스럽 다. 뱀과 거북 사이에는 단도를 오른손에 든 역사가 있는데 팔과 칼의 묘사가 비례에 맞지 않아 어색하다.

현무도가 인물과 결합된 예로는 칼을 들고 현무 위에 앉은 무장한 인물이 묘사된 산동山 東 임구臨胸 최분묘崔芬墓(551), 거북과 뱀 사이에 검을 든 선인이 그려진 하남성 낙양 출토 개봉시박물관 소장 북위 용호석관이 있다. 개봉시박물관 석관 앞면 주작도에도 주작과 선인이 결합되어 묘사되었다. 북위의 석관의 사신과 결합된 선인의 표현은 승선사상의 반영으로 보인다. 북제 최분묘 현무도에서는 현무도 자체가 가진 투쟁과 연관되어 갑옷을 입은 무장의 형상으로 발전하였다. 북주의 이탄묘와 수의 세촌묘에 와서는 중앙아시아 불교미술의 영향으로 불교의 신장형 역사와 같은 형상으로 묘사되었다.

ㄷ. 청룡과 백호의 선인거가출행

세촌묘의 석관의 좌측과 우측 석판은 선인거가출행仙人車駕出行 장면이다. 좌측 석판은 남성, 우측 석판은 여성의 승선장면으로 구성하였다. 이러한 세촌묘 석관의 좌우측면의 선인거가출행의 승선도상은 낙양지역 북위 석관에 유행한 도상이다. 노거輅車의 도상은 이르게는 동진의 전 고개지의《낙신부도》에 보인다.

선인출행도는 이화묘 석관에도 묘사되었다. 석관 좌측면은 어룡御龍출행도, 우측면은 가호駕虎출행도이다. 어룡출행도는 4명의 의위儀衛가 앞에 서 있고, 산자형관山字形冠을 쓰고 원령의 옷을 입은 인물이 용의 위에 앉아 있다. 용의 위쪽으로는 작은 천인이, 아래에는 괴수가 출현한다. 용의 꼬리 뒤에도 유사한 괴수가 날아 내려온다. 우측 석판에는 의위 4명이 앞에 있고, 산자형관을 쓴 인물이 주미를 들고 백호 위에 앉아 있다. 백호의 아래에 괴수가, 꼬리 아래에 머리가 두 개 달린 물고기 형상의 마갈어가 보인다. 세촌묘의 신선과 역사, 수레를 탄 인물이 복합적으로 조합된 승선도상에 비하면, 이화묘는 보다 단순한 화면 구성을 보인다. 이탄묘의 석관 좌우면은 운기문 배경에 용호도만 그려져 있다.

세촌묘와 이화묘 석관의 승선도상의 연원은 북위의 낙양지역 묘장의 석관과 남조의 남경, 단양지역의 묘장의 화상전에 보이는 승선 사상을 계승한 것이다. 상요촌 출토 낙양고대예술관 석관의 좌우면에는 두 명의 선인이 산수를 배경으로 남녀의 승선을 인도한다.[50] 유사한 승선도가 개봉시박물관 소장 용호석관에도 묘사되었다.[51] 낙양고대예술관 소장 신수神獸석관은 서수가 내부에 배치된 육각형 귀갑문을 배경으로 신수를 그렸다.[52] 세촌묘의 관 덮개의 서

---

50 中國畵像石全集編輯委員會 編, 周到 主編,『中國畵像石全集 8:石刻線畵』, 河南美術出版社, 2000, 도 56~58.

51 위의 책, 도89~91.

52 위의 책, 도92~93.

도 32 | 《선인거가출행도(모사도)》, 장락공주묘, 소릉박물관

수 귀갑문의 연원을 보여주는 예이다.

세촌묘 석관의 승선도상은 서위 이래 불교석굴 벽화에도 자주 출현하는데 돈황 막고굴 제249굴(서위)의 남쪽 천장에 서왕모의 봉거鳳車, 제305굴(수)의 북쪽 천장의 제석천이 탄 용 거龍車 등이 있다. 또한 선인거가출행도는 초당까지 계승되어 당 장락공주묘(643)의 묘도 동 서 양벽에도 출현한다(도32).

② 상서祥瑞 도상

세촌묘 관 덮개의 귀갑문 내에 그려진 천추만세千秋萬歲, 용, 봉황, 백학, 비렴飛廉 등의 서 수 도상은 한당대 묘장 미술에 보이는 대표적 상서祥瑞 도상들이다.

북조 벽화묘에 출현하는 서수도상의 사례는 만장대묘와 구원강묘가 있다. 만장대묘의 묘 도의 동·서벽에는 38마리의 신수신조를 그렸는데, 주작, 청룡, 백호, 천추만세, 백학, 비렴, 봉황, 해치獬豸 등은 묘주 사후의 승선사상을 반영한다. 구원강묘는 상하 4단으로 구분한 묘 도 양벽에 선계의 신선과 서수(동벽 22마리, 서벽 19마리)가 그려져 있다.

이화묘의 석관 덮개에는 복희여와도가 중앙에 있고, 복희와 여와 사이와 덮개의 테두리에 유익마有翼馬, 공작孔雀, 산양山羊, 사자, 멧돼지 등의 서수 또는 인면人面을 내부에 넣은 원형 연주문 도안을 33개 배치하였다. 복희여와도는 한대 화상석에 출현하는 대표적인 상서도상이자 천상세계를 상징한다. 이탄묘의 석관 덮개에는 초승달과 해를 각각 머리 위에 두 손으로 잡고 있는 복희여와도를 볼 수 있다. 달이 초승달 형식으로 표현된 것은 기존의 일월도상과 차이가 있어 주목된다. 북위 석관에 보이는 복희여와도로는 하남 낙양 출토 낙양문물공작일대장 소장의 북위 석관이 있다. 까마귀와 계수나무, 토기가 든 타원형의 일월을 든 복희, 여와가 그려졌다.[53]

한편 세촌묘의 마니보주와 보병의 도상은 불교적 상서도안이다. 동위·북제 묘장에서 마니보주와 연화는 대개 묘도 북벽 상부와 석문의 상부에 그려진다. 묘장미술의 연화와 보주문은 묘주가 사후에 중생하기를 기원하는 의미를 가진다. 세촌묘의 연화와 마니보주가 관 덮개의 절점節點과 종축縱軸선상에 새겨진 것도 묘주 영혼의 중생의 의미로 본다.[54]

선행연구에 의하면 남북조시기에 기존의 상서도상이 종합 정리된다. 『송서宋書』부서지符瑞志는 양한 이래 부서사상符瑞思想을 종합 서술하였고, 『남제서南齊書』상서지祥瑞志, 『위서魏書』영징지靈徵志는 남제와 북위의 부서符瑞에 대하여 기록하고 있다.[55] 만장대묘 묘도에 그려진 풍부한 상서도상은 이러한 상서도상의 정리에 기초한 것으로 본다. 수대에도 『국가상서록國家祥瑞錄』등 상서 경전을 국가에서 정리하여 운용하였다. 수문제(재위 581~604)는 602년 인도의 승려 라자그라Rajagrha가 수나라를 방문하자 승려 석언종釋彦宗(557~610)에게 『사리서도경舍利瑞圖經』과 『국가상서록』를 산스크리트어로 번역하여 서역의 나라들에게 선물하도록 하였다.[56] 『속고승전續高僧傳』에 의하면 이러한 상서도전祥瑞圖典이 서역에서 오기도 하였으며, 상서도상은 광범위한 영향력을 발휘하였다.[57] 세촌묘 석관 덮개의 불교적 상서도상은 수대에 편찬된 『국가상서록』과 『황수령감지皇隋靈感志』의 영향을 받아 불교사상의 상서를

---

53 위의 책, 도88.

54 李明, 앞의 논문, 2008年 3期; 邵小莉, 앞의 논문, 2011年 1期; 李莉, 앞의 논문, 2014年 72期.

55 胡祥琴, 「試論〈宋書·符瑞志〉的政治意圖及價值」, 『求是學刊』, 2014年 第41卷 第4期; 龔世學, 「論魏晉南北朝時期符瑞思想的整合」, 『蘭州學刊』, 2010年 12期.

56 David R. Knechtges and Taiping Chang, *Ancient and Early Medieval Chinese Literature: A Reference Guide, Part Two* (Handbook of Oriental Studies. Section 4 China), Leiden: Brill, 2013, pp.936~937.

57 『續高僧傳』卷二 隋東都上林園翻經館沙門釋彦琮傳四. "有王舍城沙門. 遠來謁帝. 事如後傳將還本國請舍利瑞圖經及國家祥瑞錄. 敕又令琮翻隋爲梵. 合成十卷. 賜諸西域." 『隋書』卷六十九 列傳 第三十四 王劭. "劭於是採民間歌謠, 引圖書讖緯, 捃摭佛經, 撰爲皇隋靈感誌, 合三十卷, 奏之."

융합한 것으로 본다.

세촌묘 석관 덮개의 상서 도상들은 한대 이래 유가의 "천명설天命設"에 연원을 두고 정치성과 도덕성에 연관된 상서 표현의 '천天"의 개념을 반영하면서, 석관에 새겨진 상서의 표현을 통하여 정통의 지위 혹은 관념을 표명하고자 한 것으로 해석한다.[58]

세촌묘와 이화묘의 석관의 덮개의 상서도상은 한대 이래 장의미술에 사용된 도교와 불교 관련 도상이 수대에 와서 종합 정리된 것이다. 북위시기 낙양지역 출토 석관의 도상들을 계승하여 복고적 특징을 보여주는 동시에 당시 동원비기와 같은 황실에서 제작하던 장의미술의 상서도상의 모본이 북위 이래로 축적되고 융합되어 세촌묘 석관 장식에 활용되었음을 짐작하게 한다.[59]

③ 중앙아시아계 장식 도안

ㄱ. 귀갑 연주문

세촌묘의 관 덮개의 사방 연속 귀갑 연주문 도안은 대표적인 중앙아시아계 도안으로 북조-수당의 장의미술의 장식도안으로 자주 활용되었다. 사방 연속 귀갑문은 고원북위묘 칠관화, 호동 1호묘 칠관화, 낙양고대예술관 신수석관, 곽문생묘霍門生墓(543) 석문에 발견된다. 곽문생묘의 석문에는 육각형 귀갑문 내에 서수를 탄 신선과 방패를 들고 앉은 문신 및 각종 서수상이 배치되었다.[60]

서수상과 결합된 원형연주문 또는 건축의 의장으로 사용된 연주문의 사례도 북조-수·당대 미술에서 종종 찾아볼 수 있다. 안가묘에서는 탑판楊板 앞쪽에 서수의 머리가 담긴 사각형 또는 원형의 연주문 장식이 둘러 있다. 연주문이 묘주가 앉은 가구나 가옥의 테두리 장식으로 사용된 예는 서민행묘와 우홍묘의 묘주부부 연회도가 있다. 사가탑부부묘의 석묘문의 문액은 주작, 천마, 귀면鬼面이 담긴 원형연주문 장식이 있다. 신성공주묘 석문의 문미는 수면獸面과 팔변단화문이 담긴 연주문으로 장식되었다.

소릉배장묘昭陵陪葬墓의 하나인 우진달묘牛進達墓(595-651)는 석문 장식에 연주문이 다양하

---

58 楊效俊, 앞의 논문, 2016년 2기, pp.189~203.
59 북조에서 수여된 동원비기의 목록에 대해서는 鄒青泉, 「北魏孝子畵像硏究」, 中央美術學院, 2006, 부록 4; 鄒青泉, 「北魏墓室所見孝子畵像與"東園"深考」, 『故宮博物院院刊』, 2007年 3期.
60 馬曉玲, 「北朝至隋唐時期入華粟特人墓葬硏究」, 西北大學校, 2015, pp.107~109.

게 사용되었다. 석문의 문미에는 9개의 원형의 연주문 내에 단화문과 수면獸面이 교차로 배치되었다. 문미門楣와 문비門扉의 테두리에는 연주문을 둘렀다. 상하 3단으로 나뉜 문비에는 중앙의 원형 연주문 안에 호인상胡人像을 넣었다. 해와 초승달 도안 장식의 관을 쓴 호인들은 연화좌 위에 앉아 고족배를 들거나 비파를 연주한다. 묘주 우진달은 『구당서舊唐書』와 『삼국사기三國史記』에 기록된 당의 장군으로 당의 고창, 티벳, 고구려 원정 시에 참여하였기 때문에 이러한 경력을 배경으로 중앙아시아계 장식문이 출현한 것으로 본다.[61]

연주문은 초당대의 묘지墓誌에도 장식문양으로 사용되었는데, 이적李勣(?-669)부인의 묘지의 개정석 사면 테두리에 사변연화문과 서수상이 들어간 원형연주문 문양을 각 변에 7개씩 장식하였다.[62] 장락공주묘의 묘지 개정석은 인동문으로 사면을 장식하였는데 이중의 연주문으로 테두리를 둘렀다.

연주문 장식이 북주수·당대 복식에도 사용되었음은 여러 벽화에서 확인된다. 북제 서현수묘의 여자 시종(연주인면문), 감숙 병령사 수대 제8굴의 보살(연주문), 감숙 돈황 막고굴 제427굴 주실 북벽 협시보살(연주문), 제420굴 불감의 보살(연주수렵문), 제402굴과 제425굴(연주익마문), 제401굴(연주연화문), 제277굴(연주유익대마문), 신강 키질 제16굴(5-6세기) 공양인의 복식 등이 그 예이다.[63] 멀리는 우즈베키스탄 사마르칸드 아프라시압 궁전벽화의 사절의 복식의 수면문 연주문이 있다. 실제 서 수연주문 직물은 신강 투루판 파달목묘지巴達木墓地245호묘 출토 복면覆面과 같이 신강 투루판지역의 묘에서 여러 점 출토되었다.

이상에서 살펴본 바와 같이 세촌묘의 귀갑 연주문서수장식은 한대 이래의 도교의 서수 도상에 북조시기에 유입된 중앙아시아계의 귀갑 연주문과 호인상, 수면장식이 결합된 것으로, 이렇게 관곽, 묘지, 묘문 등에 보이는 중앙아시아계 장식문양들은 초당대 소릉배장묘들의 석장구에까지 계승된다.

---

61 『舊唐書』卷六十八　列傳 第十八 秦叔寶. 『三國史記』高句麗本紀 第十 寶藏王 下. 尹夏淸, 「北朝隋唐石墓門及其相關問題研究」, 四川大學校, 2006, p. 82, p. 185.

62 李勣妻 英國夫人墓志蓋의 탁본과 선묘는 昭陵博物館 編著, 『昭陵墓志紋飾圖案』, 文物出版社, 2015, pp. 161~163. , 161~163쪽. 長樂公主墓의 墓志蓋의 탁본과 선묘는 昭陵博物館 編著, 『昭陵墓志紋飾圖案』 文物出版社, 2015, pp. 53~57.

63 돈황연구원, 판진스 펀저, 강초아 옮김, 『실크로드 둔황에서 막고굴의 숨은 역사를 보다』, 선, 2016, pp. 126~127.

ㄴ. 유익귀면문

세촌묘 석관의 앞면의 상부에 묘사된 유익귀면문有翼鬼面紋은 한대의 귀면문의 전통으로 볼 수도 있으나, 한편으로 북조시기 유행한 조로아스터교의 수면獸面 모티프로 보거나, 인도에서 기원 전후 출현한 키르티무카Kirtimukha로 보는 연구도 있다.[64] 또한 괴수의 양옆으로 넓게 펼쳐진 날개 도상은 사산조 주화에서 대개 초승달, 별, 해 등의 천문학적인 요소를 받친 형태로 왕관 위에 묘사된다.

유사한 괴면문은 이르게는 팔각촌 위진묘 석곽의 문미에도 출현한다. 송소조묘 석곽에도 이러한 괴수형의 포수함환鋪首銜環이 여러 점 부조로 장식되었는데 포수 머리 위에 다양한 서역적 또는 불교적 모티프가 가미되었다. 고원칠관화묘와 대동 북위교장에서 출토된 포수 장식에도 괴수문과 팔메트문, 중앙아시아계통의 복식을 입은 인물상이 결합되어 표현되었다. 사군묘史君墓에서는 가옥형 석당 받침대 앞면 중앙에 날개가 달린 양의 얼굴이, 받침대 사면의 가장자리에 하늘을 받치는 날개가 달린 천사상을 볼 수 있다.

ㄷ. 일월 도상

세촌묘 석관의 앞면의 상부에 묘사된 초승달과 해가 결합된 도상은 한대 이래 장의미술에 출현하는 일반적인 일월도상과는 차별된다. 달이 원형이 아닌 초승달의 형태로 묘사되며 초승달 위에 해가 얹혀졌다. 장의미술의 일월도상은 원형의 일상과 월상 내부에 삼족오나 두꺼비가 묘사되며 관의 덮개나 백화의 상단, 묘실 천장 벽화의 동서 방위에 놓여 천상계와 승선을 상징한다. 또한 일월상은 복희·여와와 함께 출현하기도 한다.

초승달 형태의 일월도상이 북조시기 석장구에 출현하는 예로는 안가묘의 병풍형 석각이 있다. 병풍형 석각의 좌측에서 4번째와 7번째 석판에 소그드인과 돌궐인이 함께 만나 연회와 가무를 즐기는 장면에서 이들이 모여 앉은 가옥의 지붕 중앙에 초승달과 해의 도상이 그려졌다(도33). 이들이 앉은 가옥도 연주문으로 사면의 테두리를 두르고 있다. 영신강榮新江은 이러한 일월도상과 연주문이 결합된 건축물을 소그드인 취락 중 천교사묘祆敎寺廟로 추정하기도 한다.[65]

초승달과 해가 결합된 도안은 북조의 소그드계 묘장의 화상석각의 인물상의 관식에 묘사

64 李海磊, 慕漫紅, 「南北朝獸面圖像譜系及其傳播研究」, 『中國美術研究』, 2018年 3期.
65 榮新江, 「粟特與突厥」, 『中古中國與粟特文明』, 北京三聯書店, 2014, pp. 357~378.

도 33 | 《연회도》, 안가묘

되거나, 실제 부장품 가운데 금속제 관식으로 출토된다. 사군묘 석당의 조로아스터교 사제와 생활풍속 장면 속의 중요 인물들에서 그 예를 볼 수 있다. 실제 유물로 출토된 예는 소그드계 묘장인 영하 고원 사도덕묘 史道德墓(678) 출토 금관식, 하송탁下頌托, 금복면金覆面과 고원 구룡산九龍山 33호묘(수隋) 출토 금관식과 하송탁이 있다.

초승달과 해가 결합된 도상은 사산조 주화와 은기에 그려진 사산 황제의 관식으로 잘 알려져 있다. 사산조, 에프탈과 소그드의 관식과 건축물의 장식에 사용된 일월도상이 수대에 이르러 석관의 도상으로 유입되어 세촌묘 석관에 표현된 것이다. 한편 북방유목민의 관식에서도 일월도상을 볼 수 있는데, 몽골의 골 모드 20호묘와 75호묘와 같은 흉노의 귀족계층의 대형 묘장에서도 목관의 묘주 머리 부분에서 일월도상의 금판이 발견되어 주목된다.[66]

세촌묘 석관의 초승달 형태의 일월도상은 중국의 전통적인 장의미술의 도상에 중앙아시아계 관식의 도상이 혼합되면서 건축물의 장식으로 적용이 된 예로서, 중국 전통 일월상의 승선과 천상 상징의 도상에 중앙아시아계 표식이 혼융된 것이다.

4. 수대 묘장미술의 복고와 통합

이상으로 현재까지 중국에서 발견된 최대 규모의 수대 묘장인 세촌묘를 중심으로 수대 벽화묘의 구조와 벽화와 선각화를 살펴보았다. 세촌묘의 묘주에 대하여는 묘실 구조가 수대 황실과 관원의 묘장 중 최고등급이며 묘도의 18개의 열극도로 보아 묘주의 신분이 태자급에 해당하여 수문제 양견과 문헌황후文獻皇后 독고씨獨孤氏의 장남이며 수양제隋煬帝 광광廣

---

66 국립문화재연구소, 『흉노제국의 미술』, 2020, p.161.

(569-618)의 형인 폐태자廢太子 양용楊勇(?-604)으로 추정한다.[67]

세촌묘의 묘주가 양용이라면 세촌묘의 구조와 벽화, 석장구 등은 황실의 장의미술 제작 법식에 따라 조성되었을 것이다. 이화묘의 석관도『수서隋書』이목전李穆傳의 "賜以石槨" 기록 에 근거하여 수 황실의 사물賜物로 추정한다. 석관의 제작은 미리 제작하였을 가능성도 있지 만 이화의 사망에서 입장入葬 시기까지 8개월의 시간이 걸려 수황실에서 사후에 제작하였을 가능성도 있다고 본다.[68]

세촌묘는 북주 묘장의 구조를 계승하면서 동위·북제 묘실 벽화의 영향을 받았다. 세촌묘 의 원형묘실, 석관도상, 부장품 등은 북제의 문화요소를 받아들였다.[69] 묘도 양벽의 출행의 장도, 석관의 상서와 승선도상은 북위에서 북제·북주의 묘장미술을 계승하였다.

선행연구에서는 세촌묘가 수대 묘장에서 보이는 복고현상과 수대 초기의 정통 건설과 연 관하여 중요한 위치에 있음을 지적하였다. 수대 묘장미술의 복고현상은 2013년 4월 양주揚 州 조장曹莊에서 발굴한 수양제묘와 소후묘蕭后墓 부장품에서 관찰할 수 있다.[70]

세촌묘와 이화묘의 승선석관의 출현은 북위 이래의 전통을 이어받은 복고적 성격을 지니 는데 북위가 멸망한 이후부터 수대 초까지 반세기가 지난 후에 승선 제재가 석장구에 다시 출현한 것이다. 선행연구에서는 세촌묘에 보이는 복고적이고 종합적인 특징은 수의 대통일 로 여러 다른 민족, 지역, 종교가 관련된 도상 소재들을 하나의 문화자원으로 통합하여 풍부 한 사상문화가 포함된 예술로 만들어낸 결과로 보았다.[71] 수나라는『수서隋書』「예의지禮儀 志」의 기록에서 보듯이 통일 이후 상장제도를 정비하고자 하였고 그 과정에서 북위 이래 동 원비기로서 관곽에 사용되던 도상들을 다시 부활시키고 계승하면서 이를 석관에 종합적으 로 조형화시켰으며 그 대표적 예가 세촌묘의 석관이라고 할 수 있다.[72]

---

67 趙超, 앞의 논문, 2014年 1期; 劉呆運, 앞의 논문, 2015年 5期.

68 付珺, 앞의 논문, 2013, p.41.

69 楊效俊, 앞의 논문, 2016年 2期, pp.89~203.

70 소후묘에서 나온 16점의 銅編鐘과 20점의 編磬의 악기 明器, 1점의 白玉璋의 고전 풍격의 禮器 부장품은 북제의 묘장에서 출토되는 예악 명기의 복고 전통을 계승한 것이다. 만장대묘(북제 문선제 고양묘 추정) 에서는 東周 풍격의 陶明器이자 禮器인 20개의 鼎가 출토되었다. 악기로서는 33개 陶鐘과 21개 陶磬이 나왔다. 소후묘의 예기들은 일종의 복고적 제작방법을 보여주는 예로서 중요하다. 楊效俊, 위의 논문, 2016年 2期, pp.189~203.

71 邵小莉, 앞의 논문, 2011年 1期.

72 祝越,『東園秘器試考』, 南京大學, 2016. 북조에서 수여된 동원비기의 목록에 대해서는 鄒靑泉, 앞의 논문, 2006, 부록 4; 鄒靑泉, 앞의 논문, 2007년 3기. 북조대 역대 황실에서 사여된 비기는 40여 건이며 東園이

북위의 화상석장구들은 북위의 낙양 천도 이후 동원에서 나온 혹은 동원의 영향을 받은 것들이다. 북위의 낙양 천도 이후에 동원의 화공들이 진대 이래 남조의 회화 양식을 받아들여 다양한 문화요소의 장구 도상을 만들게 되는데, 한대의 전통적인 승선, 용호, 주작, 현무, 봉황, 우인의 상서 제재, 산수 제재, 유가의 효자화상에 불교의 마니보주, 그리고 외수畏獸와 같은 천교祆敎의 내용까지 받아들였다.[73]

북위 석관에 보이는 다양한 문화요소와 제작 기법, 상서도상의 구성 등은 동원비기로서 북위 황실에서 제작한 장구의 범본의 특징을 잘 보여주며, 수대에 이르러 황실에서 제작하였을 것으로 추정되는 세촌묘 석관에 복고와 통합의 목적을 위하여 부활 계승되었다. 수대가 기존의 상장예의 전통들을 종합 정비하였다는 점은 중국 역대왕조의 의례 공간에 대한 연구에서도 확인된다.[74]

또한 세촌묘의 석관의 세부에서 중앙아시아적 요소가 보이는 점은 북조시기 중앙아시아계 인물들과 종교, 문화가 유입되었고 수대에 이르러 장의미술의 도상과 종교적 관념의 표현에도 이러한 문화적 융합이 이루어지면서 나타난 현상으로 보인다.

이화묘 석관에 보이는 중앙아시아계 요소는 묘주인 이화가 북방변진北方邊鎭 하주夏州 출신으로 산서, 섬서 일대의 북방민족들과 자주 접하면서 조로아스터교와 같은 외래 종교를 받아들여 표현한 것으로 추정한다.[75] 계빈국 출신인 이탄묘 석관의 상반신 나신의 불교적 문신상과, 조로아스터교의 화단, 이국적 역사상이 결합된 현무도는 수대 석관에 보이는 중앙아시아계 요소가 이미 북조시기에 석관 장식에 유입되었음을 잘 보여준다.

수양제는 대업大業5년年(609) 직접 서역으로 서순西巡을 하여 여러 서역 나라들을 방문하였고 배구裴矩 등을 시켜 서역을 왕래하여 기록을 남겨오도록 하였다. 수양제가 페르시아 왕

라 칭해진 경우는 28건이다. 미국 미네아폴리스미술관 소장 元謐석관(524)은 묘지를 통하여 묘주가 효문제의 손자인 원밀(523年 卒)임을 알 수 있다. 『魏書』趙郡王 卷21上에 의하면 원밀은 趙郡王 幹의 아들로 생시에 冠軍將軍, 幽州刺史 등 관직을 지냈고 죽은 이후에 동원비기를 하사받았다. 원밀석관과 같은 북위 화상석장구는 모두 30여건이 발견되었고 낙양지역에서 출토된 예가 18건 정도이며 비교적 완정한 예는 14건이다. 개봉시박물관 용호승선 화상석관도 원밀석관과 주제와 기법 등이 같아 동원비기의 하나로 본다. 원밀석관, 개봉시박물관 용호승선석관, 낙양고대예술관 승선석관, 낙양 영무부부묘 석곽(527) 등은 도상의 배열, 각화의 양식, 화상 제재 등이 거의 같다.

73 趙超, 앞의 논문, 2014年 1期.

74 최재영, 「隋 大興城의 의례 공간 형성과 그 기능」, 『한국고대사연구』71, 2013, pp.169~205.

75 陳財經, 「隋李和石棺線刻圖反映的祆敎文化特徵」, 『碑林集刊』, 2002年 8輯

에게서 받은 비단옷을 하조何稠에게 주면서 페르시아 복식을 본떠서 만들라고 명하였는데 하조가 만든 옷이 원래의 것보다 나았다는 기록에서 당시 페르시아계 옷이 중국에서도 모방 제작되었음을 알 수 있다.[76] 수대 미술에 중앙아시아계통 장식문양이 나타나는 것은 수 양제의 서역 경영과 대외무역 장려 정책, 외국 문화와의 활발한 교류 등을 배경으로 한다.[77]

이상으로 세촌묘를 중심으로 짧은 기간 동안 존속하였던 수대에 조성된 장의미술에서 한위진남북조 장의미술의 융합과 당대 미술로 발전하게 될 특징을 살펴보았다. 세촌묘는 북조시기에 활발하게 이루어진 동서문화 교류를 반영하며, 당대 벽화로 계승될 주제들을 보인다. 도교와 불교, 그리고 중앙아시아계 장식문양까지 포함하여 복합적인 도상으로 표현된 내세관이 구현된 세촌묘 석관의 선각화는 수대 묘장미술의 통합적이고 복고적인 장의미술을 대표한다고 할 수 있다.

V. 영하회족자치구의 고원수당묘·염지당묘 벽화와 석각

1. 수·당대 소그드인의 묘장

당대의 회화 진적이 드문 상황에서 묘실벽화는 정확한 기년을 가진 원작으로서 현재까지 보존되어 학술가치가 높다.[78] 1950년대 이래 당묘 벽화가 본격적으로 발굴되기 시작하였는데 대다수가 섬서陝西 관중關中의 서안시교西安市郊와 부근의 예천현禮泉縣, 건현乾縣, 장안현長安縣, 삼원현三原縣, 부평현富平縣과 함양시교咸陽市郊에 집중 분포한다. 당대 경조부京兆府 옹주관할지雍州管轄地이며 황실皇室, 귀척貴戚, 경기대신京畿大臣의 묘장이다. 산서山西 태원太原, 영하寧夏 고원高原, 신강新疆 투루판吐魯番 등지에서도 당묘벽화가 출토되었다.

76　『隋書』卷六十八　列傳 第三十三 何稠. "波斯嘗獻金綫錦袍, 組織殊麗, 上命稠為之. 稠錦旣成, 踰所獻者, 上甚悅. 時中國久絕瑠璃之作, 匠人無敢厝意, 稠以綠甆為之, 與真不異. 尋加員外散騎侍郎."

77　돈황연구원, 판진스 편저, 앞의 책, 2016, pp.118~129.

78　본 절은 2018년 10월 27일 동양미술사학회 추계학술대회에서 발표한 「당대 고분미술의 지역적 변용 연구」를 수정하여 박아림, 「中國 寧夏回族自治區의 固原隋唐墓와 鹽池唐墓 壁畵와 石刻研究」, 『東洋美術史學』9, 2019, pp.93~120에 게재한 것임.

당대는 중국 고분벽화의 발달에서 가장 전성기에 해당하나 고분 내의 벽화의 주제나 구성은 인물화 중심으로 주로 현실세계를 반영하여 비교적 단순하며 사신을 제외하고 천상세계의 묘사는 드문 편이다. 당묘는 또한 부장용의 수가 많고 종류가 다양하며 북조 도용보다 진전된 세련된 표현과 기법을 보여준다. 한대 곽거병묘에 시초가 보이는 능묘陵墓 신도神道의 조각상들은 남북조를 거쳐 당에 이르면 대형화되고 정형화한다.

위진남북조시대부터 소그드인으로 대표되는 중앙아시아인들의 유입으로 당대 묘장미술에도 중앙아시아계통의 문화가 그 흔적을 남기게 된다. 영하 고원 수당묘지는 사씨성의 소그드인들의 묘장으로 잘 알려져 있다.[79] 영하에 있는 또 다른 소그드인묘지는 영하 은천銀川 동남쪽 131㎞ 거리에 있는 염지鹽池당묘로서 소그드의 소무구성昭武九姓 가운데 하나인 하씨성何氏姓의 묘주의 묘지가 발견되었다.

중국에서 정식 발굴한 소그드인묘장을 발굴 연도순으로 보면 1966년 섬서陝西 서안西安 서교西郊 하문철묘何文哲墓, 1972년 12월 섬서陝西 소릉昭陵 당唐 안원수부부묘安元壽夫婦墓, 1973년 하북河北 대명현大名縣 하홍경묘何弘敬墓, 1981년 4월 하남河南 낙양洛陽 용문龍門 동산東山 북록北麓 당唐 안보부부합장묘安菩夫婦合葬墓, 1982년 고원固原 남교南郊 수당묘지隋唐墓地 사국인묘장군史國人墓葬群, 1984년 6~7월 영하寧夏 염지현鹽池縣 소보정향蘇步井鄕 당唐 하국인묘何國人墓, 2000년 5~7월 섬서陝西 서안西安 미앙구未央區 북주北周 안가묘安伽墓가 있다.[80] 서안에서 발견된 북조 - 수·당대 소그드인의 묘장, 특히 안가묘와 사군묘에 대하여는 이미 여러 연구가 나왔으나[81] 영하회족자치구의 고원남교수당묘와 염지당묘에 대해서는 아직 함

---

79 중국 寧夏 固原은 한당 시기 "高平"이라고 하였다. 正光五年(524) 原州로 고쳤다. 原州는 역사상 교통의 요충지로 실크로드 개통 이후 동서문화 교류의 주요 지점이었다. 北朝시기에 原州는 중요한 군사요새였으며 隋唐시기에는 京畿地區가 서북지역과 통하는 중요 창구였다. 수당시기 영하 고원은 吐蕃과 돌궐을 방어하는 중요전략 지역이면서 동시에 여러 이민족과 외국 僑民이 활동하며 遷徙居住한 중요지역이다. 寧夏回族自治區固原博物館, 中日原州聯合考古隊, 『原州古墓集成』 文物出版社, 1999, pp.9~12.

80 粟特人墓葬에 대해서는 寧夏固原博物館 編, 『固原歷史文物』, 科學出版社, 2004, pp.205~224; 陳光唐, 『河北大名縣發現何弘敬墓志』, 『考古』, 1984年 8期; 洛陽市文物工作隊, 「洛陽龍門唐安菩夫婦墓」 『中原文物』, 1982年 3期; 陳志謙, 「唐安元壽夫婦墓發掘簡報」, 『文物』, 1988年 12기.

81 姜伯勤, 「中国祆教藝術史研究」, 三联书店, 2004; 榮新江, 張志清 主編, 『從撒馬尔干到長安一粟特人在中國的文化遺迹』, 北京圖書館出版社, 2004; 羅豊, 『胡漢之間一"絲綢之路" 與西北歷史考古』 文物出版社, 2004; 榮新江, 張志清 主編, 『粟特人在中國一歷史, 考古, 語言的新探索』 『法國漢學』 第十輯, 中華書局, 2005; 西安市文物保護研究所, 「西安北周凉州薩保史君墓發掘簡報」, 『文物』, 2005年 3期; 榮新江, 「北周史君墓石淳所見粟特商隊」, 『西域研究』, 2005年 2期; 山西省考古研究所, 『太原隋虞弘墓』, 文物出版社, 2005.

께 조망하는 연구가 이루어지지 않아 여기에서는 두 지역의 묘장의 구조와 벽화 제재, 부장품에 나타난 특징을 고찰하여 해당 시기의 묘장에 드러난 문화적 변용 내지는 융합에 대해서 살펴보고자 한다.

2. 고원수당묘와 염지당묘의 발굴

1) 고원수당묘

1982~1995년 영하문물고고연구소寧夏文物考古研究所가 고원의 남서쪽 5㎞ 거리의 남교향南郊鄉의 양방촌羊坊村, 소마장촌小馬莊村, 왕로패촌王澇壩村에서 수묘隋墓 1기, 당묘唐墓 8기를 발굴하였다. 양방촌 4기, 소마장촌 3기, 왕로패촌 2기이다. 양원진묘梁元珍墓와 묘지墓誌가 나오지 않은 묘를 제외하고 6기는 중앙아시아 출신 사성史姓 소그드인 가족묘지家族墓地이다 (표 2, 도34, 35).[82] 모두 남향의 묘로서 동에서 서로 수백m 간격으로 일자로 배열되었다. 사사물묘史射勿墓가 유일한 수대묘隋代墓이며 나머지 5기는 당대묘唐代墓이다. 동에서 서로 사색암史索巖과 부인夫人 안랑安娘 합장묘合葬墓, 사철봉묘史鐵棒墓, 사가탐부부묘史訶耽夫婦墓, 사도락부부묘史道洛夫婦墓, 사사물묘, 그리고 사도덕묘史道德墓의 순이다.[83]

고원 남교향 소마장촌에 위치한 사사물묘(수대업6년隋大業六年, 610)의 묘주는 대수정의대부 우령군표기장군大隋正議大夫右領軍驃騎將軍(4품四品) 사사물史射勿이다.[84] 같은 남교향 소마장촌에 위치한 사가탐부부묘史訶耽夫婦墓는 당유격장군괵주자사직중서성唐游擊將軍虢州刺史直中書省(3품三品) 사가탐과 그의 부인의 묘(사가탐 총장2년總章二年, 669, 부인 함형2년咸亨二年, 671)이다. 사도락부부묘史道洛夫婦墓(당현경3년唐顯慶三年, 658)의 묘주는 658년에 합장한 대당좌친위大唐左親衛(칠품상七品上) 사도락과 부인 강씨이다.

남교향 양방촌의 사색암부부묘史索巖夫婦墓는 당고조청대부평량군위표기장군唐故朝請大夫平涼郡都尉驃騎將軍(사품四品) 사색암史索巖(당현경3년唐顯慶三年, 658)과 부인夫人 안랑安娘(인덕원년麟德元年, 664) 합장묘合葬墓이다. 같은 양방촌에 위치한 사철봉묘史鐵棒墓(당함형원년唐咸亨元

82 羅豊 編, 『固原南郊隋唐墓地』, 文物出版社, 1996. 寧夏回族自治區固原博物館, 中日原州聯合考古隊, 『原州古墓集成』, 文物出版社, 1999.

83 寧夏回族自治區固原博物館, 中日原州聯合考古隊, 위의 책; 李星明, 앞의 책, pp.114~119; 寧夏固原博物館 編, 앞의 책, p.205.

84 羅豊, 「寧夏固原史射勿墓發掘簡報」, 『文物』, 1992年 10期.

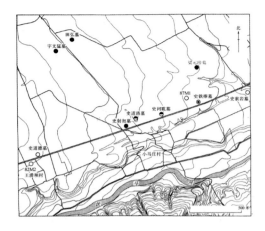

도 34 | 《고원 수당묘지 분포도》　　　　　　　　　도 35 | 고원수당묘지 외관

年, 670)의 묘주는 당사어시우십칠감唐司馭寺右十七監(오-육품) 사철봉史鐵棒이다. 양방촌에 위치한 다른 묘로는 양원진묘梁元珍墓(당성력2년唐聖歷二年, 699)가 있다.[85] 양방촌의 서쪽의 남교향 왕로패촌에는 당급사낭란지정감唐給事郎蘭池正監(오품) 사도덕묘史道德墓(의봉3년儀鳳三年, 678)와[86] 고원固原 남원南源 1401호묘가 위치하였다.

묘지를 분석한 결과 사사물, 사가탐, 사도락, 사철봉이 자손子孫관계이며, 사색암과 사도덕은 숙질叔姪관계이다(도36).[87] 사색암과 사도덕은 건강비교인建康飛橋人(현재 감숙甘肅 고대현高臺縣)으로서 북위시기 양주凉州에서 평고平高로 이주하였다. 묘지에 의하면 그 선조는 서국西國(사국史國)에서 와서 북주시기 중국에서 관직을 갖게 되었다. 사사물의 7명의 아들 가운데 첫째가 사가탐이며, 묘지에 기재된 6번째 아들 도락道樂은 락樂과 락洛의 발음이 가까워 사도락史道洛으로 본다. 사도락묘는 부친 사사물묘와 장형 사가탐묘 사이에 위치한다.

사도락묘를 제외하고 6기의 묘는 1996년 출간된 『고원남교수당묘지』에 발굴보고가 상세하게 실려 있다. 사도락묘는 1995~1996년에 일본과 공동으로 발굴하여 2014년에 발굴보고서가 출간되었다.[88] 또한 2014년에 도굴로 인한 구제성 발굴작업으로 남원 1401호묘가 추가로 소개되었다.[89] 고원 남교 묘지 출토유물과 벽화들은 현재 대부분 고원시박물관에 소장되

85　寧夏固原博物館, 「寧夏固原唐梁元珍墓」, 『文物』, 1993年 6期.

86　寧夏固原博物館, 「寧夏固原唐史道德墓墓淸理簡報」, 『文物』, 1985년 11기.

87　寧夏回族自治區固原博物館, 中日原州聯合考古隊, 앞의 책, p.22.

88　原州聯合考古隊, 『唐史道洛墓』, 文物出版社, 2014.

89　馬曉玲, 『北朝至隋唐時期入華粟特人墓葬硏究』, 西北大學博士學位論文, 2015, p.78.

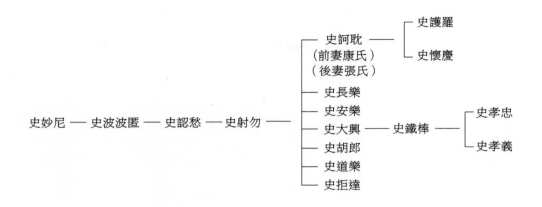

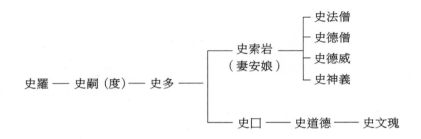

도 36 |《사씨묘군 가계도》

어 있다. 고원수당묘의 구조, 장구, 출토유물은 다음의 표2에 정리하였다.

 2003~4년 고원 남교의 북주-수당 묘지의 동북방에 위치한 고원 구룡산대지九龍山台地에서 한당 묘군을 청리하였는데 그중에 4기의 묘가 수당시기 묘장으로 일부는 중국에 들어온 소 그드인과 연관이 있다.[90]

표 2 | 고원수당묘의 구조, 장구, 출토유물

墓名	形制	總長 (m)	墓室尺寸(m)	天井	過洞	小龕	葬具, 棺床形式, 墓誌
史射勿墓	多天井斜坡墓道土洞墓	29m	장방형묘실 (길이 3.25 × 前寬 3.35 - 後寬 3.6m)	2	2	2	生土 棺床(墓室 北壁, 前長 2.75m, 後長 3.05m, 너비 1.4m, 높이 0.5m), 志蓋(四神, 忍冬紋) 志石 每側面(十二生肖, 卷雲紋, 山岳紋)

---

90 寧夏文物考古硏究所,『固原九龍山漢唐墓葬』, 科學出版社, 2012; 馬曉玲, 앞의 논문, p.78.

墓名	形制	總長(m)	墓室尺寸(m)	天井	過洞	小龕	葬具, 棺床形式, 墓誌
史道洛墓	多天井斜坡墓道土洞墓	殘 18.75m	정방형 묘실 (남북 길이 3.36-3.54m × 동서 너비 3.05-3.14m)	5	5	無	生土棺床 (묘실 북벽 중앙), 木封門(제5천정 용도 입구)
史訶耽墓	多天井斜坡墓道磚室墓	41.75m	정정방형 묘실 (南寬 3.8, 북관 3.6, 동관 3.87, 서관 3.75m)	5	5	2	정장방형 석관상(前長 2.7, 너비 1.65, 높이 0.35m, 減地線刻기법 卷草紋 장식대, 동, 남, 서측면 壺門 내 동물화초 等) 墓志 志蓋와 志石 四側面(덩굴문), 青石質 石墓門(門楣, 門額, 門框, 門檻, 門砧, 門扇)
史索巖墓	多天井斜坡墓道土洞墓	48.5m	정정방형 묘실 (길이 3.6, 남쪽 너비 3.1, 북쪽 너비 3.6m)	5	5	2	장방형 磚棺床(墓室 西側, 길이 2.6, 너비 1.26m, 높이 0.53m), 제5과동 磚封門(높이 1.75m, 너비 1.5m), 青石質 石墓門(門額, 門楣, 門框, 門扇, 門檻, 門站)
史鐵棒墓	多天井斜坡墓道土洞墓	31m	정방형 묘실 (약 3×3m)	4	4	無	生土棺床(墓室 서측길이 2.95, 너비 1.25, 높이 0.6m). 青石質 墓志, 志蓋(무문양), 志石 四邊(인동문)
史道德墓	多天井斜坡墓道土洞墓	39.7m	정장방형 묘실 (길이 2.5-2.9× 너비 2.4-2.6m)	7	7	無	生土棺床(墓室 西壁, 길이 2.6, 남단 너비 1.4, 북단 너비 1, 높이 0.6m)
梁元珍墓	多天井斜坡墓道磚室墓	23.9m	정정방형 묘실 (남북 길이 3.45× 동서 너비 3.55m)	3	3	無	장방형 磚棺床(묘실 서북부, 西邊 길이 2.94, 南邊 길이 3.12, 너비 2.6, 높이 0.45m), 관상 위 서쪽 약 4cm 두께의 백색 석고층 (정장방형, 북쪽이 넓고 남쪽이 좁음. 길이 195cm, 너비 각각 0.5cm, 0.35cm)
남원1401號墓	多天井斜坡墓道土洞墓	48.8m	呈弧方形 묘실 (동서 길이 3.8~4 ×남북 너비 3.8m), 墓頂部 파괴(궁륭정 추정, 殘高 2.55m)	5	5	2	磚棺床(묘실 서부, 길이 3.8, 너비 2, 높이 0.12m)

2) 염지당묘

1984년 영하회족자치구 박물관고고고대가 발굴한 염지鹽池 묘지는 염지현 서북 약 48㎞ 거리의 소보정향에 위치한다.[91] 6기의 묘장은 해발 1500m의 석고암질石膏巖質의 음자량窖子梁(음자산窖子山)에 개착한 평저묘도석실묘平底墓道石室墓이다. 중원지역의 성당~중당시기 묘장에 자주 보이는 천정과 용도가 없으며, 벽감이 많은 구조이다. 묘실 문은 산언덕의 횡절단면에 개착하였으며 상부에는 봉토가 없다. 염지당묘의 구조에 대해서는 다음의 〈표 3〉에 정리

---

91   寧夏回族自治區博物館,「寧夏鹽池唐墓發掘簡報」,『文物』1988年 9期.

하였다.

장속葬俗은 목관을 사용한 1호묘와 목관 흔적이 남은 2호묘를 제외하고 다른 묘에서는 석관상石棺床 위에 목관 흔적이 없어 장구葬具가 발견되지 않았다. 4, 5, 6호묘의 유골은 석관상 상부, 벽감 혹은 이실耳室 바닥면에 직접 놓여졌다.

염지당묘의 묘주에 대해서는 3호묘에서만 묘지墓志가 나왔는데 "大周 … 都尉 何府君墓志之銘並序", "君…大夏月氏人也"란 기록으로 알 수 있듯이 3호묘의 묘주는 하성何姓의 대하월지인大夏月氏人이다. 하성何姓은 서역西域 소무구성昭武九姓 중 하나이다. 묘주 하씨何氏의 조부祖父 관직官職은 당상주국唐上柱國이며 묘주 부친과 묘주는 모두 도위직都尉職을 지냈다. 3호묘 출토 묘지에 의하면 묘주가 700년 당唐 무주武周 구시원년久視元年에 죽은 것을 알 수 있다. 이로써 염지당묘의 연대는 성당盛唐 전후로 추정한다.

6호묘의 석묘문石墓門 문비門扉(높이 0.89, 너비 0.43, 두께 0.05m)에 선각線刻한 두 명의 남성의 호선무胡旋舞 도상은 소무9성에 속하는 하성何姓을 가진 소그드인의 묘장으로서의 염지당묘의 특징을 잘 드러낸다.[92]

표 3 | 염지당묘의 구조와 평, 부면도

염지당묘	墓道	墓室	石棺床	小龕	平, 剖面圖
M1	길이 26m, 입구 너비 1.6m, 방형 묘문(높이 0.78, 너비 0.75m)	방형(길이 2.65, 높이 1.8m)	석관상(묘실 북부, 높이 0.4, 너비 1.2, 길이 2.6m), 목관(길이 2.25, 너비 0.71-0.5, 높이 0.35m, 두께 0.01m)	묘실 동서 양벽 소감(길이 1.65, 너비 0.9, 높이 0.8, 감 입구 너비 0.6, 높이 0.78, 두께 0.15m)	
M2	길이 16, 너비 3.8, 깊이 3m, 화상석 출토	장방형(동서 길이 4.25, 남북 너비 3.7, 높이 2.15m)	석관상(묘실 북부, 높이 0.35, 너비 0.55, 길이 4.25m, 부패한 관목과 유골 흔적), 석판(묘실 중간, 길이 1.25, 너비 0.6, 깊이 0.2m, 동심원, 삼각형 등 도안)	묘실 후벽 소감(중앙 1개, 동서 양벽 각 2개, 길이 2.1-2.2, 너비 1.1-1.2, 높이 0.9-1.15m), 목용 출토	

92   寧夏回族自治區博物館, 앞의 논문, 43~56쪽.

염지당묘	墓道	墓室	石棺床	小龕	平, 剖面圖
M3 (700)	길이 13, 입구 너비 3.9m	장방형 (동서길이 6.5, 남북너비 3.7, 높이 2.2m, 묘실 벽면 장방, 정방, 삼각 등 기하도형)	묘실 중간 장방형 석판 (길이 2.5, 깊이 0.6m, 석판 위에 두께 0.2, 높이 0.6, 길이 1.25m, 타원형, 삼각형 花紋), 묘실 後部 석관상(너비 1.1, 길이 2.45, 높이 0.55m), 묘실 중부 팔각형석주 (높이 1.25, 직경 0.5m)	묘실 후벽 중앙 소감 1개, 서벽 前後兩龕, 동벽 前龕, 木俑10余件, 玻璃球2件, 木器 등 方形石膏巖墓志(志蓋 四周 十二生肖 선각)	
M4	길이 14, 너비 1.65, 깊이 3.2m	방형 (길이 3.5, 너비 3.4, 높이 2m)	석관상(묘실 북부, 길이 3.5, 너비 1, 높이 0.5m, 관목 또는 유골 흔적 발견되지 않음)	동서북 삼벽 중부 장방형 소감(길이 1.7-1.75, 너비 0.65-0.7, 높이 0.56-0.63m, 세 감 내에서 모두 부패한 유골 발견, 후감과 서감 각 1개 개체, 동감 2개 개체, 동감 잔존 유해 중 두 점의 상박골 위에 2mm의 줄을 묶음)	
M5	길이 13.7, 깊이 2.25, 너비 1.75-6m)	방형묘실 (길이 4, 높이 1.85m), 좌우이실	주실 북부 석관상(너비 1.17, 길이 3.5m), 측실(묘도 후단 동서양벽, 정장방형 평면, 길이 2.35, 너비 1.4, 높이 0.85m), 측실은 두 부분으로 나뉘어짐. 동측실 관상유골(노년 남성), 서측실 석판관상 유골(중년남성), 측실 내 부장품 없음	주실 동서 양벽 각 3개 방형 小門(서이실 : 길이 3.37, 너비 1.5, 높이 0.94, 동이실 길이 3.1, 너비 2.09, 높이 0.98m), 주실 내 유골 산란, 동이실 4개 개체, 서이실 3개 개체, 이실과 묘도에서 개원통보 3매 발견	
M6	길이 26.1, (입구 너비 1.95, 깊이 3.4m)	방형묘실 (길이 3.4, 너비 3.5, 높이 1.85m)	석관상 (묘실 북부, 길이 3.5, 너비 1, 높이 1m, 장구 없음)	동서북 3벽 각 소감, 동서양감 내에서 유골 및 부장품 미발견, 후감 유골 2구(노년남성, 노년여성), 수차 도굴로 후감, 동감, 묘실 천정에 도동 존재, 기타 부장품 미발견	

3. 고원수당묘와 염지당묘의 비교

1) 구조

당대 묘장의 형식과 구조의 발달은 크게 5기로 구분된다. 단계별 주요 묘장형제는 제1기

(618~657, 고조高祖, 태종太宗, 고종高宗시기) 사파묘도토동묘와 전실묘, 제2기(658~710, 고종후기高宗後期, 무측천武則天, 중종中宗시기) 쌍실전묘雙室磚墓와 단전묘單磚墓, 제3기(710~748, 예종睿宗, 현종개원玄宗開元시기) 단실전묘單室磚墓와 단실토동묘單室土洞墓, 제4기(748~809 현종천보玄宗天寶, 숙종肅宗, 덕종德宗시기) 단실토동묘單室土洞墓, 제5기(809~당말) 수정묘도묘竪井墓道墓이다.

앞에서 살펴본 영하 고원의 수당묘의 묘장 형제는 장사파묘도長斜坡墓道, 단실묘單室墓와 다천정多天井의 결합이며, 봉토封土, 묘도墓道, 천정天井, 과동過洞, 용도甬道와 묘실墓室로 구성되었다. 전장全長은 30~40m로 묘실은 대다수가 약정방형略呈方形이다. 기년묘가 6기로 수대 업6년隋大業六年(610)에서 무측천성력2년武則天聖曆二年(699)까지 80여 년에 걸쳐 조성되었다.

영하지역 수당묘장과 중원 및 관중지역 수당묘장의 형제는 기본적으로 유사하다고 할 수 있다. 고원수당묘의 묘장 형식은 기본적으로 북조北周를 계승하였는데 수대 사사물묘가 그 예이다. 나머지 묘는 전반기는 사가탐묘와 사색암묘가 대표하며 당 고종시기이다. 후반기는 양원진묘이다.

전실磚室과 토동土洞의 두 가지 묘장 형제가 있는데 전실묘磚室墓는 사가탐묘와 양원진묘 두 기이다. 토동묘土洞墓는 6기이고 사사물묘, 사색암묘 등이다. 사가탐묘는 방형 토광土壙을 파고 벽돌을 이용하여 묘실을 만들었다. 묘장 조향은 기본적으로 일치하며 지면에 보존된 봉토의 상태는 같지 않다. 1기를 제외하고 8기의 묘는 봉토가 있다. 전실묘와 토동묘로 나뉘는 묘장형제는 묘장의 등급과는 직접적인 연관관계가 크지 않다.[93] 고원 남교묘지 중에서 전실묘는 주인 신분이 최고이거나 최저이다. 사가탐은 삼품 관품으로 묘의 규모가 크고 석문과 석관상이 있다. 양원진은 처사處士이다.

고원수당묘의 천정 수량은 2~7개로 같지 않다. 초당시기 다천정 구조는 보편적 현상이다. 당 고종시기는 묘장 등급제도가 엄격한 시기이다. 그러나 고원 수당묘장의 천정의 개수

---

93 당대 묘장의 등급제도에 따른 분기는 5기인데 제1기 고조, 태종시기(618~649), 제2기 고종, 무측천시기(650~705), 제3기 중종, 예종, 현종시기(706~741), 제4기 현종천보시기에서 덕종시기(741~ 805), 제5기 덕종말년에서 당말(805~당말)이다. 여기에서는 제1기와 제2기를 소개하면 제1기 특급과 삼품 이상은 단실전묘이며 특급은 5개 이상 천정과 두 쌍 이상의 소감, 석관상과 석문, 俑은 100건 이상, 삼품 이상(李壽墓, 李靖墓)은 단실전묘, 4개 이상의 천정, 두 쌍 이상의 소감, 석문, 90건의 용류, 오품 이상(司馬睿墓)은 단실토동묘, 천정과 소감은 비교적 적고, 전봉문, 전관상이며 俑數는 60~50건이다. 제2기는 특급은 단실전묘이며 5개 이상의 천정, 3쌍 이상의 소감, 석문과 석관상이며, 용수는 120건 이상이다. 삼품 이상은 단실전묘, 쌍실전묘이며 세 개 이상의 천정, 두 쌍 이상의 소감, 석문과 석관상이며 용수는 120건 정도의 용이다. 오품 이상은 단실토동묘, 쌍실토동묘, 2~3개 천정, 두 쌍의 소감에 전봉문, 전관상, 俑數는 90건 좌우이다. 程義, 앞의 책, pp.334~337.

는 장안지역 당묘의 상황과 다르다. 서안 부근 당묘 천정의 수량은 묘주인 관품과 일정 관계가 있다. 고원 남교 8기 묘장은 모두 천정이 있는데 수량은 2~7개 등이다. 이들의 관품의 고하와는 직접적 관계가 없다. 고원 남원 34호묘와 38호묘는 성당기 전단묘인데 2개 천정과 5개 천정으로 다르다.

묘장 규제로 보아 6기의 사씨 가족 성원묘장 중에 사가탑이 최고 관품인 삼품三品이다. 그 다음 사사물과 사색암은 사품四品이며, 사도덕은 오품, 사철봉은 오·육품이다. 묘장은 사가탑묘와 사색암묘의 규모가 전체 길이 48.5m와 41.75m로 가장 크며 남원 1401호묘의 묘장 길이는 사가탑묘와 기본적으로 일치한다. 묘실 면적으로 보아 사씨 가족 성원 중에서 사가탑 묘실의 면적이 최대인데 남원 1401호묘의 묘실 면적은 사가탑묘보다 넓다.

천정과 과동의 수량을 보면 관위官位가 낮은 사도덕묘는 7개 천정을 사용하였는데 관품이 높은 사가탑묘보다 많아, 고원 사씨가족묘지 천정 수량과 관품의 고하高下는 엄격한 대응관계가 없다. 남원 1401호묘의 5개 천정과 과동은 사씨묘군 6기묘에 흔한 규범이다. 비교적 이른 시기의 사사물묘와 사색암묘는 묘실의 천정天井에 벽감을 만들었고 M1401호묘는 제5천정 동서 양벽에 각 하나의 감이 있다. 천정 벽면에 만든 벽감은 초당 대형묘장에서 유행한 방법으로 남원 1401호묘 연대를 초당으로 편년하는 중요한 원인이다. 건축형식상 최고관품의 사가탑묘에서 전실묘를 채용한 외에 기타 성원묘장은 보편적으로 토동묘를 채용하였으며 남원 1401호묘도 토동묘이다.

고원수당묘지를 3가지 구조 형식으로 나누면 제1형식의 사사물묘는 천정 양벽에 소감이 있다. 용도가 묘실 중앙에 있다. 묘실의 동서가 남북보다 길고 앞은 좁고 뒤가 넓다. 북벽 정중앙에 생토관상生土棺床이 있다. 북주 천화사년天和四年(569년) 이현묘李賢墓는 용도 서벽에 하나의 소감이 있다. 수당묘 중에 소감을 만드는 방식은 서북지역에서 먼저 출현하여 이후에 중원으로 퍼졌다.

제2형식은 사색암묘로서 제5천정 동벽에 두 개의 소감이 있다. 용도는 묘실 중앙의 동쪽으로 치우쳐있고 묘실은 정정방형呈正方形이다. 사벽四壁은 흙벽돌을 쌓았고 지면에는 벽돌을 깔았다. 석문이 있고 서벽에는 장방형 벽돌 관상이 있다.

제3형식은 나머지 5기묘가 속하는데 묘실 평면은 정정방형 또는 불규칙 정방형이며 묘도, 용도는 묘실 동측에 위치한다. 어떤 묘는 묘실 동벽과 용도 동벽이 일직선상에 있기도 하다(표 4).

당대 묘장의 일반적 장구葬具는 석곽, 목관, 봉문시설 등이다. 당대 묘장에는 대량의 목판

회혼木板灰痕이 발견되며, 석관곽은 시대순으로 대략 20구 정도가 발견되었다. 이수, 정인태, 위귀비, 연비燕妃, 방릉장공주房陵長公主, 계필명契苾明, 의덕태자懿德太子, 영태공주永泰公主, 위호韋浩, 위동韋洞, 장회태자章懷太子, 금향현주金鄕縣主, 아사나회도阿史那懷道, 양사욱楊思勖, 이헌李憲 등이다. 영하 고원수당묘와 염지당묘에서는 석곽은 발견되지 않았다.

표4 | 고원수당묘의 평면도와 부면도

유형	묘명	평면도, 부면도
1형식	史射勿墓	
2형식	史索巖墓	
3형식	史道洛墓	

유형	묘명	평면도, 부면도
3형식	史訶耽墓	
	史鐵棒墓	
	史道德墓	圖六三　唐代史道德墓平, 剖面圖
	M1401號墓	

당대 석제장구石制葬具의 사용과 신분 등급은 서로 연계되어 묘장등급에 제약이 있는데 당대 고관의 묘실은 규모가 크고 석문, 석관상 등이 있다. 당묘에서 보존이 가장 잘된 것이 석묘문石墓門이다. 석문에 대해서는 품급 등급 제한의 예가 없다. 그러나 비용이 많이 들고 제작이 쉽지 않다. 사용자의 신분은 삼품이상 귀족계층이 주로 사용하였다. 태자, 공주가 가장 많아 석관상과 사용한 등급 범위가 일치한다. 석묘문은 문비門扉, 문주門柱, 문액門額, 문미門楣, 문침門砧, 문한門限으로 구성되었다. 사색암묘와 사가탐묘에 석문이 있다.[94]

당대 묘장의 관상棺床은 석石관상, 전磚관상, 토土관상 등이 있다. 석관상이 최고급이며 토관상의 형식은 단순하여 최저등급이다. 석관상은 장락공주묘, 단간벽묘, 장사귀묘, 위지경덕묘, 신성공주묘, 방릉공주묘, 이풍묘, 절민태자묘 등이다. 석관상은 태자, 공주와 삼품이상 관원이 사용한 장구로서 기타 인물은 사용이 드물다. 전관상은 당대 가장 흔히 보는 관상형식으로서 장방형 평면이 가장 많다.

사씨 가족 구성원 중 최고신분의 사가탐이 석관상石棺床을 사용하였다. 그 다음으로 전관상磚棺床이며, 최하는 생토관상生土棺床이다. 남원 1401호묘는 전관상을 사용하였다. 남원 1401호묘는 기타 사씨 가족구성원의 묘장의 형제와 비교하여 강한 상사성을 보인다. 그 묘장 길이와 묘실 면적이 사씨 가족 구성원 묘 가운데 최고등급인 사가탐묘보다 작지 않고 5개의 천정과 과동을 채용하였으며 관상은 벽돌을 사용하였다. 묘장형제로 보아 남원 1401호묘의 묘주인 신분은 사색암에 근접한다.

소그드인묘장墓葬에 보이는 장구葬具와 시골방치방식尸骨放置方式에 대한 선행연구[95]에 의하면 소그드인은 위병석관상圍屛石棺床, 옥형석곽屋形石槨, 석관상石棺床, 전관상磚棺床, 생토시태生土尸台 등을 장구로 사용하였다. 위병석관상圍屛石棺床은 서안西安 북주北周 강업묘康業墓, 서안西安 북주北周 안가묘安伽墓, 천수天水 수隋 석관상묘石棺床墓가 있다.[96] 다음은 옥형석곽屋形石槨으로 태원太原 수隋 우홍묘虞弘墓, 서안西安 북주北周 사군묘史君墓 등이다.

세 번째 석관상石棺床으로 고원固原 사가탐묘史訶耽墓와 염지鹽池 하씨何氏 당묘唐墓가 있다. 염지당묘는 묘실 북부에 석관상을 팠는데, 그중에서 M1석관상 위에 목관을 놓았고, M2석관상에도 썩은 관목과 시골흔적尸骨痕迹이 있다. M4, M5, M6은 시골을 석관상, 벽감 혹은 이실

---

94   程義, 앞의 책, pp.104~107; 羅豊, 앞의 책, pp.139~140; 寧夏固原博物館, 앞의 책, p.206.
95   馬曉玲, 앞의 논문.
96   天水市博物館, 「天水市發現隋唐屛風石棺床」, 『考古』 1992년 1期.

내에 직접 놓았다. 낙양洛陽 안보묘安菩墓는 묘실 동서 양측에 각각 관상을 하나씩 설치하고 유골을 놓았다.

네 번째 전관상磚棺床은 사색암부부합장묘와 섬서 예천禮泉 당唐 안원수묘安元壽墓이다. 다섯 번째는 생토시태生土尸台로서 영하 고원 사사물묘, 사도락묘, 사철봉묘, 사도덕묘, 신강新疆 투루판吐魯番 교하고성交河故城 구서묘지沟西墓地 강씨가족묘康氏家族墓와 파달목묘지巴達木墓地 강씨가족묘康氏家族墓이다.[97] 마지막으로 무관상無棺床은 산서山西 분양汾陽 조이묘曹怡墓가 있다.[98]

사도락묘 제4천정 서측 지면에서 불에 탄 대량의 흙과 탄화물을 발견하였다. 용도 동북측의 묘실에 근접한 지면에서도 홍색의 소토燒土가 발견되어 이곳에서 모종의 제사활동을 하였을 가능성이 있다. 남원 1401호묘 묘실 동남부에 근접한 용도 북구 전방에 타원형 갱(직경 35㎝, 단경短徑 30㎝)이 있는데 안에 회흑색의 목탄재와 소토가 있어 내부에서 간단한 제사의식을 행했을 것으로 추정한다.

고원 수당묘지에서 발견되는 이러한 제의의 흔적은 섬서 서안의 북주 안가묘에서도 발견된다. 이러한 중국 장의와 다른 몇 가지 특징들은 소그드인의 지역적 장의관습이나 소그드인 후예들에 의한 관습의 변화를 표현하는 것으로 본다. 사씨묘장 출토 인골의 체질인류학적 감정 결과 피장자의 골격과 특징은 몽고인종과 차이가 큰 코카서스인종에 속한다.

사도락묘에는 묘실 바로 위 지면에서 건축물의 천장을 덮는데 사용한 기와들이 발견되어 정자와 같은 건축물이 비석이나 묘지를 위해서 묘상에 만들어져있었을 가능성이 있다. 이 건축 구조물 아래 3m 깊이에서 개의 뼈가 발견되었다. 남원 1401호묘에도 봉토를 세우기 전에 지면 중앙에 구갱狗坑을 팠다. 사도락묘와 남원 1401호묘에서 개를 희생한 제의의 흔적은 조로아스터교도들의 장의에서 개는 사자의 영혼을 안내하는 중요한 역할을 하기 때문에 소그드인의 특수한 장법과 연관된 것으로 해석한다.

2) 부장품

각 묘는 이미 도굴당하여 보존된 유물이 상대적으로 적다. 유물들의 묘내에서의 위치도 이미 이동하였다. 먼저 부장품 가운데는 섬서 서안지역과 신강 아스타나지역의 동시기 당

---

97 吐魯番地區文物局,「新疆吐魯番地區交河故城沟西墓地康氏家族墓」『考古』2006年 12期; 吐魯番地區文物局,「新疆吐魯番地區巴達木墓地發掘簡報」『考古』2006年 12期.

98 馬曉玲, 앞의 논문, pp. 177~178.

묘들과 유사한 용류가 있다. 사도락묘의 진묘무사용과 진묘수는 섬서 서안지역의 초당묘와 몽골 바얀노르묘와 복고을돌묘와 형태나 양식면에서 유사하여 초당 진묘무사용과 진묘수용의 특징을 잘 보여준다(도37~39).

남원 1401호묘 출토 니용은 벽감 내 배치 방법과 홍니紅泥로 제작하고 가마에 넣어 굽지 않은 제작기법 등이 몽골 바얀노르묘와 복고을돌묘 출토 용류와 가깝다. 염지당묘는 목용의 형태나 양식적 특징이 몽골 바얀노르 벽화묘와 복고을돌묘와 유사한 점이 주목되며 서안지역에서는 동시기의 목용의 출토사례가 많지 않아 비교 사례로 중요하다.[99]

몽골 바얀노르묘에서는 여러 점의 소형 마구 모형이 나왔는데 사도락묘에서도 유사한 사례가 발견된다. 사도락묘의 소형 도금동마구 모형은 류금동마표鎏金銅馬鑣 5건, 류금동마등鎏金銅馬鐙 1건, 류금동행엽鎏金銅杏葉 1건이다. 이들 마구들은 모두 소형으로 목제 혹은 금속제 마용 위에 착용되었을 가능성이 있으나, 도굴로 인하여 묘실 내에서 마용은 발견되지 않았다. 발견된 5건의 마표를 고려하면 3필의 소형 마용이 부장되었을 가능성이 있다. 마구 출토 위치로 보아 마용은 묘실 중앙 남부에서 약간 서쪽으로 치우친 곳에 부장되었을 것이다.

다음으로 영하 고원 당묘에서 소그드계통의 묘주의 문화적 다양성을 보여주는 부장품들로는 동로마 비잔틴 금화와 금복면이 있다. 사도락묘 출토 동로마 금화는 묘실 동북부의 관상 앞 지면 위에서 발견되었다. 이 금화는 동로마 황제 유스티누스 2세Justin II (재위 565~578) 금화로서 가장자리에 두 개의 소공小孔이 있다. 의복 등에 꿰었던 장식품일 가능성이 있다. 금화의 가장자리에 치아 흔적이 있어 금화가 피장자의 입 속에 넣어졌을 가능성도 있다. 해당 묘장의 축조시기(658)와 금화 제조말년(578) 사이에는 80년의 차이가 있다.

중국에 들어온 소그드인 묘장 중에서 사자死者의 입에 담긴 또는 손에 쥔 주화 장속에서 가장 이른 것은 북주 강업묘, 가장 늦은 것은 당대 안보부부묘이다. 안보부부묘의 금화는 서관상西棺床 위의 사자死者의 오른손 안에서 나왔다. 두 명의 사자는 왼손에 각각 개원통보開元通寶를 쥐고 있었다.

사도덕묘의 묘주 두골 위에서 발견된 금복면金覆面은 원래 사직물絲織物에 꿰메어 부착되었었으나 출토시 사직물은 이미 부패하였으며 도굴자에 의해 훼손되었다. 사도덕묘 금복면은 호액식護額飾, 호미식護眉飾, 호안식護眼飾, 호비식護鼻飾, 호진護唇, 호합식護頜飾, 호빈식護

99 염지당묘의 진묘수, 마용, 남녀용에 대해서는 寧夏回族自治區博物館, 앞의 논문, pp. 43~56.

도 37 | 《진묘무사용》, 사도락묘, 고원시박물관　　　도 38 | 《진묘수용》, 사도락묘, 고원시박물관

도 39 | 《진묘수용》, 사도락묘, 고원시박물관

도 40 | 금복면, 사도덕묘, 고원시박물관

도 41 | 금관식과 금하합식, 고원 구룡산 3호묘

鬢飾 등 모두 11점으로 구성되었다(도40). 호액식 하부는 하나의 긴 금편金片이며 금복면 상부에는 앙월문仰月紋이 있다.

영하 고원 남원 구룡산묘지 33호묘에서도 한 점의 금관식과 한 점의 금하합식이 남성묘주 두골에 착용한 상태로 발견되었다(도41). 중앙의 일월日月도안이 있는 금관식과 금하합식을 조합하여 만든 두관頭冠은 사도덕묘에서 발견된 금복면과 유사하며 중앙아시아 천교 숭배와 연관된다. 묘주의 입안에서 금화 1점도 발견되었다. 체질인류학 감정분석과 묘장 출토유물로 미루어보아 33호묘의 묘주는 중국에 들어온 소그드인으로 보인다.[100]

사도덕묘에서 나온 복면의 부장과 같은 장속은 신강지역에서 집중 발견된다. 신강 아스타나묘지에서 발견되는 복면은 금錦, 견絹 등의 직물로 만든 것이다. 신강지역의 동한, 위진수당시기 묘장에서는 시체에 복면을 덮은 사례가 많다. 사도덕묘 금복면은 작은 구멍이 많이 뚫려있어 직물에 부착한 것임을 알 수 있다. 사씨가족묘에 묘주인의 종교신앙을 반영한 다

---

100   2003~4년 영하 고원 九龍山에서 漢唐묘장을 청리하였는데 그 중 4기 묘는 수당시기 묘장이다. 묘장 규모가 비교적 작고 등급이 높지 않으며 墓志가 없다. 寧夏文物考古硏究所, 『固原九龍山漢唐墓葬』, 科學出版社, 2012. 寧夏文物考古硏究所, 「寧夏固原九龍山隋墓發掘簡報」, 『文物』, 2012年 10期.

양한 종교 관련 문물이 출현하는 것은 사씨 가족 내의 다원적인 신앙을 보여준다.

3) 벽화와 석각

(1) 벽화

당묘 벽화의 제재내용은 대개 사신四神, 의장儀仗, 수렵狩獵, 궁정생활宮廷生活과 가거생활家居生活, 예빈禮賓, 종교宗敎, 건축建築, 성상星象 등으로 분류한다. 당묘 벽화는 무덕武德, 정관貞觀 시기 발전하여 고종高宗, 무측천武則天시기에 이미 북조벽화의 영향을 탈피하고 전형적 풍격을 형성하였다. 이러한 풍격은 고종시기에 시작하여 개원開元, 천보天寶 시에 마무리된다.[101]

당묘의 인물도의 발달은 고조高祖에서 고종高宗시기(618~683), 무측천武則天에서 예종睿宗 시기(684~712), 현종玄宗시기(712~756), 숙종肅宗에서 당말唐末까지(756~907)로 나눈다. 본 논문에서 살펴보는 7세기 인물화의 특징을 보면 제1기 초당묘初唐墓는 서안 근교에 분포하며 남북조 만기와 수隋의 인물화에서 발전한 것이다. 초당의 사녀 형상은 동감이 결핍되고 순박, 강건하게 묘사되어 다음에 오는 '무주풍격武周風格'의 사녀 형상과 차이가 난다. 제2기는 무측천시기(684~705), 중종과 예종시기(705~712)로 나눈다. 무측천시기 인물도의 특징은 무주풍격武周風格이라 하는데 사녀상이 신체가 가늘고 길어지면서 동작에 율동감이 강조되고 선조가 유려해진다.[102]

고원 수당묘지 가운데 7세기의 사사물묘, 사색암묘, 양원진묘, 남원 1401호묘에서 벽화가 발견된다. 벽화의 제재는 건축도, 장식문양도, 인물도(무사, 시종, 시녀 등)이다. 묘도, 천정, 과동에는 문루도, 주작도, 연화도, 견마도 등이 있으며, 묘실에는 병풍 형식의 인물도가 주로 그려져 있다. 벽화가 가장 잘 남은 예는 양원진묘로서 천정, 용도와 묘실에 견마도, 시녀시종도, 수하노인도, 성상도星象圖가 있다.

사사물묘와 사색암묘의 과동 상방에는 문루도, 연화도, 주작도가 있으며 남원 1401호묘의 과동 입구 상방에는 권초문卷草紋이 반복적으로 그려졌다(도42). 1401호묘 제2, 3, 4 과동 입구 상방에 아직 남아 있는 묵선구륵으로 그린 권초문과 같은 장식화문은 사사물묘 제2과동 입구 상방과 유사하다.

---

101 당묘 벽화의 분기는 申秦雁, 楊效俊, 「陝西唐墓壁畵硏究綜術」, 陝西歷史博物館 編, 『唐墓壁畵硏究文集』 三秦出版社, 2001, pp.14~15.

102 李星明, 앞의 책, p.230, p.393.

도 42 | 《주작도》, 묘도 과동, 사색암묘, 고원시박물관

　과동 상방에 문루도와 연화도를 배치한 점은 몽골 바얀노르 벽화묘와 같아 초당시기 장사파묘도다천정 벽화묘의 벽화 배치 형식임을 알 수 있다. 또한 과동 상방의 문루도, 연화도의 배치는 북주시기부터 이미 출현한 것으로 이전 시기의 전통을 따른 것이다.

　사사물묘의 과동과 천정 양벽에는 집도무사執刀武士와 집홀시종묘執笏侍從圖가 있다(도43, 44). 북조시대에는 묘도에 긴 의장행렬이 출현하여 묘주의 높은 지위와 위엄을 보여주는데 당대의 장회태자묘와 의덕태자묘에서도 대규모 의장행렬이 그려지나 대개 수·당대 벽화묘에서는 그 규모가 북조시기보다 축소된다. 고원지역 벽화묘에서는 묘도에 대규모 의장행렬이 출현하지 않으나 남원 1401호묘의 묘도 동서 양벽 후단后端에는 각 벽에 4인으로 구성된 의위도儀衛圖가 있다. 섬서 서안지역 당묘의 묘도에 흔히 보이는 청룡과 백호도 고원지역 벽화에서는 보이지 않는다. 남원 1401호묘의 현존 벽화로 보아 사신이나 서수가 그려졌을 가능성이 있으나 현재로서는 명확하지 않다.[103] 서안지역 당묘에서는 묘도를 지나서 과동과 천정 양벽에는 무장하지 않은 남녀시종도가 그려지는 것이 일반적이다. 610년의 수대 벽화

103　보존이 된 서벽 前端에는 獸足과 祥雲이 남아 있으며 홍, 록, 흑색 등을 사용하였다. 당묘 묘도 앞부분에 그려지는 사신이나 서수일 것으로 보인다.

도 43 | 《인물도》, 묘도 동벽, 사사물묘, 고원시박물관   도 44 | 《인물도》, 묘도 서벽, 사사물묘, 고원시박물관

묘로서 집도무사와 집홀시종이 그려진 사사물묘는 북조의 의장행렬 전통을 일부 계승하면서 당대로 넘어가는 과도기의 벽화 구성으로 보인다.

초당시기로 추정하는 남원 1401 호묘는 묘도에 병풍화 형식의 그림의 틀을 그린 것이 남아있으며 묘도 동서 양벽 후단后端에는 의위도儀衛圖가 있다. 동서벽에 각각 4인을 그렸는데 상반신 벽화는 이미 탈락하였다. 하반신은 장포흑화長袍黑靴를 입고 묘도 입구를 향하였다. 남원 1401호묘의 제2, 3천정 동서 양벽에 묘도 입구를 향한 집홀(?)속리도는 인물의 복식과 풍격으로 보아 사사물묘의 묘도, 과동, 천정 중의 의위무사도의 인물상의 제재와 형식을 계승한 것이다.

7세기말에 조성된 양원진묘의 용도와 천정 동서 양벽에는 말과 마부의 견마도가 여러 폭 반복하여 그려졌다(도45). 견마도는 총 8폭이 있으며 용도에 2폭, 천정 동서 양벽에 6폭이 있다. 초고 없이 먼저 묵선으로 윤곽선을 그리고 색을 칠하여 완성하였다. 한 명의 마부가 말 한 마리를 끄는 모습으로 인물의 복색과 안색, 동작, 말의 색과 동작 등이 각각 다르다. 견마 인물은 대개 머리에 복두를 쓰고 원령착수장포圓領窄袖長袍에 허리띠를 매고 가죽신발을 신

도 45 | 《견마도》, 묘도 서벽, 양원진묘, 고원시박물관

었다. 견마도는 당묘 도용과 벽화에 자주 보이는 말과 관련된 제재이다.

사사물묘, 남원1401호묘, 양원진묘의 묘실 벽화는 인물도 병풍이 묘실 사면벽에 그려지
거나 일부 벽에 그려져서 당대 묘실 벽화의 병풍화 유행을 따르고 있음을 알 수 있다. 610년
의 사사물묘 묘실 서벽 남측에 남은 한 폭의 시녀도에는 모두 5명의 시녀가 있는데 고계高髻
에 홍색장간군紅色長間裙을 입고, 어깨에 피백帔帛을 둘렀다(도46). 인물의 비례나 머리모양,
복식이 수~초당기의 여인상의 모습을 잘 보여준다.

남원 1401호묘 묘실은 사벽에 홍색의 테두리 내에 벽화를 그렸다. 북벽에만 벽화가 남았
다(도47). 묘실 북벽 6폭 벽화의 순서는 제1폭 홍색 치마를 입은 여시女侍, 제2폭 무자舞者, 제
3폭(이미 파괴), 제4폭 지물을 손에 든 원령장포圓領長袍와 홍백조문고紅白条纹褲를 입은 남시
男侍(화폭 너비 약 42㎝, 인물 높이 120㎝), 제5폭 현무玄武(높이 92㎝), 제6폭 여시女侍 또는 사녀仕女
(화폭 너비 약 47㎝, 인물 높이 140㎝)이다. 남원 1401호묘 묘실 각 벽에 병풍 테두리를 그리고 그
안에 도상을 그린 방법은 초당시기 관중지역 벽화의 특징이다. 그러나 인물병풍도 가운데
에 사신을 삽입하는 형식은 전례가 없는 것이고, 현무를 위에서 내려다본 형상으로 그려 위
진남북조와 수·당대에 보기 드문 구도로 주목된다.

도 46 | 《시녀도》, 묘실 서벽, 사사물묘, 고원시박물관

도 47 | 《남녀시종과 현무도(모사도)》, 묘실 북벽, 고원 남원 1401호묘, 고원시박물관

양원진묘의 묘실은 서벽과 북벽의 병풍 형식의 수하인물도, 동벽의 인물행렬도로 구성되었다. 관상의 배경으로 수하인물도를 두르고 묘실을 나가는 방향으로 동벽에 인물행렬을 그린 것이다. 동벽 앞쪽에는 백묘기법으로 한 그루의 고목을 그렸는데 뿌리 부분의 화면은 이미 탈락되었다. 나무의 우측에는 한 명의 여자가 있는데 잔고殘高 1.2m이다. 허리와 다리 부분은 불완전하게 남아있다. 여자 옆에는 한 명의 남장여시男裝女侍인데 가슴 앞에 주머니를 두 손으로 잡고 있다. 다리 아래 부분은 결실되었다. 남장시녀의 옆에는 두 명의 시자侍者가 있다.

수하인물도는 묘실 서벽과 북벽에 그려진 10폭의 병풍화이다(도48). 각 벽에 5폭 병풍이 있는데 각 폭은 너비 10㎝의 홍색 테두리를 둘렀다. 각 병풍의 높이는 1.7m이

도 48 |《수하인물도》, 묘실 서벽, 양원진묘, 고원시박물관

고 너비 0.6m이다. 병풍 내용은 각각 한 그루의 고목과 나무 아래에 선 긴 두루마기를 입은 노인을 그렸다. 묘주 양원진이 현학玄學의 경력을 숭상하였다는 기록에 기반하여 병풍화 내용은 위진명사 죽림칠현竹林七賢과 영계기榮啓期의 고사를 그린 것으로 볼 수 있고 당대 묘장 병풍화 중에 비교적 이른 것으로 기년이 명확하여 해당 제재의 병풍화로서 중요한 가치가 있다.

(2) 석각

사색암묘(664)와 사가탑묘(669)에는 석묘문이 있는데 크기는 차이가 있으나 묘문을 구성하는 석조 부재는 같다.(도49, 50) 두 묘의 문미門楣에는 쌍주작이 공통적으로 새겨진 반면, 문선門扇의 제재는 다르다. 사가탑묘는 문리도, 사색암묘는 서수도이다. 감지선각減地線刻 기법을 사용하였다.

사색암묘의 정반원형 문미門楣 정면正面에는 두 마리의 주작이 날아오르는 듯한 측면상으

도 49 | 석문, 사가탑묘, 고원시박물관

도 50 | 석문, 사색암묘, 고원시박물관

도 51 |《주작, 청룡, 괴수도(모본)》, 석문, 사색암묘

로 새겨졌다. 사가탑부부묘 석묘문 문미도 정면에 쌍주작을 새기고 상부와 하부에 권운문과 산악문을 각각 장식하였다. 석문 문미의 주작상은 예천 신성장공주묘 석문 문미의 예와 같이 이 시기 석문 문미 장식에서 종종 볼 수 있는 제재이다.

사색암묘 문선은 상중하上中下 삼층三層으로 나누었다(도51). 상층은 주작朱雀으로 좌측 주작은 입에 관주串珠를 물었고, 우측 주작은 입에 아무것도 물지 않았다. 중간층은 청룡靑龍이고 하층은 괴수怪獸이다. 테두리 배경은 모두 같은데 상부는 권운문卷雲紋, 하부는 산악문山岳紋이다. 사가탑묘의 좌우左右 문선門扉(문 높이 122㎝, 너비 44.5㎝, 두께 11㎝)의 좌측 문은 도굴자에 의해 두 부분으로 부서졌으나 발굴 후 복원되었다. 각 1명의 인물상이 조각되었다. 괴형체槐形替를 낀 쌍선雙扇 소관小冠을 쓰고 몸에는 관수교령장포寬袖交領長袍를 입고 허리띠를 차고 있다.

사가탑묘 문액門額 정면에는 41~43개의 연주문聯珠紋이 담긴 원(직경 18~18.5㎝)을 7개 새기고 원 안에 괴수면怪獸面, 연화, 천마, 주작 등을 넣었다. 좌측에서 우측으로 주작, 연화, 천마,

귀면, 천마, 연화, 주작 순이다. 천마와 주작은 쌍으로 대칭이 되게 그렸다. 사가탑묘의 연주문 도안은 발라릭 테페의 5~6세기 에프탈 귀족연회도에 나오며, 7세기 아프라시압 벽화, 신강 아스타나묘지 출토 5~7세기 사금직물絲錦織物, 북제 서현수묘 등에서 발견된다. 신강 키질 석굴, 돈황 막고굴 수대 동굴 벽화(420호굴, 402호굴, 401호굴, 277호굴)에도 연주문 도안이 있다.

수개황2년隋開皇二年(582) 이화묘李和墓 석관 위에 새겨진 연주문은 내부에 코끼리, 호랑이, 말 등 동물과 인면형상이 있어 사가탑묘 석문 문양과 유사하다. 영휘2년永徽二年(651) 단간벽묘 석문 문액에도 네 개의 연주문 안에 괴수문이 새겨졌다. 초당 이후에는 연주문이 쇠락하기 시작하며 석각의 연주문양은 드물게 보인다.

염지 6호묘의 석묘문 문비에는 두 명의 남성의 호선무 도상이 새겨져 있어 주목받았다(도 52). 문헌에 기재된 강국의 호선무로 이 묘장이 소무구성에 속한 소그드인 가족묘임을 상징한다. 우선문右扇門 위에 새긴 남성은 머리에 원모圓帽를 쓰고, 몸에는 원령圓領 착수장군窄袖長裙을 입고 다리에는 연화軟靴를 신었다. 좌선문左扇門에 새긴 남자는 번령착수장포翻領窄

도 52 | 《호선무도》, 석문, 염지6호묘, 고원시박물관

袖長袍를 입고 모帽와 화靴는 우선右扇과 같다. 작은 원형의 대좌 위에서 한 발을 올리고 춤을 추고 있다. 무용수의 자연스러운 동세나 옷주름의 유려한 묘사에서 각공의 능숙한 솜씨를 볼 수 있다. 호선무 무용수의 하체 부분 옷주름 묘사를 보면 사산조 페르시아의 낙쉐 루스탐 등의 부조에서 볼 수 있는 양식이다.

4. 소그드인 묘장의 문화적 다양성

이상으로 당대 묘장의 사례 연구로 영하회족자치구 고원과 염지 지역의 당묘의 구조적 특징과 벽화와 조각 및 부장품에 대하여 비교 고찰하였다. 고원수당묘는 사씨성의 소그드인 가족묘장으로 묘의 구조면에서 섬서 서안지역의 당묘와 유사하다. 벽화와 석각에 있어서도 서안지역 당묘 벽화와 석각과 강한 친연성을 보여준다. 서안지역 초당묘의 벽화의 인물 양식이라든가 제재 배치형식, 표현기법을 대부분 따르고 있다.

소그드계 묘인 고원수당묘와 염지당묘가 섬서 서안지역의 당묘와 차이점을 보여주는 것은 장구葬具와 장법葬法 및 부장품이다. 묘주가 생전에 사용하였거나 장례를 위해 만들었을 금속 부장품, 특히 금복면이나 비잔틴금화 또는 사산조은화 등은 중앙아시아계통의 문화를 드러내어 묘주의 정체성과 문화적 변용 및 해당 유물의 출현지역에 따라 공유되었던 외래계 문화적 특징을 잘 드러낸다.

염지당묘는 고원보다 북쪽인 내몽고와 감숙, 섬서의 경계지대에 위치하여 묘의 구조면에서 섬서 서안지역의 장사파묘도를 가진 전실묘나 토동묘의 일반적 형식을 따르기보다 소그드식의 다인장법을 따르는 독특한 다감多龕형식의 묘를 축조하였다. 회화작품의 예는 발견되지 않았으나 묘문에 선각으로 새겨진 호선무로 보면 제재의 선택에서도 강한 고유성을 드러낸다.

영하 고원과 염지의 소그드계 당묘는 기존에 많이 알려진 섬서 서안의 소그드묘장인 안가묘와 사군묘의 장의석각에 비하여 묘장 조각 장식의 화려함이나 부장품의 수량과 질에서는 훨씬 떨어지나 해당 지역에서 활동하였던 소그드인들의 집단묘장으로서 그들의 문화적 다양성과 지역적 분포양상을 살펴볼 수 있다는데 의의를 가진다.

참고문헌

강현숙,『고구려와 비교해본 중국 한, 위·진의 벽화분』, 지식산업사, 2005.

박아림,『고구려 고분벽화 유라시아문화를 품다』, 학연문화사, 2015.

서영대,『중국 요양지역의 벽화고분』, 백산자료원, 2016.

신립상,『한대 화상석의 세계』, 학연문화사, 2007.

전호태,『중국 화상석과 고분벽화 연구』, 솔, 2007.

_____,『화상석 속의 신화와 역사』, 소와당, 2009.

정옌 저, 소현숙 역,『죽음을 넘어』, 지와 사랑, 2020.

최진열,『효문제의 '한화'정책과 낙양 호인사회 : 북위 후기 호속 유지 현상과 그 배경』, 한울엠 플
          러스, 2016.

_____,『북위황제 순행과 호한사회』, 서울대학교 출판문화원, 2011.

한정희,『동아시아 회화 교류사 - 한중일 고분벽화에서 실경산수화까지』, 사회평론, 2012.

황요분 저, 김용성 역,『한대의 무덤과 그 제사의 기원』, 학연문화사, 2006.

姜伯勤,「中國祆教藝術史硏究」, 三聯書店, 2004.

洛陽市文物管理局, 洛陽古代藝術博物館,『洛陽古代墓葬壁畵』, 中州古籍出版社, 2010.

洛陽第二文物工作隊,『洛陽漢墓壁畵』, 文物出版社, 1996.

南陽漢畵館,『南陽漢代畵像石墓』, 河南美術出版社, 1998.

內蒙古自治區文物考古硏究所,『和林格爾漢墓壁畵』, 文物出版社, 2007.

內蒙古自治區博物館文物工作隊,『和林格爾漢墓壁畵』, 文物出版社, 1978.

大同北朝藝術硏究院,『北朝藝術硏究院藏品圖錄』, 文物出版社, 2016.

大同市考古硏究所,『大同雁北師院北魏墓群』, 文物出版社, 2008.

戴春陽,『敦煌佛爺廟灣西晉畵像塼墓』, 文物出版社, 1998.

羅宗眞,『魏晋南北朝考古』, 文物出版社, 2001.

_____,『六朝考古』, 南京大學出版社, 1996.

羅豊,『固原南郊隋唐墓地』, 文物出版社, 1996.

____,『胡漢之間一"絲綢之路"與西北歷史考古』, 文物出版社, 2004.

北京歷史博物館, 河北省文物管理委員會,『望都漢墓壁畵』, 中國古典藝術出版社, 1955.

山西省考古硏究所,『太原隋虞弘墓』, 文物出版社, 2005.

_____, 大同市博物館,『大同南郊北魏墓群』, 科學出版社, 2006.

上海博物館,『壁上觀一細讀山西古代壁畵』, 北京大學出版社. 2017.

徐光冀 主編, 湯池, 秦大樹, 鄭岩 編,『中國出土壁畵全集』, 科學出版社, 2011.

西安市文物保護考古硏究院,『北周史君墓』, 文物出版社, 2014.

陝西省考古研究院,『壁上丹青:陝西出土壁畵集』, 科學出版社, 2008.

_____,『西安北周安伽墓』, 文物出版社, 2003.

_____,『潼關稅村隋代壁畵墓』, 文物出版社, 2013.

王銀田,『北魏平城考古研究;公元五世紀中國都城的演變』, 科學出版社, 2017.

榮新江, 張志淸 主編,『從撒馬尔干到長安一粟特人在中國的文化遺迹』, 北京圖書館出版社, 2004.

寧夏回族自治區固原博物館 편,『原州古墓集成』, 文物出版社, 1999.

倪潤安,『光宅中原: 拓跋至北魏的墓葬文化與社會演進』, 上海古籍出版社, 2020.

韋正,『魏晉南北朝考古』, 北京大學出版社, 2013

劉俊喜,『大同雁北師院北魏墓群』, 文物出版社, 2001.

李星明,『唐代墓室壁畵研究』, 陝西人民美術出版社, 2005.

李龍彬, 馬鑫, 鄒寶庫 編著,『漢魏晉遼陽壁畵墓』, 遼寧人民出版社, 2020.

蔣英炬,『漢代畵像石與畵像塼』, 文物出版社, 2003.

鄭岩,『魏晋南北朝壁畵墓研究』, 文物出版社, 2016.

____,『逝者的面具-漢唐墓葬藝術研究』, 北京大學出版社, 2013.

程義,『關中地區唐代墓葬研究』, 文物出版社, 2012,

青州市博物館,『山東青州傅家莊北齊線刻畵像石』, 齊魯書社, 2014.

土居淑子,『古代中國の畵像石』, 同朋舍, 1986.

河南省文物研究所,『河北古代墓葬壁畵』, 文物出版社, 2000.

_____,『密縣打虎亭漢墓』, 文物出版社, 1993.

賀西林,『古墓丹靑 - 漢代墓室壁畵的發現與研究』, 人民美術出版社, 2002.

韓玉祥,『南陽漢代畵像石墓』, 河南美術出版社, 1998.

韓偉, 張建林,『陝西新出土唐墓壁畵』, 重慶出版社, 1998.

黃雅峰,『南陽麒麟崗漢畵像石墓』, 三秦出版社, 2007.

黃佩賢,『漢代墓室壁畵研究』, 文物出版社, 2008.

Constance A. Cook and John S. Major, *Defining Chu*, University of Hawai'i Press, 1999.

Annette L. Juliano, *Teng-Hsien: An Important Six Dynasties Tomb*, Artibus Asiae, Ascona, Switzerland, 1980.

Wu Hung, *Arts of the Yellow Spring*, University of Hawai'i Press, 2010.

Shing Müller, Thomas O. Höllmann, and Sonja Filip, eds. *Early Medieval North China: Archaeological and Textual Evidence*, Wiesbaden: Harrasovitz Verlag, 2019.

김병준,「한대 화상석의 "橋上交戰圖" 분석-화제간의 상호 유기적 이해를 위한 시론」,『강좌미술사』, 26, 2006.

김진순,「高句麗 後期 四神圖 고분벽화와 古代 韓·中 문화 교류」,『선사와 고 대』, 30, 2009.

_____,「중국 唐代 고분벽화의 花鳥畵 등장과 전개」,『미술사연구』, 26, 2012.

박아림,「高句麗 壁畵와 甘肅省 魏晋時期(敦煌 包含) 壁畵 比較硏究」,『고구려발해연구』, 16, 2003.

_____,「北魏 平城시기 古墳 美術 연구 - 고분 출토 회화 유물을 중심으로」,『歷史敎育論集』, 36, 2001.

_____,「高句麗 古墳壁畵와 同時代 中國 北方民族 古墳美術과의 比較研究」,『고구려발해연구』, 28, 2007.

_____,「中國 河南省 南陽 麒麟崗漢墓 研究」,『고구려발해연구』, 38, 2010.

_____,「中國 古墳繪畵의 淵源 研究: 戰國時代~漢代 楚文化를 중심으로」,『고구려발해연구』, 40, 2011.

_____,「중국 위진 고분벽화의 연원 연구」,『동양미술사학』1, 2012.

_____,「中國 寧夏回族自治區의 固原隋唐墓와 鹽池唐墓 壁畵와 石刻研究」,『東洋美術史學』9, 2019.

_____,「5세기 고구려와 북위의 고분미술의 畵稿의 전래와 적용」,『고구려발해연구』, 64, 2019.

_____,「중국 섬북과 내몽고지역 동한시기 벽화묘 연구」,『동양미술사학』, 10, 2020.

_____,「섬서 동관세촌묘를 통해 본 수대 벽화묘의 특징」,『동양미술사학』, 12, 2021.

_____,「북위 평성시기 고분미술의 변천과 융합」,『中央아시아研究』26-2, 2021.

서윤경,「북위 平城期 沙嶺벽화고분의 연구」,『美術史學研究』267, 2010.

_____,「中國 喪葬美術의 東西交流」,『美術史論壇』24, 2007.

_____,「중국 北朝 시기 儀仗出行의 재현과 祭儀」,『美術史論壇』39, 2014.

양홍,「中國 古墳壁畵 연구의 회고와 전망」,『美術史論壇』23, 2006.

李星明,「關中地域 唐代 皇室壁畵墓의 도상연구」,『美術史論壇』23, 2006.

정병모,「중국 北朝 고분 벽화를 통해 본 진파리 1·4호분과 강서중·대묘의 양식적 특징」,『강좌미술사』41, 2013.

최진열,「北魏 平城時代 胡人들의 생활과 습속 -胡俗 유지와 그 배경을 중심으로-」,『동방학지』149, 2010.

한정희,「高句麗壁畵와 中國 六朝時代 壁畵의 비교연구 : 6, 7세기의 예를 중심으로 」,『미술자료』68, 2002.

_____,「중국분묘 벽화에 보이는 墓主圖의 변천」,『미술사학연구』261, 2009.

허시린,「漢代 壁畵古墳의 발견과 연구」,『美術史論壇』23, 2006.

도판목록

像石墓」,『中原文物』1982年 1期)

도 7 《평면도와 투시도》, 자구묘(河南省文化局文物工作隊, 「河南襄城茨溝漢畵像石墓」,『考古學報』1964年 1期)

도 8 기린강묘 위치와 《평면도》(黃雅峰,『南陽麒麟崗漢畵像石墓』, 三秦出版社, 2007)

도 9 《투시도》, 기린강묘(黃雅峰,『南陽麒麟崗漢畵像石墓』, 三秦出版社, 2007)

도 10 《문미 화상석》, 전실 서벽(상), 북벽과 남벽(하), 기린강묘, 남양한화상석박물관, 필자 촬영

도 11 《천장 화상석》, 북주실(상), 중주실(중), 전실(하), 기린강묘, 남양한화상석박물관, 필자 촬영

도 12 《남녀인물상》, 북주실 후벽(좌), 중주실 후벽(우), 기린강묘(黃雅峰,『南陽麒麟崗漢畵像石墓』, 三秦出版社, 2007)

도 13 《대상(大象)》, 북주실 북벽, 기린강묘, 남양한화상석박물관, 필자 촬영

도 14 《신선》, 남주실 북벽, 기린강묘, 남양한화상석박물관, 필자 촬영

제4장 | 위진 벽화묘의 분포와 연원

도 1 《묘주도》, 남, 서, 동벽, 영수사묘(서영대,『中國 遼陽地域의 壁畵古墳』, 백산자료원, 2017)

도 2 《궐루도》, 후랑 동벽(상), 《묘주연음도》, 후이실 후벽과 좌벽(하), 북원 1호묘(徐光冀,『中國出土壁畵全集-遼寧, 吉林, 黑龍江』, 科學出版社, 2011, 도 16)

도 3 《문졸도》, 북원 3호묘(遼陽博物館 圖錄)

도 4 《운기문 천상도》, 전랑 천장, 봉대자 1호묘(遼陽博物館 圖錄)

도 5 《거기도》, 좌이실 좌벽(좌), 《묘주도》, 우이실 우벽(우), 봉대자 2호묘(徐光冀,『中國出土壁畵全集-遼寧, 吉林, 黑龍江』, 科學出版社, 2011, 도 7, 10)

도 6 《부부대좌도》, 우이실 후벽, 삼도호 1호묘(徐光冀,『中國出土壁畵全集-遼寧, 吉林, 黑龍江』, 科學出版社, 2011, 도 14)

도 7 《묘주부부도》, 좌이실, 삼도호요업제4현장묘(遼陽博物館 圖錄)

도 8 《묘주도》, 전실 우이실 서벽, 삼도호 3호묘(遼陽博物館 圖錄)

도 9 《묘주연음도》(우이실)(좌), 《거기출행도》(좌이실)(우), 상왕가촌묘(李慶發, 「遼陽上王家村晋代壁畵墓清理簡報」『文物』1959年 7期)

도 10 《지경도》, 전실 좌이실 정벽, 아방 1호묘(遼陽博物館 圖錄)

도 11 《문졸도》(상), 《행렬도》(하), 동문리묘(遼陽博物館 圖錄)

도 12 《묘주부부연음도》, 북이실 서벽(상), 《속리주사도》, 북이실 북벽(하), 남교가묘(徐光冀,『中國出土壁畵全集-遼寧, 吉林, 黑龍江』, 科學出版社, 2011, 도 3, 4)

도 13 《위치도와 구조도》(상), 《연거도와 건마도》(하), 하동신성묘(李龍彬, 馬鑫, 「新發現的遼陽河東新城東漢壁畵墓」『東北史地』2016年 第1期)

도 14 《기년 묵서 문자와 석각 도안》(좌), 《문리도》(우), 묘포 2호묘(李海波, 劉潼, 徐沂蒙, 「遼陽苗圃漢魏墓地紀年墓葬」『北方民族考古』, 2015年 2集)

도 15 《묘주도》(좌), 《출렵도》(우), 원대자 1호묘(徐光冀,『中國出土壁畵全集- -遼寧, 吉林, 黑龍

찾아보기

Han Tang Murals of China

Ah-Rim Park

(Professor, Sookmyung Women's University)

Abstract

Ⅰ. Funerary Paintings in the Warring States Period

In the study of Koguryo wall paintings, the stylistic features and the composition of painting subjects are important to understand the development and periodization of Koguryo tomb paintings. Funerary arts of China from the Han, the Northern and Southern Dynasties, and the Sui Tang provide comparable sources in understanding the evolution and transmission of Koguryo wall paintings. Han funerary art consisting of more than 199 painted tombs and thousands of tomb relief sculptures excavated to date is said to have established the foundation of East Asian funerary art. If one traces the origin of Han funerary art, interestingly, not only the pictorial arts from the Central Plain region but also those from the Chu kingdom in the southern China exerted great influence on the formation of early Han funerary art, which is represented by the silk paintings from the Mawangdui Tomb No. 1. The formative and pictorial imagination of Chu Kingdom art was well expressed in the paintings from the Chu tombs during the Warring States period and it made a tremendous contribution to the development of Chinese painting and calligraphy. In the first chapter, the author examined major painting examples from the Chu Kingdom in terms of the iconography and composition of the major subject matters. The multi-layered composition, the worship of hybrid creatures, and the use of animal medium(like a bird, a snake and a dragon) to help the deceased ascend to heaven well reflect the belief and afterlife view of the Chu people. Those characteristics of the iconography and composition of subjects of the Chu tomb arts made great impact on the establishment of Han funerary art. In addition, the systematic iconography of the multi-layered afterlife view of the Chu art provide us with interesting comparative examples to study the representation of heavenly realm.

II. Distribution and Evolution of Han Mural Tombs

In this chapter, the historiography of Han mural tombs was addressed and about 100 Han mural tombs have been examined according to the temporal evolution and geographical distribution. Starting from banner paintings on silk and lacquer paintings on coffins of the Mawangdui tombs, it followed the development of Han mural tombs in the hollow brick tombs and the small brick tombs in Henan, Hebei, and Shaanxi in the Western Han. From the Eastern Han, mural tombs dispersed to the northeast and the northwest regions with daily life scenes and mythological motifs. Each important Han mural tomb exhibits the most significant subject matters and the pictorial programs which would be followed by later funerary art in China.

In the last part of the chapter, it paid an attention on the wall painting tombs in the Northern Shaanxi and the Inner Mongolia in the Eastern Han period. Since the Liaoyang mural tombs were discovered in 1920s, about one hundred Han dynasty tomb murals have been excavated in Shaanxi, Henan, and Hebei. In the evolution of Han tomb murals, the northern region connecting the northeast, north, and Hexi regions became the major location of the construction of mural tombs. Those northern region tombs shared similar subject matters and also showed regional differences in the distribution and dissemination of tomb mural culture.

Especially, those in the northern Shaanxi province and the Inner Mongolia autonomous province which have been recently introduced and excavated would be important sources to determine the origin of Koguryo tomb murals. The development process of a tomb structure and a pictorial program of a mural tomb in the Northern Shaanxi and the Inner Mongolia are significant in finding out the establishment of the characteristics of Koguryo murals.

III. Regional Characteristics of Han Dynasty Relief Sculptures

Pictorial stone 畫像石, is the term used to describe the tomb stone slabs with figures in low relief instead of paintings. Pictorial stones constitute the bulk of the Eastern Han figural art known today. The relief style in Shandong in the north-east tends to be stereotyped and formal, while that in Sichuan in the south-west often shows much more freedom. In Henan, between these two provinces, there is a mixture of the formal and very free and vigorous style, the latter being concentrated around Nanyang 南陽 in the south-west part of the province. Unlike the well-known pictorial stones in Shandong and Sichuan, the decorated bricks and stone slabs in Henan, especially Nanyang, are perhaps less known. This chapter attempts the study of regional styles through the examinations of the distinctive aspects of Han reliefs from Nanyang. It also enables us to discern the possible regional sources and cultural exchanges which might have affected on the evolution of Koguryo tomb murals.

Relief sculptures excavated from Nanyang region in Henan are good examples showing the early stage of the evolution of Han relief sculptures. Nanyang Han tombs have been destroyed and robbed since the end of the Eastern Han, and from the Three Kingdoms and Wei-Jin periods, people reused Nanyang Han relief sculptures when they built later tombs.

This chapter examines the Qilingang Tomb, Nanyang, Henan in order to determine the characteristics of a tomb structure and major subject matters. Subjects dealing with auspicious symbols and mythological animals and figures associated with heavenly world are major subjects decorating the walls and the ceilings. There is a certain rule in the placement of subject matters. A ceiling part contains cosmological and mythical subject matters, especially the complete representation of five elements in Daoism including the Taiyi. Secondly, the tomb contains the portrait of a tomb occupant which shows a highly developed style in Eastern Han in the tradition of figure paintings since Warring States period and foreshadow paintings by Gu Kaizhi in Eastern Jin. Through examining Qilingang tomb, one could understand the developing process of mythological subjects and human figure paintings from pre-Han to Eastern Han period which influenced on the formation of Koguryo wall paintings.

IV. Evolution and Provenance of Wei-Jin Mural Tombs

Mural tombs of the Wei-Jin period in China are important comparable research materials for origin, evolution, and stylistic analysis of early Koguryo tomb murals. Especially, those in the Liaoning region have been received scholarly attentions since their excavations for the geographical closeness. However, Liaoning murals could not be the single source for the beginning of Koguryo murals if one considers diverse characteristics of Koguryo murals different from Liaoning murals. On the other hand, mural tombs in the Gansu region were often mentioned for their similarities in tomb structures and mural subjects to those of Koguryo.

In this chapter, the author traced the origin of the Wei-Jin mural tombs in the Liaoning and Gansu regions back to the Han dynasty in the attempt to find out the process of the transmission of mural culture. In the Western Han to the early Eastern Han, painted tombs appeared in the Central Plains and the Guanzhong region. They showed the daily life scenes and the ideology of ascending heaven with the aid of auspicious animals and immortals.

In the late Eastern Han, murals in the two regions exhibited wide ranges of interactions with other regions of the Han dynasty. It appears that not only the Central Plains region but also the Guanzhong region and the northern region played an interesting role in the transmission of mural culture to the Hexi and Liaoning regions. By the late Eastern Han, tomb mural cultures became flourished along the northern region including Hexi, northern Shaanxi, Shanxi, Inner Mongolia, and Liaoning. It seems that through this kind of cultural band sharing similar funerary painting subjects and styles as well as structures, the distribution of funerary arts to the northwest and northeast regions in the Wei-Jin period must have been facilitated. It eventually contributed to the birth of Koguryo tomb murals which appeared to be an interesting mixture of varied cultures from those of the Han to the Wei-Jin.

V. Distribution and Characteristics of Mural Tombs in the Northern and Southern Dynasties

In the development of East Asian funerary art, the period of the Northern Wei during the 5th century had not been received full attention due to the fact that only few funerary paintings have been excavated until 1980s. Tombs at Northern Wei capital Pingcheng have been known for the lacquer painting of the Sima Jinlong Tomb and the lacquer painted coffin of the Northern Wei Tomb at Guyuan, Ningxia. However, new discoveries of funerary paintings from the Northern Wei since 1990s yielded new perspective on the early funerary art of Tuoba Xianbei, and also the possible relationships with Koguryo murals. The study on Northern Wei funerary art has been intensified since 2005 when they discovered the Shaling mural tomb at Datong, Shanxi. After then, almost each year, Datong region yielded an important Northern Wei painting tomb which gives a vibrant insight into the funerary art and afterlife view of the 5th century Northern China.

The fifth century in the evolution of East Asian funerary paintings could be the pivotal period in that after the 5th century and by the 6th century, Koguryo and Chinese tomb murals were diversified from the former tradition. This chapter addressed what aspects of funerary paintings from the 5th century made an impact on such divergence, and also tried to determine the possible influences and interactions with each other. It first introduced recently discovered funerary paintings from the Northern Wei, especially during the time when the Northern Wei had its capital in Pingcheng(today's Datong, Shanxi). Newly excavated funerary paintings of the fifth century of the Northern Wei reveals that it was the period of extensive interactions and movements of people and cultures including funerary arts throughout the wide range of areas from Hexi to Liaodong, and that Koguryo might have actively participated in these mutual interactions as a possible transmitter of mural traditions to Xianbei.

This chapter looked at the major Northern Wei tombs in the Datong region in terms of a tomb structure and painting subjects including paintings on a chamber wall, a stone sarcophagus, a wooden coffin, and a stone house shaped structure found inside a tomb. Then the evolution of the Northern Wei tombs is divided into three phases and the chapter examined the representative cases showing the movement of a pictorial scheme to a surface of a funerary furniture or burial object. Finally, as of the appearance of a house shaped stone or wooden structure of a Northern Wei tomb, the chapter suggests that the closest precedents can be found in the Gansu, Ningxia, and Inner Mongolia region tombs from the Wei-Jin and the Sixteen Kingdoms period.

VI. Subjects and Transition of Wall Paintings in Sui-Tang Tombs

This chapter first gives the introduction to the excavations and the historiography of Sui-Tang period Mural tombs and explain the rank system applied to those Sui-Tang mural tombs. In the next, it discusses the Sui dynasty tomb at Shuicun, Tongguan, Shaanxi in China as the case study of the Sui dynasty funerary art. The Shuicun tomb has a long entrance-way painted with a procession scene consisting of six groups of imperial guards, which can be compared with those of the Northern Qi tombs and of the Tang tombs. As most paintings inside a tomb chamber were destroyed, it is difficult to discern the subject of a painting of the chamber. Only remains of paintings of a wooden architecture and a female are recognizable. The ceiling of the chamber shows the running galaxy and the constellations. Instead of wall painting, the tomb chamber yielded an elaborately decorated stone coffin, wide in the front and narrow in the back, a typical shape of a Xianbei style coffin. The front and the back sides of the coffin have a painting of the Black Warriors and the Red Birds. The left and the right sides have a painting of ascending to heaven of a male occupant and a female occupant riding on a carriage and led and followed by heavenly beings. The most impressive carving is found on the cover of the coffin where the continuous lozenge patterns contain an auspicious animal, a lotus flower and a jewel.

This tomb inherited structural features both from the Northern Zhou and the Northern Qi as well as painting subject matters and the type of a stone coffin from the Northern Wei and the Northern Zhou. Especially, the stone coffin which is decorated with various motifs from the Daoism, the Buddhism, and even from Central Asia show the embodiment of the afterlife view and ideology that were incorporated all into one stone coffin by the Sui dynasty.

The last part of the chapter deals with the case study of the Sui-Tang tombs in Ningxia. Tang mural tombs which have been excavated since 1950s are mostly distributed in the Guanzhong region of the Shaanxi province where the royal family and the nobility as well as the high officials of the Tang capital resided. In addition, Taiyuan in Shanxi, Guyuan in Ningxia, and Turfan in Xinjiang are also the major locations where Tang mural tombs have been discovered.

The author chose the Tang tombs in Guyuan and Yanchi, Ningxia as the rare case study of the Sogdian burials during the Sui-Tang period. The Shi family tombs in Guyuan and the He family tombs in Yanchi shed a light on the understanding the unique features of architecture, burial artifacts, and funerary practices of the Sogdian descendants in the 7th century showing the cultural acculturation of that region.